INTRODUCCIÓN A UNA HISTORIA DE LA
NOVELA EN ESPAÑA, EN EL SIGLO DIECINUEVE

BIBLIOTECA DE ERUDICIÓN Y CRÍTICA

DIRIGIDA POR DON ANTONIO RODRÍGUEZ-MOÑINO

I

INTRODUCCIÓN A UNA HISTORIA DE LA NOVELA EN ESPAÑA, EN EL SIGLO DIECINUEVE

Por JOSÉ F. MONTESINOS

Universidad de California

JOSE F. MONTESINOS

INTRODUCCIÓN A UNA HISTORIA DE LA NOVELA

EN ESPAÑA, EN EL SIGLO XIX

SEGUIDA DEL
ESBOZO DE UNA BIBLIOGRAFÍA ESPAÑOLA
DE TRADUCCIONES DE NOVELAS
(1800-1850)

SEGUNDA EDICIÓN, CORREGIDA

EDITORIAL CASTALIA
MADRID

© José F. Montesinos, 1966.
Editorial Castalia. Zurbano, 39. Madrid. España

PRINTED IN SPAIN

DEPÓSITO LEGAL: V. 2.829 - 1966

Artes Gráficas Soler, S. A. Jávea, 30. Valencia (8)

A LA MEMORIA

DE

ÁNGEL DEL RÍO

PRÓLOGO

Las siguientes páginas fueron escritas para dar comienzo a una historia de la novela española moderna. Ocurrió que los trozos a que pude dar cima cobraron tan disparatadas proporciones, que la obra total, demasiado ambiciosa de todos modos, como se dirá luego, hubiera sido de logro imposible. Además, con frecuencia lo ya hecho parecía contradecir el primer propósito. Hubiera yo querido explicar, del modo más completo y más claro posible, cómo y por qué la novela, de tan menguada tradición, tan desatendida en sus titubeantes comienzos, pasatiempo de damas ociosas o de petimetres sin más ocupación que las novelas o las damas noveleras, llega a ser la expresión misma del siglo XIX. *Trataba de explicar también por qué la novela, invención española, tuvo, en sus formas más modernas, tan tardío advenimiento entre nosotros. (Nuestro tiempo fluye tan de prisa que no nos hacemos cargo de que muchas de las vejeces de que esa historia habría de ocuparse son de ayer, que cualquier nonagenario memorioso podría contarnos cómo vio aparecer en los escaparates de las librerías* Pepita Jiménez *o* El escándalo; *que entre esas novelas y las primeras de Baroja media un lapso de veinticinco años, y que cualquier lector, a fines del siglo, pudo saborear* Paz en la guerra *o* Femeninas *cuando aun era una novedad lo mejor de Galdós.) La atracción que el tema ejercía sobre mí se explica por dos razones. Primeramente, parecía claro que la novela del siglo pasado, género predominante por más de una centuria, había de ser la clave que nos franquease la comprensión de los fenómenos más salientes y reveladores de la época —como el teatro del siglo* XVII *es clave de la España de Lope—. Luego, desde un punto de vista metódico, adentrarse en la exploración de aquella selva prometía ser sobremanera aleccionador: el hacerlo nos lanzaba a cada momento una incitación a rehacer la historia literaria como lo que debe ser si quiere ser «histórica», y no una indigesta mescolanza de especies inconexas: una sociología literaria atenta a las ansias y a las ideas del creador, a los intereses de empresa, a la reacción de vastas masas de lectores. (No podría tampoco darse una historia*

de nuestro viejo teatro que no conjugase en cada instante los impulsos poé-
ticos de Lope, las posibilidades de sus actores y las exigencias de su público.)
Hay otros muchos modos de aproximarse a la creación artística; puede con-
cebirse una contemplación estética, abstracta como la matemática, que aisle
la obra y la examine, por decirlo así, en el vacío. Pero los análisis de este
orden que puedan intentarse, por valiosos que sean, nunca serán historia,
como nada tiene que ver con la historia nuestra aceptación o nuestra repulsa
de tal o cual libro, la emoción que pueda sobrecogernos en la contemplación de
un grupo de palabras engarzadas como gemas en un joyel. Contemplación
y emoción son cosas antihistóricas cuando se dan en voluntario aislamiento,
cuando responden al propósito deliberado del que disfruta o analiza y no
son, como en el caso del público, fruición espontánea, aspecto de una reac-
ción unánime cuyas causas rebasan o quedan más acá de los principios y
deducciones de aquella Crítica de la Belleza Pura. (La cual, como todo cuan-
to se da en la vida humana, es también histórica, pero de otra manera. El
objeto histórico es ahora el crítico que «deshistoriza» la obra que examina.)

Siento tener que añadir aquí una serie de perogrulladas terribles, y en
lenguaje llano y corriente que no las disimula. Se trata de algunas de esas
cosas, olvidadas de puro sabidas, que tanto dieron que hacer a Unamuno.
Siento hablar de ellas, pero es preciso.

La historia nos dice que apenas ha habido novela digna de este nombre
hasta el advenimiento de la burguesía al rango de clase directora y el des-
pertar de lo que se ha llamado el «gran público». Cuando con anterioridad
una obra eminente —el del Quijote *es el caso ejemplar, y aún podrían adu-*
cirse ciertos libros picarescos o de tradición picaresca, de dentro y fuera de
España— logra una difusión extraordinaria, examinando el fenómeno podría-
mos determinar sin esfuerzo ese éxito como un éxito burgués, precursor de
los cambios políticos que transforman la estructura de Europa a fines del
siglo XVIII. *Un poema puede ser un regalo para pocos amigos; una novela*
no tiene sentido si no se la destina a un vasto público. La historia literaria
al uso nos tiene acostumbrados a fantasear Robinsones poéticos, aislados y
nostálgicos, disparando sus odas contra las estrellas, pero esos mismos trata-
distas no imaginarían, si fuesen capaces de imaginar algo, un novelista soli-
tario, escribiendo para sí mismo. Hubo, es cierto, un género de novelita
de salón, gozo de muy restringido público, que pasó con el antiguo régimen,
pero nadie podría confundirla con la novela de buenos logros y de anchas
alas. La novela es un género destinado a un público, y cuando ese público
no existe, no hay novela. Entre otras cosas porque entre el creador y su

público ha de existir siempre un intermediario —impresor, editor— que sólo surge cuando posibilidades de lucro lo acucian. Ya a propósito del siglo XVI y de las no muy frecuentes ni muy logradas tentativas de adaptar entre nosotros las novelitas italianas, notó Menéndez Pelayo cómo fueron muchas veces los impresores mismos los que acometieron la tarea de traducir lo que aún no existía en castellano: trataban de inventar la función para justificar el órgano, bien activo fuera de Castilla. Más tarde ocurrirá más bien lo contrario. De todos modos, no hay novela sin editor y no hay editor sin público. Sin la consideración atenta de este triángulo: autor, editor, público, es imposible hacer una historia de la novela en cualquier país de Europa o del mundo. (Las circunstancias de nuestros tiempos podrían hacernos comprender este fenómeno mucho mejor, pues nos lo dan ampliado como por una lupa. El novelista bajado del cielo no conseguiría en los Estados Unidos, por ejemplo, colocar una novela a editor alguno si éste, que dispone de medios prodigiosos para sondear las corrientes del mercado, no puede prometerse una venta rápida de diez o quince mil ejemplares. Los Robinsones del arte pueden, si pueden, publicar un poema en cien ejemplares, que pagarán de su peculio, si lo tienen y les place. Nadie escribiría una novela para que la leyeran los amigos. Recurriendo al paralelo forzoso del teatro antiguo —no hablemos del moderno, mucho más caro de montar— llegaríamos a las mismas conclusiones. ¿Quién hubiera escrito una comedia para unos cuantos íntimos? Comedia es público; novela, también; por lo que la inspiración libre, la irresponsabilidad creadora están siempre sofrenadas por mil consideraciones de orden práctico. Y por ello mismo ocurre el otro fenómeno contrario: que se escriban novelas, no en obediencia a un estímulo elemental irreprimible, sino porque se sabe de una apetencia previa, de la que se espera una lucrativa gratitud.) Como en todo fenómeno histórico, tratándose de novelas obtenemos también esta fórmula: el pleno logro artístico y el éxito siguen la diagonal de un paralelogramo cuyos lados son las apetencias del público y el poder creador del novelista. Luego nosotros, particularmente, podemos juzgar que ésta o la otra novela es admirable por éstas o las otras razones, y rechazar aquélla, famosa otrora; es nuestro derecho inalienable, pero eso ya no es la historia de la novela, sino muy marginalmente; es, sobre todo, un signo de nuestro propio destino histórico.

La patética historia de la introducción de la novela moderna entre nosotros, sin intervención casi nunca del genio literario español, cohibido, desganado o despistado, era un caso ejemplar en que poner en ejercicio esa concepción de una historia literaria que fuese una sociología literaria, sa-

biendo conjugar aquellos tres factores, tal vez cooperantes, tal vez en pugna. Pero era aún de mayor interés hacerse cargo de cómo dos de ellos —inhibición de los mejores, hostilidad del público contra cierto tipo de libros— hicieron imposible un precoz advenimiento de la novela española; que los mejor dotados entre nuestros hombres de letras consideraron esa forma de fabulación como una fruslería indigna de las Musas —se caminaba a la gloria por las sendas de la poesía lírica, épica o dramática, y sólo por ellas—, y que el público, a su vez, no hallaba el escape deseado en libros que le describiesen circunstancias españolas que hallaba triviales y sin interés. No hay que perder de vista que nuestro primer costumbrismo —con sus entronques en el siglo XVIII— fue predominantemente irónico o satírico. La plena realidad española no parecía materia de arte. El costumbrismo, en todas sus épocas, fue letal a nuestra novela (aun en los tiempos más tardíos en que se incorporó a ella), pues nos impuso esa funesta discriminación entre lo que se diputaba español y no español que durante decenios frustró muy buenos propósitos. Se leía, con la sonrisa en los labios, tal o cual escena de Mesonero para ir a buscar recuerdos de una vida más plena en las páginas de Balzac. Si alguien hubiera intentado repetir en España la lección de Balzac se hubiera visto incurso en anatema de no españolidad. Y como se protestaba ya contra la «España de pandereta», y repetir Carmen *era también algo vitando, y apenas quedaba nada atractivo entre una cosa y otra, el pobre novelista español, raramente de brillantes luces, no sabía qué partido tomar. Por ello se obstinaban en escribir novelas los menos dotados, los que de todos modos sabían que Dios no les llamaba por los caminos de Tasso, de Milton o de Goethe, ni aun siquiera a poner fin a* El Diablo Mundo *—empresa igualmente difícil, aunque entonces no lo pareciera.*

En esa historia de la novela que yo pensaba hacer, trataba de explicar por este juego de fuerzas, cómo en un principio sólo pudo haber traducciones de novelas extranjeras buenas, malas o pésimas —las novelas como las traducciones— o paupérrimas imitaciones. Cualquiera que ojee la bibliografía de R. F. Brown, La novela en España *(Madrid, 1953) y le compare nuestro índice de traductores, hallará que muchísimas veces los mismos hombres hubieron de cumplir ambos menesteres, componer y traducir, y que tal vez su fracaso en uno les llevó a darse con desgana y desidia al otro. Las «novelas originales» solían resultar tan claras en su intención imitativa que a nadie podía ocultársele, y nadie iba a preferir la copia al modelo. El chaparrón de traducciones que necesariamente se produjo cerraba casi toda posibilidad de éxito literario y de éxito económico a las «novelas originales». Hubo un momento en que pudo pensarse en un desquite. La novela histórica permitía explotar literariamente el pasado español, tan dramático y tan poético. Trueba y Cossío hizo lo más digno: darlo a conocer fuera de España, y obtuvo un moderado éxito porque no lo merecía mayor. Pero la novela histórica española fracasó porque, salvo Larra, nadie que la abordó entre nosotros supo lo que hacía; Larra mismo se dio más a contar la historia de su corazón que la historia de Castilla, y aun así, y aun tratándose del siglo XV, el lector romántico español prefirió Escocia a Castilla. El escapismo romántico probó ser más consecuente cuando se trataba de espacios que de tiempos, y, si en ocasiones aceptó en el teatro y en la leyenda versificada temas españoles, le interesaron poco en la novela. ¡Imagínese la suerte de las historias contemporáneas! (Nunca podrán admirarse bastante estos espejismos de la edad romántica. Nuestro país, ejemplarmente romántico para las gentes de afuera, lleno de vigorosos y pintorescos modos de vivir regionales, tan exóticos a los ojos de Madrid cuanto pudieran serlo las costumbres de la China, y que hasta 1850 había pasado por la Guerra de la Independencia, dos violentas convulsiones políticas, llenas de conspiraciones, intrigas, venganzas, cárceles, destierros y patíbulos; una guerra civil porfiada y sangrienta si las hubo, amén del trastorno que suponía el inevitable tránsito a nuevas formas de vida: este país ¡no daba materia novelesca! ¡Lo novelesco no se daba fuera de Escocia o de París!) Muchos temas derivados de aquella dramática vida española pasaron, en efecto, a la novela, pero tratados por mediocres las obras resultantes no podían ser buenas, y no lo fueron, lo que no quita que merezcan hoy sobremanera nuestra atención por lo que muchas veces tienen de «episodio nacional» abortado. Mucho de la primitiva novela española —nos referimos siempre a la del período que aquí nos interesa— se nos aparece hoy como un desorientado tantear las posibilidades de «episodio nacional» que deparaban tantos aspectos de la vida española, y nadie que estudie seriamente a Galdós podrá dejar de tenerlo en cuenta, por mediocres que puedan parecer los resultados y por inverosímil que sea el que Galdós los conociese. Lo mejor que en este sentido se hizo fue tal vez obra de refugiados políticos que, fuera de España, trataron de interesar a un público tan deseoso de eludir sus realidades como el nuestro las suyas, y que podía acoger con interés todo dramático testimonio de la vida española. Apenas hay paridad entre las obras españolas que de principios del siglo conozco y aquellos novelones de Valentín Llanos Gutiérrez, el cuñado «póstumo» de Keats (y lo digo así porque cuando contrajo nupcias con la hermana del poeta éste había muerto ya) Don*

Esteban *(1825)* o Sandoval, or the Freemason *(1826)*, *libros que el destierro explicaba, ampliamente autobiográficos, llenos de recuerdos de sucesos recientes que se leen en ocasiones —los capítulos sobre las guerrillas españolas en el primero de ellos, por ejemplo— como una anticipación de Galdós y aun de Baroja. Son novelas hechas con poca experiencia del oficio, difusas con frecuencia, y como dedicadas a extranjeros, abundan en explicaciones pesadas y fuera de proporción, pero ello mismo indica cómo la vida española y profundas vivencias del autor, cobraban fuera un valor que nadie hubiera sabido darles en la patria. En más alto plano, pues la figura es de otra calidad, lo mismo podría decirse de algunos escritos costumbristas: casi nada de lo publicado entre nosotros puede compararse a ciertas páginas de Blanco-White, escritas en inglés y para ingleses.*

Más extraordinario es que, habiendo sido tan movida y dramática la vida de muchos de nuestros escritores románticos —de casi todos ellos se puede decir que la vida es mucho más interesante que la obra— no les diera asunto para novelas de aquellas tan gratas al primer romanticismo europeo, y aun al prerromanticismo, buceos en la propia intimidad, testimonio escrito de ensueños y desengaños, aspiraciones y frustraciones. Lo que tenemos llega siempre a destiempo. No se hubiera olvidado tan completamente De Villahermosa a la China, *de N. Pastor Díaz, si hubiera aparecido entre* René y Volupté, *pero cuando salió en volumen (1858) la versión completa (¡un año después de* Madame Bovary!) *era un completo anacronismo, condenado a un frío* succès *d'estime, porque el autor era quien era. Se tiene a veces la impresión de que aquellos hombres gustan de burlarse de la cronología. Todo va a contrapelo. Sólo Fernán Caballero, entre las gentes de aquella generación, supo lo que quería y podía hacer, y si deslució en gran medida sus talentos de novelista fue por motivos ajenos al arte. Pero tampoco su caso es del todo excepcional. Cuando en 1849 aparece lo más sorprendente de su obra, muchos lectores avisados no podían ya darse a la plena fruición de una historia estrictamente «contemporánea»; entre las peores rémoras de Fernán Caballero no era la menos recia una convicción romántica que ya databa. También sus libros, si se hubieran publicado cuando fueron compuestos, nos aparecerían con un brillo que ya no tienen, sean cuales sean sus otras excelencias.*

Las circunstancias que desfavorecieron un tempestivo desarrollo de la novela española han contribuido también, más tarde, a su descrédito. En este punto la injusticia ha sido patente, sobre todo de parte de la crítica extranjera, muy dada a mirar de reojo todo lo que no entiende y a exigir del genio español lo que no puede dar, con extraños olvidos de lo que sabe dar y da. Son poquísimas las naciones modernas que han contribuido de un modo brillante a los progresos de la novela; cronológicamente, España ha ido a la zaga, pero superado el primer provincianismo, no en la calidad, y no se encuentran a cada triquitraque por esas literaturas de Dios cosas como lo mejor de Galdós, y aun de Clarín o la Pardo Bazán, para no recordar otros nombres más en la memoria de todos. Lo más logrado, absolutamente, de nuestra literatura del siglo anterior, en el campo de la novela se encuentra, frente a la cual las cimas de la lírica o del teatro no parecen sorprendentes por su altitud, con pocas excepciones. Ha ocurrido que, país de realizaciones tardías, según la certera fórmula de Menéndez Pidal, España consigue sus mejores creaciones novelescas en el momento en que se inicia en toda Europa, sin que nosotros seamos esta vez excepción, el cansancio de esa gran novela, orgullo del siglo XIX. A algunas de las mejores, entre las escritas en España, les perjudica nuevamente su fecha de aparición. Fortunata y Jacinta o Angel Guerra se publican cuando apenas era ya posible hacer nada parecido en ningún país de Europa. Y es que Galdós, para llegar a esas alturas, había tenido que rehacer por sí mismo la experiencia de su nación y de su siglo, penetrarse de las mejores esencias artísticas del mundo, fundirlo todo en el crisol de la gran tradición cervantina, y excederla según el uso de los tiempos. Ello le costó treinta años de trabajo, y llegó con logros prodigiosos cuando una crítica tan avisada que oía crecer la hierba empezaba a mirarlos como un nuevo descubrimiento del Mediterráneo. Pero ahí están esos libros, cada día más «vigentes». Porque durante un cierto tiempo, las novelas u otros libros cualesquiera se hacen valer por lo que representan dentro de su género, llevados por una corriente histórica, exponentes de gustos generales. Hasta que un día perece y cae en polvo cuanto los rodeaba. Entonces quedan solos, y ya podemos dedicarnos a contemplarlos en aislamiento, a hacer de su autor un Robinsón del arte, componiendo en soledad, para sí y las estrellas.

* * *

La exposición de estos fenómenos iba a ser mi principal propósito en esa historia de la novela que, mucho me lo temo, nunca podré terminar. Requeriría peregrinaciones interminables por todas las bibliotecas del mundo, inclusas muchas particulares, en busca de mil novelitas fallidas, cuyo valor documental no podría escatimarse, al menos de antemano. Una ojeada a la bibliografía de Brown permitirá ver cuántas dificultades depara el localizar ejemplares de una buena parte de las novelas publicadas en la primera mitad del siglo. Por ganar tiempo, me puse a la tarea más fácil, al estudio de la obra de los novelistas mejor conocidos, y resultaron varios capítulos que, publicados como se hicieron, parecían contradecir el plan inicial. Parecía tratarse otra vez de historia literaria considerada como una última consagración —o como un regateo— de los méritos de ciertas figuras. Esos capítulos, disjecta membra de un conjunto que ni siquiera permiten discernir, pueden tener quizá cierto valor como estudios aislados —si no otro, tienen el de ser muy de primera mano— y he decidido darlos sueltos por si pueden interesar a alguien. Hace ya tiempo que andan por esas imprentas un Alarcón —fragmentario— y un Valera que espero ver pronto de molde, y aun seguirán, si las dificultades no se muestran insuperables, un Fernán Caballero y un Pereda que no creo inferiores a los estudios sobre estos autores que conozco. Lo que mejor respondía a mi primer plan era esta Introducción que los lectores tienen ahora en las manos, en la que quise desplegar, como en una especie de obertura, los temas que hubiera desarrollado la obra de conjunto. Poca cosa es, pues las circunstancias no le han sido favorables, y desde su comienzo ha corrido incontables aventuras. Quizá por eso siento por ella una especial ternura, pues me ha acompañado en los años más azarosos de mi vida. Comenzada en Francia en condiciones inenarrables, añadida y corregida y rehecha mil veces en América, se resiente, sin duda, de la irregularidad de su preparación siempre a salto de mata, del mucho tiempo que ha corrido por ella, de las mil dificultades que se han interpuesto entre mis deseos o necesidades y el cumplimiento o satisfacción de unos y otras. Aparece con toda modestia. Nadie más consciente que yo de sus defectos. Está hecha con muy limitados medios, pocos libros a la vista, y libros no muy de fiar. Basada en una bibliografía sobremanera insegura, muchas de las fechas que señala a la adquisición para el público español de grandes novelas extranjeras habrán de ser rectificadas tal vez. Al darla a luz me propongo algo que no es frecuente en autores de libros de este jaez: pedir la ayuda de los mejor enterados, mostrándoles, con lo que aún queda por hacer, cuán útil puede sernos su cooperación. Apenas habrá página en este ensayo que no requiera más amplia documentación que la complete, corrobore o invalide. La confesión de mis faltas quisiera ser una excitación a la generosidad de los que son, o pueden ser, más ricos que yo.

Una parte de este ensayo, lo referente a la difusión de la obra de Balzac, con algunos datos más que aquí no pudieron tener cabida, vio la luz en 1950. (Notas sueltas sobre la fortuna de Balzac en España, «Revue de Littérature comparée», XXIV, páginas 309-338). *El artículo que con el título deliberadamente equívoco de* Cervantes antinovelista *publicó la* «Nueva Revista de Filología Hispánica» (1953, VII, Homenaje a Amado Alonso, págs. 499-514) *es simplemente un extracto de la primera parte de esta* Introducción, *la referente a la desvaloración y revaloración de la novela en los siglos* XVIII *y* XIX.

JOSÉ F. MONTESINOS

Bennington, agosto de 1954.

NOTA A ESTA SEGUNDA EDICIÓN

No esperaba yo ver este libro otra vez de molde, al menos no en tan poco tiempo como el trascurrido desde la primera edición. Libros como el presente son por fuerza de lentísimo despacho, pues se dirigen a una muy parva minoría, que, además, suele confiarse en los servicios de las bibliotecas públicas, cada vez más eficaces. Quizá se deba a éstas en gran parte el relativo éxito del libro. Porque de una gran difusión no creo poder envanecerme. Jamás trabajo alguno, entre los muchos que llevo publicados, cayó en tan desconsolador vacío, si he de juzgar por la acogida que las revistas profesionales le han dispensado: ni una reseña, ni siquiera una gacetilla. Se ha dado hasta la paradoja de que las escasas críticas —no poco halagüeñas— que he llegado a ver procedieran de periódicos diarios, tan poco dados, en general, a ocuparse de obras de pura erudición. Y es que con las revistas eruditas va ocurriendo cada día con mayor frecuencia que los libros no se comenten si algún colaborador no halla ocasión de lucirse a costa de ellos, y el aportar algo a la elucidación de los problemas parece interesar mucho menos. Y de todos modos, se publica demasiado.

Con reseñas de alguna manera cooperativas contaba yo para que, si alguna vez se reimprimiese el libro, la segunda edición se recomendara por la importancia de sus novedades. Lo que de nuevo aduzco no es gran cosa, y mi conocimiento de ello no se debe a reseñas ni revistas, sino a un venturoso azar. Por mi amigo don Vicente Lloréns me enteré de la existencia de la copiosa colección de libros románticos que en Villavieja de Nules (Castellón) y en Valencia posee don Eduardo Ranch, y desde que nos puso al habla, éste se ha desvivido por colmar algunas de las infinitas lagunas que en mi bibliografía eran patentes, remitiéndome descripciones detalladísimas de libros que no habían llegado a mi noticia, o rectificando sensibles errores. No todo lo que de él he recibido pudo tener cabida en mi obra —lo referente a las ilustraciones, por ejemplo, asunto que merecería un detenido estudio que mi incompetencia me veda emprender. *El trabajo que el señor Ranch se ha tomado por mejorar mi libro le hace merecedor de mi más viva gratitud.*

Unas pocas adiciones procedentes de catálogos de librerías anticuarias prueban, por su escasez, de qué despiadado exterminio han sido víctimas las novelas que aquí nos ocupan, extinguido el primer entusiasmo. Es el sino de la literatura popular.

Ha sido, pues, la parte bibliográfica de este libro la que mayor alteración ha experimentado —ampliación, mejor dicho, pues los cambios son muy pocos y ninguno radical. La primera parte, salvo rectificación de discrepancias con la segunda que ya se advirtieron, apenas ha sufrido más que ligeros retoques. Quizá hubiera valido la pena rehacerla a fondo, pero lo urgente era limpiarla de las impurezas que hacían notar a cada paso lo anómalo de su preparación. Ya no es probable que en vida mía vuelva a imprimirse y lo más que puedo hacer es dejar esta Introducción *lo más depurada que sea posible, dentro del plan primitivo.*

Triste como es para mí la fría acogida que han dispensado a mi libro los cofrades de la erudición, un rasgo generoso, en contraste con la general indiferencia, me compensa de ella y de todo. En la nueva edición, recién aparecida, de la Historia de la Literatura española *de mi llorado amigo Ángel del Río, se hace algo más que citarlo: mis tesis y conclusiones se incorporan a la teoría general del romanticismo español. Algún fruto han dado mis estudios; como todo esfuerzo humano, sólo han valido cuando alguien los ha hecho valer.*

JOSÉ F. MONTESINOS

Bennington, julio 1964.

I

LA DESAPARICIÓN DE LA NOVELA EN ESPAÑA

En España, país de esplendores y decaimientos igualmente imprevisibles y vertiginosos, ningún fenómeno literario hay tan sorprendente como la desaparición de la novela en el siglo XVII. No hay paridad entre ésta y las otras decadencias. Las causas pudieron ser las mismas, los efectos difirieron considerablemente, tanto por lo que afecta a España cuanto por lo que a la literatura europea se refiere. Los varios géneros literarios sucumben al enrarecimiento de la atmósfera española, pero por sorprendente que fuese que varias generaciones de epígonos sin talento estudiaran y comprendieran tan mal la obra de Góngora o la obra de Calderón, la caída de la lírica y del teatro, como la de la elocuencia sagrada y la prosa moral o historial, se reduce a una crisis estrechamente localizada, enteramente ajena a la marcha de una literatura europea que ya existe, que cada vez acentúa más ese carácter —y con la que estaba estrechamente relacionado el nombre de Cervantes—. La decadencia de la lírica y del teatro es consecuencia y corroboración del aislamiento a que se reduce España, pero en el crecimiento mismo de ambos géneros concurrieron circunstancias que habían de conducirlos necesariamente a ese aislamiento y a esa esterilidad en que acabaron. La gran lírica española del siglo XVII, tan íntimamente adscrita al genio de la lengua, nacida de experiencias idiomáticas que ningún otro país latino pudo o quiso hacer, era incomunicable, producto del terruño cuanto pudieran serlo los más ingenuos y sencillos cantos populares. Dígase lo que se quiera, los gustos barrocos de otros países en nada se parecen al culteranismo español, y allí donde España influye de verdad, no es el culteranismo, sino el conceptismo lo que transmite. A pesar de ocasionales influencias, de torpes imitaciones francesas, de informes escenarios italianos, la comedia, de tan tupida raigambre nacional, ética y religiosa, se prestaba menos a la exportación en cuanto forma artística, sobre todo a partir del momento en que los estilos cortesanos españoles pierden interés para el resto de los europeos porque España ha venido a menos y Francia está en auge. Si se utilizó la comedia fue como cantera inagotable de materiales —como nuestros dramáticos habían explotado antes los *novellieri* italianos—, necesitada siempre de ulteriores elaboraciones que la hicieran comprensible. Por ser tan hondamente nacional, el Cid castellano hubo de mostrarse en todas partes con peluca francesa —como Ayax u Orestes hubieron de adoptar el mismo atavío, por ser algo entrañablemente griego—, y así tocado, ya no podía recitar los rancios versos de los romances.

Pero el caso de la novela, de la novela cervantina, no era el mismo. La novela se le escapa a España literalmente de las manos, y es más allá de sus fronteras donde empieza a mostrar una sorprendente fecundidad. En la Península, dos enormes rémoras se oponen a sus progresos —una y otra consecuencia del aislamiento y enrarecimiento a que hemos aludido—: Preocupaciones morales que la desvirtúan y falsean, y la boga de un estilo de prosa, el menos apto para la narración y el diálogo que pueda imaginarse. En el campo de la novela corta, más cultivada que la larga en toda aquella centuria, podemos documentar a cada paso la propagación de una mortal flora parásita de moralidades, avisos, condenaciones, discreteos, figuras, ringorrangos y floripondios de todas clases. Me parece advertir otro fenómeno que no sé que haya merecido la atención de la crítica: que el interés por la realidad circundante, supeditado siempre a posibles lecciones morales, vaya atenuándose más y más, y que ello coincida con una especie de «involución» del género: los autores, olvidados de Cervantes, parecen volver los ojos a Bandello, a Giraldi Cintio, allí donde menos novelescos eran y más parecían serlo, donde se mostraban más atentos a una fabulación vertiginosa y menos al estudio de las circunstancias que los rodeaban.

Ello es que desde mediados del siglo XVII apenas hay novela española que merezca este nombre, y que pocas de las aparecidas con alguna anterioridad a ese tiempo resisten hoy la prueba de la lectura. El nombre de España no cuenta para nada en la historia de la novela durante el siglo XVIII, aunque lo mejor que la novela europea produce entonces es español de origen. El caso del P. Isla prueba ejemplarmente lo que venimos diciendo, con las dos grandes hazañas literarias de su vida: el *Fray Gerundio* y la traducción del *Gil Blas*. *Fray Gerundio*, que deja trasparecer no comunes dotes de novelista en el autor, nos revela cómo Isla no es capaz de comprender ya el alcance de la lección de Cervantes, y que para él una extensa y persistente sátira literaria es, sin más, una novela. Al mismo tiempo, un seguro instinto le está diciendo que *Gil Blas* es español. Lo era sin duda, no en cuanto producto de fantásticos robos y plagios, sino porque en él aparece triunfante la gran tradición cervantina. El esfuerzo desesperado que hacen entonces los españoles —que aún harán por muchos años— por apoderarse de *Gil Blas* es revelador de un estado de conciencia curioso. Se diría que con el libro de Le Sage tratan de suplir la falta de una novela española que entonces nadie era capaz de crear entre nosotros; *Fray Gerundio* era la mejor prueba de ello. [1]

---

[1] Ateniéndonos sólo a las ediciones de *Gil Blas,* correspondientes al período prerromántico y romántico, único que aquí nos interesa, podemos comprobar que es sin disputa el libro clásico más leído en España. He aquí las que encuentro aparecidas entre 1820 y 1840: París, con pie de imprenta de Madrid, 1821; París, Barrois, 1821; Burdeos, 1822; Madrid, Sancha, 1823; París, Rosa, 1823, 1824; Lyon, Cormon y Blanc, 1824, 1826; París, Rigoux, 1826; otra edición de París, 1826; Valencia, 1825-1827; Valencia, Monfort, 1826-1827; París, Rigoux, 1827; Madrid, M. de Burgos, 1828; Madrid, Espinosa y Bueno, 1830; Barcelona, Freixas y Mayol, 1830-1831; Barcelona, Sierra y Martí, 1831; Valencia, Faulí, 1832; Barcelona, Bergnes, 1833; París, Baudry, 1835 (reimpresa en 1838, 1843, 1850); Zaragoza, Heras, 1836; Barcelona, Viuda e hijos de Gorchs, 1836-1837; Valencia, Monfort, 1839; Madrid, Vázquez, 1840; Madrid, 1840 (ilustrada); Barcelona, Bergnes, 1840-1841. La complicada filiación de algunas de estas ediciones puede verse en el *Diccionario general de bibliografía española,* de Dionisio Hidalgo, I, Madrid, 1862, o en Palau y Dulcet, *Manual del librero hispano-americano,* Barcelona, Librería anticuaria, 1923-1927, IV, 220-221. Algunas que no figuran en esos repertorios están tomadas del *Boletín bibliográfico español y extranjero,* publicado por el mismo Hidalgo en Madrid a partir de 1843. Es posible que, como en otras ocasiones, las bibliografías dupliquen las ediciones, sobre todo extranjeras, dando unas veces el nombre del editor, otras, el del impresor. *Gil Blas,* como *Don Quijote,* es libro que se parodia con frecuencia, y alguna parodia extranjera merece los honores de la traducción, como la de Lamartelière, *Los tres Gil Blas o cinco años de travesuras,* Barcelona, Piferrer, 1837, o la de B. Picard, *El Gil Blas de la Revolución o confesiones de Lorenzo Giffard,* trad. por A. Bergnes, Barcelona, Bergnes, 1838. Las hay también indígenas, que se imprimen a favor del modelo, como *El Gil Blas del siglo XIX, cuyas aventuras comienzan con la Guerra de la Independencia...,* por D. J. F. G. G. y T., Madrid, Boix, 1845, 4 vols., 12º. Añádanse, para el mismo período, estas ediciones de *El Bachiller de Salamanca,* que los más de los editores consideraban también obra clásica española: Madrid, Ramos, 1821; París, Barrois, 1821; París, Cormon y Blanc, 1825. La mayoría de las que se hacen entonces de *El Diablo Cojuelo* son traducciones del libro de Le Sage; es el que citan siempre literatos de la cultura clásica de Mesonero —lo prueba la mención de Asmodeo—. El *Cojuelo* se imprime mucho en la primera mitad del siglo XIX: *El Observador nocturno o el Diablo Cojuelo* (de Le Sage), Madrid, Repullés, 1806; *El Diablo Cojuelo* (de Vélez), Madrid, Cano, 1812 (probablemente la de Barrois de ese mismo año con falso pie de imprenta; una y otra van adscritas a Luis Pérez [sic] de Guevara); Burdeos, Beaume, 1822 (reimpresión

Como hicieron la de Le Sage hubieran podido hacer la anexión de Fielding, la de Smollett, tan imbuídos uno y otro de novela picaresca y de novela cervantina; la gran tradición novelística inglesa había de originarse en el estudio de autores nuestros. Los españoles no sólo lo ignoraban, pero ni siquiera sabían que en aquellas tierras *Don Quijote* comenzaba a ser mejor comprendido, que se descubrían en él —¡qué lejos está esto de *Fray Gerundio!*— mundos de arte hasta entonces insospechados.

---

de la anterior y con la misma falta); París, Barrois, 1822; Perpiñán, Alzine, 1824; París, Gaultier-Laguionie, 1828; Reus, Sánchez, 1830; Barcelona, 1832; París, 1832; Madrid, Sojo y Villa, 1840; Madrid, Boix (?), 1843.

II

LOS TANTEOS DEL SIGLO XVIII

El siglo XVIII francés —y aun europeo— ofrece una curiosa serie de paradojas en lo que a la novela se refiere. Aquel género que se había aparecido a Cervantes como la mayor posibilidad de ilimitación artística, que aún pudo parecer libre a Le Sage, era mirado con ojeriza por los preceptistas, que no sabían qué hacerse con él. Desde que el neo-clasicismo intenta la hazaña imposible de injertar el racionalismo naturalista en el tronco del arte antiguo, respetando, de una manera curiosamente ilógica, lo que en el arte antiguo menos valor podía tener a los ojos de la «razón», los géneros y las categorías en que éstos se fundan, la novela, lo primero que debió ser acogido, quedaba en muy mala postura. Apenas se salvará la pastoral, asociada tradicionalmente a otros géneros «nobles». Boileau, en su *Dialogue des héros du roman* (1665) se burlará despiadadamente de las novelas a la moda, aunque en el prólogo haya una mención aparte, elogiosa, de *L'Astrée*. En la *Poética*, posterior en nueve años (1674), parece aceptar el género, sin entusiasmo, pero en términos expresos; o mejor aún, reconoce su existencia, pero es claro que sólo considera las novelas como un frívolo pasatiempo, un superficial divertimiento cortesano, casi como una advertencia de lo que el arte serio no debe ser. Aunque por razones dialécticas pueda decir ocasionalmente otras cosas. Cuando en su carta a Perrault, tomando el partido de los modernos, defiende las novelas, hablará de ellas como de poemas en prosa, probablemente con la intención discriminatoria que hemos de ver enseguida. [2]

---

[2] «Je montrerais qu'il y a des genres de poésie où non seulement les latins ne nous ont point surpassés, mais qu'ils n'ont même pas connus, comme par exemple

Porque, en general, su enemiga contra la novela, contra «les romans», es sensible. Al contrario de Lope de Vega, para quien novelas y comedias venían a ser una misma cosa, y su fin «dar gusto al pueblo, aunque se ahorque el arte»,[3] Boileau sólo habla de la novela para mostrar lo que no debe ser el teatro. (Estos pasajes condenaban el nuestro, aunque implícitamente, con mayor dureza que el ataque declarado al «coplero de allende el Pirineo».) Al burlarse de la novela en aquel opúsculo, al aludirla en éste, Boileau indica de un modo bastante claro lo que por novela entendía: Un relato de galanterías refinadas, incapaz de acoger las grandes pasiones de la tragedia; la novela que hicieron Mlle. de Scudéry o La Calprenède. La cervantina se le escapa, que Boileau fue genial en esto de no ver más allá de sus narices. Lo que aquí nos importa es notar que desde entonces la novela está ausente de la teoría del arte, cuándo condenada, cuándo tolerada a duras penas. Va adquiriendo sus derechos por la conquista de los públicos y se mantiene por el favor de las cortes, como un advenedizo afortunado.

Mientras el siglo XVIII francés, estéticamente heredero de Boileau, adopta ante la novela esta actitud ambigua, ocurre esto: que Le Sage, inspirándose en los novelistas españoles, que tanto leyó y tradujo, obtiene con el *Gil Blas* el éxito resonante que merecía, éxito europeo —extraordinariamente fecundo en resultados en la historia de la novela inglesa, por ejemplo— y que al mismo tiempo no sólo subsiste, sino que se afirma más y más el gusto de cortes y salones por las pequeñas novelitas, ejemplares a su modo, centradas en caracteres, retratos, dechados de bellos sentimientos o de abominables excesos, referidas como una anécdota —y algunos de estos breves relatos quizá lo fuesen. Junto a muchas falsas memorias y a numerosos libelos infamantes, estos libritos, con frecuencia anónimos, tenían un aire humilde, doméstico, extra-literario— cuando no eran cosa francamente clandestina. Los hubo mientras en Francia hubo salones, damas de vida ociosa y fácil pluma, abates cortesanos y literatos que vivían en la domesticidad de los grandes señores; no pasaron sino con el régimen, y aún le sobrevivieron algunos años: retornaron con la Restauración y con la Restauración desaparecieron.

Pero el siglo XVIII estuvo dominado por la filosofía, y ésta, que en literatura se atuvo en general al clasicismo, se fue apartando de toda fabu-

---

ces poèmes en prose que nous appelons romans.» (*Oeuvres poétiques*, Paris, Flammarion, s. a., 352).
[3] *El desdichado por la honra*, Rivad., XXXVIII, 14 b.

lación irresponsable; [4] la novela, entre filósofos, no podía ser sino enseñanza directa o indirecta —un medio de adentrarse en el corazón humano sin concitar hastiadas resistencias—; o bien fue narración irónica, en la que personajes y sucesos eran lo de menos: velo transparente, por muy bordado y recamado que esté, a través del cual son bien visibles otras intenciones.

Todo esto explica por qué la novela francesa del siglo XVIII es tan discontinua y aun contradictoria. Está fuera de toda regla, normada por la moda, utilizada como pretexto. La tentativa de enlazar *Gil Blas* (1715-1735), *La vie de Marianne* (1731-1741), *Manon* (1731), *Candide* (1758), *La nouvelle Heloïse* (1761) en una misma línea sometería el ingenio del crítico a una penosa prueba. Y desde que, mediado el siglo, se acentúa la vertiginosa difusión de la novela inglesa, [5] el panorama hubo de complicarse con nuevos accidentes que no habían de ser ajenos a la discontinuidad de la evolución y al extraño carácter que, en ocasiones, presenta el género en Francia.

En Inglaterra ocurre algo parecido, aunque en aquella nación, que se hallaba en uno de los momentos más brillantes de su historia y que poseyó siempre en alto grado el genio de la narración, las tendencias diferentes o divergentes no se den tan anárquicamente como en Francia. Hasta los días de Smollett (1721-1771) había prevalecido en general una tendencia que se inspiraba en los novelistas picarescos —y luego en Cervantes— generalmente conocidos a través de traducciones francesas, [6] fuentes con las que por último habían ido confluyendo las obras de Le Sage. Paralelamente a la de Fielding (1707-1754) corre la de Richardson (1689-1761), de quien va a ser pronto el gran triunfo europeo. [7] A partir de entonces, un número incalculable de

---

[4] Mencionaré a este propósito cómo el añejo problema de la «mentira» novelesca perdura anacrónicamente; el caso es ciertamente extremado, pero no anómalo; v. las consideraciones de Rousseau sobre la fabulación en las *Rêveries d'un promeneur solitaire* (ed. Payot, *Petite bibliothèque romantique*, 100).

[5] «A faire l'inventaire de 500 bibliothèques françaises cataloguées entre 1750 et 1789 on trouve 1.700 volumes de romans anglais contre 500 de romans français.» (Mornet, *Le XVIII siècle*, en la *Histoire de la littérature française*, de Bédier-Hazard, Paris, Larousse, II, 114.) «Il y a des gens aux aguets pour saisir les romans des qu'ils sortent de la presse anglaise», décía *L'année littéraire* en 1789 (VIII, 65); v. Van Tieghem, *L'année littéraire* (1754-1790), Paris, Rieder, 1917, 23.

[6] Comp. este curioso pasaje (habla un hipócrita): «This cloack my sanctity and trusty Scarron's Novels my prayer-book. Methinks I am the very picture of Montufar in *The Hypocrits*». (Congreve, *The Old Batchelor*, IV, iv; alusión a alguna traducción de *La ingeniosa Elena*, de Barbadillo, de la que había desaparecido el nombre del autor).

[7] V. Van Tieghem, loc. cit., 39, 147, a propósito de la decadencia del «roman espagnol» en Francia, «inmolado» al género que cultivaba Richardson. El pasaje corresponde al año 1777.

autores y autoras inundará todo el continente de epistolarios novelescos, llenos
de cosas tiernas y lacrimosas, que perduran hasta fines del siglo. En esa literatura están contenidos a veces los gérmenes más virulentos entre los que
produjeron la fermentación prerromántica, y aun el romanticismo.

Para salvar «de derecho» la novela, se había tratado de asimilarla al
poema épico. En España misma se encuentran tentativas en este sentido, a
las que el propio Cervantes no fue extraño, y pronto lograron el prodigioso
vuelo que les prestaba la gran difusión del *Quijote*. En éste se oyen, sobre
todo en boca del Canónigo, mil lindezas sobre el desorden y el disparatar
frenético de los libros de caballerías, pero también cuerdas razones sobre
la posibilidad de poner orden en ese caos, frenar la fabulación tumultuosa
y salvar la ficción en prosa para el arte. El Canónigo, con una ingenuidad
que parece dar la razón a Lope de Vega, no deja de decir: «Cuando los leo
[los libros de caballerías], en tanto que no pongo la imaginación en pensar
que son todos mentira y liviandad, me dan algún contento; pero cuando caigo
en la cuenta de lo que son, doy con el mejor de ellos en la pared...» (I, cap.
xlix.) Pero puesto que el contento existe, espontáneo e irreprimible, y es una
especulación razonada, alterada por las «mentiras» y disparates que descubre,
lo que perturba el goce, ¿por qué no moderar las mentiras y suprimir los
disparates, es decir, por qué no reducir las novelas a la disciplina del poema
épico? Poema en prosa, más libre que el de los antiguos, fecundísimo en razón
de su misma libertad, posibilitado de apoyarse en las categorías estéticas
más dispares. «Porque la escritura desatada de estos libros da lugar a que el
autor pueda mostrarse épico, lírico, trágico, cómico, con todos aquellas partes
que encierran en sí las dulcísimas y agradables ciencias de la poesía y de la
oratoria; que la épica tan bien puede escribirse en prosa como en verso.»
(I, cap. xlvii.) Porque los autores de libros de caballerías no han tenido en
cuenta todas estas espléndidas posibilidades, por no haberse atenido «a arte
ni reglas», han perdido la ocasión de hacerse «famosos en prosa, como lo son
en verso los dos príncipes de la poesía griega y latina» (I, cap. xlviii). Este
colofón que el Cura pone a los razonamientos del Canónigo, resume una
concepción de la novela, mantenida por preceptistas e historiadores hasta
hace relativamente poco tiempo: la novela es épica en prosa. Es curioso encontrarla expresada en el libro que arrancaba definitivamente la novela de
su matriz épica.

Estas ideas van a constituir la línea de defensa de la novela en el siglo
XVII, y aun en el siguiente, y cuanto más torpe y formularia sea la expresión
que se les dé, tanto es más sensible el equívoco en que se incurre. Las tenta-

tivas de rehabilitación del género, despreocupándose de su esencia misma, se reducían a veces a un simple trueque de palabras. Si Francisco de Quintana —o Francisco de las Cuevas, como prefiere ser llamado— explica la división de un libro suyo diciendo: «divídole en poemas porque poema es nombre genérico que no sólo a los versos comprehende, sino a la prosa, como insinúa Cicerón...; demás de que si se consulta la lengua griega... poema es lo mismo que invención, que ni desdice destos sucesos ni del modo de referirlos», [8] expresando cosas certísimas y falsísimas a la vez, no tenía en cuenta sobre todo que ese «poema» suyo no tiene paridad alguna con lo que desde antiguo venía llamándose así. Furetière, en Francia, dirá: «Un roman n'est rien qu'un poème en prose», [9] pero lo dirá de burlas, y rebutirá su libro de pasajes paródicos e irónicos contra «les romans», que para él, como para Scarron, [10] como para Boileau, eran cosa distinta de las obras que consideraba recomendables y deseables. Esa será, en cierto modo, también, aunque más firme, la posición de Fielding.

Tal vez porque los siglos XVII y XVIII fueron tan pobres de inspiración épica, mereció de ellos tanta atención el poema heroico-cómico, boga que ha de favorecer grandemente el reconocimiento «de derecho» de la gran obra de Cervantes. Cuando Fielding justifica en el prólogo de *Joseph Andrews* la suya propia, lo hará con palabras que convienen igualmente al *Quijote,* y que tal vez de la contemplación del *Quijote* deriven, libro tan leído, estudiado e imitado por el novelista inglés. Pero las generalidades de antes se matizan ahora con adjetivos característicos. «A comic romance is a comic poem in prose», dice Fielding, que cita siempre a Cervantes pareándolo con los mayores genios. [11] Porque ello era así, porque si el pobre Don Quijote no era quinto o sexto nieto de rey, el libro de su vida se consideraba quinto o sexto nieto de la *Batracomiomaquia,* éste quedaba salvado, puesto en línea con las grandes obras de clara genealogía.

Para algunos finos letrados, el problema no quedaba resuelto con este cambio de etiquetas. Si la novela era un poema, la novela debía ser poemá-

---

[8]   *Experiencias de amor y fortuna*, Madrid, Pascual, 1723, prólogo. La primera edición es de 1626. Bastante curioso y en cierto modo excepcional es un paso de cierta *Relación... de las fiestas que se celebraron en el Real Palacio del Buen Retiro,* Madrid, María de Quiñones, 1637, escrita por Andrés Sánchez de Espejo: «la [comedia]... del gran don Pedro Calderón... y el assunto fue la novela de don Quixote...» (fol. 25 v.º).
[9]   Furetière, *Le roman bourgeois*, Paris, Garnier, s. a., 5.
[10]   Scarron, *Le roman comique*, ed. Magne, Paris, Garnier, s. a., 130.
[11]   Fielding. *Joseph Andrews*, Author's Preface.

tica. El ejemplo de Fénélon [12] determinó una larga serie de poemas prosaicos, entre los que figuran el *Belisario*, de Marmontel (1766); *Los incas*, del mismo (1777); el *Numa Pompilio*, de Florian (1786); el *Anacarsis*, de Barthélemy (1788); el *Antenor*, de Lantier (1798); libros todos que se leyeron bastante en España, aun pasada la época romántica. Aquella tendencia hasta produjo cierta imitación, si no española, peninsular, de muy frecuente lectura también entre nosotros hasta fecha muy próxima: *O feliz independente do mundo e da fortuna*, del P. Teodoro de Almeida (1779), del que hay ya una traducción castellana de 1785, que ignoro si será la primera, [13] y una imitación del P. Andrés Merino, que salió anónima en 1786, *Poema. La mujer, feliz, dependiente del mundo y la fortuna*, Madrid, Imprenta Real, 3 vols. 8.º. [14] En el prólogo, Almeida declara haber tomado por modelo al «gran arzobispo de Cambray en su famoso *Telémaco*, y otras obras deste género en las que, con la suavidad del néctar encantador de la poesía, se dan las máximas más

---

[12]   En el citado prólogo a *Joseph Andrews*, Fielding hace otra curiosa «salvación», la de *Télémaque*, de que dice: «appears to me of the epic kind, as well as the *Odyssey* of Homer», y que no debe ser confundido con relatos de otra especie, «such as are the voluminous works commonly called romances, namely *Clelia, Cleopatra, Astraea...*, and innumerable others, wich contain, as I apprehend, very little instruction or entertainment».

[13]   *El hombre feliz, independiente del mundo y de la fortuna...*, trad. por el doctor don Joseph Francisco Monserrate y Urbina, Madrid, B. Román, 1785, 3 vols., 8.º La que he manejado, trad. del P. D., de la Congregación del Oratorio, Madrid, imprenta calle del Humilladero, 1842, 3 vols., 12º, se llama «duodécima impresion». Hay otras hechas en Francia, París, 1832, 4 vols., 12º; París, Rosa, 1849. Pereda debe de referir una experiencia propia cuando habla de la «hazaña... que yo rematé siendo niño, leyéndome a *Miseno o El hombre feliz*, la obra más de bien que se ha escrito en el mundo, pero cuya lectura han terminado muy pocos cristianos, y no ha repetido ninguno, yo inclusive» (*La Puchera, Obras completas*, XI, 329). En vista de esto puede considerarse como autobiográfico un pasaje de *Pedro Sánchez*, en que el protagonista, que una vez más coincide con el autor, habla de cómo con la lectura de ése y otros libros «que andaban algo empolvados en la alacena que en mi casa hacía las veces de librería, cobré señalada afición a la amena literatura» (*Obras completas*, XIII, 9). La mención misma de esas experiencias, que deben referirse a los años de 1845, 1848, poco más o menos, indica cómo iban ya siendo apenas posibles en tales fechas fuera de los hogares piadosos más apartados del tráfago literario.

[14]   Sempere Guarinos, *Ensayo de una biblioteca española de los mejores escritores del reynado de Carlos III*, IV, Madrid, Imprenta Real, 1787, 66, al mencionar la imitación y el modelo dice cosas curiosas: «Ambas obras son muy útiles para la instrucción de la juventud, y si se comparan con el *Amadís, La Celestina, La Eufrosina*, las novelas de Zayas y de Lope... que formaban la biblioteca de los petimetres o galanes de aquellos tiempos, se verá la poca justicia con que se prefieren en muchas cosas al nuestro.»

saludables para las costumbres». [15] Lo interesante son las consecuencias prácticas que el autor deriva de su primer propósito, por qué se decide por la prosa, después de intentar escribir su libro primero en verso rimado y luego en verso suelto, y cómo elige sus personajes «para que no se dijera *que degeneraba en novela* lo que era poema». [16] Las palabras subrayadas indican un intento de dignificación del género, tras ciertas separaciones y deslindes, que contribuye a esclarecer lo que de la *novela, sin más,* pensaban las personas letradas y piadosas de aquel tiempo. Por suerte o por desgracia, el P. Almeida no era hombre para llevar a cabo aquella empresa de rehabilitación.

Leyendo estas cosas, tan al alcance de todos en general, y en que ya no se para mientes, por parecernos un poco pueriles, se tiene la impresión de que los que las escribieron propendían a enlazar con la literatura *noble* lo que tenían por bueno, relegando lo malo al confuso infierno de la novela. Las dignificaciones se hacían siempre *a posteriori,* cuando un libro famoso, vencidos los primeros embates de la crítica, se afirmaba en la estima de los doctos. Por razones estéticas o históricas es muy difícil convenir en lo que dicen esos autores. Había mucho más «épica» en el *Amadís* que en el *Quijote.* En realidad, lo que venían a decir era que en el *Amadís* había épica seria mala —lo que no era cierto—, y en el *Quijote* excelente épica cómica. Y luego, aun el *Amadís* se había perdido de vista, no obstante las recomendaciones de Cervantes mismo. La *novela* era ya esto que hacían Mlle. de Scudéry o La Calprenède. A todo ello se oponía el ejemplo de Cervantes.

---

[15] Ed. de 1842, 9-10.
[16] Ibid., 17.

III

EL SIGLO XVIII ESPAÑOL

Toda la novela francesa de que se burlaron Scarron y Furetière, la que mereció los desprecios de Boileau, pasó inadvertida en España, si se exceptúa el *Artamène* de Mlle. de Scudéry que, traducido del italiano, vio la luz en Madrid en 1682.[17] Entre esta fecha y la de 1713, en que se publicó, y no en España, la primera traducción del *Telémaco*,[18] no creo que se acogiera entre nosotros novela extranjera alguna. Fueron aquellos años de máxima depresión, y ninguna cosa nacional o extranjera interesaba mayormente. Si alguna ficción nueva sale a luz, es fermosa cobertura de propósitos píos; así, ciertas alegorías morales de la portuguesa Sor María do Ceo (1658-

---

[17] *El Artamenes o el gran Ciro, escrito en francés por el Señor de Scudery* (sic), traducido al italiano por el Conde Maiolino Bisaccioni y ahora en castellano por don Nicolás Carnero. En Madrid, por M. de Llanos, 1682, 4º. Galiano, *Historia de la literatura española, francesa, inglesa e italiana en el siglo XVIII*, Madrid, Sociedad Literaria y Tipográfica, 1845, 170, cita una traducción de la *Casandra*, de La Calprenède, «que entretenía al vulgo de lectores» en los días de su infancia y de la que no encuentro rastro. Se la cita también en un artículo de *El Censor* (debido a Lista), de que nos ocupamos luego, «*La Casandra*, de narcótica memoria». Probablemente se trata de algún arreglo de los arreglos que se hicieron en Francia en el siglo XVIII; quizá sea el texto publicado más tarde, París, Rosa, 1842, 5 vols. (el nombre del traductor, M. Bellosartes, parece un seudónimo). No creo que esta edición sea la citada por Lista cuando, hablando de aquellas novelas, advierte que *La Casandra* era «la única... que a nuestro entender se ha traducido al castellano» (*De la novela histórica*, en *Ensayos literarios y críticos*, Sevilla, Calvo-Rubio, 1844, 157).

[18] La Haya, A. Meetjens, 1713, 12º. En el siglo XVIII salieron otras varias: París, Witte, 1733, 2 vols.; Madrid, Ibarra, 1777 (primera española, según creo); Madrid, Viuda e hijos de Marín, 1793, 2 vols., 8º.

† después de 1752), publicadas en 1744 y traducidas alguna que otra vez. [19] Estos comienzos del siglo XVIII español son de una aridez aterradora. Para encontrar un poco de curiosidad y fervor literarios hay que venir a los tiempos de Carlos III y parar mientes en las tareas de aquellos escritores que constituyen el grupo llamado salmantino. [20]

Son solitarios, bien entendido. Sus lecturas, muchas y selectas, no pueden confundirse con lo que sirve de «pasto espiritual a los borregos de Cristo», a la grey que forman sus contemporáneos. Ellos son por entonces, con alguna otra rara excepción, los únicos españoles atentos a lo que pasa en Europa. No sólo Francia les atrae. Por primera vez la literatura inglesa deja oir un eco en España. Pero estos hombres lo son muy de su tiempo, y entre los libros que leyeran debían de figurar muy pocas novelas o, cuando figuraban, no era ciertamente como novelas. Tenemos algunas cartas que nos explican la admiración de Meléndez por Marmontel, y los pasajes que a éste se refieren son harto elocuentes: «El que también me gusta mucho es Marmontel en su *Belisario;* los primeros capítulos son, a mi ver, capaces de hacer olvidar las mayores desgracias; lo he leído todo bastantes veces, pero cada vez con más gusto, y me sucede lo que a Saint-Évremont con nuestro *Don Quijote*». [21] Y otra vez: «Después de Robertson acabo de leer una obra de Marmontel cuyo título es *Los incas...*, especie de novela y poema épico como las *Aventuras de Telémaco;* cosa, como suya, de un estilo tan delicado como el de los *Cuentos* y llena de máximas y sentimientos de humanidad, pero que exagera con exceso nuestras crueldades y apoya fuertemente la tolerancia. Yo esta clase de libros los leo con el mayor gusto, porque nada me embelesa tanto como las máximas de buena moral, y éstas, mejor esparcidas y como sembradas en una obra llena de imaginación y de primores». [22] Como se ve, lo que interesaba no era la novela, o quier poema, sino la

---

[19] *A Peregrina*, novela espiritual, es de 1735. *Obras varias y admirables de la Madre María do Ceo*, trads. por don Fernando de Setién Calderón de la Barca, Madrid, Antonio Marín, 1774. Sempere Guarinos, *Ensayo de una biblioteca...*, al tratar de Nifo, cita sin más indicaciones: «*Novelas espirituales* de la Madre do Ceo con el título del *Novelero. de los estrados*», publicación en la que hubo otras cosas de muy diferente carácter. Latassa, *Bibliotecas antigua y nueva de escritores aragoneses*, Zaragoza, Ariño, 1884, viene a decir lo mismo, pero, como es costumbre suya, sin aducir dato bibliográfico alguno.

[20] Para la época a que nos referimos sería necesario revisar detenidamente algunas revistas. He visto un cuento de Herder en *El espíritu de los diarios*, que contendrá de seguro muchas otras cosas de interés que aquí no pueden tener cabida.

[21] Carta a Jovellanos, Salamanca, 2 agosto 1777; Rivad., LXIII, 76.

[22] Carta al mismo, Salamanca, 27 abril 1779, ibíd., 85.

filosofía, a la que no sólo daban oídos Meléndez o Jovellanos, sino gentes de mucha menor calidad. Marmontel, filósofo a la moda, era muy leído y comentado en tertulias y asambleas, y su lectura indispensable al buen erudito a la violeta. «Aplaudir a Monsieur Marmontel. Es el moralista de estrado más digno de la cátedra de prima. No hay petimetre ni petimetra, abate distraído, soldado de paz, filósofo extravagante, heredero gastador ni viuda de veinte años que no tenga su curso completo de moral en los primorosos *Cuentos* de este finísimo académico», [23] advierte Cadalso. En Francia había pasado lo mismo. Todo lo cual explica que Marmontel fuese uno de los autores más traducidos en el siglo XVIII, y aun que se leyese cuando las formas de su arte estaban superadas tiempo hacía; ya lo veremos más en detalle.

En los *Diarios de Jovellanos* (I y II, Oviedo, 1953, 1954), se encuentran menciones de novelas, *Pablo y Virginia*, la *Estela* de Florian, *La buena madre*, de Marmontel, la *Julia* de Rousseau, siempre en relación con proyectos educativos del Real Instituto Asturiano; ello es claro en la mención de Juan Arce, alumno que «copia en sus planas la novela de Julia Mandeville, traduce del inglés a *Clarisa* y del francés a *Gil Blas*». El que la novela se hiciese instrumento pedagógico era ya bastante audaz en este tiempo, años de 1794, 1796. No hay juicios literarios; sólo hablando de la *Estela* la llama «novela bien escrita».

En aquel período, y por la actividad de aquellos hombres, empieza a ser conocida entre nosotros la literatura inglesa, pero no fueron los novelistas, a lo que parece, los que resultaron más favorecidos. [24] Lo que a nosotros llegó hubo de ser leído en los textos mismos, pues las traducciones que conozco son posteriores en bastantes años. Lo más admirado entonces es la obra de Pope, de Thompson, de Young; algunas de estas cosas fueron traducidas, y los traductores, que ya no tenían la calidad de Meléndez o Jovellanos, que eran hombres de escaleras abajo en general —los Nifos, y los Gilmanes, y los Calzadas, y los Arellanos— traducían casi siempre del francés, que era lo único que medianamente sabían. Del francés, del arreglo estrafalario de Le Tourneur, salió la traducción española de las *Noches* de Young, que no eran ciertamente una novela, pero que, por responder a una

---

[23] Cadalso, *Los eruditos a la violeta*, Madrid, Sancha, 1772, 32. Sobre el éxito europeo de Marmontel, debido sin duda a causas como las que alegan Meléndez y Cadalso, v. J. Texte, *Les rélations littéraires de la France avec l'étranger au XVIIIᵉ siècle* (*Histoire de la Littérature française*, de Petit de Juleville, VI, 758).

[24] V. sobre ello Menéndez Pelayo, *Historia de las ideas estéticas*, VI, 88 sigs.

actitud poética muy del gusto del tiempo —aparte lo que el estar traducidas en prosa las aproximaba, al menos en algunas de sus partes, al relato novelesco sentimental—, contenían gérmenes de novela y situaciones que podían pasar a un cierto tipo de novela lacrimosa y que de hecho pasaron. [25] Del francés procedían los textos seguidos por traductores españoles de otras obras inglesas o las poquísimas alemanas divulgadas por entonces, es decir, muy en los finales de aquel siglo. Vale la pena examinar lo que llega al gran público, aun en la medida en que puede hacerse lejos de grandes depósitos bibliográficos y desprovisto de repertorios suficientes. Urge inventariar la cultura española, espontánea o refleja, del siglo XVIII, sobre todo en su declinar, cuando tan rico de promesas aparece, promesas, por desgracia, frustradas luego. Las bibliografías que se han hecho no alcanzan fecha tan tardía o no recogen datos tan tempranos, y es absolutamente imposible, no ya ser completo, pero ni siquiera ofrecer una información aproximada.

El primer libro inglés, de carácter novelesco, en cierto modo, que hallo romanceado, es *Gulliver,* de Swift, que aparece en Madrid en 1793 y 1800. [26] Entre gentes que amaban la filosofía y que gustaban aún de la lectura de ficciones utópicas, [27] es de suponer que no se esperara hasta entonces a leerlo. El hecho de que las andanzas de Gulliver determinaran la publicación de

---

[25] Sobre Young v. Meléndez, Rivad., LXI, cxxxii. Los clasicistas rigurosos no entraban en este entusiasmo; v. la carta de Moratín a Ceán, Montpellier, 2 marzo 1787, en que se alude a «aquellas tristísimas *Noches* que ni usted ni yo queremos leer por la razón de haberlas leído» (*Cartas,* en *Obras póstumas,* II, Madrid, Rivadeneyra, 1867, 76).

[26] *Viajes de Gulliver,* trad. por Ramón M. Espartel, Madrid, Cano, 1793, 1800, 3 vols., 12º. Es uno de los pocos libros que hallaron gracia en los ojos del anónimo autor de *Los vicios de Madrid.* (*Revue Hispanique,* 1905, XIII, 172-173), no obstante ser «una crítica demasiado oculta de la Escocia». No veo citada ninguna otra edición hasta la de 1824, hecha en Madrid, en 8º. Hasta 1852 las hay de París, Pillet, 1834, 4 volúmenes, 18º; Madrid, Establecimiento Central, 1840, 2 vols., 16º, y Madrid, Biblioteca Universal, 1852, folio y otras. Hay otra de México, 1849, 8º.

[27] De la *Utopía,* de Moro, publicada ya en 1637 y prologada, como es sabido, por Quevedo, hay una segunda edición de Madrid, 1790, 16º; la tercera es también de Madrid, Repullés, 1805, 8º. Citaremos un texto de este mismo año, que indica curiosidad por esta clase de libros: «Teníamos los *Viajes de Gulliver,* imaginación chistosa, original y llena de filosofía; el *Viaje al país de las monas,* que no le va en zaga; otro u otros a la luna y a los países imaginarios, y también de un habitante de la estrella Sirio, llamado Micromegas... y qué sé yo cuántos más; pero todos los autores de estos viajes habían tomado un vasto y espacioso terreno donde extenderse, hasta que, en fin, otros, por variar de idea, se redujeron a un teatro pequeño, y el primero de quien tengo noticia fue el viaje de París a Saint Cloud...» (*Crítica del Viaje por mis faldriqueras,* traducido por Calzada, aparecida en las *Efemérides,* de Olive, I, 1805, 278-279).

ciertos pliegos de cordel, parece indicio de que su éxito rebasó los límites que podamos trazar a las clases letradas. [28]

1794. Pamela Andrews, Madrid, Espinosa, 1794-1795, 4 volúmenes en octavo; *Clara Harlowe,* trad. por don José Marcos Gutiérrez (sobre la versión francesa de Le Tourneur), Madrid, en varias imprentas, 1794-1795, 11 vols. 8°. Richardson es uno de los pocos autores traducidos entonces que apenas traspasan los límites cronológicos del siglo XVIII; se le traduce bastante en los últimos años de aquella centuria, poquísimo después. [29] El juicio de Galiano sobre este autor indica el carácter de la moda que lo impuso, claramente importada de Francia, y lo efímera que fue. [30] Pronto veremos lo que de ello dice Mesonero.

1795. Ve la luz una traducción de Fielding, *Historia de Amelia Booth, escrita en inglés por el famoso Fielding,* traducida por R. A. D. Q., Madrid, Viuda de Ibarra, 1795-1796. Creo que también en este año se publicó una novela de Sophie Lee (1750-1824), *Matilde o el subterráneo (The Recess,* 1785); debió de ser reeditada luego, a comienzos del siglo pasado, pues la veo citada en un catálogo de Mompié que acompaña la edición de *Maclovia y Federico,* hecha en 1816, y aun hay otra de Madrid, Villalpando, 1817. La traducción de *Matilde* procedía probablemente, a juzgar por la coincidencia de los títulos, de la francesa debida a De la Mare, publicada en 1787, 3 vols. 12°.

1796. Sale en este año una nueva traducción de Fielding, *Tom Jones o el expósito,* traducida del francés [de M. de la Place] por don Ignacio de Ordejón, Madrid, Cano, 4 vols. 8°. Es extraño que Fielding interesara

---

[28] Son de comienzos del siglo XIX: *Historia del descubrimiento de las tierras de los enanos* e *Historia del descubrimiento de las tierras de los gigantes,* impresos en Córdoba, por Rafael García Rodríguez, s. a., 4°. He visto ejemplares en la Bibliothèque Nationale de París, signaturas Y² 1071, Y² 1049, respectivamente.

[29] *Historia del caballero Carlos Grandison,* segunda edición. Madrid, 1824, 4 vols., 8°. *Clara Harlowe,* segunda edición, corregida y aumentada, Madrid, Repullés, 1829, 9 vols., 12°; hay otra edición del mismo año, la de Gutiérrez, impresa en París, Decourchant, 16 volúmenes, 16°. A principios del siglo XIX, el anónimo de *Los vicios de Madrid* se mostraba ya descontentadizo; «...la *Pamela Andrews,* bastante pesada; se la podrían quitar los últimos tomos; la *Clara Arlowe* (sic), que es pesadísima al principio y muy interesante al fin...» (*Revue Hispanique,* loc. cit.). Sobre Richardson v., también, Juan Andrés, *Del origen y progreso de toda la literatura,* IV, 505 sigs. Algunos datos curiosos sobre las fortunas de Richardson en España, sobre todo adaptaciones teatrales, pueden verse en la nota de Ada M. Coe, *Richardson in Spain, Hispanic Review,* 1935, págs. 56-63.

[30] *Historia de la literatura española...,* 178.

tan poco a los españoles; sólo encuentro una reimpresión de *Tom Jones* (el mismo texto) hecha en París, Pillet, 1834, 8 vols. 18°.

1798. Además de una nueva traducción de Richardson, *Historia del caballero Carlos Grandison,* trad. por E. T. D. T., aparecida en Madrid, en 6 vols. 8°, hay otra del *Raselas,* de Johnson, cuyo título merece citarse: *El Príncipe de Abisinia.* Novela traducida del inglés por doña Inés Joyes y Blake..., Madrid, Sancha, en 8°. Estas damas bilingües desempeñan entonces un papel activo y beneficioso... cuando sus medios de expresión están a la altura de la empresa acometida.

1799. Ve la luz una nueva edición de *Pamela,* Madrid, Imprenta Real.

Bien poco es esto, sobre todo si se tiene en cuenta la inmensa cantidad de libros ingleses que se publicaban en Francia, adonde ya había llegado la fama de Ana Radcliffe (1764-1823), y cundiera de tal modo, que cierto literato privado de recursos pudo hacerse una desahogada posición traduciendo esas novelas «negras»;[31] en Francia donde ya se traducían las ficciones de Walpole (1717-1797), de Mrs. Sheridan (1724-1766), de Cumberland (1732-1811), de Mrs. Inchbald (1753-1821), de Mrs. Bennet (hacia 1760-1808), de Miss Roche (¿1764?-1845), de M. G. Lewis (1775-1818), de Mrs. Helme,[32] por no citar sino autores que fueron traducidos a destiempo, en días en que lo prerromántico y lo romántico entraban en España confusamente y a trompicones. Peor era que no se publicaran en español obras de Sterne, del que no encuentro traducción alguna anterior a la que del *Viaje sentimental* se hizo en Madrid en 1821,[33] y que no se tradujera a Smollett. Pero nada tan extraño como la ausencia total de Defoe de nuestra bibliografía prerromántica; Defoe, cuyo *Robinsón,* había creado toda una literatura, algunas muestras de la cual llegaron hasta España. Ya lo notó Galiano, quien suponía que el *Robinsón* original era «obra hasta ahora poco conocida en España por serlo mucho *El nuevo Robinsón,* del alemán Campe, imitación muy inferior al original, que traducida por D. Tomás de Iriarte, con pureza en él muy común, y muy singular en nuestros traductores, corría y corre en las

---

    [31] V. esta curiosa anécdota de Morellet en Pigoreau, *Petite bibliographie biographico-romancière,* París, Pigoreau, 1821, 266.
    [32] Es posible, sin embargo, que haya traducción de algo suyo hecha en este tiempo. La edición de *Luisa, o la cabaña en el valle,* trad. por D. G. A. J. C. F., Salamanca, Toxar, 1803, 2 vols., 12°, lleva la nota «segunda edición».
    [33] Hay otra de Madrid, Boix, 1843, y otra, también de Madrid, Biblioteca Universal, 1850, folio. No encuentro ningún *Tristan Shandy* traducido al español en la primera mitad del siglo xix.

manos de los niños de nuestras escuelas». [34] No hay *Robinsón* español, que yo sepa, anterior a 1835, y la edición está hecha en París, por Pillet, en 4 tomitos en 12º. [35]

Muchas de las lagunas que notamos deben de ser imputables a los obstáculos que el Estado y la Iglesia opusieron a la introducción de libros peligrosos o sospechosos. Con todo es de notar que si esa pequeña muestra de la literatura inglesa es tan insuficiente es mucho más selecta en general que cuanto de la francesa ofrecían por entonces a nuestro público traductores y libreros. Muchas cosas explican que ello fuera así. De una parte puede pensarse que los literatos curiosos de la producción ajena no necesitaban de traducciones, y que el gran público, en la pachorra soñolienta en que vegetaba, tampoco las echaba de menos. Si los libros prohibidos por la Iglesia se leían bastante, según parece, [36] con más motivo hay que suponer la difusión de los que menos peligrosos parecían. Debió de haber también razones comerciales para que se tradujese lo que se tradujo y no otra cosa; el comercio de librería español no emprende el negocio de las traducciones en grande escala hasta que no se siente estimulado a ello por la competencia francesa.

---

[34] *Historia de la literatura...*, 181. *Robinson der Jüngere* se había publicado en 1779-1780, y hasta 1821 se hicieron de él cinco traducciones francesas diferentes. En español hay dos, la de Iriarte, que Menéndez Pelayo consideraba como una de las mejores que se hicieron en todo el siglo XVIII, y otra, tomada del inglés por cierto Juan Otero, publicada en Nueva York en 1824. La traducción de Iriarte, aparecida en 1789, se ha repetido infinitas veces; v. nuestra bibliografía. El éxito produjo una *Continuación de la historia moral del nuevo Robinsón*, por un anónimo, Madrid, Herederos de Dávila, 1835, 8º. También salieron en español el *Robinson suizo*, de Wyss (1812-1813), probablemente según la arreglo de Mme. de Montelieu, publicado en Madrid, López, 1841, y *El Robinson de doce años*, de Mme. Mallès de Beaulieu (1818), del que hay una edición de Madrid, Llorenci, 1830; otra, de París, Pillet, 1838, y otras posteriores. Todo tardío y acogido tardíamente. Hasta mediados del siglo no era posible una referencia como ésta de Silvela (Velisla), que en otra parte sería anacrónica: «Estas novelas interesan sobremanera a los niños. Uno conoce que lleva leídos 37 Robinsones, que es el nombre vulgar de este género: el primitivo, los dos Robinsones, el suizo, el alemán, el de los hielos, el de los bosques, el del Norte, un nuevo Robinsón, un novísimo Robinsón, otro archinovísimo Robinsón, etc.» (*Literatura infinitesimal*, en *La Ilustración*, 1851, III, 6 a.). El «primitivo» llegaba con el género, con las imitaciones, deturpado, envilecido, bueno, a lo sumo, como lectura infantil.

[35] Hasta 1850 no encuentro más que éstas: Madrid, Boix, 1843; México, Cumplido, 1846; trad. de José Alegret de Mesa, Madrid, Vicente, 1849-1850, 2 vols., 4º (reimpreso varias veces); Madrid, Mellado, 1850 (hecha sobre «la última edición francesa»). Hubo también algún resumen y pliego de cordel.

[36] V. Menéndez Pelayo, *El abate Marchena, Estudios de crítica literaria*, III, 191.

Debieron de ser muchas veces los mismos misérrimos traductores los que escogiesen los originales que vertían, traductores de escasas letras y pocas luces, que en tantas ocasiones concitaron contra sí las iras de los más combativos críticos, Forner o Moratín; gentes como Nifo,

> *traductor bambolla,*
> *que, engalicando la lengua,*
> *da robustez a su bolsa* [37];

o como aquel «eterno traductor, que Dios perdone, Calzada», [38] primeros avatares del galeote literario que hubieron de conocer Larra o Mesonero, siempre atenidos a lo más innocuo, que era, por lo general, lo más inútil, y que aun así corrían sus peligros. Calzada estuvo procesado por la Inquisición a causa de traducciones, no sabemos cuáles. [39]

Con versiones de las obras de los grandes ingenios franceses contemporáneos no había que contar. Ni Rosseau, ni Voltaire, [40] ni Diderot podían ser por entonces ataviados a la española, y salvo alguna excepción curiosa, no lo fueron hasta la época liberal, y aun entonces fue en Francia donde se hizo casi siempre la impresión de las obras; en España muy raramente. Creo que si se exceptúa la *Sarah Th.*, de Saint-Lambert, traducida por doña María Antonia del Río y Arnedo, y publicada en Madrid en 1795, lo que los no versados en el francés pudieron gozar de los «filósofos» fue casi nada. Gran acogida debió de dispensarse a *Sarah Th.*, pues hasta Godoy creyó bueno mencionar la aparición de ese libro en sus *Memorias*. [41]

Estábamos reducidos a Marmontel, cuando no a Caracciolo (traducido íntegramente por Nifo y publicado en 1774-1775, en 30 volúmenes, en los que poco hay ciertamente de novelesco o asimilable a la novela), [42] a Florian,

---

[37]   Forner, *Nueva relación y curioso romance...*, Rivad., LXII, 335 b.

[38]   Moratín, en carta a Melón, Bolonia, 30 mayo 1795; *Cartas*, edición cit., 154.

[39]   Llorente, *Historia crítica de la Inquisición en España*, Barcelona, Oliva, 1836, VII, 255; v. más detalles y mención de varias traducciones de Calzada —no novelescas— en el libro de Richard Herr, *España y la revolución del siglo XVIII*, Madrid, Aguilar, 1964, pág. 217.

[40]   Hubo una traducción de *Micromegas* por don Blas Corchos, profesor de Jurisprudencia; anunció su aparición el *Correo de los ciegos*, número 28, 12 enero 1787, I, 112; v. la alusión en la nota 27.

[41]   *Mémoires du Prince de la Paix*, trad. en français par... J. G. d'Esménard, III, París, Ladvocat, 1836, 326. Sobre la traductora y elogios que mereció la obra, v. Serrano Sanz, *Ensayo de una biblioteca de escritoras españolas*, II, 145.

[42]   Latassa, I, 453, menciona una traducción del P. Ramón Esteban († 1776), que no llegó a publicarse. Contra la traducción de Nifo disparó Forner sus tiros en la *Sátira contra la literatura chapucera de estos tiempos. Exequias de la lengua*

a Mme. de Genlis y a pocos más. Nación rectora en tantas cosas, Francia era entonces, para nuestro público, muy insuficientemente conocida.

En 1764, Nifo tradujo algunos cuentos de Marmontel en el *Novelero de los estrados y tertulias y diario universal de bagatelas,* que publicaba con don Antonio Ruiz y Minondo, y editaba en Madrid Gabriel Ramírez. En 1787, el *Correo de Madrid* insertaba este curioso aviso: «En la ciudad de Cartagena se están imprimiendo las célebres *Novelas morales,* escritas en francés por Mr. Marmontel...; precedidas cada una de un discurso original del traductor se irán publicando enquadernadas conforme salgan de la imprenta...». [43] Lo ridículo de los títulos anunciados (*Igual conflicto de amor, naturaleza y lealtad, La prueba de la amistad en el crisol del amor, Error de una mala madre, común en la educación,* etc.), que parecen de malas comedias del tiempo, indican ya que esto no podía ser bueno, y que lo más interesante de la publicación es el lugar y las circunstancias en que se hacía. En el año siguiente de 1788, don Vicente María Santibáñez, un muy curioso personaje que hubo de expatriarse y en la emigración murió, después de representar un pequeño papel lamentable en el drama de la Revolución Francesa, [44] publicó en Valladolid *La mala madre,* narración tomada de las *Nouvelles morales,* acompañada de un discurso original. [45] Eso, que, relativamente, no era poco, fue lo que el gran público español pudo disfrutar por

---

castellana, ed. Clásicos Castellanos, pág. 272. Ello no impidió que se imprimieran muchísimo esos libros. Una «oncena edición» de la *Despedida de la Mariscala a sus hijos* salió a luz en Barcelona, Piferrer, 1823, 8°, y aún fue reimpresa en Gerona, 1830. *El viaje de la razón por la Europa,* trad. de Nifo, publicado en Madrid, Cano, 1819, se llama también oncena edición.

[43] *Correo de Madrid,* núm. 76, 11 julio 1787, I, 324; v. ibid., números 93 y 94, 8 y 12 septiembre, págs. 416, 420, una crítica de la primera de las novelas citadas que demuestra que el traductor era hombre de escasas luces. En el núm. 137, 13 febrero 1788, II, 756, se anunciaban como aparecidas cuatro novelas, y la quinta, en 30 abril, núm. 159. Una pintoresca defensa de la traducción en el núm. 106, 27 octubre 1787, II, 503-504 y núm. 121, 19 diciembre, 624, donde se justifica una tardanza en el reparto. Preparadas en Cartagena, las novelas se imprimían realmente en Murcia. Antes de esta fecha hay que situar cierta traducción del *Belisario* hecha por don Valentín de Foronda, que la censura impidió publicar según Sempere Guarinos; v., también, la *Miscelánea,* de Foronda, Madrid, Cano, 1787, prólogo.

[44] M. Núñez de Arenas, *Don Vicente María Santibáñez. Un madrileño en la Revolución Francesa, Revista de la Biblioteca, Archivo y Museo del Ayuntamiento de Madrid,* 1925, I, 372-394.

[45] Esta es la edición que cita Sempere Guarinos, *Ensayo de una biblioteca...,* V, Madrid, Imprenta Real, 1789, 153, nota, y la que, con mucho elogio, anunciaba el *Correo de Madrid,* núm. 139, 20 febrero 1788; II, 772. La mención hecha por Rius, en su conocida bibliografía cervantina, de una edición de París, 1761-1765 es, a todas luces, un dislate.

entonces; si los abates y militares, pisaverdes y viudas de veinte años, de que habla Cadalso, necesitaban algo más, lo leerían en francés o hablarían de oídas. A partir de 1812 (nótese la fecha), las ediciones de Marmontel se multiplican y corresponden siempre a períodos liberales o están hechas en Francia.

Otra cosa era traducir a Mme. de Genlis, que todavía no había puesto a punto lo mejor de su obra, su mejor manera literaria, ni era aún el personaje extraño que tanto prestigio adquiere en la descripción de Chateaubriand; [46] aún no había compuesto *Mademoiselle de Clermont* (1802) o *Las Batuecas* (1814), ni era merecedora de un humilde puesto en la historia de aquel novelar indeciso y un poco anacrónico, que se inspiraba a ratos en Mme. de Lafayette y se aproximaba tímidamente a la novela histórica en el momento mismo en que un gran creador iba a apoderarse de ella. La autora no había dado aún muestra de lo que sería capaz de hacer, y sus primeros lectores españoles hubieron de conformarse con los ejemplitos morales de sus libros educativos. Esta literatura fue muy gustada entonces, y Mesonero nos dará de ello testimonio fehaciente. En 1785, el inevitable Calzada publica *Adela y Teodoro o Cartas sobre la educación* (1782), en la imprenta de Ibarra (3 vols. octavo), reestampándolo en la Imprenta Real, en 1792. En 1788, don Fernando Gilman da a luz en Madrid las *Veladas de la quinta o novelas e historias sumamente útiles para las madres de familia* (el texto original es de 1784), [47] libro del que cuento cuatro ediciones hasta 1842, y que la editorial Garnier, de París, imprimía aún en 1909. Mme. de Genlis debió de ser uno de los autores más leídos en la primera mitad del siglo XIX, y no sólo por públicos timoratos y de gustos anticuados; en 1845 y 1848, una novelita suya figura en publicaciones de tendencia terriblemente romántica. La bibliografía española de Mme. de Genlis que ofrezco aparte, de seguro incompleta, dará una idea de la difusión prodigiosa de su obra y del modo de esa difusión. Ignoro si cuando Forner ve llamear en la hoguera «los detestables abortos de la barbarie», y entre ellos los libros de esta autora, que «ardieron con prodigiosa facilidad, ¡tan inflamable debía de estar la materia!», [48] combate a Mme. de Genlis o a sus traductores o a la una y a los otros.

---

[46] *Mémoires d'outre-tombe*, ed. Biré, París, Garnier, s. a., IV, 412.
[47] El prospecto de una traducción de las *Veladas*, que debe de ser ésta, puede verse en el *Correo de Madrid*, núm. 166; cfr. ibid., número 169, III, 978.
[48] *Exequias*, ed. cit., 262.

Forner tuvo relación amistosa con Florian, a quien también estimaba Moratín, [49] pero no creo que ninguno se alegrara de verlo traducido por Arellanos y Zabalas. [50] Creo que Florian es el autor francés de ficciones más divulgado por España en todo este período, y lo siguió siendo por mucho tiempo, sin que el advenimiento del romanticismo le desfavoreciera, antes al contrario. [51] La primera obra suya vertida al castellano, de que tengo noticia, es el poema en prosa *Numa Pompilio* (original de 1786), «puesto en castellano por el traductor de las *Veladas de la quinta*», e impreso en Madrid por la viuda e hijos de Marín en 1793. Supongo que la versión es de Gilman. En 1794, López de Peñalver traduce y publica en Madrid *Gonzalo de Córdoba o La Conquista de Granada* (1791), traducción de cierta importancia por ir dedicada a Cienfuegos y contener varias poesías de éste. [52] De 1797 son las primeras ediciones españolas de *Galatea* (1783; arreglo y edulcoración de la de Cervantes), traducida por don Casiano Pellicer, y de *Estela* (1787), vertida por Rodríguez de Arellano, publicadas por Sancha y Vda. de Ibarra, en Madrid. Don Gaspar de Zabala y Zamora hizo imprimir en 1799 las *Novelas,* que se reprodujeron infinitas veces. Ya en 1800, Alzine da, en Perpiñán, un tomo de *Novelas nuevas* del mismo traductor. [53] (Comienza la intervención de la industria francesa en el negocio editorial español; pronto hemos de ver cómo, en pocos años, va a transformar enteramente el comercio de libros, el mercado y los gustos del público.)

Hasta 1850 las ediciones de Florian son muy numerosas. Como en Francia ocurría lo mismo, es posible que de alli nos viniera el estímulo. Necesario es hacer constar que de sesenta y cinco ediciones que he registrado entre 1800 y 1847, treinta y siete están hechas fuera de España. La editorial

---

[49]   Sobre las relaciones de Forner con Florian, v. la noticia biográfica de Villanueva, Rivad., LXIII, 265-283, y una carta de Moratín, sin fecha, publicada primero en el *Semanario pintoresco,* 1844, IX, 60, reproducida en Rivad., ibid., 217 b.

[50]   No creo que pueda considerarse consagración de éste, e imputable sólo a ignorancia del compilador, el hecho de que en el *Elementarbuch der spanischen Sprache,* de Keil, Gotha, Stendel, 1814, figuren como texto traducciones de Florian hechas por Zabala.

[51]   Aunque el público no fuera siempre el mismo; v. la anécdota que cuenta Mesonero, *El patio de Correos (Panorama), Obras completas,* Madrid, Renacimiento, 1925, I, 379.

[52]   Rivad., LXVII, 33.

[53]   Una biografía y juicio de Florian puede verse en las *Nuevas efemérides,* de Olive, II, Madrid, Vega, 1805, 6-11, a propósito de la publicación reciente del poema *Eliezer y Neftalí.* A la bibliografía reciente de Florian puede añadirse el artículo de René André, *Florian y España, Insula,* núm. 120, 15 diciembre 1955, suplemento.

Garnier daba aún la traducción del *Gonzalo de Córdoba* en 1892; un caso, sin duda, de velocidad adquirida.

Si a esto se suma la traducción de los *Caracteres,* de Duclos (*Considérations sur les moeurs de ce siècle,* 1750), hecha por don Ignacio López de Ayala, Madrid, Escribano, 1787; otra de las *Cartas de una peruana,* de Mme. de Graffigny (1694-1758), por doña María Romero Masegosa, Valladolid, Viuda de Santarén, 1792; la citada de *Sarah Th.;* otra de *Alexo u La casita en los bosques,* de Ducrai-Duminil, Madrid, Benito Cano, 1798 (libro del que se hacen siete ediciones entre 1804 y 1831), tenemos casi toda la aportación francesa a la bibliografía española de esta época. El *Alexo,* muy leído, es mencionado por Estébanez Calderón en un contexto que nos lo revela como familiar a gentes de tan pocas letras como cacumen. [54] Todavía se leyeron más sus *Tardes de la granja* (*Soirées de la chaumière,* 1798), traducidas por Arellano e impresas ocho veces hasta 1850. Del abate Prévost, en cambio, no aparece sino *El deán de Killerine,* traducido por un anónimo. [55] No es imposible que muchos de los libritos edificantes y moralizadores que salieron poco después, fueran reproducción de ediciones de este tiempo. [56]

---

[54] V. *Don Opando,* en *Escenas andaluzas,* ed. Escritores castellanos, Madrid, 1883, 121. Sobre la importancia relativa de Ducrai-Duminil en la novela de su tiempo, v. Le Breton, *Le roman français au XIXᵉ siècle,* París, 1901.

[55] Ignoro la fecha exacta; una edición de Madrid, Barco López, 1800, indica ser la segunda.

[56] Latassa señala una edición del libro del P. M. A. Marín, *La Farfalla,* hecha por don Joaquín Benito Castellot bajo el título de *La cómica convertida,* Madrid, P. Aznar; no indica el año, pero la supongo impresa a fines del siglo XVIII. Galdós, que tan fina intuición tenía de las épocas históricas, en *Bailén,* ed. Aguilar, 521a, cita *La cómica convertida* del Padre Michelange dándole el título de *La farfulla,* no sé si por error suyo, errata de impresor, o por acentuar la mentecatez del conde de Rumblar, pero es interesante el contexto de la cita.—Es posible que en el mismo caso se hallen algunos de los libros de Mme. Le Prince de Beaumont, traducidos al castellano, pero no tengo prueba de ello. Serrano Sanz, *Escritoras españolas,* II, 4, cita piezas interesantes presentadas a la censura madrileña con motivo de la publicación proyectada de un libro de esta autora, *Las americanas o las pruebas de la religión,* traducido por la condesa de Lalaing, y que en definitiva no creo que llegara a publicarse. La censura hilaba muy delgado; el libro que había sido examinado por uno de los grandes vicarios de la diócesis de Angers, había merecido aprobación en Francia (Quérard, *La France littéraire,* V, 191). Por uno de los documentos que publicó Serrano, se viene en conocimiento de que la autora había residido en España y que era «bien conocida en esta corte..., donde mereció la estimación de las personas de la más alta jerarquía..., por su extraordinaria instrucción y aún más por su loable conducta y virtud». El Consejo se obstinaba en que la obra «ofrecía algún peligro para los ignorantes, por examinarse en ella los fundamentos de la religión únicamente bajo el punto de vista filosófico», y decretó, a 17 de marzo de 1791: «Escúsese por ahora la *reimpresión* de esta obra». Yo no la encuentro citada en ninguna parte.

Con lo mediocre de la mayoría de estas cosas contrasta vivamente la importante adquisición que el público español hace entonces en uno de los libros que más contribuyeron al primer romanticismo, uno de los mayores estímulos de la nueva sensibilidad: *Pablo y Virginia*. Trasladado por el abate Alea [57] e impreso en Madrid por Pantaleón Aznar en 1798, se publicó infinitas veces, ocho antes del período romántico propiamente dicho (Palma, Domingo, 1814; Perpiñán, Alzine, 1816; Valencia, Mompié, 1816, 1827; Burdeos, 1819; París, Masson, 1822; París, Baudry, 1825; Marsella, Masvert, 1826). Llegó hasta ser popular en cierto modo, como lo prueban vulgares canciones de ciego de que hablaremos a su hora. [58]

En una zona intermedia, pues aunque la autora escribía en francés, arreglaba novelas inglesas y alemanas, hay que colocar la obra de Mme. de Montolieu (1751-1832), cuya *Carolina de Lichtfield* fuy muy leída hasta la época romántica. Este libro salió a luz en 1796, en versión de Felipe David y Otero y hasta 1846 hubo más de ocho ediciones (pues varias que debieron existir son desconocidas). De esta autora se tradujeron más tarde otras obras.

Ningún libro alemán encuentro citado en repertorios y catálogos, si no es el *Nuevo Robinsón*, de Campe. El *Werther*, de Goethe, no se traduce hasta 1803, y la primera edición es de París. Téngase en cuenta que entre 1776 y 1787 se publicaron quince traducciones o adaptaciones francesas de esta obra. Esta vez es claro que las dificultades provinieron de la censura. Un documento recientemente publicado, aunque tardío (es de 1802), esclarece de un modo tan deslumbrante lo que fueron para la historia de nuestras letras aquellos tiempos y aquellos hombres, que no resistimos la tentación

---

[57] Sobre Alea, v. Sarrailh, *Enquêtes romantiques. France-Espagne*, París, Les Belles Lettres, 1933, 5 sigs. Mor de Fuentes, que lo conoció, habla de él con gran menosprecio, y le trata de «abatillo asturiano que andaba siempre con el incensario en la mano en ademán de ensalzar a todos los literatos», lo que no impedía que fuese hombre irascible, como lo prueba la trifulca que, a causa del *Duque de Viseo*, de Quintana, tuvo con Cladera, y acabó a palos. (V. el *Bosquejillo* de la vida y escritos de Mor, ed. Alvar, Granada, 1952, 75.) Alea se afrancesó, y después de servir a los invasores en menesteres tan humildes como poco honrosos (por ejemplo, la reunión de cuadros dispuesta por José Bonaparte en Sevilla, en 1810; v. Gómez Imaz, *Los periódicos durante la Guerra de la Independencia*, Madrid, 1910, 167), pasó algunos años en el destierro. Es el primero entre los hombres de vida trágica que hemos de encontrar en la curiosa galería de los afrancesados de entonces —el segundo, mejor dicho, si incluimos en ella al ya citado Santibáñez—. Durante su estancia en el país de adopción, tal vez no fuese ajeno a las actividades editoriales emprendidas con vistas a España: nótese que Alzine publicó la traducción de *Pablo y Virginia*, por Alea, en Perpiñán, en 1816. Alea acabó suicidándose.

[58] No las menciona Sarrailh en su estudio citado, de consulta indispensable para comprender las fortunas de Saint-Pierre en España.

de reproducirlo aquí en gran parte; él nos hará comprender lo que infinitos datos de otro orden apenas nos permitirían adivinar.

En 1802, cierto personaje llamado Bladeau —el nombre ya es de notar— presentó a la censura una traducción del *Werther* con el extraño título de *Cartas morales sobre las pasiones*. Había cometido la imprudencia de esforzar su petición con grandes elogios de la obra, tan conocida ya en todo el mundo, y el Vicario que había de informar sobre ella, castellano viejo sin duda, de los que no se dejaban intimidar por las recriminaciones contra la barbarie nacional que en la solicitud iban implícitas, pergeñó este atroz documento, que no se puede leer sin sonrojo:

Recibí la traducción de las *Cartas morales sobre las pasiones* sin el original, que decía V. S. venía adjunto con ella, y no obstante pasé a leerlas con todo cuidado. Y confieso que visto el, al parecer, prólogo del traductor, me causa rubor el censurar una obra que, según la pinta en él su autor, no tiene competidor, y ella en sí es tan singular, que desluce cuantas se han publicado hasta ahora de la misma clase, entrando las primeras que se han escrito en España. Parece que con esta novela hallamos un tesoro cuyas riquezas han estado escondidas para nosotros, pues hasta ésta que se nos ofrece, como dádiva la más preciosa, no hemos tenido escrito por donde llegar a conocer lo que son las pasiones, ni la moral que encierran, sin embargo de que es materia que se trata en la Filosofía, en la Teología y en los autores de Mística y vida espiritual. El que por la infinita distancia que hay de nosotros a las naciones extranjeras, en las que ha sido recibida esta obra con tanto aplauso, no haga aquí igualación que en ellas (sic), y como no dice en qué consiste esta distancia, no podemos saber si sus temores son bien fundados, por cuanto podemos distar mucho en el buen gusto, en la cultura, en la ilustración y particularmente en el discernimiento de lo que mira a las novelas. Esto, lo último, lo da a entender, pues asegura que nos agradan sólo las que contribuyen a corromper nuestras ideas, nuestro gusto, nuestras costumbres y lenguaje; comoquiera que sea, se hace muy verosímil que una nación de un gusto tan estragado y tan acostumbrada a no estimar sus coplas y romances no haga con la singularísima novela de Werther lo que las demás naciones; quiero decir que los demás salones no se llenarán tal vez de esculturas de este gran héroe, ni las galerías de sus pinturas. El traductor, a la verdad, hace muy poco favor a su nación, y creo que por zaherirla y ensalzar a las extranjeras no ha de vender más ejemplares de su obra, y debió tener presente que, aun cuando aquí no sea recibida con los mismos honores, no será extraño, porque, según una de las reglas de la crítica, las obras originales van perdiendo algo de su mérito en las traducciones, conque ésta que salió en Alemania, y ha sido transmitida a España por Inglaterra, por Italia y por Francia, perdiendo algo de su valor en estas aduanas, ciertamente que no debe comprarse aquí al mismo precio.

Cuando leí el título de la obra creí, desde luego, que su objeto, por lo mismo que es tan general, se dirigía a enseñar a los hombres lo que son estos movimientos del alma que llamamos pasiones, su origen, su naturaleza, su número y efectos, el uso de ellas y los preservativos para contenerlas y sujetarlas a la parte superior y a la ley, y, por último, creí que este tratado de la moral más sublime, no sólo no se ceñía a ser lección compasiva a la humanidad, sino que se ordenaba a que el hombre, del conocimiento de sus pasiones pasase a conocerse a sí mismo, y después a Dios, que es lo que deseaba San Agustín para sí mismo, pues estos conocimientos son el cimiento de nuestra verdadera felicidad. Para este objeto, el más interesante y útil, no sólo a la humanidad, sino también a la religión, escogió el autor discretamente para la acción de sus cartas, la pasión extremada de Werther, el ídolo de Carlina, adorándola hasta perderse por ella; pero no dejó de notar que, aunque ésta fuese la pasión dominante de este héroe, como el objeto de la obra era tratar en general de todas las pasiones del hombre, no debieron pasarse en silencio las de la mocedad, en las que son más vivas, más eficaces y fogosas, o sean de las que pertenecen a la parte concupiscible o a la irascible, y se ve que da principio por una edad en la que resolvió dejar el tumulto del gran mundo para retirarse a lo solitario y campestre; por una edad en que le supone ya hombre de encargos y de negocios, y sobre todo, por una edad a la que ya habían precedido amistades, amores y enamoramientos, materias propias para novelas y en las que tienen mucho influjo las pasiones de lo concupiscible. A lo menos Homero, según Aristóteles, no habla en la *Ilíada* de todo lo que le sucedió a Aquiles, sino de la ira y cólera de éste, que era el objeto único de ella. Nuestro imponderable y esclarecido Cervantes, que se propuso por objeto de su fábula la locura de D. Quijote, comenzó desde que dio principio a sus manías, y así lo han hecho todos los que escribieron obras de este género. En esta atención, la obra presente debió dar principio desde el estado en que el hombre tiene uso de sus pasiones y poder para satisfacerlas, y de este modo se hallarían explicadas por sus principios, medios y fines, que es lo que hace una obra perfecta y acabada.

Esta es una verdad bien clara, pues por no hacerlo así, se nota que el carácter de Werther es muy poco conocido en esta obra. De la cuarta carta, dirigida a este fin, según el índice, sólo se puede inferir que este alemán, por cuanto leía a Homero, era aficionado a las letras humanas, y aquí se concluye todo su conocimiento. Werther se descubre, lo primero, como campesino, pasa mucho tiempo con los niños entre los *tilos*, de éstos pasa, a secas, a hacer el papel de casi embajador o secretario de Embajada; sin saber dónde, de repente se muda en confidente de condes y príncipes, y, como por tramoya, todo se desvanece, apareciendo otra vez entre los tilos, oyendo al cura la antigüedad de estos árboles, y ridiculizando a la mujer de éste, que sin duda sería de rito griego. Aun el carácter de Carlina, que es la segunda persona de esta novela, es incógnito del todo, pues no se advierte si es campesina, aldeana o señora de ciudad o corte, porque lo parece todo y nada parece. Su primera vista o encuentro es en una casa de campo, con unos hermanos llenos de mocos y a los que reparte un poco de pan negro, y al mismo tiempo se ve con vestidos de lujo, clave, canto, baile y cuanto pide el ceremonial del mayor señorío, cosas que, bien mirado, no guardan consecuencia ni conexión si juzgamos por el estilo y crianza española. El autor de esta novela usa de algunos pasajes de las Santas Escrituras, y esto es contra lo mandado por el Santo Oficio de la Inquisición, que prohibe se use de ellas en libros satíricos, amatorios, burlescos, de novelas, etc., por ser contra el respeto y veneración que es debido a la palabra santa de Dios, y esto sólo basta para que la obra no se dé a luz. No sólo se hallan los divinos pasajes entre amores y obscenidades, sino que muchas de las expresiones son poco conformes con lo que enseña la religión. Notaré algunas, para no hacer mi censura más larga que la obra.

Al folio 41 dice que el mismo Dios omnipotente vio en las miradas de Carlina toda su divinidad; al principio de la carta 12, que los días que pasaba dichosos eran semejantes a los que Dios tiene reservados en la otra vida a sus escogidos. Iguales proposiciones sienta el folio 68, y tendría salvoconducto para ellas si no estuviera condenado el sistema herético de los milenarios. En la carta 49, que en la Tierra Santa no encuentra un peregrino lugares de tan piadosa memoria, ni siente su alma colmada de tan santas afec(ta)ciones (sic?), como en el país donde él escribe. ¿Qué cosa más horrible que traer el ejemplo de todo un Dios-hombre bebiendo en la cruz el cáliz sacrosanto de su pasión y su desamparo, para comprobar y confirmar la pena y desamparo que sufre un Asmodeo (?), que aparenta morir a fuerza de un amor lascivo? Esto se lee en la carta 67. El ver a Werther (carta 70), que, después de sus conferencias con otro loco de amor, se vuelve a Dios, movido de su infeliz situación, se enternece, se baña en lágrimas y reconoce lo que el Señor sufrió por su viña; en suma, se manifiesta un hijo pródigo que vuelve a su padre celestial y desea habitar en su presencia; y en la carta siguiente desde luego se explica con que al otro loco lo echaron de la casa de Carlina por enamorarse de ésta, que él está sentado con ella, que toca arias al clave y llora al oirla, y al ver la sortija de boda, lágrimas tan parecidas a las otras.

Creo que Werther estaba más loco que el que encontró; bien sé que en las poesías, fábulas y novelas, para explicar el mérito de las mujeres idólatras usan de los nombres de deidad, ángel, serafines; pero no son de esta clase las que acabo de referir, porque no tienen lugar en el orden o figura de la ponderación. Hasta la muerte de Werther es bastante ridícula; oyen el tiro de las pistolas en el vecindario y no la (sic) oyen los de su casa, que estaban con cuidado; se levanta la tapa de los sesos y los hace saltar, y, no obstante, sin ellos puede andar y vivir dos horas después. ¡Ingeniosa y rara vitalidad! Se estampa en el papel no sólo lo que dejó escrito para su Carlina, sino lo que habló a solas y dispuso para su desgraciada muerte; el entierro va por el mismo camino que lo(s) demás.

Concluyo con decir que esta obra es poco adaptable al genio y gusto español, porque ni divierte ni instruye, según mi corto entender. Las cartas guardan poca conexión, por cuanto sus materias no la tienen, y esto causa molestia y desagrado; aunque la narración de algunas de ellas pudiera pasar por episodio, es poco o ninguno el enlace que tienen con la acción principal de la obra; muchas cartas nada dicen ni adelantan en lo que es el fin de explicar las pasiones. ¿Qué fruto se sacará de una carta cuyo contenido es éste: «¿Conque he de ir a ver a Carlina?». Pues al tenor de éstas hay otras muchas. El traductor dice que lo que se ha escrito hasta ahora sobre las pasiones ha sido parte de genios comunes, que no han hecho más que pintarlas horrorosas, gritar y declamar contra ellas; pero al penetrar hasta lo más profundo de ellas, desenvolverlas, presentar no sólo sus horrores, sino hasta los pliegues más imperceptibles, con lo demás que añade en su semi-prólogo, ésta ha sido obra que, desde que hay pasiones en el hombre, y es bien antigua la fecha, ha estado reservada para el genio singularísimo de Werther; proposición ésta, no sólo arrogante, sino temeraria e injuriosa para la Iglesia, para los Santos Padres, para los teólogos y buenos filósofos que han cuidado de este conocimiento y tratado una materia tan interesante al Cristianismo, con otras luces, con otro espíritu y con fin más santo que todos los Wertheres juntos. ¡Ojalá que nosotros, para nuestra conducta, siguiéramos las sanas doctrinas que se hallan en aquellas fuentes de la moral cristiana! Esta obra (lo insinué al principio) no da conocimiento de las pasiones, y si da alguno es confusísimo; no explica su naturaleza y origen, no dice cuáles y cuántas son ni a qué principio se reducen, y, por último, nada habla de los medios para refrenarlas y contenerlas, a fin de que el hombre llegue a conocer lo que pasa en sí mismo y pueda gobernar rectamente todas sus operaciones.

Así se ve claro que el cuerpo de la obra no corresponde al prospecto y título que lleva en la portada, y por consiguiente que es poca la utilidad que se pueda sacar de su lectura.

Hay infinitos libros que tratan esta materia tan interesante con claridad, con método, con distinción, y lo que es mejor, con arreglo a lo que nos enseña nuestra madre la Iglesia por los Concilios, Santos Padres y teólogos, y por lo tanto pueden leerse con mucho aprovechamiento, sin el inconveniente de que exciten las mismas pasiones, como sucederá tal vez con esta obra, que tan al vivo enseña a abrazar y a besar, con las demás caricias a que impele el amor desordenado... [59]

Nada podría añadirse en comentario de este peregrino documento, tan confuso, revesado y mal escrito hasta ser ininteligible a trechos. El buen clérigo, despistado por un título ciertamente poco feliz (eso de las *pasiones* es una errónea interpretación de «Leiden»; Mor tradujo mejor por *cuitas*); despistado, pues, no entiende nada de lo que lee, y como él no lo entiende, el libro no pasa. Se pregunta uno qué sentido tenía encomendar la censura de libros a gentes que habían de juzgarlos por lo que no eran, que propendían a buscar en las novelas tratados de teología moral, y se sentían defraudados cuando no los hallaban. Leídas esas páginas no puede sorprendernos que el público español entrara en la edad moderna en el más irremediable estado de despistamiento. Y aún hemos de ver más casos.

Sigamos con la mención de otras traducciones. Italia, aún muy influyente entre académicos y preceptistas, y mucho más en el teatro, está ausente de nuestra bibliografía dieciochesca por lo que a la novela se refiere. Verdad es que, pasado el auge de los *novellieri*, su producción en este campo nunca fue abundante. Son excepciones: el *Bertoldo,* de Della Croce, que tan popular había de ser entre los públicos menos exigentes, y del que salen varias ediciones en el siglo XVIII; [60] de más enjundia, los *Viajes de Enrique Wanton a las tierras incógnitas australes y al país de las monas,* traducido por don Joaquín de Guzmán y Manrique, Alcalá, 1769; Madrid, Sancha, 1778, y otra vez, por la Imp. Real, 1800, sin nombre de autor, que lo fue el Conde Zaccharia Serinam (1708-1784), por lo que, dado el título, se le tuvo casi siempre por una obra inglesa. (Sobre las circunstancias de la traducción, v. Sempere, VI, 113-114, y otros documentos referentes al mismo libro en G. Palencia, *La censura,* II, 324-326, número 564.) No encuentro otra mención de novelas italianas. No sé si una novela de G. A. Marini, cosa bien antigua, *Los desesperados* (*Le gare de' desperati,* 1644) y *La Oxilea,* impresos en Madrid, Cano, 1808, habían visto ya la luz en el siglo anterior. Todo esto bien valía la ausencia de *Werther.*

---

[59] Apud González Palencia, *La censura gubernativa...,* Madrid, Instituto de Valencia de Don Juan, 1935, II, págs. 291-295, núm. 536. Sobre la otra traducción de *Werther,* la de París, 1803, v. Menéndez Pelayo, *Ideas estéticas,* VI, pág. 90.

[60] *Historia de la vida, hechos y astucias sutilísimas del rústico Bertoldo,* trad. de D. Juan Bartholomé, Madrid, Millán, 1745. Las ediciones y adaptaciones del siglo XIX fueron numerosísimas.

Sería exagerado decir, como se ha dicho, que las traducciones de novelas cayeron sobre España como un alud, [61] pero como, en efecto, se traducía mucho de todo, y como la producción indígena era muy pobre y la otra destacaba por contraste, el exceso de traducciones provocó censuras en que van incluidas implícitamente las obras novelescas. El argumento de los críticos es siempre el mismo: tanta traducción bastardea y corrompe la lengua. En realidad, lo que expresan tales reproches, como otros análogos de principios del siglo siguiente, es el malestar de una conciencia intranquila por el hecho de la decadencia, del lugar secundario que España ocupa en Europa y de su servidumbre respecto de otros países, sobre todo de Francia. Tanta bulla de traducciones, aunque fueran malas, que no todas lo fueron, resultaba en definitiva beneficiosa, y la lengua, lejos de ser bastardeada, salió enriquecida, o capaz de serlo una vez cultivada por manos más capaces. Un ingenio bastante ramplón, pero sincero y honrado como él sólo, escribió sobre el caso palabras más justas que las de otros críticos de más brillante Minerva: «La mayor parte de los traductores de lenguas vulgares han afeado nuestro idioma con voces y frases nuevas y con cierta languidez muy ajena del carácter y genio de los españoles. Mas por otra parte la han enriquecido de ideas, y aun en cuanto al estilo, han contribuido a purgar éste de ciertos vicios que se habían hecho generales en nuestros libros, y ahora no lo son ya tanto, cual es el de la hinchazón, sutileza, cadencia, hipérboles y metáforas de que antes estaban empedradas las obras aun de los más sabios escritores. Algunos pensarán de distinto modo...». [62] De plumas necias no sale nunca buen lenguaje, cualquiera que sea la intención estilística. Los discursos del pedante contrahecho de la *Derrota*, de Moratín, no pecan ciertamente de galicistas; son más bien infraculteranos.

Pero atengámonos a lo que a novelas se refiere. Un Forner o un Iriarte están demasiado imbuidos de las ideas de su siglo para fijarse en esas novelitas, y al hablar de malas traducciones, nunca descienden a detalles. Nunca se sabe bien a buenas de qué hablan cuanto generalizan de este modo: «...traductores de libritos franceses que han corrompido el habla de nuestra

---

[61] Recuérdese que en las *Efemérides de España*, publicadas por Olive, II, 1805, pág. 26, en una lista de libros prohibidos por la Inquisición sólo figura uno de carácter novelesco, y no en español (*La visite nocturne*, traduit de l'anglais de María Regina Roche..., cinco tomos impresos en París, 1801, «por ser obra obscena, contraria a las buenas costumbres, injuriosa a la Religión católica y a las Ordenes Regulares»). No hay otra en ninguna lengua.

[62] Sempere Guarinos, *Biblioteca*, VI, Madrid, Imprenta Real, 1789, 230, a propósito de Suárez, que no tradujo literatura, y de Calzada.

patria y puéstola en el extremo que lloran los buenos».[63] Si el censor es alguna vez más explícito, recalcará sobre los falsos adornos con que recargan el lenguaje «los predicadores y novelistas de este nuestro siglo»,[64] pero la protesta lo confunde todo, «lecciones de física y química, anécdotas, historietas de los monarcas del Norte, novelas, moralidades, devocionarios...».[65] Es curioso que si Forner no dice más que esto de la novela mala, no es más explícito sobre la buena o que él tiene por tal; no obstante el culto que rinde a Cervantes, Forner ignora la novela, y cuando en las *Exequias* describe el cortejo fúnebre se refiere, apenas de pasada, a los «novelistas, capitaneados por el insigne Cervantes»,[66] sin otras explicaciones. La defensa de la lengua llega a ser un lugar común de escasísimo valor crítico; en todo caso no creo que nadie pretenda atribuir a las traducciones de novelas culpas especialmente graves en el proceso de corrupción que todos lamentan. Lo formulario de las quejas y su verdadero carácter se echa de ver, por ejemplo, contrastando la epístola de Iriarte a Cadalso, en que aquél se duele de cómo se deja perder la lengua castellana,[67] con su sátira macarrónica contra el mal gusto en las escuelas, en la que los lamentos de los pedantes siguen los mismos términos que los otros en que a cada paso prorrumpen los casticistas, y con éstos podrían confundirse:

> *O Hispani, Hispani, quae vos locura moderna,*
> *Quae furibunda mania novos studiare libretes*
> *Incaprichavit? Sic vestras Francia testas*
> *Offuscat miserabiliter, soplatque dineros* [68].

La novela, como tal novela, no cuenta para los críticos más avisados del clasicismo. Las novelas son fruslerías de un interés pasajero o libros sospechosos en su moralidad y que requieren extrema vigilancia. En ello coinciden censores talentosos y adocenados. «A pesar de todos los elogios que se han dado a los romances y libros de caballerías, confesamos de buena fe que esta lectura divierte a un número muy corto de gentes, es perjudicial a muchos e inútil para todos», se lee en el *Correo de los ciegos*.[69] «Un

---

[63]   Forner, *Exequias,* ed. cit., 89.
[64]   Ibíd., 115.
[65]   Ibíd., 263.
[66]   Ibíd., 257.
[67]   Rivad., LXIII, págs. 24, 25.
[68]   Ibíd., 44.
[69]   Núm. 60, 19 mayo 1787, I, 253. Aunque se refiere concretamente a las caballerías combatidas en el *Quijote,* todo lo demás caía bajo la misma condenación.

célebre filósofo prueba en sus discursos políticos que la lectura de las novelas causa tan malas consecuencias en los ánimos juveniles como la de Machiavelo en los de los viejos».[70] El *filósofo* podría ser Montesquieu, podría ser Voltaire. ¿No había dicho éste, refiriéndose a las novelas de Mme. de Villedieu, pero rechazando todas en general, que eran «des productions d'esprits faibles qui écrivent avec facilité des choses indignes d'être lues par les esprits solides»?[71] La novela es un escamoteo de la verdad, cosa indigna de la filo-

---

[70] Ibíd.

[71] *Le siècle de Louis XIV, Oeuvres,* París, Dupont, 1823, XIX, 208. Contradicción parece la carta a los editores de la *Bibliothèque universelle des romans,* pero la contradicción es aparente. Allí se trata de Petronio, de Apuleyo y cosas así; sobre lo contemporáneo no hay nada. Un curioso pasaje de la comedia *Le droit du seigneur* (1762), II, iii, indica que Voltaire adopta ante lo novelesco una actitud irónica análoga a la de Furetière (*Oeuvres,* VIII, 28). En mil lugares tendremos ocasión de ver cómo ingenios de formación clásica que se dedican a las letras en tiempos de clima espiritual bien diferente —Mesonero, por ejemplo—, en medio de un extraordinario florecimiento del género, mantienen una actitud desdeñosa frente a éste. Curioso es el caso de Galiano, quien en su obra da a veces la impresión de que «involuciona». En 1834, en un importante artículo sobre la literatura de España, publicado en el *Athenaeum,* de Londres, Galiano se congratula de que los españoles comiencen a publicar novelas históricas, «great as are the objetions against compositions of this kind». Cree que se debe alentar la producción de novelas contemporáneas «in spite of the trash which is sure to spring from the cultivation of this branch of fiction», y ya reclama el cultivo de un costumbrismo novelesco que hará conocer a los españoles su propia vida y desvanecerá las preocupaciones de los extranjeros. (*Athenaeum,* 1834, VII, 453 c.). Todas esas cosas no revelan un entusiasmo desbordante, pero sí la aceptación discreta de corrientes del siglo, ya ineluctables. En 1845, su actitud ante las novelas es aún más esquiva; juzgando las del siglo anterior, muestra más resabios de neo-clasicismo. Las de Voltaire y Rousseau son, naturalmente, más que novelas, u otra cosa; Crébillon y Diderot, que andan barajados de una manera extraña, sólo le merecen desprecio; Marmontel, lo mismo, aunque por otras razones (*Historia de la literatura...,* págs. 183-184). Todos estos juicios serían, cierto, justificables, pero la «entonación» es característica, y en los *Recuerdos de un anciano,* no se habla jamás, ni por distracción, de lecturas de novelas. Era achaque común a las gentes entre las que había crecido. Lo que no quita que Galiano, inteligentísimo y muy hombre de su tiempo, publicara en 1862, en *La América,* VI, núms. 12-17, una serie de artículos, *De la novela.* Pero aun en ellos parece evidente que nunca fue entusiasta del género. El empuje de la vida no lo arrastraba más allá de sus íntimas convicciones. Se limitaba a reconocer la novela *de facto.* Las mismas contradicciones que en Galiano se dan en Mora, defensor ocasional de la novela histórica scottiana, pues había sido traductor de Scott, hostil, sin embargo, a las ficciones de su tiempo, aunque no siempre lo exprese con claridad (no pueden referirse a otra cosa las ásperas frases que a ciertos engendros literarios dedica en el prólogo a los *Ensayos,* de Lista, Sevilla, 1844). La ley es comprobable hasta nuestros días mismos. Basta que un autor, aunque haya cultivado la novela, aunque deba a este cultivo sus mayores éxitos, se formara en el espíritu del siglo XVIII, para que se le reconozca heredero del menosprecio que aquella centuria

sofía. [72] Como entre nosotros de todos modos escaseaban, y la española no existía ya o no existía aún, pudo prescindirse de ella en absoluto. Nótese este pequeño detalle revelador: En 1806, *La Minerca* publicaba una adaptación del *Jeannot et Colin,* de Voltaire, sin nombre de autor, por supuesto, bajo el título de *Rafael y Carlitos.* Pues bien, una frase del original, que en español, dadas las circunstancias, no hubiera tenido apenas sentido: «Faites des romans, c'est une excellente resource à Paris», se ha convertido en «Métete a traductor, que es oficio socorrido». [73]

Pasaba entonces con casi todas las novelas lo que pasó en nuestros tiempos con la novela policíaca, que todos han leído un poco a escondidas y como avergonzándose de hacerlo. El descrédito, por supuesto, no era obstáculo a la difusión, pero el descrédito parecía general. Si críticos y preceptitas no sabían qué hacer con ella, desprovista de antecedente sclásicos, ignorada de Aristóteles y de Horacio, mera degeneración de la épica o épica mal entendida, inveterados recuerdos de viejas censuras levantadas por los moralistas, militaban eficazmente contra ella: todo lo dicho antaño sobre los peligros con que amenazaban las costumbres de los lectores —sobre todo de las lectoras—, las lástimas sobre el tiempo perdido en la lección de «mentiras», todo lo que Cervantes y los novelistas picarescos habían tratado de vencer inclinándose o haciendo concesiones, todo lo que a la postre había arruinado la antigua novela española, retoñaba con fuerza nueva. [74] La impugnación

---

sintió por el género. No hay sino recordar el caso de Valera, quien todavía en 1900 considera las novelas como producciones secundarias; recuérdese también cierto lamentable discurso de Núñez de Arce, comentado por Clarín, *Mis plagios,* Madrid, Fe, 1888, 53 sigs. Aunque por boca de Núñez de Arce hable más bien una rivalidad profesional, el tono y los argumentos son bienes heredados de la crítica anterior a su tiempo.

[72] Por ser tan raras las menciones de novelas en este tiempo, citaré aún este pasaje, a propósito de una descripción de la Alhambra: «no es un edificio como los que se ven en todas partes, sino un palacio muy superior a todos los que hallamos en las novelas» (*Espíritu de los diarios,* 1788, III, núm. 91, 31 enero, 821). La novela, en estas alusiones triviales, sigue no siendo concebible sino como irrealidad pura.

[73] Llamó la atención sobre este curioso escrito J. Sarrailh, *Notes sur une traduction espagnole de «Jeannot et Colin», de Voltaire, trouvée dans la revue de Madrid «La Minerva» du 26 mars 1806,* en *Revue de littérature comparée,* 1922, II, 611-612. La adaptación, plagio o como se llame, va firmada con las iniciales C. P. Muy de notar es la frase misma de Voltaire, cambiada en el arreglo español, nuevo ejemplo de la estimación que le merecían las novelas tan divulgadas en su tiempo, y nuevo indicio, si hiciera falta, de cómo hay que entender las que él mismo escribiera.

[74] Tanto más cuanto que el neo-clasicismo fue tan vidrioso en materia moral. Aun donde parecía defender la novela, Boileau había dicho (carta a Perrault): «nous

había sido tan porfiada y de tanta amplitud, que hallamos eco de ella hasta en las gentes más humildes y más alejadas de los debates literarios. Todavía a principios del siglo XIX, algún ciego andaluz, que de seguro llevaba en su fardel toda una serie de pliegos que no eran sino extractos de novelas, y no ya consejas tradicionales, sino libros de moda, como veremos luego, podía dar comienzo a su relación con estas palabras:

> *No canto fingidos hechos,*
> *ni invento falsas novelas,*
> *que en dorada copa brindan*
> *estragos a la inocencia...* [75]

La repulsa de la novela por la crítica española del siglo XVIII es tanto más curiosa por ocurrir en un país que se envanece de haber sido cuna del *Quijote,* y en un tiempo en que los prestigios de Cervantes cobran aumentos insospechados. Pero es que Cervantes, aunque capitanee a los novelistas en las *Exequias* de Forner, es otra cosa y más que un novelista. [76] Y, además, fue... un antinovelista. «Para mí —dice el mismo Forner— entre el *Quijote* de Cervantes y *El mundo* de Descartes o *El optimismo* de Leibnitz no hay más diferencia que la de reconocer en la novela del español infinitamente mayor mérito que en las fábulas filosóficas del francés y del alemán; porque siendo todas ficciones diversas sólo por la materia, la cual no constituye el mérito de las fábulas, en el *Quijote* logró el desengaño de muchas preocupaciones que mantenía con perjuicio suyo; pero las fábulas filosóficas han sido siempre el escándalo de la razón». [77] Sobre todo, ¿no había desterrado Cervantes las malas novelas? ¿Cabía mayor título de gloria? Y suponiendo a Cervantes nada menos que discípulo de Luis Vives, le cree instigado por la doctrina del maestro a la empresa de corregir el «inepto gusto» de los libros

---

avons chez nous des modèles qu'on ne saurait trop estimer, à la morale près, qui y est fort vicieuse et qui en rend la lecture dangereuse aux jeunes personnes» (*Oeuvres*, ed. cit., 352; cfr. Fielding, loc. cit.).

[75] *Santa Genoveva. Romance en que se refiere la peregrina historia... de esta penitente...*, Córdoba, Rafael García Rodríguez, s. a., cuarto (Bibl. Nat. de París, Yg 1618).

[76] Recuérdese aquí lo que ya había dicho Cadalso, que en el *Quijote* «el sentido literal es uno y el verdadero otro muy diferente», y que bajo su apariencia de obra extravagante era «un conjunto de materias profundas e importantes» (*Cartas marruecas*, ed. Clásicos Castellanos, Madrid, 1950, pág. 147). Sin olvidar, por otra parte, que implícitamente retrotrae a Cervantes la fórmula de aquella «novela satírica de costumbres» de que más tarde hablará Mesonero. (Introducción.)

[77] *Oración apologética*, Madrid, Pueyo, s. a., 23.

de caballería... franceses. No sé si en las palabras de Forner habrá una protesta velada, una fina ironía contra la conocida, necísima sentencia de Montesquieu (*Lettres persanes*, LXVIII); el pasaje es tan curioso que se hace menester citarlo: «Habíanos venido de Francia el inepto gusto a los libros de caballerias... Clama Vives contra el abuso; escúchalo Cervantes, intenta la destrucción de tal peste, publica el *Quijote* y ahuyenta, como a las tinieblas la luz al despuntar el sol, aquella insípida e insensata caterva de caballeros despedazadores de gigantes y conquistadores de reinos nunca vistos». [78]

Por obra de Cervantes desaparecen las malas novelas —no había otras; las otras eran «poemas», aunque Forner no sienta empacho en llamar novela al *Quijote*. ¿Qué más se podía pedir?

«Gracias al autor de *Don Quixote* (exclama un autor extranjero), si tenemos menos que temer los fatales afectos que hasta entonces imprimieron algunas lecturas en los ánimos de nuestros conciudadanos..., cuya ponzoña se introducía imperceptiblemente ya en sus entendimientos, ya en sus corazones. ¿Y será posible creer (continúa el mismo filósofo) que hay todavía un gran número de alucinados que no quieren perdonar a Miguel de Cervantes el haber destruido las caballerías antiguas, pretextando que con esto se ha debilitado... el amor... a las virtudes?». [79]

Los que sólo se refieren a los méritos literarios de la ficción cervantina, tratarán de salvarla a la manera como la salvaba Fielding. Torres Villarroel dirá: «en el linaje de la epopeya ridícula no se encuentra invención que pueda igualar el donaire de esta historia [el *Quijote*] ni se puede inventar contra las necedades caballerescas invectiva más agria». Cervantes aparece como el regularizador, el legislador de la epopeya cómica al hacer de ella

---

[78] Ibid., 156. El *Quijote* se parodia, y no en España, para combatir el imprudente entusiasmo de las lectoras de novelas, como aquel *Don Quijote con faldas, o perjuicios morales de las disparatadas novelas*, escrito en inglés sin nombre de autor y traducido por D. Bernardo María de Calzada, s. l. n. a., 3 vols., 8º. Se trata de la obra de Charlotte Lennox *The female Quixote*, London, 1752; v. Rius, II, 304.

[79] *El correo de Madrid*, núm. 60, 19 mayo 1787, I, 253. Este texto es tanto más curioso cuanto que parece adelantarse a aquella otra tontería, tan incomprensible como la de Montesquieu, la romántica:

Cervantes smiled Spain's chivalry away;
A single laugh demolished the right arm
Of his own country; —seldom since that day
Has Spain had heroes...

(Byron, *Don Juan*, XIII, xi.)

la novela, y Lampillas hará de él un rival triunfante del Ariosto. «¿No es una novela el inmortal *Quijote?* ¿Y dejó por eso de observar el gran Cervantes todas las reglas que hacen deleitable e instructiva la fábula? Guardó la unidad de la acción, mezcló como debía los episodios con la acción principal, ideó aventuras extraordinarias bien que verosímiles, pintó naturales los caracteres de los personajes y les hizo hablar en el estilo que les convenía.» De todas estas cosas, sólo destaca por un poco de mayor modernidad el juicio de Marchena, que, clásico y todo, era hombre de otro temple y se atenía a los resultados y no a las teorías: «Estaba por decir que es preciso ser tan loco como el héroe de Cervantes para figurarse que puede ser un insensato el protagonista de una epopeya; mas, considerado como héroe de novela, nunca otra más interesante que *Don Quijote* se ha presentado en la escena» (*Lecciones de filosofía moral y elocuencia.* Discurso preliminar.) [80]

Cuanto más cerca está un autor, en esta época, de la pura ortodoxia clasicista, tanto más propenso lo veremos a interpretar torcidamente la obra de Cervantes. Así Jovellanos: «La acción del *Quijote* reúne en sí circunstancias tan precisas, tan oportunas, tan convenientes a esta nueva especie de poemas con que él enriqueció la literatura, que no es fácil, ni acaso posible, hallar otra más acomodada». Pero «Cervantes supuso a *Don Quijote* como existente en la misma época en que escribió su acción, y éste... ciertamente es un gravísimo defecto de su poema, y que hizo caer a Cervantes en otros muchos...». [81] He aquí un caso ejemplar de cómo ese concepto de lo «poemático» pudo oscurecer la comprensión del libro de Cervantes, hasta hacerlo contradictorio consigo mismo.

Y en último término, allí donde no había profundidades filosóficas ni sátiras anticaballerescas, la obra de Cervantes podía pasar como preservativo contra desafueros lingüísticos o idiomáticos. Licenciando para la imprenta *La Galatea* y *El viaje del Parnaso,* un censor, Manuel Valbuena, pudo escribir que aquélla «ha sido reimpresa muchas veces y merece serlo muchas más con preferencia a la multitud de novelas extranjeras cuya traducción nos estropea la lengua castellana y pervierte las costumbres». [82] Punto este

---

[80] Para todas estas citas, que no es del caso evacuar aquí, y otras muchas, v. Rius, *Bibliografía crítica,* III, págs. 19 sigs. Hubo también anticervantistas por otras razones, como el autor de un prospecto del *Anti-Quijote* que satirizan las *Efemérides,* de Olive, II, 1805, 250 sigs. Y es la época en que más parodias del *Quijote* se escriben; v. Cotarelo, *Imitaciones castellanas del «Quijote»,* Madrid, Ducazcal, 1900; súmense a éstas otras muchas extranjeras de que da cuenta Rius.
[81] *Juicio crítico de un nuevo «Quijote»,* Obras escogidas, ed. Angel del Río (Clásicos Castellanos), III, Madrid, 1946, 313.
[82] González Palencia, *La censura,* II, 296, núm. 538.

último de gran importancia. Ya bajo la pluma de los críticos literarios, el juicio que las novelas merecen se matiza de inquietudes morales. ¿Qué no dirán los moralistas de oficio, custodios profesionales de las costumbres públicas? ¿Qué no hará un gobierno paternal y vigilante? En 27 de mayo de 1799, una providencia del Consejo vedaba el imprimir novelas, y aunque la medida no se aplicase nunca a rajatabla, no es dudoso que muchas denegaciones de licencias se inspiraban en el celo de la moral. A veces estas censuras exceden del caso concreto a que deberían atenerse, y generalizan ampliamente; así leemos en un documento que las novelas, «lejos de contribuir a la educación e instrucción de la nación, sólo sirven para hacerla superficial y estragar el gusto de la juventud, aficionándole a aventuras amorosas y lances caballerescos, sin ganar nada las costumbres, y, por consiguiente, no se debe permitir la impresión ni publicación de semejantes obras inútiles»; [83] «La pintura viva de una pasión hace mucha impresión en los jóvenes, cuyas cabezas se llenan de estas ideas romancescas y se valen después de ellas para seducir a la inocencia; con el pretexto de enseñar virtudes, se enseñan vicios, y basta para prueba el fruto que han producido tantas novelas como hemos visto traducidas, cuyo menor defecto es estropear nuestra lengua castellana»; [84] «todas las obras de esta especie están llenas de enamoramientos y galanterías; lo que puede perjudicar a las buenas costumbres de la gente joven, particularmente a las señoritas, que suelen ser los únicos libros que traen entre manos». Este papel está fechado en 1808; la «niña romántica» se anuncia. [85]

¿Nos extrañaremos del fracaso artístico de Montengón, de Mor de Fuentes —tan leídos, sin embargo— en una atmósfera semejante? La novela española moderna tenía que rehacerse en el vacío o adoptar los aires de fuera. En el vacío o con inspiraciones ajenas hubo de hacerse toda la cultura española de estos tiempos, y así se frustró hasta el empeño de los más exquisitamente dotados, que habían de ilustrarse a escondidas, leían a escondidas, tenían que escribir no lo que estaba en su voluntad o sólo algo de lo que necesitaban decir. Las aparatosas trifulcas literarias de aquellos años pueden

---

[83]   Ibíd., 289, núm. 533.
[84]   Ibíd., 316, núm. 549.
[85]   Ibíd., 317, núm. 551. El artículo de Reginald F. Brown, *The place of the novel in Eighteenth Century Spain, Hispania*, XXVI, 1943, 283-290, sólo se ocupa de algunas novelas de aquel tiempo, muy desconocidas. No se hace cargo del problema que aquí planteamos.

enmascarar a veces angustias mortales. Y ellas contribuyeron a su vez a hacer aquel ambiente aún más irrespirable. Mala gente, los escritores que se saben mediocres y no pueden aspirar sino a éxitos mezquinos. «Créeme, Juan —escribe Moratín a Forner—, la edad en que vivimos nos es muy poco favorable...; si vamos con la corriente y hablamos el lenguaje de los crédulos, nos burlan los extranjeros y aun dentro de casa hallaremos quien nos tenga por tontos, y si tratamos de disipar errores funestos y enseñar al que no sabe, la Santa y General Inquisición nos aplicará los remedios que acostumbra». [86] Se trata en esa carta de rectificaciones de yerros históricos, pero el argumento era aplicable a cualquier otra cosa. En sus cartas, Moratín se revela como un espíritu afín de Larra, pero sin arrestos y lleno de aprensiones; la edad en que vivía, en efecto, no le era favorable. Otra vez dirá: «Nadie irrita en España impunemente a estos bichos ponzoñosos [escritorzuelos y poetastros], porque si no pueden con la pluma te herirán con la lengua, levantarán mil chismes contra ti, te desacreditarán, murmurarán de tu conducta y si no te convencen de mal humanista, te calumniarán de mal cristiano, y acabará otro lo que empezaron ellos». [87] Opresión, bobería, envidias. La Inquisición, que no había impedido el vuelo vigoroso del Siglo de Oro, impide ahora toda cosa. [88] Y lo que no hacía la Inquisición lo hacía una censura estúpida, de la que ya conocemos frutos. «La censura estaba vigilante a lo menos para evitar el escándalo público de las traducciones», dice Menéndez Pelayo en lamentable frase, [89] al mismo tiempo que reconoce la difusión considerable, entre los cultos, de aquella literatura que se trataba de suprimir, de introducción siempre clandestina, siempre vergonzante, por tanto, insuficientemente conocida y estudiada. El divorcio entre dirigentes y dirigidos que va a ser el gran drama español del siglo XIX, se inicia entonces. Una cierta clase intelectual, «criada o deslumbrada en el extranjero», como dirá más tarde Larra, empieza a perder el sentido de la realidad española, incapaz de percatarse de sus mejores esencias y de introducirlas en una cultura general europea bien comprendida a la que, por lo demás, no había manera de cerrarse. Lo que la historia de la novela en España, que no española, nos enseña de aquellos años, es aplicable a todas

---

[86]   Carta de Montpellier, 23 marzo 1787; *Cartas*, ed. cit., 78-79.
[87]   Carta de París, 11 mayo 1787; ibíd., 96-97.
[88]   Sobre los procedimientos inquisitoriales en materia de libros, v. un curioso pasaje de *Los vicios de Madrid*, *Revue Hispanique*, 1905, XIII, 182.
[89]   *Heterodoxos*, VI, 298.

las otras actividades del espíritu. Todo llega tarde, todo llega mal, disminuido, incompleto, adulterado, envilecido; los productos de inferior calidad suplantan a los más exquisitos y genuinos o se les adelantan e impiden la fruición plena y provechosa de ellos. Se inicia nuestro atraso y nuestro confusionismo modernos, y España pierde el compás, en la más estricta acepción de la palabra, con respecto a Europa. Las mescolanzas increíbles que la literatura del período romántico ofrece, la ciega sumisión con que el español va a aceptar cuanto de Francia le llegue, su inseguridad, su despistamiento, tienen la misma causa.

* * *

Poco antes de terminar definitivamente este lamentable período, cuando la novela, vista aún con ojeriza por los clásicos, triunfaba de tal modo entre los lectores que era imposible ignorarla, un crítico muy inteligente expuso con envidiable claridad el estado del problema. De sus mismas palabras se deduce que el reconocimiento «de derecho» de ese nuevo género no puede hacerse esperar. En 1822, la revista madrileña *El Censor* publicaba una importante reseña de la *Matilde,* de Mme. Cottin, y en ella se refería el autor —de seguro Lista, que expuso en otras partes ideas muy análogas, aunque en tono más afirmativo— a un cambio del clima literario favorable al florecimiento de la novela. Dada la perspectiva de los tiempos y la formación clásica del que escribía el artículo es sorprendente por su agudeza; hay algún párrafo que se diría escrito muchos años después:

De todos los géneros de la literatura, el novelesco es el más infeliz, porque jamás se ha podido elevar a la categoría de clásico. La novela de Heliodoro entre los griegos y la de Apuleyo entre los latinos están en cuarta o quinta línea, a pesar de que *El asno de oro* pertenece al género satírico. *El Quijote* y el *Telémaco* no deben su celebridad al género que aparentan tener, sino al que encubren. Éste es estimado por sus principios políticos, aquél por la abundancia de verdadero cómico que rebosa en todos sus capítulos. Es esto tan cierto, que si el primer libro de nuestra literatura no contuviese más que episodios novelescos, como los de Fernando y Cardenio, apenas sería leído...
[*Sigue hablando de Rousseau, Richardson, Fielding (que pone a par de Pigault-Lebrun y de A. de Lafontaine); o se lee a esos autores por otra razón que la de ser novelistas, o*] no han conseguido más que entretener

algunos momentos de imaginación... Mas no han elevado el género sobre la clase de frivolidades agradables. No es extraño, pues, que le hayan abandonado al bello sexo, y desde la autora (sic) de *La Casandra,* de narcótica memoria, hasta la justamente célebre madama de Stael, ha sido la ocupación favorita de las plumas femeninas...

El desdén con que es mirada la novela entre los literatos, hace que este género no esté sometido a más reglas que las generales del estilo y la verosimilitud; reglas que los escritores novelistas no tienen dificultad en violar, o por parecer originales, o para producir efectos extraordinarios y maravillosos.

Hay muchas causas para que no se haya dado importancia al género novelesco en la literatura. La primera de todas es su facilidad. Todo escritor que posea el arte del estilo, y que esté dotado de una fantasía brillante y de un alma dócil a la impresión de los afectos, puede escribir una novela con tanta facilidad como una carta. Hay la misma diferencia de este género a cualquiera otro prosaico, como del drama sentimental a la verdadera comedia.

Además, la novela es frívola esencialmente. Pasiones amorosas, sucesos extraordinarios, episodios increíbles; en una palabra, entretenimiento y recreo es lo que ofrecen a sus lectores. Para dar mezclada con todo este aparato la instrucción que recomienda Horacio en su *utile dulci* es necesario mucho ingenio, y el hombre de mucho ingenio abandona las formas novelescas y busca otras más verosímiles, más estimadas para clásicas, para propinar la dosis de instrucción que quiere difundir. Exceptúase, sin embargo, la novela satírica, aunque, según lo que hemos dicho, más bien debería llamarse sátira que novela. Este nombre conviene solamente a aquellas en que la accion y los sentimientos ocupan exclusivamente al lector. No tendremos dificultad en confesar que la novela es un género muy poco importante en la literatura, pero lo es *en moral,* y mucho más que la poesía, la historia y los demás géneros filosóficos. La novela es y será irremediablemente, por más severa que sea la educación doméstica, el único libro en que un sexo entero y gran parte del otro aprenderá en la época tempestuosa de la juventud la operación más importante para el hombre, cual es la de dirigir sus afecciones. No son tan interesantes para este objeto la epopeya, la lírica, la historia ni el drama como esos libros novelescos que tanto desprecian los literatos.

Hay un hecho cierto e irremediable: *La juventud lee y leerá novelas* con preferencia a cualquier otro libro, porque es lo que más debe divertirla e interesarla... Desprecie, pues, el literato cuanto quiera un género que no puede aspirar a la cumbre del Parnaso; el moralista y el político cometerán un gravísimo yerro en despreciarle, pues es un medio constante y poderoso de influir sobre la juventud. En vano se prohibirá que los jóvenes lean novelas; los jóvenes las leerán... [90]

---

[90] *El Censor*, 1822, XV, núm. 85, 16 marzo, 24-26. El autor del artículo fija ciertos principios a que debe atenerse el autor de novelas, consciente de su responsabilidad. Es preciso: «que la pasión del amor, centro alrededor del cual giran todas las novelas, se pinte como realmente es, menos halagüeña que perniciosa»; «que se describa al mundo y a los hombres ni excesivamente buenos ni excesivamente malos. La perfección de Carlos Grandison ha causado daños más graves de lo que se cree. Toda joven que acaba su lectura desea encontrar un Grandison para su uso y cree reconocerle en el primer calavera o seductor que se toma el trabajo de enamorarla.» (Ibid., pág. 27.)

Comp. a los pasajes citados estas frases escritas por un romántico, que aún exageraba no poco el progreso realizado: «Antiguamente (y no es muy lejana la antigüedad) la novela era el patrimonio de los talentos superficiales y frívolos; sus autores eran mirados con indiferencia, si no con desprecio, y apenas se les concedía por compasión un asiento en el alto congreso de la literatura» (S[alvador] B[ermúdez] de C[astro], *De la novela moderna, Semanario pintoresco*, 1840, V, 150 b.).

IV

DEL ANTIGUO RÉGIMEN A LAS EMIGRACIONES

A aquellos años, que él no llegó a conocer, pero que se asemejaban tanto a los de su niñez, que eran una misma cosa, se refería Mesonero cuando contaba que las mujeres del antiguo régimen no leían novelas. (Ya vimos que los censores temían mucho que sí las leyesen). Aún no existía, o era un tipo raro, la «niña romántica», devoradora de libros de imaginación. La mujer, gran patrocinadora de la novela siempre, vivía en el mayor encerramiento «o tapiada en la casa paterna entre rejas y celosías; el *Desiderio y Electo* y las *Soledades de la vida*, [91] eran las únicas lecturas que se le permitían». [92] Un poco más tarde —las fechas de las ediciones demuestran que el lapso transcurrido fue breve— la sociedad se hace algo más tolerante, y «ya por entonces las jóvenes, a vuelta de las *Veladas de la quinta* y la *Pamela*

---

[91] Apenas hay nadie ya que sepa lo que eran estos libros, no sólo muy difundidos entonces, pero fuente de no pocas importantes producciones románticas. Se trata de la *Luz de la fe y de la ley, entretenimiento christiano entre Desiderio y Electo...*, por el M. R. P. Fray Jaime Barón y Arín, Alcalá, 1717 (y otras infinitas veces en otros lugares). Zorrilla debe varias cosas a este libro. Más conocida es la obra de Lozano; de sus *Soledades*, la 15.ª edición es de Madrid, Viuda de Barco López, 1812, 4º. Tiene gran importancia como fuente de leyendas y cuentos románticos, y al mismo tiempo dio lugar a libros de cordel. De allí salió, entre otras cosas, la historia del estudiante Lisardo, de que hay algún pliego como éste: *Historia de Lisardo, el estudiante de Córdoba...*, sacada en compendio del tomo titulado «Soledades de la vida»..., Córdoba, R. García Rodríguez y Cuenca, s. a., 4º (Bib. Nat. de París, Réserve, Y² 1047). Y de allí los romances famosos.
[92] *Las niñas del día*, en *Panorama matritense, Obras*, ed. cit., I, 257. Comp. *Antes, ahora y después, Escenas matritenses*, ibid., II, 206, que parece referirse a época anterior.

Andrews solían leer *La Presidenta de Turbel* y la *Julia* de Rousseau». [93]
Mesonero no se refiere sino a lecturas de mujeres; más completo —y más
exacto, pues habla de sus mismos días—, el anónimo de *Los vicios de Madrid*, pinta sin querer un cuadro desolador. La confusión es caótica; un
lector de novelas se engulle las de doña María de Zayas —de las que
luego se afirma que «no valen nada»— la *Voz de la Naturaleza*, de García
Malo; los *Viajes de Gulliver, Wanton o el país de las monas*, el *Quijote*, la
Matilde [de Miss Lee]; la *Carolina Litfiel* (sic), de Mme. de Montolieu;
las obras de Richardson, las *Lecturas*, de Monroy; *Alejo*, de Ducrai-Duminil... [94] Imposible imaginar mayor revoltijo. Si a ese pasaje nos atuvié-
ramos, el panorama de aquella cultura nos parecería más hórrido de lo que
realmente fue, con serlo mucho. Veamos qué nuevos elementos se van in-
troduciendo en ella.

De los libros citados por Mesonero, el más importante es la *Julia*, de
Rousseau. La primera traducción que de él se halla es una publicada en
Bayona, por Lamaignière, en 1814. En este último período a que alude nuestro costumbrista empieza a desplegarse en Francia una gran actividad editorial, cuyos productos, no obstante mil cortapisas, son destinados a España
—más tarde, a España y América—. Cuando las proscripciones políticas
lancen a Europa un gran número de escritores hambrientos y desprovistos
de todo otro medio de vida que la pluma, presa magnífica para impresores
y libreros, esta nueva industria alcanzará extraordinario desarrollo, que debió
de ser muy lucrativo, a juzgar por el gran número de casas que lo emprenden
y continúan durante muchísimos años. [95] Es necesario, pues, computar de
dos maneras los efectos literarios de las emigraciones. Los emigrados no
sólo nos trajeron el romanticismo, sino que contribuyeron a importarlo antes
de su regreso. Ya veremos que, por lo que a algunos libros de moda se refiere,
no sólo nos llegaron de Francia los originales, sino que ellos mismos, ya
traducidos, impresos y encuadernados, tenían la misma procedencia.

En estos primeros años del siglo XIX *ocurren*, pues, muchas más cosas
de las que dice Mesonero, aplicado a su tema de las «niñas» de antaño y
hogaño, acaecimientos literarios que luego se complican con las luchas políticas. Para ver con un poco de claridad cómo la literatura europea se va

---

[93]   Ibid., 213.
[94]   *Revue Hispanique*, vol. cit., 172-173. Para las obras menores que en ese
lugar se citan, v. nuestra bibliografía.
[95]   Es de notar la relativa frecuencia con que ediciones hechas a todas luces
en Francia, llevan pie de imprenta español (con el nombre de Sancha sobre todo).
Prueba de que, en parte al menos, se exportaban a España.

infiltrando en España, hay que considerar varios momentos en el período que transcurre desde 1801 a 1834.

a) De un modo general, podemos convenir en que el antiguo régimen, el «ayer» de Mesonero, perdura hasta 1812. Los libros y autores que hemos considerado como característicos del siglo anterior siguen reproduciéndose en abundancia, y los nuevos autores que se traducen no son propiamente nuevos, sino rezagados. Así encontramos en 1801 un *Gonzalo de Córdoba,* de Florian, pero impreso en Perpiñán, por Alzine probablemente. *Adelayda o el triunfo del amor,* por Mme. de Genlis, publicada en Madrid por Aznar; las *Cartas de Madama Montier a su hija,* de Mme. de Beaumont, traducidas por doña María del Río, impresas en Madrid (ya lo habían sido en 1796). En 1803, el mismo espectáculo: Ducrai-Duminil, *Tardes de la Granja* (trad. de Rodríguez de Arellano), Madrid, Repullés; *Luisa o la cabaña en el valle,* de Mrs. Helme, ya citada; cosas parecidas se encuentran luego. Sería largo y sobremanera enojoso repetir aquí lo que podrá hallarse, y con más detalle, en la bibliografía; preferible es que destaquemos sólo aquello que realmente supone un enriquecimiento relativo de la literatura de estos tiempos [96] o lo que, de otro modo, nos parezca característico.

1803. La primera edición, ya citada, de *Werther,* hecha en París, por Guilleminot. Quérard cita otra de París, Louis, (confundiendo al impresor, que fue el mismo Guilleminot, con el librero), 1804, y, según parece, este editor imprimió otra bilingüe, hispano-francesa, no sé si el mismo año, en dos volúmenes en 12°.

1807. En este año se publica uno de los rarísimos libros alemanes que los españoles pudieron conocer en traducción (traducción hecha del francés, por supuesto), el *Hermann von Unna, eine Geschichte aus der Zeit der Vehmegerichte* (1788), de Christiane Benedicte Naubert (1756-1819), libro que tradujo Calzada, *Herman de Unna. Rasgo historial de Alemania,* Madrid, Imprenta Real, 2 vols. 8°. Andaba en francés desde 1801, o quizá antes. [97] El título da una idea de su carácter.

1808. Publicación del *Arundel,* de Cumberland (1789), de *Los niños de la abadía,* de Miss Roche *(The children of the Abbey,* 1796), sin nombre

---

[96] Como resumen daremos algunas cifras solamente; de 1800 a 1812 se publicaron trece ediciones de Florian (cuatro españolas, nueve extranjeras), dos de Mme. de Genlis, españolas como las tres que se hicieron de Mme. de Beaumont y las dos de Mrs. Helme; tres de *El nuevo Robinsón,* una extranjera.

[97] Puede verse un larguísimo resumen en la *Nouvelle Bibliothèque Universelle des romans,* París, An six (1798), 170 sigs.; supongo que habrá alguna traducción francesa de por entonces.

de autor, en una publicación cuyo título interesa retener: *Biblioteca británica,* Madrid, Vega. [98] En ella sale también, con el título de *La historia de Ana Primrose,* una traducción o extracto de *The Vicar of Wakefield,* de Goldsmith, libro que no volverá a ver la luz en España hasta 1831, si tiene razón el catálogo de Salvá, o en 1833, impreso por Bergnes en Barcelona, no sin luchar largo tiempo con la censura. Quizá se lograra la licencia de aquel otro texto por andar rebozado en colección con varias novelas picarescas españolas. [99] Se adivina la importancia que van a tener compilaciones de la índole de la citada *Biblioteca,* origen de las posteriores colecciones. El libro de Miss Roche, traducido luego con el título de *Oscar y Amanda* por don Carlos José Melcior, hubo de ser muy leído en la época romántica propiamente dicha. [100]

De los libros de Mrs. Helme, entonces publicados, uno es nuevo, *Alberto o el destierro de Strathnavern,* trad. de E. A. P., Madrid, 1807, 3 vols., 8.º [101]

Una de las que podríamos llamar «ediciones rezagadas», de los libros que entraron con retraso considerable, es la de las *Cartas de Isabela Sofía de Vallière* (1772), de Mme. de Riccoboni (1714-1792), obra que ya no se leía en Francia, o se leía muy poco, [102] publicada por Orga en Valencia, 1805, 3 vols., sin nombre de autor y como traducida del italiano. Más explicable es la adquisición de Fievée (1767-1839), también «antiguo régimen», pero superviviente, autor de una novelita muy linda en su estilo, publicada en los comienzos del siglo, anónima, como la primera traducción española: *La dot de Suzette,* que salió en Madrid en 1807, traducida por

---

[98]   *Biblioteca británica o colección estractada de obras inglesas, de los periódicos, de las memorias y transacciones de las sociedades y Academias... comprendiendo principalmente la historia, la geografía..., las novelas y ficciones agradables...* No identifico la mayoría de las que contiene de índole novelesca.

[99]   V. documentos sobre esto en González Palencia, *La censura,* II, 353, núm. 598.

[100]   Una «tercera edición» salió en Barcelona, Indar, 1837.

[101]   No sé si será de entonces la traducción de otro libro de esta autora, *Saint-Clair de las islas o los desterrados a la isla de la Barra* (hecha sobre una adaptación de Mme. de Montolieu publicada en 1808), de la que encuentro una edición de Barcelona, 1828. No lo creo. Sería extraño que se hubiera publicado tan pronto.

[102]   Aunque posteriores en algunos años, las palabras de Pigoreau, que escribía como librero y no como crítico, tienen vigencia para esta época también. Hablando precisamente de Mme. de Riccoboni, afirmaba perentoriamente: «Aujourd'hui les ouvrages en lettres sont frappés d'une proscription presque générale» (*Bibliographie,* 298; todo el pasaje es de mucha curiosidad). De esta autora se publicó también *Ernestina,* traducida por Barinaga. Valencia, Gimeno, 1835.

don José María Camacho con el absurdo título de *El dote de Suceta*. [103] *Fievée* debía de figurar en la biblioteca de Fernán Caballero, que lo cita entre los nuevos apologistas católicos llamados a debelar la hidra de la impiedad moderna; [104] quizá leyera también este relato que entraba muy dentro de sus gustos.

Encuentro, por fin, una edición del *Anacarsis*, de Barthélemy (1788), hecha por I. P. Sandino, publicada en Palma, 1811, 9 volúmenes, 8°. Este libro, otro rezagado, aún se edita en Madrid, Sojo, 1813-1814, y hay de él varias ediciones hasta la impresa en 1847.

De notar es la relativa abundancia de literatura pía y moralizadora. Junto a *El nuevo Robinsón*, la *Eufemia* «sacada de la *Elisa*, del célebre alemán Campe», Madrid, 1806, y los *Consejos de un padre a su hijo*, «sacados del alemán» (?) por D. García Rodríguez, Madrid, Villalpando, 1807; [105] junto a las de Mme. de Beaumont, alguna obrita del P. Marín (1697-1767), que apenas cabe contar entre las novelas. [106] A los escritos de esta clase pueden sumarse los *Consejos a mi hija*, de Bouilly, que cita Palau como publicados en 1811, cosa que me extraña, pues ése es el año de la primera edición francesa.

Pero el acontecimiento más importante de este período es, sin disputa, la publicación de la *Atala*, de Chateaubriand, vertida al español por el mejicano Fr. Servando Teresa de Mier (si no por don Simón Rodríguez, el maestro de Bolívar), y publicada, naturalmente, en París en 1801. Y esta vez no se trata de algo raro y excepcional, ajeno a nuestras letras y condenado a no dejar en ellas impronta profunda y duradera, como la traducción del *Werther*, de Goethe, probablemente sin eco en la Península; de 1801 a 1808 se registran seis ediciones, algunas de ellas publicadas ya en España. A la citada hay que añadir: París, 1802 (mencionada por Quérard), la nueva traducción de Ródenas, publicada en Valencia, J. de Orga, 1803; la de Torcuato Torío de la Riva, publicada con *El genio del Cristianismo*, en Madrid, por

---

[103] Hay otra, *El dote de Paquita o Historia de Madame de Senneterre contada por ella misma*, París, Smith, 1827, 2 vols., 16° (con nombre de autor esta vez).

[104] V. carta a Fernández Espino, sin fecha, en *Epistolario*, edición Escritores Castellanos, pág. 7.

[105] De la *Eufemia* aún hay una reimpresión de La Habana, 1831, 16°, y las de Barcelona, Piferrer, 1838, 1840, entre otras.

[106] Véase en Serrano y Sanz, *Escritoras*, I, 16, el extracto de un artículo de *La Minerva* que da una idea de lo que es esa *Virginia* del Padre Marín, reimpresa aún en Palma por Savall, 1820, en Madrid, Imprenta Real, 1823, en Barcelona, Pons, 1841, y otras infinitas veces. (En francés se hicieron cinco ediciones entre 1813 y 1828).

la hija de Ibarra en 1806; la misma, con *René*, París, Lenormant, 1807; Barcelona, Sierra y Martí, 1808. [107] A una de estas últimas debe de referirse Godoy cuando, más sensible que algunos literatos de su tiempo y posteriores, menciona el hecho entre otros progresos de las letras durante su gobierno, no obstante desconocer el nombre del traductor, que él supone fuese «nuestro elegante Tapia». [108] La boga de Chateaubriand entre nosotros comienza, como puede verse, mucho antes de que llegue el romanticismo con los emigrados. A qué extremos alcanza, si no la popularidad del libro la popularidad del tema, puede comprenderse por esa lamentable canción de Atala, de que aún hemos de ocuparnos, divulgadísima hasta muy adelantado el siglo. [109]

b) El de 1812 fue un año de esperanzas; el tiempo que sigue hasta el triunfal regreso de Fernando VII, fecundo en publicaciones de mil clases, pero, dadas las inquietudes del momento, no es de extrañar que las novelas sean raras en ese período. [110] No hay más novedad que una traducción de los *Cuentos morales*, de Marmontel, hecha por Estala y publicada en Va-

---

[107]   Es curioso leer lo que de su traducción (y de la de Ródenas) dice el mismo Mier en sus *Memorias*, Editorial América, s. a., 245. Sobre la fortuna de Chateaubriand en España, v. Sarrailh, *Enquêtes romantiques*, 43 sigs. (o en *Homenaje a Menéndez Pidal*, Madrid, 1925, 1, 255 sigs.); E. Allison Peers, *La influencia de Chateaubriand en España*, Revista de Filología Española, 1924, X, 351. Peers no trae algunas de las ediciones citadas, que quizá sean discutibles. Sobre la identidad del traductor v. ahora Pedro Grases, *La primera traducción castellana de «Atala»*, Caracas, 1955.

[108]   *Mémoires*, ed. cit., III, 326. La frase citada me hace pensar que Godoy alude a la edición de Valencia, pues allí trabajó Tapia en efecto, lo que justificaría la confusión. Tampoco hay que disimular que Godoy cita igualmente la traducción de *Sara Th.* por doña María del Río. Más explicable es que recuerde la *Leandra*, de Valladares, al fin, novela original.

[109]   Sin contar alguna pieza de teatro. En el volumen *El padre romano*, de don Pedro Ocrouley (sic), Barcelona, Sauri, 1831, se contiene una tragedia de *Atala*. Supongo que el autor es aquel don Pedro Alonso O'Crowley que publicó en Cádiz infinitas traducciones de novelas. No sé si será la misma cosa que *Atala o los amores del desierto*, tragedia en cinco actos, Valencia, 1839.

[110]   Gómez Imaz, *Los periódicos durante la Guerra de la Independencia*, 373-379, cita listas de libros prohibidos por la Inquisición de Sevilla en 25 de julio de 1815. En su mayoría son de carácter político. Señalaré sólo *La cabaña indiana*, de B. de Saint-Pierre, impresa en Valencia; *Le citateur*, de Pigault-Lebrun, que nada tiene que ver con la novela, pero que es obra característica de aquellos tiempos, y unos *Cuentos en verso castellano* por el Licenciado don Tomás Hermenegildo de las Torres, publicados también en Valencia (a pesar de esta indicación de lugar, creo que salieron de prensas francesas, en Burdeos, probablemente, donde apareció otra edición.) En la lista indicada, nada de esto lleva fecha alguna, pero todo debe ser cosa de los días de las Cortes de Cádiz, como los folletos y los papeles políticos. Verdad es que se aprovechó la ocasión para prohibir cosas tan subversivas como *El sí de las niñas*.

lencia en 1812-1813, [111] y poco más: [112] libros de Florian, una reimpresión, ya citada, del *Anacarsis* y cosas así. [113] Comienza a dejarse sentir la actividad librera valenciana, tan importante desde entonces en el despertar de la sensibilidad romántica. [114]

Los años que caracteriza el absolutismo restaurado, en que la censura fue tan rígida, ofrecen, con todo, mayores novedades que esa breve etapa constitucional, sacudida aún por la guerra. De una parte, la producción francesa destinada a España es cada vez más abundante, y, sin duda, de un modo clandestino, contribuyó a suplir las deficiencias de la española; [115] de otra parte, los editores valencianos, sobre todo, comienzan a difundir novelitas lacrimosas, conmovedoras o terroríficas; Cabrerizo, el primero; al dar comienzo en 1818 a su famosa colección de novelas, contribuye poderosamente a popularizar el género. Literariamente, pues, los dos más importantes fenómenos del período que ahora se abre, del que la etapa liberal de 1820-1823 es una interrupción sin gran importancia, son: *a)*, la introducción de

---

[111] El libro va firmado con las iniciales E. P., descifradas en el *Catálogo* de Salvá, II, 160, donde el bibliógrafo advierte que la traducción fue corregida por su padre. Allí se da al libro la fecha 1813; el *Boletín bibliográfico,* de Hidalgo, IV, núm. 304, señala una edición de 1812, que no sé si será diferente, y advierte que de ella sólo se publicó el primer tomo.

[112] En alguna parte he visto citada una traducción de *Hermann y Dorotea,* por Goethe, cuidada por Cabrerizo e impresa en Valencia por Esteban, en 1812. Supongo que se trata de una confusión, y que la fecha debe ser 1819. Cabrerizo incluyó este poema en su colección de novelas.

[113] De las que sólo citaré, aunque no haya visto la edición, una de *El cementerio de la Magdalena* (1800), de Regnalt-Warin (1775-1844), publicada en 1811 en Valencia, y en cuya traducción intervinieron Mor de Fuentes, que hizo los dos primeros tomos, y don Eugenio de Tapia, que se encargó del tercero; v. sobre todo esto, el *Bosquejillo,* de Mor, ed. cit., 98, donde se habla del caso, sin dar el nombre del editor, nada literato, que hizo traducir aquella «novelucha semi-histórica» de «estilo desencajado». La cual se reeditó en París por Salvá en 1833, 4 vols., en 16°, quien, según Quérard, le restituyó varios pasajes suprimidos en las ediciones tercera y cuarta, hechas en España. La cuarta es de Valencia, Ferrer de Orga, 1829, 4 vols., 8°.

[114] Sobre esta actividad editorial, v. J. R. Lomba y Pedraja, *El P. Juan de Arolas,* Madrid, Sucs. de Rivadeneyra, 1898, 14-21; sobre Cabrerizo particularmente, v. ahora la monografía de Francisco Almela Vives, *El editor don Mariano Cabrerizo,* Valencia, 1949.

[115] La Guerra de la Independencia había debido de abrir a algunos franceses este nuevo horizonte español. De uno de los más activos, Alzine, de Perpiñán, se sabe que durante la guerra publicó periódicos en España, *El Eco de los Pirineos* (Figueras, 1809), *Gazette de Gironne,* 1811. Era entonces impresor de la Prefectura y Ejército de Aragón y Cataluña; v. Gómez Imaz, loc. cit., 149, 210. Es cierto que con anterioridad había publicado algún libro en castellano, pero su mayor actividad es posterior a la guerra.

ciertos libros, imposibles en castellano hasta entonces, impresos en Francia por emigrados o con la ayuda de emigrados; *b*), la primera divulgación importante, puede decirse que sistemática, de libritos prerrománticos y románticos por obra de editores españoles y extranjeros.

a) Podría aplicarse a España la frase en que Chateaubriand explica los cambios operados en la literatura francesa —y europea— desde la Revolución. «Le changement de littérature dont le xix siècle se vante lui est arrivé de l'émigration et de l'exil». [116] Pero entre nosotros la literatura creativa debida a los emigrados no brotará sino más tarde. En esta primera fase de nuestras proscripciones no se destaca aún personalidad alguna de relieve, ningún gran creador, y si alguno trabajó por acercar a los españoles la literatura de su país de asilo, lo hizo sin dar su nombre. [117] Hay, con todo, un personaje excepcional, de vida agitada y dramática cual ninguno y excelente escritor, que debemos destacar de la incierta masa anónima: Marchena, [118] en el que si algunos no vieron sino al «inmonde savant et spirituel avorton», [119] hubo un esforzado hombre de acción y un gran hombre de letras, maridaje extraño siempre, y hubo un gran carácter novelesco. Marchena «inundó literalmente a España de engendros volterianos, y a pesar de todas las trabas impuestas a su circulación por el gobierno absoluto de Fernando VII, estos libros, introducidos de contrabando por la frontera francesa, llevaron por todas partes su maliciosa influencia, contagiando a gran parte de la juventud, especialmente a los estudiantes, entre quienes corrían con profusión, como sabemos por testimonios dignos de fe respecto de Alcalá,

---

[116]   *Mémoires d'outre-tombe,* ed. cit., II, 288.

[117]   El grupo de Londres, menos numeroso, pero más selecto que la masa indiferenciada que hubo de refugiarse en Francia, produjo menos, pero mejores cosas que ésta. Su contribución a la historia de la novela no es abundante, pero nada de lo publicado en otras partes iguala en importancia la obra de Trueba Cossío —traducida en parte al francés por aquel infatigable traductor de novelas históricas que fue Defauconprêt, y del francés al español—, ni hay muchas versiones de novelas comparables a las que de Walter Scott hizo Mora. El mismo Blanco-White, tan en otro plano, merece un lugar distinguidísimo en la historia de nuestro precostumbrismo. Mi entrañable amigo, el profesor Vicente Lloréns, tiene sobre este tema un libro maravilloso, *Liberales y románticos,* México, 1954, de cuyo contenido puede dar una idea mi reseña en *Nueva Revista de Filología hispánica,* IX, 1955, 283-292. A él refiero a los estudiosos.

[118]   Sobre Marchena y sus actividades políticas y literarias, véase A. Morel-Fatio, *Don José Marchena et la propagande révolutionnaire en Espagne,* 1792-1793, *Revue historique,* 1890, XLIV, 72-87; Menéndez Pelayo, estudio citado.

[119]   Chateaubriand, *Mémoires,* III, 114.

Salamanca y Sevilla». [120] La primera traducción que encuentro citada de un texto novelesco entre las debidas a Marchena es la del *Emilio,* de Rousseau, publicada en Burdeos, por Beaume, en 1817, 3 vols., 12°, de la que hay una reimpresión de París, Eyméry, 1819, 4 vols., 8°; la primera que hizo de las *Novelas,* de Voltaire, es la impresa por el mismo Beaume, Burdeos, 1819, 3 vols., 12.° Todas las que de Voltaire y Rousseau se hicieron, después de las citadas, son de 1820 y posteriores; [121] el levantamiento de las Cabezas de San Juan significa un redoblar de actividad de las prensas francesas que trabajan para España. Una traducción de *La nouvelle Heloïse,* firmada por A. B. V. B., sale a luz en Burdeos, Beaume, 1820, 4 vols., 12°, con el título de *Julia,* «segunda edición corregida y aumentada con las dos cartas y todo lo demás que se había suprimido en la primera edición» (que será la de Bayona, 1814, que ya vimos), [122] y es repetida en España, en Madrid, el mismo año (si es que no se trata de la misma con falsa portada, superchería tan frecuente entonces). En 1821 se publica el mismo libro, traducido por Marchena, Tolosa, Bellegarrigue, 4 volúmenes, 12°, y se reedita el *Emilio,* que tradujo el mismo, Madrid, Albán y Cía.; y Burdeos, Beaume. El año de 1822 ve salir numerosas ediciones de todos estos libros: las *Novelas,* de Voltaire, 2.ª edición, Burdeos, Beaume; la *Julia,* trad. por Marchena, Madrid, Cano, 4 vols., 12°, el *Emilio,* en Burdeos, Beaume, y Madrid, Collado; [123] Palau cita aún cierta edición, de este año y de Madrid, de la *Julia,* 3 vols., 8°, y dadas estas características debe ser diferente de la de Cano, pero no advierte quién la hizo. Voltaire ya no vuelve a aparecer en español hasta 1836, [124] pero Rousseau sí se sigue reimprimiendo con

---

[120]   Menéndez Pelayo, *El abate Marchena,* loc. cit., 317. Sobre el valor literario de las traducciones de Marchena, v. ibid., 318. Nuestro crítico prefería sobre todas las hechas en el siglo XVIII (es decir, en el espíritu del siglo XVIII) el «delicioso *Robinsón,* de Iriarte», las de Marchena y la del *Cándido,* por Moratín. De lo que dice deduzco, empero, que prefería a todas las de las *Novelas* de Voltaire a que dio cima el irrequieto abate sevillano.

[121]   En 1820, publicó Marchena un «Prospecto de las obras originales en lengua castellana, impresas, que se están imprimiendo o se van a imprimir en Mompeller por dirección de D. José Marchena», Mompeller, imprenta de Félix Avignon; eran escritos filosóficos y antirreligiosos, entre los que no figura ninguna novela.

[122]   No hay estudio sobre la influencia de Voltaire en España, pero se han reunido datos que permiten apreciar la de Rousseau; v. la bibliografía acopiada por J. R. Spell, *Hispanic Review,* 1934, II, 134 sigs. y el libro del mismo, *Rousseau in the Spanish World before 1833,* Austin, University of Texas Press, 1938; A. del Río, *Algunas notas sobre Rousseau en España, Hispania,* 1936, XIX, 105-116.

[123]   Reseñado en *El Censor,* XIV, 1822.

[124]   Sevilla, Imprenta Nacional, 1836 (?); «el sitio de la edición, el año y la imprenta que aparecen en la portada deben ser supuestos», advierte el *Boletín* de Hi-

frecuencia en 1823; y en plena época calomardina: *Julia*, trad. por M. V. M. (en realidad, Marchena); Versalles, imprenta francesa y española, 1823 (Quérard cita otra de Versalles, Jacob, 4 vols., 12º, 1824, que quizá sea esta misma); París, 1825 (citada en un catálogo de la librería parisiense de Salvá, impreso en 1836, pero con fecha de 1 junio de 1835); *Emilio*, trad. por Rodríguez Burón y aumentado de *Emilio y Sofía o los solitarios*, París, Tournachon-Molin, 1824, 5 vols., 18º. Hidalgo, *Diccionario*, cita una edición de *Emilio* hecha en Burdeos en 1827, pero esa fecha tal vez sea errata por 1822. Ya no hay ediciones de Rousseau hasta 1836, todas españolas. [125]

La reacción de 1823 volvió a lanzar al destierro a muchos españoles que, literatos o no, hubieron de vivir de la pluma. Como Marchena se había hecho traductor, no sólo por fervor de propagandista, sino para socorrerse, y anduvo metido en negocios editoriales dondequiera que el destino le llevó, en Nîmes, en Montpellier, en Burdeos, otros que se vieron en su caso se pusieron, como él, a traducir. [126] No deben ser ajenos a este estado de cosas ciertos proyectos de que da cuenta la *Bibliographie de la France*, de 1826; se planeó una traducción completa de Voltaire en 80 volúmenes; otra, de obras

---

dalgo, III, núm. 214. La subsiguiente bibliografía de Voltaire en castellano dista de ser copiosa: *Cándido*, trad. de Moratín, Cádiz, Santiponce, 1838 (en realidad, Valencia, Cabrerizo, según parece); *Novelas*, trad. por El Doncel [Eladio Gironella], Madrid, Ayguals, 1845; *Cándido*, París, Pommeret, 1846, 2 vols. 18º. Supongo que el miedo al escándalo que el nombre de Voltaire ocasionaba siempre, hizo que saliera sin nombre de autor, en fecha tan tardía como 1855, la *Historia del toro blanco encantado*, Madrid, Minuesa, 4º, 24 páginas.

[125] De la *Julia*, trad. de Marchena, hay ediciones de Barcelona, Tauló, y Barcelona, Sauri, 1836 (tal vez la misma con diferente portada), y otra, también de Barcelona, de la misma fecha, 3 vols., 16º; Barcelona, Oliva (y no Oliveres, como dice Menéndez Pelayo), 1837; según Palau, es la misma de 1836, pero no dice cuál de ellas. En 1836-1837, publica Bergnes de las Casas una nueva traducción por Mor de Fuentes, que aun se edita en Barcelona, Oliva, s. a. *El Emilio*, trad. por Ruiz de Cueto (en realidad es la versión de Marchena) sale en Madrid, 1850, en el folletín de *Las novedades* y aparte. Hurtado-Palencia, *Historia de la literatura española*, Madrid, 1940, 932, citan una traducción de *La nueva Heloísa*, por Enciso Castrillón, sin detalles bibliográficos, Debe de ser de hacia 1820; si no es la misteriosa edición en 3 vols. de 1823, debió de quedar inédita. No la veo citada en ningún repertorio.

[126] «El trabajo a que más generalmente se dedica el emigrado con familia es a dar lecciones de español o a traducir para los libreros que comercian con nuestras antiguas colonias de América; así están inundadas de traducciones increíbles; las hay tan sublimemente desatinadas, que merecían estamparse en letras de oro, para delicia de las personas de buen humor». (Ochoa, *El emigrado*, en *Los españoles pintados por sí mismos*, Madrid, Boix, II, 1844, 323). Las experiencias personales de Ochoa son muy posteriores —todo el siglo XIX fue un continuo emigrar—, pero sus palabras pueden aplicarse a los tiempos de que hablamos.

de Rousseau, en 25 tomos; otra, de Montesquieu. [127] Nada de esto se llevó a cabo, y quizá queden en algún escondrijo traducciones inéditas hechas entonces. Esta vez la emigración fue más larga y penosa que la anterior, y los libros traducidos, mucho más numerosos, fueron también mucho más variados. Hubo versiones apresuradas de libros de moda, a algunas de las cuales debe de aludir Moratín en cierta carta malhumorada: «No pueden ustedes figurarse ¡qué libros españoles envían de París y de aquí para América! [La explotación en grande del mercado americano empieza entonces.] Nada útil, nada de buen gusto; todo de morralla y bahorrina, que es una afrenta de la literatura española». [128] Los que se enriquecían a costa de la labor de estos pobres diablos de emigrados no tenían escrúpulos, y se plagiaba y se pirateaba de lo lindo; las víctimas solían ser otros pobres diablos emigrados en otros países. En 1826, Mora se quejaba amargamente de esa despiadada codicia de algunos editores franceses: «Al terminar la composición de este número hemos sabido que algunos especuladores franceses se proponen reimprimir las obras españolas que se publican en Londres y enviarlas a los puertos de la América continental. Esta empresa ofrece, sin duda, grandes ventajas a sus autores. En primer lugar, se ahorran el gasto del manuscrito, y en el segundo, están en un país en que la mano de obra es más barata que en Inglaterra. Es lástima que la especulación no sea tan moral y lícita como lucrativa; pero, ciertamente, si no merece el dictamen de *robo,* no sabemos cuál otro pueda aplicársele...». [129] Se hacían, por supuesto, ediciones de autores ilustres que vivían en el destierro: Moratín, Martínez de la Rosa; los resultados eran desconsoladores para éstos. Moratín menciona cinco ediciones que de sus obras se habían hecho, «cinco y ninguna en utilidad del autor, el cual no puede hacer una sola por sí. Tanto cuesta pertenecer a la más heroica de las naciones conocidas». [130] Si esto

---

[127]   Montesquieu interesa apenas aquí; diremos, con todo, que Marchena tradujo las *Cartas persianas,* que se publicaron en Nîmes, Durand-Belle, 1818, 8° (la advertencia del traductor en Menéndez Pelayo, loc. cit., 314 n.); reproducida en Madrid, Imp. Nacional, 1821; Tolosa, Bellegarrigue, 1821, 2 vols., 16.º (hay ejemplares con falsa portada, Cádiz, Ortal y Cádiz, s. i., según Hidalgo; v. también Menéndez Pelayo, 312 n.). En 1835 se publicó en Barcelona, por Piferrer, *Arsaces y Ardasira* (*Arsace et Isménie,* 1725), trad. por F. P. *El templo de Gnido* se publicó varias veces: Madrid, 1821, Barcelona, 1825; Barcelona, Oliva, 1837, todas en 16º. Sobre la de 1821 hay un artículo en *El Censor,* IV.

[128]   Carta a García de la Prada, Burdeos, 23 mayo 1826; *Cartas,* III, Madrid, 1868, 87.

[129]   *Correo literario y político de Londres,* 1 enero 1826; ap. P. Grasses, *La trascendencia de la actividad de los escritores españoles e hispanoamericanos en Londres de 1810 a 1830,* Caracas, Elite, 1943, 77 n.

[130]   Carta a Melón, 26 junio [1823], *Cartas,* II. 463.

ocurría con autores eminentes, imagínese lo que la rapacidad editorial lograría de autores oscuros y muertos de hambre. El traductor famélico que ya encontramos en Madrid reaparece ahora en París, más famélico aún, o en Burdeos, Toulouse, Montpellier o Perpignan. Nadie traduce sino *de pane lucrando,* y la profesión llega a no tener casi nada de literaria.

El nuevo espíritu político o la pasión antirreligiosa habían determinado en este período algunas otras ediciones de «libros prohibidos» que debieron de tener muy poco eco entre nosotros, pues no se reimprimieron cuando pudo hacerse; daremos de ellas una rápida reseña. Todas se hacen, por supuesto, en Francia, o casi todas: [131] Diderot, *La religiosa,* trad. de M. V. M. [¿Marchena?], París, Rosa, 1821; Dulaurens, *El compadre Mateo,* trad. por M. V. M.., París, Rosa, 1821. [132] A este período corresponden también las raras muestras de libros eróticos franceses del siglo anterior traducidos al castellano, versiones que firman a veces hombres a quienes no sospecharíamos entregados a estos menesteres. Louvet de Couvray fue muy leído en España durante el período calomardino, al decir de Mesonero. [133] Las *Aventuras del baroncito de Faublas,* trad. por Eugenio Santos Gutiérrez se publicaron en París, 1820; París, Rosa, 1821, 4 vols. 8°, y más tarde, también en París, Moquet, 1837, 4 vols. 16°. Hay otra traducción atribuida a don J. A. Llorente en alguna bibliografía, pero de seguro confundida con la de Santos, secretario del historiador de la Inquisición, con portada de Madrid (impresa en realidad en París), 1822; reimpresa en Sevilla más tarde, 1836, 1838. [134] Mucha más importancia tenían en el arte de novelar *Les liaisons dangereuses,*

---

[131]   Antes de este período constitucional se traduce el primer libro de Pigault-Lebrun que saliera en español, y aunque no es novelesco, lo mencionaré por ser obra de un autor que tanto se leyó más tarde en España, *El citador (Le citateur,* 1803), trad. por el R. P. Fr. N. Alvarado, Londres, Davidson, 1816, 1817, 1820; Hidalgo, *Diccionario,* II, 406 b, cita una traducción por Z. Izgonde, Madrid, Muñoz y Vilches, 1822, 4°. Esos extraordinarios nombres de traductores deben de ser supuestos. La última citada no lleva nombre de autor, o lo omitió Hidalgo, como otras veces. Hay otra edición de Sevilla, 1836, y quizá se hiciese alguna muy anterior que explicaría lo que decimos en la pág. 48, aunque aquella referencia podría entenderse del original francés, que no dejarían de leer los liberales de Cádiz. La obra, ferozmente impía, fue prohibida en 1815 y 1827, pero se introdujo clandestinamente, y Mesonero la menciona entre las que leía la sociedad corrompida de la época calomardiana (*Memorias de un setentón,* II, Madrid, Renacimiento, 1926, pág. 59; cfr. Larra, *El casarse pronto y mal, Obras,* París, Garnier, 1870, I, 93; *De la sátira,* ibid., III, 39; en el último pasaje se tiene ya en cuenta más bien al novelista).
[132]   Las iniciales del traductor son las mismas que aparecen en la portada de la *Julia* editada en Versalles en 1823, traducción de Marchena.
[133]   *Memorias de un setentón,* ed. cit., II, 59.
[134]   Se hizo una nueva traducción impresa en Barcelona, 1838.

de Choderlos de Laclos, libro traducido y publicado en París en pleno período liberal: *Las amistades peligrosas. Colección de cartas recopiladas en una sociedad*, traducida por la primera vez al castellano por D. C. C., París, Bosange, 1822, y otra vez el mismo año, [135] o en 1823, 3 vols., 12°; París, Bosange, 1827; París, 1831; Barcelona, Oliva, 1837, 1847. Las iniciales del traductor coinciden con las de don Cecilio Corpas, personaje que, en efecto, nada tenía de liberal y debía de estar desterrado por entonces. Su nombre figura en la portada de algún otro libro de aquel tiempo. [136]

Si no estos últimos, que sólo presentan un interés anecdótico, los anteriores libros pudieron tener de momento importancia política, concitar entusiasmos o soliviantar pasiones. Para la literatura llegaban tarde. Podría decirse que los lectores españoles de las mejores entre las obras citadas no pudieron gozar nunca de ellas como de cosa nueva; ideas y sentimientos les habían ido llegando difusamente, y los originales venían ahora a sus manos revueltos con mil cosas distintas, logradas o frustradas, adivinación o fruto de un cambio completo de costumbres o gustos.

En 1821, Pigoreau, que no era un crítico, sino un librero, y podía juzgar de la acogida dispensada a los libros por su éxito de venta, daba algunas sugestiones sobre el modo de formar una biblioteca de novelas. «Voici les noms des auteurs parmi lesquels on peut puiser sans crainte de se tromper», prometía con cómica seriedad. [137] A vueltas de algunos clásicos —en su elenco Richardson y Fielding preceden a Cervantes— va citando muchos autores de éxito consagrado o que parecía estarlo. Algunos de ellos (Prévost, Mme. de Genlis, Ducrai-Duminil, Florian, Miss Roche, Mrs. Bennet, Mrs. Helme) habían sido traducidos al español o iban a serlo inmediatamente. Veamos la parte que en la adhesión española al éxito europeo de esos autores tiene nuestra iniciativa propia y la infiltración operada desde Francia. (Téngase en cuenta que muchos, y algunos de los mejores escritores en cuestión, no son franceses.)

No seguiremos el orden de Pigoreau, cuyos criterios no pueden ser los nuestros. De Francia nos vienen entonces cosas muy buenas y muy malas en curiosa mescolanza. El ideal sería poder determinar siempre de una manera precisa qué gentes leían unas cosas y otras, a qué públicos estaban destinadas.

---

[135] La *Bibliographie de la France* da a estas ediciones características diferentes: una es en formato 12°, 2 vols., con 25 pliegos; la otra en 18°, 2 vols., con 16 pliegos. Se hicieron en la imprenta de Bobée.

[136] Tradujo *La moral en acción*, de Bérenger, París, Masson, 1823.

[137] *Bibliographie*, 347.

Por desgracia los documentos de que disponemos no son abundantes ni elocuentes a este respecto, a menudo son tardíos, de tiempos en que las modas comenzaban a pasar y era fácil ironizar sobre ellas. Los tendremos en cuenta siempre que puedan revelarnos algo.

El año de 1822, Francia introduce en España, por primera vez, según creo, las primeras obras novelescas que llegamos a conocer de autores tan dispares como el Vizconde d'Arlincourt y Pigault-Lebrun. Hasta ahora, Perpignan, Burdeos, Toulouse han importado clandestinamente libros a España —y a América, sobre todo, sin duda—; lo seguirán haciendo más tarde, especialmente cuando se trataba de obras que habían quedado «de fondo» en las editoriales, pero ya las iniciativas vendrán generalmente de París. Aunque la vigilancia ejercida en la frontera [138] impidiese la entrada de algunas, o de muchas, novelas, nuestros emigrados de Francia tienen forzosamente que leerlas —y aun que traducirlas— y las traerán consigo al regreso: de aquí que cuando, a la muerte de Fernando VII, se restablezca una cierta libertad de prensa, al menos en lo que a libros se refiere, se reproduzcan en la Península más de una vez las mismas versiones u otras nuevas de las mismas novelas. Examinemos primero, como más curioso, el caso del Vizconde d'Arlincourt.

Le solitaire y *Le renegat*, de este autor son, respectivamente, de 1821 y 1822; en 1823, la editorial Rosa, de París, lanza sendas ediciones castellanas. [139] De 1825 hay una edición de *El renegado*, sin nombre de autor, versión de F. Grimaud de Velaunde —traductor de otras aparecidas en

---

[138] V. González Palencia, *La censura*, I, xxiv-xxv, sobre prohibiciones de introducir libros; ibid., xxxviii-xliv, ejemplos de la severidad y del desorden con que todo ello se hacía; ibid., II, 258-259, sobre el caso de *La Henriada*, de Voltaire, traducción de don Pedro Bazán de Mendoza, impresa repetidas veces en Francia. A despecho de las medidas policiales, la infiiltración debió de ser constante. Por lo que a «libros prohibidos» se refiere, es decir, prohibidos por la Iglesia, ya vimos lo que escribe Menéndez Pelayo; respecto de los otros tenemos testimonios por más tardíos más elocuentes. En pleno período romántico, y cuando la actividad editorial era ya muy grande, y sin las cortapisas de la censura antigua, el *Semanario pintoresco* se lamentaba de la inercia del librero español que contempla en su almacén la obra «criar polvo y polilla en los estantes, mientras que un especulador extranjero... se la reimprime subrepticiamente y llena con ella los mercados *de España* y América» (1841, VI, 415, *a*.). A medida que el tiempo pasa, la represión de ese contrabando es más eficaz. Ya Ochoa, en el pasaje que citamos, no habla sino de traducciones destinadas a América; más tarde aún, refiriéndose a cosas acaecidas hacia 1860, Nombela hablará de la prohibición de introducir libros como de algo dolorosamente efectivo (*Impresiones y recuerdos*, III, Madrid, *La última moda*, 1910, 275).

[139] Ejemplares con pie de imprenta de Madrid, Sancha, son de las mismas ediciones.

Francia y quizá de la anteriormente citada—, impresa por Repullés en Madrid. [140] A partir de 1830, Cabrerizo se hará de oro publicando en Valencia las novelas del Vizconde. [141] Las ediciones sucesivas, que fueron infinitas, y han continuado saliendo casi hasta nuestros días —d'Arlincourt ha sido hasta hace poco un autor popular «por derogación»— pueden verse en la bibliografía; sería penosísimo citarlas aquí todas; retengamos sólo que hay más de cincuenta de novelas suyas entre 1823 y 1850. [142] Pero lo que ahora nos interesa es deducir la enseñanza histórica que encierra este minúsculo acaecimiento. El éxito europeo de las novelas del Vizconde se *organiza* en París mismo. Quérard [143] ha notado que entre 1821 y 1823, las primeras obras de d'Arlincourt se tradujeron al alemán, inglés, danés, español, holandés, italiano, polaco, portugués, ruso y sueco. Esto es ya bastante extraordinario, pero nuestra admiración sube de punto cuando leemos a continuación que todas esas traducciones se hicieron e imprimieron *en París* mismo. París adquiere con ello un carácter de metrópoli europea que ningún país de cultura hubiera soñado antes. Y ese éxito se obtiene por espíritu de em-

---

[140]   Para la relación que guarda la trad. de G. de Velaunde con la de L. Lamarca, publicada por Cabrerizo, v. el extracto del prólogo de éste en Almela y Vives, loc. cit., 248. A la primera de las citadas debe de referirse un curioso prospecto del que vale la pena copiar algunas líneas: «Pocas novelas reúnen como ésta el estilo elevado de *Telémaco*..., el lenguaje poético de Florian, la fluidez y armonía que se advierten en las obras de Mme. de Genlis y el sentimiento patético de Mme. Cottin. El autor, según el dictamen de sus mismos compatriotas, ha oscurecido a todos los escritores que le han precedido» (citado por Blanqui, *Voyage à Madrid*, 1826, 111). Los disparatados términos de comparación de que se vale el librero son prueba al mismo tiempo de la perduración de ciertos gustos y dan idea del ambiente literario de Madrid. Encomios así figuran en algunos prólogos de las ediciones de Cabrerizo, que exaltan hasta las nubes los éxitos realmente incomprensibles del Vizconde; v. extractos en Almela y Vives, 244-245.

[141]   Cabrerizo asegura haber ganado con esos libros «más de 30.000 duros en tres años», *Memorias de mis vicisitudes políticas de 1820 a 1836*, Valencia, 1854, 137.

[142]   En nuestra bibliografía podrá apreciarse el interés creciente por este autor en el hecho de que bien pronto las ediciones españolas siguen a las francesas con intervalos cada vez menores. Mora se burlará con gracejo de ese entusiasmo por el Vizconde: «¿Sabes quién está loco de remate? / Lucindo el traductor. Volcóle el seso / aquel vizconde de encumbrado estilo / que en sus novelas derramó sin tasa / las más descompasadas diabluras; / el autor del *Pirata* y de *Ipsiboe*, / síntesis, nata, flor, joya y espuma / del más descomunal romanticismo» (*El melancólico*, ap. Alonso Cortés, *Zorrilla*, segunda edición, Valladolid, Santarén, 1943, 171). Estos versos pasaron por varias versiones, alguna, ya de 1825, referida a Chateaubriand no a d'Arlincourt. V. L. Monguió, «*Aquel fecundo autor de arlequinadas...*», *Revista Hispánica Moderna*, 1964, XXX).

[143]   *La France littéraire*, I, 90. Sobre el éxito de d'Arlincourt v. también Pigoreau, *Bibliographie*, 143.

presa: cuando la literatura se hace negocio, la exportación se organiza, lo bueno y lo malo tienen análogos destinos; un gran éxito determina la difusión momentánea de otro libro precedente distribuido por el mismo centro editorial y llamado a tener más modesta fortuna. Se van descubriendo las leyes de la moda literaria, y se explota el descubrimiento. Por lo que a España se refiere, concurre otra circunstancia favorable: en ocasiones los vetos de la censura española espolearon todas las audacias; el libro que se prohibe dentro se imprime fuera; algo entraría, y de todos modos el mercado americano podía absorber los restos o los desechos. [144]

El caso de Pigault-Lebrun es enteramente análogo, a pesar del carácter distinto de su creación literaria. Pigault-Lebrun no era un valor que hubiera de lanzarse extremando la propaganda. Había sido un escritor de moda en los tiempos de la Revolución y del Imperio, grato a una sociedad frívola y escéptica que sólo pedía al novelista que la hiciera reir, no importaba cómo ni por qué medios. [145] El año anterior a aquel que vio el éxito parisién y europeo de d'Arlincourt hubo de contemplar las primeras tentativas, sin duda fructuosas, hechas para introducir las novelas de Pigault-Lebrun en España. En 1822, Smith publica en París *El hijo del Carnaval*, 2 vols. 18°, del que aun hay en ese año una edición de Burdeos, Lawalle. *Mi tío Tomás*, impreso también en París por Barrois, lleva la misma fecha. Y las ediciones se multiplican, sin temer concurrencias españolas, como en el caso de d'Arlincourt, pues Pigault-Lebrun, el autor del *Citateur*, podía leerse, pero no imprimirse, en la España calomardina. Entre 1823 y 1827, Smith da a luz *El mozo de buen humor que no pena por nada* (Le garçon sans souci; nótese lo desmañado del título, salido de una pluma indocta); *Los Barones de Felsheim*, «historia alemana que no es sacada del alemán» (hágase la misma observación), *La locura española, Monsieur Botte*, traducción, según Quérard, de don Juan de Escóiquiz, a quien extraña ver traducir estas cosas casi tanto como extrañaría ver a Llorente traducir el *Faublas*. Desde 1836, las prensas de Barcelona se apoderan de las obras de Pigault, de las que en Francia no se hacen en adelante sino raras ediciones españolas.

---

[144]   En 1832 se solicitó en España licencia para publicar *Los rebeldes en el siglo XIV*, y, dos veces, *Ipsiboe;* una de las traducciones era de Antonio Arrom, el futuro esposo de Fernán Caballero. Este último libro salió en 1833, como puede verse en la bibliografía. La novela de *Los rebeldes* se publicó en Barcelona, pero en 1834, supongo que después del cambio de régimen. V. Sarrailh, *Enquêtes,* 150; González Palencia, *La censura,* II, 352, número 595.
[145]   Sobre los méritos relativos de Pigault-Lebrun como novelista popular, v. Le Breton, ob. cit. 68 sigs.

Entre las cosas excelentes que por excepción salen en español de las editoriales francesas, hay que señalar el *Adolfo,* de Benjamín Constant, París, Belin, 1827, 18°. Este libro, en cambio, no se reeditó, que yo sepa, hasta 1845. (Barcelona, Oliveres, 8°).

El año anterior había ocurrido un acontecimiento de enorme volumen histórico, que esta vez no afecta a un autor francés. Paradójicamente, la industria librera francesa, que no tenía entrañas, podía ser generosa en sus selecciones, y nunca se mostró estrechamente patriotera. Su mayor fuerza residía en su cosmopolitismo, y tan importante era para Francia difundir sus valores, como que lo no francés pasase con su visto bueno. Francia había hecho poco antes el descubrimiento de Walter Scott, y las novelas del escocés la habían embriagado; el *scottismo* francés de aquellos días tuvo algo de delirante. Le Breton asegura que en el espacio de pocos años se vendieron en Francia 1.400.000 ejemplares de novelas de Walter Scott. [146] Es lástima que todo ello ocurriera después de publicada la *Bibliographie* de Pigoreau; sería divertido leer sus comentarios sobre el caso.

Es probable que el primer crítico español que mencionara a Walter Scott fuera Aribau, en un artículo de *El Europeo,* I, n.° 11, 1824. La mención está en un breve pasaje.

La primera tentativa de aclimatar entre nosotros la novela de Walter Scott ocurrió, como era lógico, entre los emigrados de Londres, y Mora tradujo, y publicó Ackerman, *Ivanhoe* y *El talismán* en 1825. Las traducciones de Mora son de lo mejor que se hizo entonces, y, si no exentas de yerros, ellos son imputables al deficiente conocimiento de la edad media, que caracterizaba a un tiempo al autor y a sus traductores —a éstos más que a aquél—, por lo que incurrían a veces en pintorescas confusiones. [147] Es

---

[146] Ibid., 282. Sobre este frenesí v. también el libro de L. Maigron, *Le roman historique à l'époque romantique. Essai sur l'influence de Walter Scott.* Nouvelle édition, París, Champion, 1912, 51 sigs. En otras partes pasaba lo mismo. Un editor alemán realizó en la feria de Leipzig, en una sola temporada, 72.000 thalers con una edición económica de esas novelas; v. Dunlop, *History of fiction.* A new edition revised by Henry Wilson, London, Bell & Sons, 1888, II, 610.

[147] He cotejado con bastante detalle la traducción de *El talismán,* ateniéndome, pues la edición original es de hallazgo difícil, a la reimpresión que hizo Bergnes de las Casas en 1838. La traducción es bastante literal, y aun peca por exceso de literalismo que lleva al traductor a veces a desconocer algún matiz diferencial entre el vocablo inglés y otro español, en apariencia sólo de igual significación. Claro es que en ocasiones usos peregrinos de aquel tiempo pudieron inducir a Mora a traducir como tradujo; ya veremos que por eso puede perdonársele como pecado venial que tradujera «romances de caballería» por *romances of chivalry* (página 164 *a*), «romance del rey Arturo que duró tres días con sus noches» por *the great romance of King Arthur, which lasts for three days* (página 192 *a*). Es curiosa la

muy poco probable que esas traducciones circularan mucho entre nosotros en su edición original, pero sí fueron leídas en otras, tal vez pirateadas por franceses y españoles. En todo caso, debieron de estimular el espíritu de empresa de unos y otros. Ya en 1826, sale a luz otro *Talismán* en Barcelona, traducción de J. N. Gallego y Tapia, impreso por Piferrer, 3 volúmenes, 8°. [148] Pero la ceguera y estrechez de espíritu de la censura española puso tales obstáculos a nuestros editores, como veremos en seguida, que en un principio fueron las prensas francesas las que se apoderaron de un Walter Scott adobado a la española de modo más o menos dudoso. En ese mismo año de 1826, Alzine, de Perpignan, lanza *Ivanhoe*, traducido por D. J. M. X., y *El enano misterioso* (*The black Dwarf*) y *Los puritanos de Escocia* (*Old Mortality*) en una versión de F[rancisco] A[ltés] y G[urena], copiada aquélla en Barcelona, Sauri, 1844. En 1827, el mismo Alzine publica *Quintín Durward*, traducción de Altés, y Beaume, en Burdeos, *El oficial aventurero*

---

nota de la pág. 193 *a* en que el traductor advierte que se ha visto obligado a hacer grandes alteraciones en un pasaje «a fin de acomodarlo al gusto de sus lectores». No se comprende por qué. Sin duda la creencia general de que los romances moriscos eran viejos, ha llevado al traductor a substituir por dos de ellos el poema de Blondel y a acumular los anacronismos y los disparates en la conversación que sigue. Los romances no son malos, y es probable que sean de Mora mismo, pero son lo más anacrónico y lo más siglo XVII que pueda imaginarse. Mora añade otros anacronismos a los de Walter Scott, como el uso de la forma «Vuestra Majestad» y cosas así.

De otra parte, el amor por la frase castiza se manifiesta en algunos cambios felices, y es notable el tono cervantino que adquiere el diálogo cuando el traductor quiere captar la intención irónica de algunas frases, el sabor shakespeariano de otras (v., por ejemplo, pág. 96 *b*).

[148] En lo que sigue y en la bibliografía apenas hago otra cosa que resumir la ya reunida y estudiada: P. H. Churchman & E. A. Peers, *A survey of the influence of Sir W. S. in Spain*, Revue Hispanique, 1922, LV, 227-310; E. A. Peers. *Studies on the influence of Sir W. S. in Spain*, ibid., 1926, LXVIII, 1-160; M. Núñez Arenas, *Simples notas acerca de W. S. en España*, ibid., 1925, LXV, 153-159; G. Zellers, *Infuencia de Walter Scott en España*, Revista de Filología Española, 1931, XXVIII, 149-162. No he podido ver el estudio de S. A. Stoudemire, *A note on Scott in Spain*, Rom. *Studies presented to William Morton Dey*, Chapel Hill, 1950, págs. 165-168. Detalles curiosos sobre uno de los agentes literarios que contribuyeron a dar a conocer en nuestro país al novelista pueden verse en Sarrailh, *Pougens et l'Espagne*, Enquêtes, 89 sigs. —De un modo general puede decirse que cuando las versiones españolas varían el título se atienen a algún arreglo anterior francés; así *Los puritanos de Escocia, Las cárceles de Edimburgo; El oficial aventurero* traduce de modo no muy feliz *L'officier de fortune* de la edición Defauconprêt. Estos títulos quizá se popularizaran de modo que llegaran a imponerse aún a aquellos que, según parece, traducían directamente del inglés, como Bergnes de las Casas, que produjo, en efecto, un *Oficial aventurero* (1833), unos *Puritanos de Escocia* (1838), etc.

(*The Legend of Montrose*), [149] y reincide el año siguiente, 1828, con *El anticuario* y *Rob-Roy*.

Literatos y libreros españoles hubieran querido explotar el éxito insospechado de estas afortunadas novelas. La ridícula cominería de la censura madrileña se les interpuso casi siempre, haciendo fracasar planes harto ambiciosos. [150] Esporádicamente, algún libro escapa a aquellas férreas mallas, como *La pastora de Lammermoor*, Madrid, Sanz, 1828, 2 vols., 8°, porque la censura, además de ser estúpida, era injusta y arbitraria como ella sola. En ese mismo año 1828, dos escritores catalanes —sabida es la repercusión de Scott en Cataluña—, Sanponts y Aribau, formaron una sociedad para publicar unas obras escogidas de Walter Scott. Debían comenzar con una traducción de *Ivanhoe* a cargo de López Soler. [151] Pero *Ivanhoe*, según parece, era un libro que estos benditos censores tenían entre ojos. «Nombrado censor el Padre Prior de la Pasión, puso reparos, y los editores abandonaron la empresa proyectada, sufriendo quebrantos en sus intereses por los adelantos y trabajos hechos», [152] lo que no fue obstáculo a que Bergnes obtuviera una licencia para publicar la misma novela en 1829, según parece, [153] y a que se publicara en Madrid en 1831. Este constante forcejear de los españoles con la censura, y los fracasos que aparejaba, hubiera podido favo-

---

[149] Parece ser que Aribau tradujo esta obra, probablemente por entonces, pero su versión permaneció inédita.

[150] V. González Palencia, *Walter Scott y la censura gubernativa, Revista de la Biblioteca, Archivo y Museo del Ayuntamiento de Madrid*, 1927, IV, 147-166 (recogido ahora en *Entre dos siglos. Estudios literarios*. Segunda serie, Madrid, 1943, 277-310). La solicitud desestimada referente a *Ivanhoe* debe de ser la que menciona Sarrailh, loc. cit., 148.

[151] Es la misma que cita Olives Canals en su excelente libro *Bergnes de las Casas, helenista y editor*, Barcelona, 1947, 25, núm. 44, como debida a la sorprendente colaboración de don Juan Nicasio Gallego y López Soler. No llegó a publicarse.

[152] Elías de Molins, *Diccionario biográfico y bibliográfico de escritores y artistas catalanes del siglo XIX*, Barcelona, Giró, I, 1889, 138 a; Amade, *La renaissance littéraire en Catalogne*, Toulouse, Privat, 1924, 148. Olives Canals, *Bergnes de las Casas*, 25, núm. 44, cita una carta de Aribau a López Soler que muestra que el benemérito editor barcelonés trató de asociarse a la empresa, pero que Aribau, que dudaba de las dotes de estilista de Bergnes no quiso aceptar su colaboración. Algo más tarde —pero aún actuaba el régimen absolutista—, en 1833, Bergnes ofrecía dar en la *Biblioteca de damas* «una traducción completa de las obras de Scott y Cooper» (ibid., 164, núm. 72), proyecto demasiado ambicioso, reducido luego a la publicación de unas cuantas novelas. Parece ser que se debe a Bergnes, fervoroso admirador de Scott, un curioso artículo en *El Museo de las Familias*, 1838, I, 354 sigs., sobre *Influencia que ha ejercido y está ejerciendo Walter Scott en la riqueza, la moralidad y la dicha de la sociedad moderna* (v. ibid., 102, núm. 232).

[153] Olives Canals, 25, núm. 45.

recer el plan, concebido en 1824 y manifestado en cierto prospecto impreso en Perpignan por Alzine, de publicar la obra completa del novelista escocés en 80 volúmenes. [154] No se llegó a tanto, pero si se suman los de las novelas impresas en varias ciudades de Francia entre 1826 y 1837, se alcanza, salvo error, la cifra de 59, y si se les añade los 18 de la *Vida de Napoleón*, [155] se obtiene la muy respetable de 77; añadiendo aun los publicados más tarde por la editorial Rosa, de París, se rebasaría considerablemente el número de los proyectados en un principio; bien es verdad que entre estos últimos figuraban los de novelas cuyo original no era conocido en 1824. Por no repetir aquí áridos datos y porque creemos que basta con lo dicho para demostrar que el más eficaz auxilio con que contaba la industria francesa era la increíble limitación de espíritu de la censura española, nos contentamos con referir al lector a la bibliografía.

La contraprueba, si hiciera falta, es que tan pronto como se hacen ediciones españolas, las extranjeras, si no desaparecen, amenguan de modo considerable, a pesar de que los editores ultramontes disponían de una técnica y de medios materiales que daban a sus libros un aspecto infinitamente más atractivo que el que tenían los nuestros. No sabemos cómo, el impresor Jordán, de Madrid (es decir, la empresa de Delgado), consiguió en 1829 autorización para publicar algunas obras de Walter Scott; poemas y novelas mezclados, pues, como vamos a ver enseguida, los conceptos genéricos no andaban nada claros. La primera obra de la colección, según creo, es justamente un poema, *Matilde de Rokeby* (*Rokeby*, 1813), novela histórico-poética, traducida del francés por don Mariano de Rementeria y Fica. [156] El mismo publicó el año siguiente *La dama del lago* (1810) (junto con *Los desposorios de Triermain*, 1813) y *El lord de las islas* (1815). En este año de 1830, comienza en realidad la publicación de novelas de Walter Scott en Madrid con *El pirata* (1821), y un tomo de narraciones breves que contiene *El espejo de la tía Margarita, El aposento entapizado* y *Clorinda o el collar*

---

[154]   *Obras completas de Sir...*, traducidas al castellano por una sociedad de literatos españoles, Perpiñán, Alzine, 1824; v. Quérard, *La France littéraire*, VIII, 580.

[155]   Parcialmente publicada por Cabrerizo, *Páginas de oro de Sir Walter Scott, o sea retrato imparcial de Napoleón... según... aquel célebre escocés en el capítulo VIII de su historia...*, Valencia, 1829, 8º, vi-306 páginas. Hay otra edición del mismo año, Valencia, Ferrer de Orga, 8º. Cabrerizo, en cambio, no publicó novelas de este autor.

[156]   El mismo año se había impreso en Barcelona otro poema del autor, *Visión de Don Rodrigo*, «romance inglés» (sic), pero esta vez la traducción (de Agustín Ricart) estaba en verso.

de perlas, precedidas de «un ensayo sobre el uso del maravilloso en el romance». [157] Desde entonces, la serie de Jordán (o de Delgado) se multiplica con numerosos títulos: *El anticuario, Las Cárceles de Edimburgo (The heart of Midlothian,* 1818), *Ivanhoe* (¡por fin!), *Woodstock, Carlos el Temerario,* todas en 1831; *Kenilworth,* 1832. [158] A partir de este año, Bergnes de las Casas es el que emprende en Barcelona la publicación de las novelas de Walter Scott: *El enano misterioso,* 1832; *Redgauntlet, Ivanhoe,* 1833; *El anticuario, Quintín Durward, Roberto, Conde de París,* 1834, etc. Pues bien, las ediciones francesas de este período y posteriores son mucho menos abundantes que las españolas, de que hay muchas más de las citadas, impresas en Madrid mismo, Barcelona, Valencia, Cádiz, Sevilla, Málaga. De 60 ediciones diferentes, hechas entre 1830 y 1850, registro 50 españolas y sólo 16 francesas. A veces puede documentarse cierta recrudescencia de actividad editorial ultramontes: en 1835 y 1836 salen a la luz en Burdeos y París varias ediciones de Walter Scott (*Waverley, Guy Mannering, El día de San Valentín*), y casi ninguna en España. Lo mismo ocurre en 1840, cuando Ochoa trabajaba para la editorial Rosa, y alguna que otra vez.

Hacia 1833, las novelas de Walter Scott, pese a la censura, debían de estar en las manos de todos —asociadas por modo extraño con las de J. F. Cooper. A esos años se refiere Zorrilla en una página reveladora: «mi constante lectura del gran novelista inglés y de su rival americano Cooper y de la avenida romántica francesa», hizo que llegara «a vivir en una exaltación febril y en un aislamiento semisalvaje que produjeron por fin la divagación diaria y el sonambulismo nocturno». [159] Para los románticos, Scott era el vindicador de la novela, el que volvía a elevarla a par de las grandes creaciones literarias; gran hazaña de «la pluma festiva a par que docta, y tan ligera en las formas como en la observación profunda, de ese escocés llamado Walter Scott, cuyas obras han dado a la novela una importancia que desde Cervantes y Lesage acá, no tuvo nunca». [160] Y no eran sólo románticos los

---

[157] Probablemente traducción de un libro francés impreso el año antecedente: *Le miroir de la tante Margueritte et La chambre tapissé,* précedés d'un Essai sur l'emploi du merveilleux dans le roman et suivis de *Clorinda ou le collier de perles,* París, Gosselin, 1829, 12.º

[158] Hasta 1832, las obras de Walter Scott publicadas por Jordán sumaban 20 tomos.

[159] *Recuerdos del tiempo viejo,* Madrid, 1882, II, 67.

[160] P. de la Escosura, *Estudios sobre las costumbres españolas,* Madrid, 1851, 20.

que así hablaban. No lo era Lista, que sólo tuvo elogios para el escocés, [161] ni lo fueron algunos de los traductores, como Mora o Gallego —tan displicente para con obras famosas de Víctor Hugo. [162]

Otro ejemplo curioso de infiltración extranjera es el de Byron, cuyo nombre extrañará encontrar en este libro, pero que entra en él plenamente, pues Francia nos lo envió convertido en novelista. [163] Una divertida ironía de la historia hizo que la novela, sucedáneo espúreo de la épica para los preceptistas poco anteriores, triunfante ahora, anexe a su vez toda suerte de narraciones en prosa y verso, fuere cual fuere su índole estética. Las traducciones prosaicas —en todos los sentidos del vocablo— contribuirían por su parte en ciertos casos a borrar lindes y fronteras, y en seguida hemos de ver la confusión que reinaba en las cabezas por lo que a los géneros y categorías se refiere. El hecho de que Byron subtitulara «tale» los más de sus poemas narrativos, y que esta palabra se tradujera generalmente por *novela*, debió de contribuir a la confusión, que hallamos extendida a otros autores en cuyos poemas no concurre la misma circunstancia —los de Goethe o Chateaubriand—. *Lara*, hasta sin subtítulo, se hubiera convertido en «novela española», por la misma razón que *Los Natchez* se convirtieron en «novela ame-

---

[161]   Véanse sus ensayos *De la novela* y *De la novela histórica* en *Ensayos literarios*, I, 156, 158.

[162]   Para terminar con la boga de Walter Scott en España, a la que Francia da los más eficaces impulsos, recordaremos que de Francia nos vinieron también algunas de las novelas apócrifas adscritas a este autor después de su muerte: *Allan Cameron*, «novela inédita» perpetrada por Auguste Mallet, París, Desessart, 1840, que fue traducida por Ramón Castañeira, Madrid, Mellado, 1841-1842. En el mismo caso está *La maga de la montaña*, otra novela «inédita» publicada por el mismo editor, Madrid, 1844, que tiene que ser *La pythie des Highlands*, París, Potter, 1843, atribuída por Quérard a la colaboración de Calais y Anne. Un extraño capricho editorial la ha sacado a luz recientemente, Madrid, Colección Cisneros, 1943, todavía como obra de Walter Scott.

[163]   Pigoreau llama «romans poétiques» *El corsario*, *Lara*, etc.; *Bibliographie*, 160. Un hombre como Valera escribía aún en 1860; «otros novelistas han ido, como Byron, a buscar sus héroes entre los klephtas y piratas griegos...» (*De la naturaleza y carácter de la novela*, *Obras comp.*, XXI, 25). Además, aquellos poemas ofrecían, como otras obras románticas, *situaciones* novelescas explotables. Léanse estas curiosas palabras: «Ofrecemos una novela enteramente original... para cuyo trabajo hemos tenido que hacer un estudio bastante meditado de los escritos del inmortal poeta inglés...» (E. de K. Vayo, *La hija del Asia*, Madrid, Repullés, 1848; ap. Lomba, *El P. Arolas*, 198). Naturalmente, hubo traducciones en verso que, buenas o malas, no pueden confundirse con aquello. Un fragmento de la traducción versificada de *El sitio de Corinto*, por Trueba y Cossío, puede verse en *El Artista*, 1835, I, vi, págs. 64-65; el *Semanario pintoresco* publicó una *Parisina*, también en verso, que en el índice del volumen se llama novela, etc.

ricana» y que *Hermann y Dorotea,* trasladado en prosa, entraba a formar parte de la colección de novelas de Cabrerizo.

La primera aparición de Byron en la literatura española parece ser que ocurre en 1818, con una traducción en prosa de *The Siege of Corinth,* publicada en *La Minerva o el censor general,* de Madrid, y, en ese mismo año, *La crónica científica y literaria,* que Mora editaba también en la corte, estampaba una apreciación de la obra del poeta. [164] Esto era poca cosa y no podía hallar larga repercusión en el gran público. Sólo a partir de 1827, publicado en Francia y en español, *El corsario* (París, David, 18°), comienza una mayor difusión de los escritos de Byron, y en poco tiempo salen a luz todos o casi todos sus poemas, arrojados a la voracidad del público como cuentos o novelas. Entre ese año y el de 1830, en que Cabrerizo acoge *El corsario* para su colección, aparecen, publicados por Decourchant, en París, en tomitos en 18°: *El infiel o el giaur, Mazeppa,* novela; *El corsario,* nuevamente; *Lara,* novela española; *El sitio de Corinto, La desposada de Abydos,* novela turca, todos en 1828; *Parisina,* novela; *Beppo,* novela veneciana; *Oscar de Alba,* novela española; *Don Juan,* novela; *El preso de Chillon,* novela (más otra, apócrifa, de que se hablará en seguida), 1829. Todavía hay ediciones de *Oscar de Alba* y *Beppo,* de 1830, que no sé si serán reimpresiones o aquéllas mismas remozadas. [165] El apócrifo *Vampiro,* rechazado por Byron mismo en una divertida carta, [166] del cual cita Palau una edición de Barcelona, 1824 (?), y que se reprodujo luego en Madrid, imprenta popular, 1841, con el prudente subtítulo: «Novela atribuida a Byron», figura también en la edición de Decourchant, y fue publicado en 1829.

Los editores españoles no recogieron de todo esto sino *El corsario,* impreso por Cabrerizo, Valencia, 1830, 1832, 1844, y por Oliva, Gerona, 1841, y *El sitio de Corinto,* que editó, en Barcelona, Sauri, 1838. Contra las in-

---

[164] Un juicio bastante displicente de Aribau puede verse en *El Europeo,* I, número 11, 1824, pág. 350. Sobre el aparecer de Byron en España y varios aspectos de su influencia, v. P. H. Churchman, *The Beginnings of Byronism in Spain, Revue Hispanique,* 1910, XXIII, 333-410; E. A. Peers, *Sidelights on Byronism in Spain,* ibid., 1920, LI, 359-367; el mismo, *The earliest notice of Byron in Spain, Revue de littérature comparée,* 1922, II, 113.

[165] V., sobre esto, Quérard, *La France littéraire,* II, 487.

[166] Puede verse en facsímile en Byron, *Works,* París, Calignani, 1843. En ella el poeta declara con la mayor seriedad: «I have... a personal dislike to vampires». Mora censuró vivamente este poema, mucho antes de publicarse en español, en *La Crónica,* 1819, arremetiendo, de paso, contra la literatura de «los pueblos septentrionales». V. el pasaje, que es curioso, en Alonso Cortés, *Zorrilla,* ed. cit., 105-106.

tenciones del editor francés, Byron no debió de ser entre nosotros pasto del gran público, y su influencia se redujo, sin duda, a círculos literarios que para nada necesitaban de traducciones.

A esta importante aportación que debemos a los traductores que trabajaban en el extranjero, habría que agregar una polvareda de novelitas fraguadas por autores modestos, bien o mal acogidas, y que responden a mil tendencias distintas. Como los datos reunidos en la bibliografía han de ser más completos, a ella remitimos ahora y siempre, y sólo retendremos aquí algunos nombres de alguna significación. Aunque predominan los franceses, entre los traducidos entonces figuran algunos que no lo eran, rezagados como Lewis (1775-1818), del cual se tradujo, en 1821, *El fraile o historia del padre Ambrosio y de la bella Antonia,* París, Rosa (el título original es *Ambrosio or the Monk,* 1795, libro vertido ya al francés en 1797), sin nombre de autor en esta edición castellana. Otros, como Van der Velde (1779-1823), eran autores de novelas históricas que se beneficiaron de la apoteosis de Walter Scott. Curiosa fue la adquisición hecha entonces por las prensas francesas que editaban libros españoles de alguna novela del falsario W. H. Ireland (1777-1836), tan famoso por los autógrafos de Shakespeare que forjó, pero al que nadie recuerda ya como novelista. Su *Abadesa,* traducida al francés en 1814, lo fue al castellano por C. L. y la publicó en París, Rosa, en 1822, 2 vols., en 12º. [167]

Otro nombre curioso en la bibliografía hispanofrancesa de esta época es el de Ch. A. Vulpius (1762-1827), el cuñado de Goethe, autor, como es sabido, de largos novelones, entre los que fueron muy famosos los que tenían por héroes a bandidos italianos. En 1831, la editorial Pillet, de París, publicó *Albertino Giovani, capitán de bandoleros en Nápoles,* 4 vols., 18º, que no logro identificar, pero que se atiene, sin duda, a un arreglo francés: *A. G., chef de bandits à Naples,* traducido por Duperche y publicado en 1823, 3 vols., 12º. Podría ser la obra más famosa de Vulpius, *Rinaldo Rinaldini,* cambiado el título. [168]

---

[167] Barcelona, Sauri, 1836; Barcelona, Oliva, 1836 (?), 1838; todavía se imprimió una nueva edición en Madrid, González, 1854, 4º. Sospecho que la novela *La abadía,* que cita Hidalgo, ed. Sauri, 1836, es esta misma, y que ese título es una de las innumerables erratas que afean su obra. Ireland escribió, también, una novela de ambiente español, *Rimualdo or the Castle of Badajoz,* 1800, que no sé si llegaría a traducirse.

[168] Goedeke, *Grundriss,* V, 512, menciona el español como una de las lenguas a que se tradujo el *Rinaldo,* pero no da detalle alguno de la edición.

Entre los autores franceses editados entonces en español, hay de todo, desde una versión de *El Conde de Cominges* (1735), de Mme. de Tencin (1681-1749), publicada en 1828, cosa ya envejecida, pero no sin interés histórico, por las tempestades de lágrimas que había hecho derramar en el siglo anterior, hasta relatos recientes del Conde de Forbin (1779-1841), pintor y escritor a sus horas, del que se traducen *Carlos Barrimore* (el original es de 1810) e *Ismail y Mariam*. [169] Más interesantes eran, sin duda, algunas narraciones al gusto del antiguo régimen, reflorecido bajo la Restauración en ciertos medios, obritas de urbanidad y decencia perfectas, como *Carlos y María* (1802), de Mme. de Souza (1761-1836), publicada por Pillet, en 1831, y reimpresa por Bergnes en Barcelona, 1832, o como la *Ourica* (1824), de la Duquesa de Duras (1779-1828), traducida sin nombre de autor dos veces, 1824, 1825; [170] o como *El leproso de la ciudad de Aosta* (1811), de De Maistre, que salió en español, en 1825, de casa de Rigoux. En los años finales de la «ominosa década», se tradujeron y publicaron algunas novelas que recordaremos aquí por lo mucho que habían sido leídas en Francia: *Barbarinski o los bandoleros del castillo de Wisegrado* (1818), imitación de Mrs. Radcliffe, editada en versión española por Pillet en 1831, y *Sombremar,* sacado a luz por el mismo, en 1833; obras ambas de la Condesa de Ruault, conocida por el nombre de Condesa de Nardouet. Citaremos también *Olimpia o los bandoleros de los Pirineos* (1802), del mismo género, por Mme. de Saint-Vénant († 1816), publicada por el mismo Pillet en 1831, y reimpresa en Valencia por Gimeno, 1836. Todas estas cosas salieron sin nombre de autor.

Por concurrir en ella una circunstancia curiosa, citaremos aun, por último, otra de las novelas publicadas por entonces en Francia, otra de las terroríficas a la Radcliffe, *La caverna de Strozzi* (1798), de Regnalt-Warin, al que ya citamos con motivo de *El cementerio de la Magdalena,* impresa en español por Smith, 1826, y luego, en Madrid, por Bueno, 1830. Este libro había de arribar un día a la remota Nicaragua, y fue una de las primeras lecturas de Rubén Darío. [171]

La admiración que esta intensa actividad editorial nos produce, sube de punto al comprobar, y es fácil hacerlo, que los franceses no se limitan

---

[169] Este último relato ha sido extraído del libro *Souvenirs de Sicile* (1823); existe de él otra traducción cuidada por D. F. G. y V., impresa en Granada, Viuda de Moreno, 1838.

[170] Aún hay otra, trad. por P. P., Barcelona, Oliveres, 1841; la portada dice «2.ª edición», lo que parece indicar que Oliveres haría otra anteriormente; no creo que por «primera» se entienda ninguna de las francesas.

[171] V. lo que dice él mismo en su *Vida,* Barcelona, Maucci, s. a., 17.

a exportar «libros prohibidos», que, al mismo tiempo, son nuestros provee-
dores de obritas edificantes; sin duda, los unos entraban revueltos con las
otras —cuando lograban entrar—. Y no se trata de «especializaciones» de
algunas casas: son los mismos libreros los que emprenden una cosa u otra.
Así, las obras de J. N. Bouilly (1763-1842), del que todavía, al decir de
Pigoreau, se agotaban las ediciones a primero de año, pues era el autor soñado
para regalitos y aguinaldos a la juventud. [172] De Bouilly, del que hay ediciones madrileñas, precisamente de la época liberal, recogidas luego sin otra
razón, [173] la editorial Rosa, a la que, evidentemente, lo mismo le daba
publicar esto o *El compadre Mateo*, saca a luz los *Cuentos a mi hija*, 1823,
y los *Consejos a mi hija*, 1825 (traducción de Velaunde). Y no es esto todo.
De Mme. de Renneville (* hacia 1768-† 1822) publica la misma editorial
Celia y Rosa (editada ya en Valencia por Esteban, en 1817), 1823; Decourchant (el editor de Byron), *Savinianito*, 3.ª ed., 1828; Pillet, *Los recreos
de Eugenia*, 1832. Un personaje bien conocido en la época calomardina, y
no ciertamente como liberal, don Cecilio Corpas, tradujo *La moral en acción*,
de L. P. Bérenger (1794-1822), y la publicó en París, Masson, 1823. *El almacén y biblioteca completa de los niños*, de Mme. Le Prince de Beaumont,
sale en Burdeos, 1824, y *El tesoro de los niños*, de P. Blanchard (1772-1856),
en la misma ciudad, impreso por Lawalle, 1826. Contemporáneamente, en
Madrid, se hacía menos moral.

Pero es comprobable que ninguno de los autores citados logra el favor
popular de que siguen gozando Florian, Mme. de Genlis —de quien ya se
publican obras más interesantes que las que vimos leer a los españoles del
siglo anterior—. Tanto en España como en Francia, los libros de ambos se
editan y reeditan sin tregua; naturalmente, más en Francia que en España. [174]

---

[172] *Bibliographie*, 155.
[173] *Cuentos a mi hija*, trad. por P. F. y C., Madrid, 1821; *Consejos a mi
hija*, trad. por don Francisco Grimaud de Velaunde, Madrid, Amarita, 1821.
Por eso mismo se prohibieron en 1823, por «haberse publicado en el tiempo de
la llamada Constitución», sin que nadie se interesara en examinar su contenido;
v. González Palencia, *La censura*, II, 323, núm. 561. La misma traducción se
imprimió en Francia en 1825. En ese año se le consideraba en España libro
prohibido, y aún se denegó su publicación en 1833.
[174] Las circunstancias pudieron a veces determinar ciertas preferencias y hacer
parecer algún libro como remozado. V. en *El Censor*, 1821, VIII, núm. 44, págs. 144-
147, un curioso elogio del *Guillermo Tell*, de Florian, traducido por una señorita
innominada. Se ensalza el libro más por el espíritu de libertad que respira que como
novela, y la empresa de la traductora, más como patriótica que como literaria. La
obra iba dirigida a Riego y Quiroga, es decir, hubo de hacerse a raíz del alza-
miento constitucional.

b) En la Península, la actividad editorial es todavía muy escasa, aunque se anima un poco en los últimos años de la «década». Lo más «ominoso» de la tal década es, sin discusión, la censura de libros que ejerce, necia, cominera, arbitraria, ensañada hasta con obras ya generalmente aceptadas y mil veces reimpresas, de nuevo en entredicho por razones de «autoridad». [175] Las directivas cambian con frecuencia, los censores muestran diverso criterio, y no faltan ocasiones en que el «trato de favor» parece evidente. [176] Ahora mismo, después de hacer constar que durante ese período Florian y Mme. de Genlis siguen siendo los favoritos del público, junto a Ducrai-Duminil, Richardson, etcétera, que se venden también copiosamente, aunque no tanto, volveremos a ocuparnos de Chateaubriand, a quien nos conduce un curioso episodio de la historia de la censura. Continúa, hasta 1830, la serie inagotable de las ediciones de *Atala*, sin disputa uno de los libros de más éxito del siglo, acompañado a veces de *René*, que se leyó mucho menos. He aquí que en 1830 se le ocurre a alguien imprimir la novela sin permiso previo. Semejante

---

[175] Un libro de José Eugenio Eguizábal, *Apuntes para una historia de la legislación española sobre imprenta desde el año 1780 hasta el presente*, Madrid, «Revista de Legislación», 1879, que no me es accesible, convenientemente utilizado por González Palencia, cuyos documentos, además, son más reveladores que todos los cuerpos legales, puede descartarse. El libro de Palencia hace también inútiles los artículos de Serrano Sanz, *El Consejo de Castilla y la censura de libros en el siglo XVIII*, Revista de Archivos, 1906, XV, 28, 243, 387; 1907, XVI, 108, 319, que nada o muy poco contiene a nuestro propósito y no alcanza el período que reseñamos.

[176] Por ejemplo, la *Malvina*, de Mme. Cottin, estuvo en un tris de ser vedada en 1832, y probablemente la salvó que el editor adujera el prospecto de Cabrerizo que contenía el título. ¿Por qué se la permitía allí y no acá? Hay libros prohibidos una vez, licenciados otra, sin que se eche de ver la causa. Para los liberales en el destierro, los desaguisados de la censura eran un buen tema de propaganda. Galiano la caracteriza bien en su citado artículo del *Athenaeum*. Después de hacerse cargo de que un régimen absoluto no puede tolerar nada que sea o parezca subversivo, añade sesudamente: «But the office of the censor might, we think, be restricted to the prohibiting the diffusion of objectionable doctrines, in place of extending (as it does now) to whatever does not suit his literary prejudices and partialities, nay, even his very caprices.» Y se pregunta por qué no permitir a la prensa española alcanzar el nivel de la de otros países también absolutistas (loc. cit., página 453 *a*). Lo odioso no era sólo el hecho de existir una censura; más odioso era aún el carácter que tuvo, sobre todo en esos años.

Aún en los períodos liberales, autoridades eclesiásticas acostumbradas a la censura de libros —y que, dentro de su jurisdicción, la seguían ejerciendo— no dejaron de poner obstáculos a la publicación de los que no les convenía ver impresos. En *El Censor*, II, núm. 7, 16 septiembre 1820, pág. 62 sigs., hay una interesante nota sobre venta pública de libros; demuestra que reinaba una gran confusión entre la liberación de los libros prohibidos buenos y la represión de la pornografía; la Iglesia se aprovechaba de ello en algunas partes para tratar de prohibirlo todo.

desaguisado no podía castigarse con una simple multa o recogida de ejemplares, o ambas cosas; era preciso volver a discutir el malhadado libro, y las cosas que se le ocurrieron al censor, que las firmaba en 22 de noviembre, fueron tales que no resistimos la tentación de reproducirlas:

He leído el librito *La Atala o los amores de dos salvajes en el desierto,* con el cuidado posible y, aunque con pena, voy a decir lo que siento de él. Ninguno aprecia más que yo los trabajos del célebre Chateaubriand, y ninguno quizá siente tanto como yo el que estos trabajos no sean tan puros como debieran. Este ilustre poeta se ha afanado en defensa de la religión y todos se lo agradecemos; pero, por desgracia, ha querido defenderla nivelándola a las luces del siglo y esto lo lloramos todos, y quizá a la hora de ésta lo llora él también con nosotros. No sé si por un celo poco discreto o si por falta de ideas, él ha creído al cristianismo susceptible de progreso, y ha presentado a la religión bajo un aspecto medio filosófico y medio poético, muy capaz de hacerla amable si fuera una institución humana, y capaz también de hacerla mucho daño, siendo, como es, institución divina. Testigo de esto es su alocución a nuestro santísimo Papa, Pío VIII; testigo, *El genio del cristianismo,* y, por no ir más adelante, testigo el poema que motiva esta censura. En él, prescindiendo de algunas pequeñas incidencias, por ejemplo: «Asegúrale de tu fe un solo ósculo», pág. 33, y «los botones de sus senos», pág. 55, se nota cuanto llevo dicho de un modo tan marcado que no se le puede desconocer. En la página 142 pone en boca del padre Aubry un discurso que condena de imprudentes los votos hechos por una madre que ofrece a Dios su hija pequeñita, y por la misma hija, que los ratifica. Sin embargo, la madre de Samuel consagró su hijo a Dios antes de nacer, y en Teodoreto leemos esto mismo practicado por muchos santos y con muchos santos de la primitiva Iglesia. ¿Fueron todos éstos imprudentes? La catástrofe del mismo poema es intolerable: a Atala, que muere abrasada en un amor profundo, se la dice por el padre Aubry: «Estoy oyendo a la Reina de los Angeles que os dice: Ven, mi digna sierva; ven, paloma mía.» En todo él se ve a un misionero empeñado en aprobar las culpas que la misma víctima confiesa o, cuando menos, en disculpar acciones y afectos que sólo pueden ser inocentes en filosofía. La religión condena los deseos impuros, aun cuando no se pongan por obra, y cuando menos en el lecho de muerte procura que se aparten de la memoria aún los más legítimos. No diré yo que no sea muy hermosa la resistencia al crimen que la religión inspira a Atala; pero Atala misma confiesa que ha estado para caer, y esta profanación interior de su pureza no se expía, no se reprende por el misionero, no se purifica por ninguno de los medios que prescribe la religión... La severidad del catolicismo desaparece... para presentarlo como eminentemente amable. Pero esta amabilidad no pasa de los sentidos y de la imaginación... Por todo lo cual soy de parecer, salvo meliori, que no debe permitirse la reimpresión de dicha obra.[177]

Pero el éxito de *Átala* era ya incontenible. Y pronto, por dicha, había de desaparecer la censura.

Volvamos atrás. En 1816, la bibliografía española de Chateaubriand se enriquece con una notable aportación: *Veleda,* episodio de *Los Mártires,*[178] publicado aparte en Barcelona. Hubo, además, en ese año una traducción parcial de *Los Mártires,* por E. M. D. V. D. P. (¿el marqués de Villanueva del Pardo?), Madrid, M. de Burgos, y otra, completa, por D. L. G. P., publicada igualmente en Madrid, de la que hay una segunda edición madrileña, M. de Burgos, 1823, en dos vols.,[179] y otra de 1828. En 1827 se publica en España *El último abencerrage* (Valencia, Ferrer de Orga), aparecido ya en París, en español, un año antes,[180] y repetido otra vez en este mismo (París, Librería Americana, 12.º); en 1829, Cabrerizo lo acoge en su colección de novelas.[181] También en 1829 salieron a luz *Los Natchez,* en una traducción «libre» de don José March y Llopis, Barcelona, Sauri. El mismo libro se imprimía muy luego en versión diferente, refundido «al gusto de la literatura española» por don Mariano José Sicilia, subtitulado «novela americana» (París, Pochard, 1830, 6 vols., 12º).[182] Todos estos datos, que pueden

---

[177] González Palencia, *La censura,* II, 326-327, núm. 566, con otros documentos de interés bibliográfico.

[178] Es la primera vez, a lo que creo, que se destaca como narración independiente un episodio de algún libro más extenso del autor. Conocemos otros casos de utilización parcial de textos para obtener así una «novela», pero son posteriores: *Abdallah,* «novela siria», y *Celuta,* «novela americana», publicadas por Bergnes juntamente con *René;* la primera procede del *Itinerario de París a Jerusalén;* la segunda, de *Los Natchez.* En el mismo año (1832), y por el mismo editor, se publicó otro extracto de *Los Mártires, Cimodocea,* «novela griega».

[179] Palau cita otra de Murcia del mismo año. Hay varias hechas en Francia, pero no es fácil coordinar en este punto, ni en otros muchos, los datos de los bibliógrafos, que, copiando unas veces los nombres de los editores, otras los de los impresores, multiplicaron a su gusto las ediciones. Hay una de París, Bossange (pero impresa en Blois, Aucher-Eloy), 1826, 2 vols., 12º. *Los Mártires,* que como todos los libros del mismo tipo estaba condenado irremisiblemente a ser convertido en novela por editores y público, sufrió, sin embargo en España, como antes en Portugal (1816), por obra de Filinto Elyso, una curiosa transformación: fue traducido en verso por don Justo Barbagero e impreso en Burgos, Sergio de Villanueva, 1845, 2 vols.

[180] A lo que creo, *El último abencerraje* se publicó por primera vez en español en París, Wincop, 1826, 18.º (trad. por M. J. Sicilia).

[181] Titulándolo «2.ª edición». Como de un modo absoluto no lo era, habrá que suponer que se trata de la segunda de las suyas, y que, por tanto, hizo alguna otra, ignoro cuándo.

[182] Esta edición salió a luz en 1829, aunque lleva fecha del año siguiente; aparece registrada en la *Bibliographie de la France,* de 1829, fascículo 51, núm. 7.661.

completarse con los resumidos en nuestra bibliografía, indican un interés creciente y una influencia cada vez mayor. [183] Pero el libro de éxito sigue siendo *Atala*.

1818. Don Félix Enciso Castrillón traduce y publica las obras de una autora muy en auge en Francia en los últimos años del siglo anterior y principios del XIX, [184] Mrs. Bennet (* hacia 1760- † 1808): *Ana o la heredera del país de Gales (Anna or Memoirs of a Welsh Heiress, 1785)*, Madrid, Repullés, 1818-1819, 4 tomos; *Rosa o la niña mendiga (Beggar Girl and her Benefactors)*, Madrid, Repullés, 1819-1820, 10 tomos. [185] Muy leída por aquel entonces, [186] debió de pasar pronto, arrastrada por las nuevas corrientes. Pero por debajo de ellas quizá haya llegado su influencia, de un modo confuso, hasta nuestros folletinistas posteriores.

1819. Cabrerizo da, en Valencia, la que supongo primera edición española de una novela de Mrs. Radcliffe; *Julia o los subterráneos del castillo de Mazzini (A Sicilian Romance, 1790)*, traducida del francés por J. M. P. (hay una versión francesa de ese mismo año, pero el libro corría en aquella lengua desde 1798). Sorprende que la moda de las novelas «negras» llegara tan tarde a España; quizá por eso, por llegar a destiempo, no arraiga plena-

---

[183]   Falto de la mayor parte de los periódicos y revistas de entonces, no puedo ocuparme aquí de la actividad de la crítica española contemporánea, y sólo aduciré, para no desaprovechar ningún dato, muy ocasionalmente, tal o cual artículo que haya llegado a mi noticia. Así, en el caso de Chateaubriand, el artículo de A. Ferrer del Río en *El Laberinto*, 1844, I, n.º 22, págs. 295-298; el discurso, leído en el Ateneo de Madrid por Rafael M. Baralt, *Chateaubriand y sus obras*, publicado en *El siglo pintoresco*, 1847, III, 121-127. En los *Escritos póstumos*, de Balmes, Barcelona, Brusí, 1850, figuran unos *Apuntes sobre Chateaubriand*. En 1838, Roca y Cornet leía en la Academia de Buenas Letras de Barcelona una memoria, *Juicio crítico de la obra «Los Natchez»*, que cita Elías de Molíns, *Diccionario*, II, 481 *a*, como existente en el archivo de la Academia, y que no creo que llegara a publicarse. V., también, el artículo *Chateaubriand*, por F. T. en *La Ilustración*, 1849, I, 11-14.

[184]   Se la tradujo al francés ya en 1778, y no me extrañaría que hubiera algo suyo en español con anterioridad a 1818, pero no ha llegado a mí noticia. Sobre *L'heritière galloise*, hay un artículo poco favorable en *L'année littéraire*, de 1778, I, 186; v. la referencia en Van Tieghem.

[185]   Ya se había hecho una tentativa para sacar este libro en castellano en 1803, pero a pesar de censuras favorables no llegó a publicarse; v. González Palencia, *La censura*, II, 297-298, núm. 540. Hay otro expediente de 1808, ibíd., 316-317, núm. 550, pero tampoco se halla edición de entonces.

[186]   Galdós, que de tan buena información escrita y oral dispuso —entre otras fuentes, la conversación del memorioso Mesonero— cita a esta autora al dar en uno de sus episodios un toque de ambiente: «muchas novelas de aquel tiempo, principalmente... las de d'Arlincourt, Mme. Cottin, Florian y Mistress Bennet» (*El Gran Oriente*, Madrid, Hernando, 1908, 119; con referencia a sucesos de 1821). Sólo la mención de d'Arlincourt es apenas anacrónica.

mente ninguna de las varias que se tradujeron de la iniciadora del género o de sus imitadores; su difusión es relativamente escasa si se la compara con la que lograron otras cosas de menos interés. [187] El libro citado se reimprime en París, Smith, 1829, 4 vols., 16º, y hasta 1830 no volvemos a encontrar casi rastro alguno de esta novelista; en dicho año se publica *Adelina o la abadía en la selva* (*Romance of the Forest*, 1791), «novela histórica traducida del inglés» por Santiago Alvarado, Madrid, Sancha; y con el título de *La selva o la abadía de Santa Clara* vuelve a salir en París, Pillet, 1833, 6 vols., 16º. Cuando más se imprime a la Radcliffe es cuando menos de moda estaba: de *El italiano* hay ediciones de París, Pillet, 1832, 7 vols., 16º; Barcelona, Sauri, 1838; Barcelona, Viuda de Sauri, 1843 (quizá haya otras); de *Los misterios de Udolfo* otra, de Pillet, 1832. Aún se imprimían libros suyos con posterioridad a 1850, y también se tradujeron al español algunos de los muchos apócrifos que sus imitadores franceses le atribuyeron: *El sepulcro*, París, Smith, 1825; Madrid, Bueno, 1830; *Las visiones del castillo de los Pirineos,* París, Smith, 1828; Puerto de Santa María, Núñez, 1839. [188] Esto es lo más importante que puede decirse de la influencia en España de esta autora. Nótese que la mayoría de las ediciones citadas son de París, donde la moda «negra» declinaba ya.

Aunque por imprecisión de la fuente que sigo no me atreva a darlo por cierto, parece ser que en este año de 1819, salió, también de molde y por primera vez en español, la *Corina*, de Mme. de Staël, en una *Biblioteca universal de novelas* que se publicó de 1816 a 1819. [189] De 1820, hay una edición valenciana citada por Salvá en su *Catálogo* de 1836; y en 1821 salía otra vez, traducida por don J. A. Caamaño, en Madrid. Hay otras ediciones francesas: París, Tournachon-Molin, 1824, y Wincop, 1829; y hubieron de

---

[187]   Van Tieghem, *Repertoire chronologique des littératures modernes*, París, Droz, 1937, 197, al citar la aparición de *The castle of Alklin and Dunbayne*, advierte que hay traducción española, pero sin dar precisiones.

[188]   En la portada de *El italiano*, Barcelona, Sauri, 1838, se advierte que Mrs. Radcliffe es autora de *Los misterios de Udolfo, Adonis y Los subterráneos del castillo de Mazzini*. *Adonis* no es suyo; quizá esa mención indique que andaba traducido al castellano. En una edición de París, Smith, 1828, se le atribuye *La abadía de Grasvila*, de George Moore, trad. ya al francés por B. Ducos, en 1810, pero no a nombre de la Radcliffe, y esta superchería creo que es cosa nunca hecha antes. De 1843 es *El castillo de Nebelstein*, cuento trad. por T. Guerrero, publicado en Madrid, también apócrifo y que supongo de perpetración indígena; no lo hallo en repertorios franceses.

[189]   Alonso Cortés, *Zorrilla*, ed. cit., 107 n, menciona el hecho sin indicar el año, pero como esta novela es la última que cita, supongo que corresponderá al último año de la publicación.

existir otras españolas, pues esta versión de Caamaño, publicada por Cabrerizo en Valencia en 1838, va notada como 4ª y no es probable que se
tuvieran en cuenta las impresas ultramontes. [190] No hablaremos de las posteriores, ni de alguna que de escritos no novelescos de la autora se hizo por
entonces. De *Delfina* no parece que hubiera ediciones españolas, aunque en
la *Corina* de Cabrerizo se ofrecía una traducción. [191] Las hubo impresas en
Burdeos, 1826 y 1828, versión de don Angel Caamaño (probablemente el que
hizo la otra), de que veo citada una, pirateada, en Buenos Aires, 1828, 5
vols., 12º. No creo que Mme. de Staël influyera gran cosa en la literatura
ni en los gustos del público. [192].

No así Mme. Cottin, [193] cuya bibliografía española es bastante copiosa,
que fue muy leída por todo el mundo, y quizá este hecho no sea ajeno a que
la novela histórica española adopte el tono sentimental que la caracteriza y que
nada tiene de scottiano. De las novelas de esta autora, la más importante para
nuestra historia literaria es *Mathilde ou Mémoires tirés de l'histoire des
Croisades* (1805), traducida por M. García Suelto e impresa en Madrid,
Brugada, 1821. [194] Hay muchas traducciones más: la de D. P. C., París,
Bobée, 1826, 4 vols., 18º; la de don Santiago Alvarado de la Peña, Madrid, 1829, Barcelona, 1831; Barcelona, 1841; la de Manuel Antonio Tabat,
1835; París, Rosa, 1836; otra «arreglada al castellano e ilustrada por una
sociedad de artistas españoles», Madrid, G. del Valle, 1841; París, Pillet,
1843; Madrid, M. de Burgos, 1845; [195] la de don Víctor Balaguer, Barcelona, Viuda de Mayol, 1846; la de A. Martínez del Romero, Madrid, Gaspar
y Roig, 1847; y de unas y otras hubo muchas más ediciones posteriores. [196]

---

[190] Almela y Vives, Op. cit., 256, no registra otra edición, pero recuerda que
desde 1821 Cabrerizo había ofrecido publicar el libro. Véase ibíd. el extracto de un
curioso prólogo del traductor.

[191] V. ibíd., 258. No parece que viera nunca la luz.

[192] Ya en 1809, en *El espectador sevillano*, Lista imprimía un juicio sobre *Corina* (Gómez Imaz, *Los periódicos durante la Guerra de la Independencia*, 138). En
El museo literario, de Tapia, 1844, hay un artículo titulado *Breves observaciones de
un escritor inglés sobre el influjo que han ejercido los escritos de Madama Stael
en la moderna literatura francesa*, que merece leerse.

[193] V. en Le Breton, ob. cit., 90 sigs., un interesante examen de *Clara de Alba*.

[194] A ella debe de referirse el curioso elogio de la autora en *El Censor*, XV,
1822, de que nos ocupamos antes; v. nota 90. El juicio sobre la novelista puede
verse extractado en Le Gentil, *Les revues littéraires de l'Espagne*, París, Hachette,
1909, 12.

[195] Notada de «2ª edición». Como esto es absurdo hay que suponer que Burgos hizo otra con anterioridad.

[196] Hasta hay una de París, Garnier, 1887.

En este libro pudieron inspirarse poetas que nada tenían de vulgar; de ella sacó don Angel de Saavedra su drama o tragedia *Malek Adhel,* y escribía en la advertencia preliminar, entre grandes elogios de la novelista: «esta tragedia es más de Madama Cottin que mía; suyo es el argumento, suyas las situaciones, suyos los caracteres y suya la mayor parte del diálogo, y míos, solamente el plan dramático, los versos y alguna que otra escena, tal vez de las más endebles. Finalmente, si hay bellezas en *Malek Adhel* son de aquella insigne francesa, y todos los defectos míos». [197]

Seguramente debió de leerse también mucho la *Malvina* (1801), traducida primero por el mismo García Suelto y publicada en Madrid, 1832 (?), no sin vencer dificultades suscitadas por la censura; [198] de ésa o de otras traducciones hay tiradas de Madrid y París, 1833; de Valencia, Cabrerizo, 1833-1834 (y quizá con anterioridad, pues se la cita en un prospecto de la editorial anterior a aquel año o de aquel año); [199] de Barcelona, Oliva, 1837. Otras novelas de la autora —*Clara de Alba, Amelia Mansfield,* rechazada por la censura en 1832 [200]— se difunden en las proporciones que nuestra bibliografía permite apreciar. Como en otros casos, el triunfo del autor produjo el de sus imitadores, y así se vertió igualmente al español la rapsodia de Vernes de Luze *Mathilde au Mont Carmel* (1822), con el título de *Selim Adhel,* que en versiones diferentes se imprime en Madrid, Sancha, 1830, 1839; París, Rosa, 1836; Barcelona, Viuda de Mayol, 1840, y aun más tarde.

Paralelamente, hay que considerar la entrada en España de ciertos autores olvidados hoy, famosos aún entonces y con elevado rango en la lista de Pigoreau. Gustó mucho, sin duda, a juzgar por lo que se repite, un género de novelita sentimental, relato de casos singulares de generosidad, de abnegación, de constancia, de ternura; falsas —e imposibles— anécdotas prolijamente referidas. Con frecuencia, la novela lleva por título los nombres de los protagonistas, hombre y mujer. Sirva de ejemplo *Maclovia y Federico o las minas del Tirol,* de Louise Brayer de Saint-Léon (1765- ?) traducida —disparatadamente— por J. S. Y. e impresa en Valencia por Mompié, 1816, anónima, como la mayor parte de las publicaciones novelescas de esta épo-

---

[197] Ap. Boussagol, *Angel de Saavedra, Duc de Rivas. Essai de bibliographie critique, Bulletin Hispanique,* 1927, XXIX, 89. V., además, N. B. Adams, *A note on Mme. Cottin and the Duke of Rivas, Hispanic Review,* 1947, XV, 218-221.

[198] V. antes. n. 176.

[199] V. en Sarrailh, *Enquêtes,* 146.

[200] Ibíd., 149.

ca. [201] En el mismo caso están *María y Fedor*, del «flasque y débonnaire Auguste Lafontaine», como le definía Balzac, [202] novela traducida por Olive y publicada en Madrid, Núñez, 1817; [203] *Elena y Roberto o los dos padres*, de Mme. Guénard (1751-1829), editada por Cabrerizo en 1818, quien también sacó una «novela sueca», *Zunilda y Florvel*, en 1820, extracto o arreglo de un libro de Joseph Alexandre de Ségur, *Las mujeres, su condición e influencia en el orden social.* [204] Añádanse *Leoncio y Clemencia o la confesión del crímen*, de la Condesa de la Ferté-Melun, Barcelona, Viuda de Brusi, 1824; [205] *Almaida y Rogerio*, de Mme. de Tercy (* hacia 1781), traducida por D. J. M. G. D., Madrid, Espinosa, 1829-1830. [206] En esta época cobran pleno valor libros traducidos con anterioridad, como la *Carolina de Lichtfield* de Mme. de Montolieu [207] y ello explica la publicación de otros suyos en pleno romanticismo.

Sigue el período calomardino, el más largo y el más característico de la vida española en la época que nos ocupa. Mesonero lo ha descrito con negras tintas: «Los escritores de más valía, los hombres más insignes en las letras, hallábanse oscurecidos, presos o emigrados; los Quintana, Gallego, Saavedra, Martínez de la Rosa, eran sustituidos por autores ignorantes y baladíes que empañaban la atmósfera literaria con sus producciones soporíferas, su desenfreno métrico, sus cantos de buho..., sus novelas insípidas, de las cuales las más divertidas eran las que formaban la colección que con el extraño título de *Galería de espectros y sombras ensangrentadas* publicaba

---

[201]   En alguna parte he visto citada una edición de Madrid, Valin, 1808, pero no estoy muy seguro de que se tradujera tan pronto. El original, *Maclovie ou les mines du Tyrol*, es de 1804. Hay reediciones de la traducción española de París, Pillet, 1842, y Barcelona, Sauri, 1842.

[202]   En su estudio sobre Gavarni, *Oeuvres diverses*, II, 145. Las bromas de Chateaubriand sobre su prolijo detallismo (*Memories*, VI, 48, el pasaje fue redactado en 1833), muestran que aún se le recordaba y que comenzaba su ocaso. V. sobre Lafontaine, Mme. de Staël, *De l'Allemagne*, II, cap. XXVIII, al fin.

[203]   Texto de algún arreglo francés, como todo lo que de él se tradujo en España. El original, *Fedor und Maria, oder Treue bis zum Tode*, es de 1805. Sobre las otras traducciones v. la bibliografía.

[204]   Almela y Vives, 263, no cita edición anterior a la de 1839.

[205]   El original es del mismo año, caso raro aún de puntualidad editorial.

[206]   Repetida en París, Pillet, 1835, 1837. La autora era cuñada de Nodier.

[207]   Hubo una anterior a 1816, de la misma editorial, pues se la cita, aunque mal, en el catálogo que acompaña la *Maclovia* impresa ese año por Mompié. Hay otra edición de Valencia, Monfort, 1822 y otra, tardía, de París, Pillet, 1837, 4 vols., 18º. Para la suerte de otros libros suyos v. la bibliografía. Esta autora gozó de cierto renombre, y Chateaubriand, que la visitó en Suiza, la menciona no sin respeto; v. *Mémoires d'outre-tombe*, IV, 327.

su autor, don Agustín Zaragoza y Godínez» [208] (libro que, diremos de pasada, está tomado de fuentes francesas). La censura era rígida, como vimos; más que rígida era estúpida, y la arbitrariedad entraba por mucho en sus procederes. Notamos los obstáculos que opuso a los editores de Walter Scott, quien, por una nueva ironía de la historia, había de ser, andando el tiempo, el autor preferido de las gentes piadosas, el que había de iniciar en las artes de la ficción a Fernán Caballero, el que Ochoa colocará a par de Cervantes, y Alarcón, en el primero de aquellos accesos de pudibundez que padeció, recurrentes en él como ataques epilépticos, había de oponer al realismo triunfante. [209] Los documentos referentes a matrículas de imprenta que estudió Sarrailh, [210] más completos ahora en el libro de González Palencia, prueban que la iniciativa editorial no estaba muerta del todo, aunque sí despistada, pues abundan las solicitudes de gentes oscuras que pretenden publicar libritos insignificantes, muchos de los cuales no conseguimos identificar, y, por caso excepcional, otros realmente egregios, como *El vicario de Wakefield*, cuya publicación fue denegada en 1830 por razones que merecen citarse. La traducción se titulaba *El párroco de Wakefield*, y el que un párroco, pastor anglicano, estuviera casado hacía intolerable la novela al censor. «Basta ver y considerar en una sola persona estos tres caracteres: de eclesiástico, de labrador y de padre de familia. Esta sola reunión en un solo sujeto... no puede menos que escandalizar, llamando demasiadamente la atención de cualquiera». [211]

Fuera de Walter Scott apenas hay novelista entre los traducidos y publicados entonces en España misma, que merezca recordarse, si no es el

---

[208] *Memorias de un setentón*, II, 29-30. El tal Zaragoza debía de ser uno de aquellos galeotes de la pluma que hacían cualquier cosa. Veo citado con su nombre el libro *La cocinera práctica y su marido el repostero famoso, amigo de los golosos*, Madrid, 1825, 3 vols., 8º.

[209] V. su crítica, si así puede llamarse, de la *Fanny*, de Feydeau (1858), en *Juicios literarios y artísticos*, Madrid, 1883, 99. Allí se dice entre otras cosas: «Lo lírico, lo épico, lo sublime es... como una lección y un recreo para la pobre alma asfixiada en la estrecha atmósfera moral de nuestro siglo...»

[210] *Enquêtes*, 148 sigs.

[211] González Palencia, *La censura*, II, 323, núm. 562. Hubo otra tentativa en 1832, por lo visto también sin éxito; ibíd., 351, núm. 593. Olives Canals, *Bergnes de las Casas*, 162, núm. 68, sospecha que estos incidentes tal vez indujeron a Bergnes a disimular su edición bajo el título de *La familia de Primrose*. Esta edición es de 1833. Que nunca fue libro muy popular en España ni muy corriente parece indicarlo un pasaje de Galiano, *Historia de la literatura...*, 188. Fue, también, de los que los «bienpensantes» habían de poner sobre su cabeza, de lo que da nuevamente testimonio Alarcón.

americano J. Fenimore Cooper, recién descubierto en Francia —Defaucon-prêt, infatigable traductor de novelas históricas, trasladó las suyas por los años de 1822 y siguientes—, arribado a España diez años más tarde y copiosamente divulgado por Jordán (es decir, Delgado), que publica en 1832 *Los nacimientos del Susquehanna o los primeros plantadores* (*The Pioneers,* 1823), *El piloto, El último de los Mohicanos* —del que hay una edición de Valencia, hecha por Orga el mismo año— y *La Pradera.* Novelista histórico a su modo, Cooper inicia, sobre todo entre nosotros, el gusto por la novela de aventuras en países exóticos —sus libros harán las delicias de la juventud hasta nuestros mismos días—; ya vimos que la «novela americana» contaba numerosos partidarios; ahora el título genérico empieza a estar justificado, y cuando figure como subtítulo, será una recomendación para los apasionados a esta literatura. Hombres de letras eminentes acogieron a Cooper con entusiasmo; el mismo Larra hizo, según parece, una traducción de *El piloto.* [212]

Todo esto es la excepción. Son rarísimas las obras interesantes por algún concepto —calidad literaria, carácter de época— que puedan destacarse entre lo publicado entonces. La época calomardina tiene arideces de arenal. Lo más representativo entre lo que ve a luz en España, sale del movimiento de 1820 —aquellas historias de las «sensibles parejas Fulano y Zutana» de que había de burlarse Mesonero y andaban ya por los baratillos poco después— o durante el período liberal. Cuando la censura lucha contra Walter Scott en España, lo que deja publicar es cosa como *La Condesa de Kiburgo,* de Lafontaine (Madrid, Fuentenebro, 1828), cuando no el *Pelayo,* de Mme. de Rome (Madrid, Sanz, 1828). El triunfo de Chateaubriand, el de Walter Scott, que a pesar de la censura consiguen imponerse, indica que la siembra, aunque escasa, caía en campo abonado; tanto más de lamentar que fuera escasa. El ambiente era ya propicio al romanticismo.

---

[212] Las burlas de Larra contra las malas traducciones de Cooper aluden, de modo transparente, a las publicadas por Jordán en 1832, fecha de su artículo; ya volveremos sobre esto al citar las palabras del crítico. El cual aún menciona a Cooper en alguna otra ocasión, como cuando alude a *El bravo,* que se tradujo y publicó en Barcelona, 1834: «A ella [a la policía de Venecia] se debía la hermosa libertad de que se gozaba en la Reina del Adriático y que con colores tan halagüeños nos ha presentado un célebre novelista en su *Bravo...*» (*La policía, Obras,* ed. citada, II, 291).

V

NUEVO RÉGIMEN

A partir de 1834 nos es necesario seguir otro método; la mención de innumerables novelistas oscuros, traducidos entonces en España y Francia haría estas páginas ilegibles y aun inextricables, restándoles la utilidad que puedan tener como guía o indículo. Preferible es relegar todo eso a la bibliografía y atenernos a los realmente egregios, a los creadores de nuevos modos de arte o despertadores de una nueva sensibilidad. Y trataremos de esbozar en sus grandes líneas un cuadro de la sociedad de aquel tiempo en su actitud ante las letras. Entiéndase que estos capítulos no pueden ser un estudio de literatura, sino sociología en sentido estricto. Las formas artísticas importadas, aun las más selectas, son en cierto modo lo de menos, pues nada, o casi nada, despierta entre nosotros por entonces reacciones naturales y espontáneas —lo menos malo, las pobres novelas históricas que suscita el éxito de Walter Scott, tampoco es manifestación natural y espontánea, sino simple reflejo. Históricamente, lo que importa es la preparación de este ambiente inhóspito para el logro de mejores cosas. Son los editores y el público lo que más cuenta, y las modas que los unos trasplantan y estimulan y los otros acogen, o que entre ellos se difunden; los autores sólo en la medida en que se pliegan a estas exigencias. Si lo que buscamos en la España de entonces son modos de vida y estados de sensibilidad, las reacciones de los lectores, en cuanto es posible adivinarlas, más que la dócil laboriosidad de los traductores o de los autores indígenas, serán las que nos permitan hallarlos.

Ya vimos que todo viene de Francia, aun lo que no es francés, y los orígenes de casi todo lo que se imprime dentro de la Península radican en

París. La lengua de aquella nación parecía conferir a cuantos lograban poseerla todos los saberes y maestrías. «¡Ya tiene mi hijo una carrera! Folletos, comedias, novelas, traducciones..., ¡y todo con sólo saber francés! ¡Oh francés, francés!», podía exclamar con razón el don Cándido Buenafé, de Larra. Conocido es el consejo que éste da al inquieto vástago de aquel ingenuo perscnaje: «ajústese usted con un par de libreros, los cuales le darán a usted cuatro o cinco duros por cada tomo de las novelas de Walter Scott que usted en horas les traduzca, y aunque vayan mal traducidas, usted no se apure, que ni el librero lo entiende, ni ningún cristiano tampoco».[213] Ya anteriormente, el gran satírico había trazado en dos rasgos de pluma la silueta de uno de los tipos más visibles de aquella fauna literaria que comenzaba a proliferar en la corte: «Me he ajustado con un librero para traducir del francés... las novelas de Walter Scott que se escribieron originalmente en inglés, y algunas de Cooper que hablan de marina, y es materia que no entiendo palabra. Doce reales me viene a dar por pliego de imprenta, y el día que no traduzco no como».[214] Henos aquí otra vez con el hambrón metido a traductor, trampeando como puede, oscilando entre la novela y el teatro, que también el teatro, aunque en menor medida, vivía de traducciones.[215] Las pullas o las críticas contra los traductores volvieron a ser tema socorrido y a hacerse tan formularias como lo fueron en el siglo XVIII; tendremos ocasión de insistir sobre ello.

Por lo que hemos visto hasta ahora, sin que las directivas editoriales fueran nunca muy rígidas, y no sea posible nunca generalizar en absoluto, el antiguo régimen declinante conoció y amó la obra de ciertos epígonos del siglo XVIII y vio apuntar los primeros destellos del romanticismo; el período siguiente, desgarrado por las sucesivas etapas liberales y absolutistas,

---

[213] *Don Cándido Buenafé o el camino de la gloria, Obras,* II, 33. Lo probable es que Larra se refiera a las ediciones impresas por Jordán, las que tenía a la vista.
[214] *Carta a Andrés,* ibíd., I, 48. Nuevo golpe a las impresiones de Jordán. Aunque Larra, según parece, hizo él mismo (¡y para Delgado!) una traducción del *Piloto,* de Cooper, que nunca se publicó ni se sabe dónde para, no creo, como Ismael Sánchez Esteban, *Mariano José de Larra,* Madrid, Hernando, 1934, 68-69, que ese famoso pasaje deba referirse al mismo Fígaro. A fines de 1832 se publicó el artículo, y por entonces habían salido a luz cinco ediciones distintas de Cooper, alguna de las cuales «habla de marina» —*El piloto,* precisamente— y todas traducidas del francés. Tenía, pues, a qué referirse.
[215] Comp. estas líneas a las citadas de Larra: «Y luego sea usted autor dramático. No, no más; primero que caer en semejante tentación traduciré novelas que, aunque me las paguen a diez reales el pliego de impresión, sé que cuento con algo...» (Gil y Zárate, *Desventuras de un pobrecito autor de comedias, Semanario pintoresco,* 1838, III, 793; artículo publicado primeramente en el *Boletín del comercio,* 1833).

gustó de las relaciones sentimentales y terroríficas; en su cultura literaria entran ya como ingredientes *Atala* y *Werther*, como el género «negro» y las «enamoradas parejas Fulano y Zutana», para emplear la frase de Mesonero; al extinguirse, hacia 1830, vio surgir ante él la novela histórica scottiana, para la que algunos precursores inhábiles habían preparado al público —Mme. de Genlis, Mme. Cottin, entre los mejores—. Con las novelas de Walter Scott llegaba el mayor logro en el arte novelesco de que había de gozar aquella generación.

De una manera general puede decirse que la novela histórica sigue preponderando de 1830 a 1845 —de ese tiempo son también las mejores producciones indígenas del mismo género— y que hacia 1840 se manifiesta un vivo interés por las de costumbres contemporáneas, según Balzac y George Sand las habían entendido; si algún autor, como Soulié, cultiva un género y otro, tanto mejor para él y sus lectores. Pronto, más que los géneros mismos, empiezan a contar los novelistas, su personalidad. Las traducciones no sólo aumentan en número, sino en actualidad; los editores españoles en Barcelona, en Madrid, y aun en apartadas provincias, están atentos a la aparición de los libros de éxito para darlos en español sin demora. Así se hará, sobre todo, con los folletines, que hacen su entrada triunfal en España por la misma época.

a) La boga de la novela histórica duró más que el romanticismo. En Francia, el hambre de novelas históricas que determinó el triunfo de Walter Scott hizo que, aparte las contribuciones originales, se imprimiese cuanto en otros países se publicaba, y ya vimos como algo de ello, reciente o anticuado, arrastrado por la corriente, llegó también a España. Según lo ofrecido, no nos ocuparemos sino de lo más selecto, reduciéndonos de buen grado a apuntar algunos datos cronológicos que permitan comprender la iniciación de los españoles a nuevos modos de novela histórica.

Don Félix Enciso Castrillón, que había traducido ya muchas cosas buenas y malas y producido él mismo otras, malas todas, tuvo el buen acuerdo de poner en castellano la obra maestra de la novela italiana, *I promessi sposi*, de Manzoni (1827), con el título de *Lorenzo o los prometidos esposos, suceso de la historia de Milán del siglo XVI* (sic), Madrid, Cuesta, 1833, 3 vols., 8º. [216] Poco posterior es la traducción de don Juan Nicasio Gallego,

---

[216] La aprobación en González Palencia, *La censura*, II, 359, núm. 607; citada por Sarrailh, *Enquêtes*, 150.

Los novios, historia milanesa del siglo XVI (sic), Barcelona, Bergnes, 1836-1837, que todavía se reimprime alguna vez en las ediciones de la *Biblioteca Clásica.* [217]

Diga lo que quiera Peers, [218] la bibliografía española de Víctor Hugo, por lo que a novelas se refiere —la obra dramática es otra cosa—, no deja prever aún por estos años lo que será su fama andando el tiempo, lo que será, v. gr., la acogida que nuestro público ha de dispensar a *Los Miserables*. La novela huguesca ganará prosélitos a lo largo del siglo XIX —cosa natural; alguna de sus grandes creaciones, como la citada, no se publica hasta muy tarde. Las ya escritas en el período de que nos ocupamos se traducen mejor que las de muchos otros; por lo menos los nombres de los que firman algunas traducciones revelan aspiraciones a cierta dignidad literaria en los editores que las encomiendan, y aquéllos se esfuerzan honradamente por conservar los difíciles efectos de colorido de la prosa de Hugo. [219] Contemporáneamente, francas imitaciones, como la que se indica en nota, son testimonio de la admiración de los escritores españoles, y de que al hacerlas cuentan con la buena acogida del público. [220] En 1833 se intenta, por primera vez, sacar a luz un relato del poeta; se conserva una solicitud de permiso, fechada en este año, referente a *Le dernier jour d'un condamné à*

---

[217] V. E. A. Peers, *The influence of Manzoni in Spain, Studies in Romance Languages and Literatures*, Cambridge, 1932, 370-384. Más tarde, hay una traducción de J. Alegret de Mesa, Madrid, Vicente, 1850 (del mismo año hay otras dos ediciones diferentes, Madrid, por Gil, y Valencia). La traducción de Gabino Tejado se publicó en Madrid, 1859.
Para las fortunas de Manzoni en España no deja de tener interés cierto pasaje del libro de Antonio Cazzaniga, *Molte frasche e poche frutta* (1843) referente a una entrevista con Quintana, que ocurrió, según parece, hacia 1834. Ha recordado el caso y transcrito el largo pasaje de Cazzaniga, J. G. Fucilla, *Una visita di Antonio Cazzaniga a José Manuel Quintana* (sic) en *Quaderni ibero-americani*, 1954, II, págs. 399-401.
[218] A. Parker & E. A. Peers, *The vogue of V. H. in Spain, Modern Language Review*, 1932, XVII, y *The influence of V. H. on Spanish Poetry and Prose-Fiction*, ibíd., 1933, XVIII.
[219] Casi se podrá hablar, andando el tiempo, de un *estilo huguesco* español. Recuérdese la frase desdeñosa de Clarín: «Hay muchos que creen imitar el estilo de Víctor Hugo cuando en realidad sólo imitan el de sus traductores», *Solos de Clarín*, Madrid, Hierro, s. a., 64.
[220] *La Catedral de Sevilla*, novela tomada de la que escribió el célebre Víctor Hugo... con el título de *Notre Dame de Paris*, por D. Gregorio Pérez Miranda, Madrid, Repullés, 1834. El verdadero autor fue Ramón López Soler, que usó varias veces aquel seudónimo; v. Blanco García, *La literatura española en el siglo XIX*, Madrid, 1894, I, 356. La novela de Eugenio Sue, *Crao*, salió también con el subtítulo «imitación de *Nuestra Señora de París*», Barcelona, 1840.

mort (1829), traducido al español, [221] y el libro se publicó en efecto en Madrid, en 1834, versión de García de Villalta. En 1835 se publican *Bug-Jargal* y *Han de Islandia*, novelas traducidas ambas por don Eugenio de Ochoa, también en Madrid, por Jordán. Pero el libro de éxito, el que pronto todo el mundo lee, el que satura el ambiente español de un modo extraordinario, es *Nuestra Señora de París*, traducido también por Ochoa y publicado por el mismo Jordán en 1836. [222] Hasta 1850, cuento doce ediciones de este afortunado libro, de las que sólo una (Burdeos, Laplace y Beaume, 1838, 4 vols., 12°) está hecha en Francia. Porque la bibliografía española de Hugo es, casi en su totalidad, verdaderamente española —además de la citada, sólo una edición de *Bug-Jargal*, París, Rosa, 1836, es empresa de allende—. Los pontífices literarios tuvieron siempre sus reservas que hacer, y el éxito popular de Víctor Hugo se logró siempre contra la crítica oficial, [223] pero fue un éxito completo, y los personajes creados por el poeta se incorporan pronto a lo que podríamos llamar la «mitología» española de la época, que aún ha de ocuparnos.

Algunas excelentes novelas históricas fueron publicadas en español un poco más tarde; así *Cinq-Mars*, de Vigny, que traducida por D. C. C. y S., sale a luz en Madrid, 1839, y otra vez, en versión de don Manuel Arnillas, en Barcelona, Verdaguer, 1841; aún hay otra diferente (firmada F. M. L.), impresa en Málaga, Martínez Aguilar, 1849. Casi contemporáneas son: la publicación de *Héctor Fieramosca*, de d'Azeglio, Barcelona, Herederos de Roca, 1836; otra del *Rienzi*, de Bulwer-Lytton, cuidada por don Antonio Ferrer del Río e impresa por Boix, Madrid, 1843, y la de *El monasticon, colección de crónicas, leyendas y poemas*, de Herculano, aparecida en 1845

---

[221]   Sarrailh, *Enquêtes*, 150.

[222]   Hidalgo, *Diccionario*, reseñando la edición citada dice que es «diferente de la de Barcelona hecha en 1836», pero no describe ésta.

[223]   Entre lo menos recordado, pero más accesible, v. una curiosa carta de don Juan Nicasio Gallego a Cueto, enero de 1835, en Rivadeneyra, LXI, ccxxvii, y, aunque afecte menos a estas novelas, el artículo de Quadrado, *Víctor Hugo y su escuela literaria, Semanario pintoresco*, 1840, V, 189. Aunque no es de este tiempo, por referirse a muchas cosas interesantes y ser testimonio de la acogida delirante dispensada a la más conocida novela del autor, v., también, el artículo de Valera, *Los Miserables, Obras*, ed. Aguilar, II; allí se lee, pág. 299: «Pena y vergüenza sentimos al decirlo, pero la aparición de *Fantina* en esta Villa y Corte ha sido un gran acontecimiento... Hasta en el púlpito se ha hablado de *Fantina*, haciéndose de ella el asunto de todo un sermón...» Ocurría esto en 1862, fecha de la aparición de la edición original francesa.

(nótese bien, el mismo año en que apareció el original portugués). No sé si esta publicación continuó después de 1848, fecha de *O monje de Cistér.*

b) El más culto de nuestros románticos, sin duda el más inteligente y el que más al tanto estaba de lo que ocurría fuera de nuestra tierra y mejor lo comprendía, Larra, prodiga con frecuencia elogios a Balzac, que debía de ser su autor predilecto; de ningún otro habla con tanto entusiasmo como de «el genio infatigable que, como escritor de costumbres, no dudaremos en poner a la cabeza de los demás»; después de admirarlo, «pues no puede ser leído sin ser admirado, puede decir el lector que conoce la Francia y su sociedad moderna, árida, desnuda de preocupaciones, pero también de ilusiones verdaderas, y por consiguiente desdichada, asquerosa a veces y despreciable, y, por desgracia, ¡cuán pocas veces ridícula!». [224] Larra, aquí, como en otros ensayos, se adelanta un poco a su tiempo y a su ambiente. De las primeras ediciones de Balzac que veo citadas, la más importante es de 1837 —posiblemente posterior a la muerte de Fígaro, ocurrida en febrero de aquel año— no está hecha en España y no es novela. [225] La otra sí es una narración, pero está impresa en París, Rosa, 1836: *La Marana.* (La curiosidad de Ochoa aportó el mismo año dos breves escritos balzacianos que quizá sean los primeros que vieron la luz entre nosotros). El primer libro de Balzac de alguna importancia que se publicó en España misma debe ser *El padre Goriot,* traducido por D. R. S. de G., Madrid, Boix, 1838 (es decir, con apenas cuatro años de retraso respecto al texto original), novela publicada de nuevo en 1845, en otra versión de M[ariano] U[rrabieta]. La bibliografía española de Balzac es bastante curiosa. Sin duda, exigencias editoriales hicieron que se prefirieran ciertos textos a otros de mayor importancia. El estudio detallado y directo de la difusión de estas novelas en España debería tener muy en cuenta otro importante vehículo en la transmisión: la prensa periódica, que a veces las imprimió sin nombre de autor; es curioso cómo perdura esta manía del anonimato en tiempos que tanto exaltan la personalidad literaria. Uno de los más curiosos ejemplos de esa penetración casi clandestina de la obra de Balzac en España nos lo ofrece la revista *No me olvides,* publicada por Salas y Quiroga, en la que puede

---

[224] Artículo sobre el *Panorama matritense* de Mesonero, *Obras,* III, 93. Ocasionalmente se encuentran en Larra otras alusiones a Balzac; v. una interesante en la crítica de *Los amantes de Teruel,* ibid., 92.

[225] *Fisiología del matrimonio, o Meditaciones de Filosofía ecléctica sobre la felicidad y la desgracia conyugal,* Burdeos, Teycheney, 1837, 2 vols., 12'. El libro se reprodujo en Barcelona, Oliveres, 1841, en la época en que el género «fisiológico» hacía furor en España.

leerse un resumen muy breve de *Ferragus*, [226] firmado con las iniciales D. B., que bien podrían significar «De Balzac». Quizá se deba a Ochoa, que escribió bastante para esa revista y había de imitar la novela francesa en una de las más endebles de las suyas. En el mismo semanario volvió a publicarse, con las mismas iniciales, un trozo, traducción, esta vez, del mismo libro, bajo el título *El cuarto de dormir de una joven y bella casada*, [227] traducción literal, salvo algunos disparates y escamoteos. En *El Panorama* hay algo de las *Miserias de la vida conyugal* (1841, IV, 64, 71-72), y en *La Ilustración*, que en 1851 publicaba una interesante y muy elogiosa necrología del novelista (anónima, III, 11), apareció dos años después, anónimo también y firmado con las iniciales R. G. (?), *El Verdugo. Episodio de la Guerra de la Independencia* (1853, V, 423, 427-430), de lo que no sabríamos decir si es error de la redacción al estampar la firma o plagio descarado. Imagínese lo que podría hallarse si una exploración sistemática de aquella prensa nos fuera posible.

De libros, entre 1838 y 1849 encuentro:

1839. *La vendetta*, Granada, Sanz; *El alquimista flamenco (=La recherche de l'absolu*, 1834), Madrid, Omaña.

1840. *El cura de lugar*, Madrid, Sánchez, y otra edición de Cádiz (?); *Petrita (=Pierrette*, 1840), Madrid, Mellado; *La última hechicera (=La dernière fée*, 1823), Madrid, Boix; [228] *Eugenia Grandet*, traducción por J[aime] T[ió] y L. C., Barcelona, Oliveres (reimpresa en 1844).

1841. Además de la *Fisiología*, que ya se citó, *El excomulgado, novela del siglo XV*, Málaga. [228]

1842. *La condesa con dos maridos (=La comtesse à deux maris*, 1835 =*Le Colonel Chabert)*, Sevilla, Alvarez; *Los dos polacos (=La fausse maî-*

---

[226] Números 35, 31 diciembre 1837; 36, 7 enero, y 39, 28 enero 1838, páginas 1-3, 2-3, 1-2, respectivamente.

[227] Es el pasaje que comienza «La chambre à coucher de Madame Jules...» hasta «...quelle arme entre les mains des jeunes femmes!» (*Oeuvres complètes*, ed. Huard, París, Conard, XIII, 1913, 69-72). Aún insistiremos sobre el interés social que pudieron tener cosas como ésta.

[228] Como puede verse, no sólo se traducían obras maestras, y algunas en el mismo año en que aparecieron en París, sino otras de las que Balzac firmó con seudónimo, en su época preliteraria o más tarde, que no siempre es seguro le pertenezcan por entero. *La última hechicera* salió en español a nombre de Balzac, *El excomulgado* como de H. de Saint-Aubin. No es inconcuso que sea obra de Balzac; se atribuye también al Marqués de Belloy; v. Spoelberch de Lovenjoul, *Histoire des oeuvres de Balzac*, París, Calmann-Lévy, 1886, 256.

tresse (?), 1841), en el *Museo de novelas históricas,* Cádiz; *Alberto Savarus,* trad. para el folletín de *El Heraldo,* sin nombre de autor.

1843. Historia de los Trece. Ferragus, jefe de los devorantes, Madrid, Mellado; *Historia del Emperador Napoleón referida en una granja por un veterano de sus ejércitos,* Madrid; *Memorias de dos jóvenes casadas,* Cádiz, imp. de *El Comercio.*

1844. La piel de zapa (=*La peau de chagrin,* 1831), Barcelona, Oliveres (reimpresa en 1845, según Palau); *Cuentos filosóficos* [*Los proscritos, El elixir de larga vida, Una obra maestra, La venta roja, Maese Cornelio*], Barcelona, Oliveres; *Escenas de la vida de provincia* [*El mensaje, La mujer abandonada, La granadera, Los célibes* (=*Le curé de Tours,* 1842)] traducidas por J[aime] T[ió] y F. V. Barcelona, Oliveres; *Escenas de la vida de París. Historia de los Trece,* Cádiz, imprenta de *El Comercio.*

1845. La piel de zapa, trad. diferente de la anterior, sin nombre de autor. Madrid, Gaspar; *El lirio en el valle, El padre Goriot,* ambas trad. de Urrabieta, Madrid, Gaspar; *Juana la pálida,* Sevilla, Herrera Dávila; *Rouget o la depravación* (= *Un ménage de garçon?*), Sevilla, Álvarez. [229]

1849. Plagas del parentesco, trad. libremente al español. *Primera plaga: Las primas* (= *La cousine Bette?*), Madrid, imprenta de *La Reforma;* *Pequeñas miserias del matrimonio,* Málaga. Martínez Aguilar.

Aun podrían agregarse obras apócrifas y discutirse algunos títulos; para todo esto remitimos a la bibliografía. Alguna mención ocasional de Mesonero y otros permite apreciar que este éxito de gran público no fue nada al lado del que el novelista obtuvo entre las gentes de mundo, que podían ahorrarse de traducciones. [230] Su huella, perceptible en nuestra novela del

[229] Si no es la novela que cito, no sé a qué original puede corresponder esta traducción; el nombre de Rouget no aparece en ninguna otra de Balzac.
[230] De las citas de Mesonero, que no parece haber gustado mucho de Balzac, se deduce que su éxito en España fue un éxito mundano; v. *Antes, ahora y después, Una noche de vela,* en *Escenas matritenses,* ed. cit., 217, 229. Otras parecen irónicas, pero no tienen gran valor, por ejemplo en *Gustos que merecen palos, Tipos y caracteres,* ed. cit. 28. Una publicación semanal de este tiempo, *Personajes célebres del siglo XIX por uno que no lo es,* Madrid, F. Suárez, 1842, publicó entre otros un cuaderno dedicado a Balzac. No muy posterior es un juicio de Valera —muy joven aún—, bastante desfavorable y no muy comprensivo, en carta a García de Quevedo, Río de Janeiro, 10 abril 1853, *Epistolario,* I, 147 sigs.; por entonces, Valera seguía prefiriendo a Walter Scott. V. ahora más detalles sobre todo este asunto de la fortuna de Balzac en España en mi artículo *Notas sueltas...,* *Revue de Littérature comparée,* 1950, XXIV, 330-332. De Balzac no sólo se tradujeron novelas; fue en un drama donde los españoles conocieron uno de sus más representativos personajes: *Vautrin,* drama en cinco actos en prosa, trad. por don J. J. Carbó, Barcelona, Sauri, 1840.

siglo XIX, y aun en otros géneros, no es muy profunda —hasta que Galdós recoge algunos de sus procedimientos—, y con frecuencia se imitaron sobre todo sus defectos. Hay algo de su espíritu en Fernán Caballero, aunque mucho menos de lo que pudiera esperarse, dada la admiración de doña Cecilia por el gran creador. [231] He sorprendido alguna vez a Ochoa imitando muy de cerca algún episodio de la *Historia de los Trece*. Por supuesto, contribuyó de un modo considerable a la incomprensible y efímera moda de las «fisiologías». Es decir, que los mejores no penetraron su secreto, y si autores mediocres lo saquearon, nada ganaron con ello las letras. Pero sobre esto no podemos extendernos aquí. Sólo nos cumple hacer notar lo que de su obra ingente pudo conocer la masa de los españoles.

La primera edición española de George Sand, que había de ser aún más afortunada que Balzac —sin duda su arte era más asequible a la masa, y a que lo fuese contribuían tanto las buenas como las malas cualidades de la autora—, es del mismo año en que la primera de Balzac se imprime, y también francesa. En 1836, Rosa publicó en París *Leon Leoni* (aparecida en francés el año anterior), según una versión de don Fernando Bielsa. Entre esa fecha y 1848 se tradujo cuanto la autora hizo de más importante, y sus traductores, como los de Balzac, fueron personalidades de cierto renombre a veces: Ochoa, Tió, Balaguer. Así se dieron al público:

1837. Indiana, trad. por Ochoa, Madrid; otra traducción de don Juan Cortada, Barcelona, Piferrer; *Valentina,* trad. de Ochoa, Madrid, Sancha; otra de don Francisco Altés, Barcelona, Piferrer; *El Secretario,* trad. de Ochoa, Madrid, Sancha; *Andrés,* trad. por P[edro] R[eynés] S[olá], Barcelona, Oliva; *Leon Leoni,* trad. por Ochoa, Madrid.

1838. Indiana (en una traducción diferente de la otra); *Valentina,* trad. de Reynés; *Jacobo, El secretario privado, Cartas de un viajero,* trad. por Reynés; *León Leoni, Simón,* trad. por Reynés; todas en Barcelona, por Oliva.

1840. Lavinia, Barcelona, Pons.

1842. Consuelo, Madrid, y otra del mismo lugar.

---

[231] Alarcón, que no le debe nada, o muy poco, invocará también su ejemplo para combatir... el realismo, y lo curioso es que su juicio tiene cierto parentesco con el de Larra, salvo no hacer sentido dentro del alegato de nuestro novelista; v. el artículo sobre *Fanny* (1858), *Juicios literarios...*, ed. cit., 99-100, donde se echa de ver, además, que lo que Alarcón declara preferir en Balzac era lo menos bueno que éste tenía. De su admiración y de posibles influencias en su propia obra habla en la *Historia de mis libros,* págs. 201-202.

1843. Espiridión, trad. de J. Luna, Barcelona; *Lelia,* trad. de J. Tió, Barcelona; *Paulina,* trad. J. A. S. M., Barcelona; *Rosa y Blanca,* trad. de Emilio Polanco, Ronda.

1844. Consuelo, Madrid, Mellado; Habana, imp. de *La Prensa; La Condesa de Rudolstadt,* trad. por Pérez Comoto, Madrid, Mellado; Habana; *Orio Soranzo,* Madrid, Minerva; Habana; *La Marquesa, Lavinia, Metella, Matea,* trads. por J. M. de Toledo, Sevilla, Alvarez.

1845. Mauprat, Madrid, Espinosa; *Juana,* trad. por J. Aguirre, Madrid, Aguado; *La prima donna,* trad. por Balaguer, Madrid, Ayguals de Izco (reimpresa en 1848).

1846. Teverino, trad. por Andueza, Madrid, Espinosa.

Un cierto tufillo de escándalo que siempre exhaló su nombre, hizo que este éxito clamoroso siempre fuera un poco equívoco;[232] sin embargo, paradójicamente, parece ser que las mujeres, ya grandes lectoras de novelas, contribuyeron no poco a acrecentarlo, lo que no deja de extrañar en una sociedad tan timorata como nos imaginamos la de aquellos tiempos.[233] Pero las obras de G. Sand, con un público menos exclusivo y menos exigente que el que leía a Balzac, anduvieron en manos de todos. Algún moralista rezagado las contará entre los nuevos medios de perder el tiempo los empleados públicos: «Hoy largos y eternos periódicos, novelas de Jorge Sand, discusiones políticas...».[234] Quizá estas circunstancias de su triunfo, aunque tan ruidoso y completo, expliquen que su influencia sobre las letras españolas fuera puramente epidérmica. La crítica, en general, le fue hostil.[235]

---

[232] El episodio ruidoso de su excursión a Mallorca aún contribuiría a darle notoriedad. La vindicación de los mallorquines por Quadrado puede verse en la *Revista de Madrid,* 2.ª época, 3.ª serie, 1841, I, 199.

[233] En *Los españoles pintados por sí mismos,* I, Madrid, Boix, 1843, A. Flores nos habla de la niña traviesa que apenas tiene once años y coquetea con todos, es respondona y «aprende de memoria las novelas de Jorge Sand y se distrae de este trabajo con *El Diablo Mundo,* de Espronceda» (*La santurrona,* pág. 145). Estas novelas son lo primero que aparece en la biblioteca de la marisabidilla romántica, que «por la participación del sexo» mira a G. Sand «con cierta especie de idolatría» (C. Rosell, *La marisabidilla,* ibid., II, 1844, 422).

[234] Gil y Zárate, *El empleado,* en *Los españoles pintados...,* I, 80.

[235] Un largo artículo sobre su obra (¿de Bretón?) se publicó en *La Gaceta,* de 19 febrero 1839; alguna alusión colérica puede espigarse en el *Semanario pintoresco.* También salió su semblanza en galerías de celebridades, como la *Biografía contemporánea universal y colección de retratos de todos los personajes célebres de nuestros días,* Madrid, Boix, 1844, III. Mucho más tarde, Valera hablará con elogio de sus novelas de ambiente rústico (*De la naturaleza y carácter de la novela,* ed. cit., 193). El catolicismo militante, como es lógico, le fue siempre cerradamente hostil; v. en el «sucedido» *¿Qué sería?,* del P. Luis Coloma, condenaciones que rayan en lo cómico.

Si hubiéramos de creer a Gautier, que evidentemente exagera, el éxito de Soulié en el teatro español del tiempo fue algo sin precedentes. [236] El que con sus novelas obtuvo fue ciertamente muy grande; desde que en 1837 se publicó en Barcelona, por Oliveres y Gavarró, *Carlos y Cromwell o los dos cadáveres*, hasta 1850, el número de las obras suyas que se tradujeron es considerable, y aun se leyeron mucho después; en bibliotecas populares se han impreso algunas hasta comienzos de este siglo. Con este grupo entran una turbamulta de novelistas famosos otrora, olvidados hoy: Janin (1804-1874), Sandeau (1811-1883), que Ochoa llamará, con evidente exageración, «el más delicado y profundo de los novelistas franceses», [237] y al que Pereda quizá deba ideas desarrolladas en sus primeras obras; [238] Gozlan (1803-1866), Ch. de Bernard (1804-1850), Méry (1798-1867) y otros infinitos que podrán verse en la bibliografía. Al lado de ellos figuran muy pocos novelistas ingleses: Bulwer-Lytton (1803-1873), Ainsworth (1805-1882), y, cosa muy curiosa, hallamos una traducción provinciana de Dickens, *La campana de difuntos (The chimes*, 1845), Málaga, Martínez Aguilar, 1847. Dickens, apenas conocido por traducciones, cuenta ya con algún imitador, probablemente de ascendencia inglesa. [239] De alemán apenas hay nada, si no es una traducción de Hoffmann.

No queremos dejar de consignar en esta sección la entrada en España de otros escritores de menos pretensiones que los últimos citados, pero de fama duradera, y alguno de renombre europeo, que no sé por qué nos llegaron tan tarde. Charles Nodier, hispanista a ratos, conservador y «bien pensant» —Fernán Caballero gusta de citar algunas «perlas» de su ideario—

---

[236] «L'auteur français le plus en réputation à Madrid est Frédéric Soulié; presque tous les drames traduits du français lui sont attribués; il paraît avoir succédé à la vogue de M. Scribe» (*Voyage en Espagne*, París, Charpentier, 1933, 141). En 1840-1841, salieron, en efecto, traducciones de varios dramas suyos, *El artesano, El hijo de la loca, El proscrito, La mujer del proscrito*, y aun se representaron otros, pero nada de esto tiene que ver con los triunfos de Dumas o Scribe. En la novela contó siempre entre los mejores. Al morir, el *Semanario pintoresco*, 1850, XV, 265, publicó una elogiosa y extensa necrología, pero en ella se habla más del hombre que de la obra.
[237] *París, Londres y Madrid*, París, Baudry, 1861, 191.
[238] V. J. Camp en su edición de *Blasones y talegas*, Tolouse, Privat, 1937, viii. El tema de la nobleza que tiene que aliarse, falta de recursos, a familias plebeyas enriquecidas es tan común por entonces que es difícil establecer paralelos, aunque no es posible ignorar la semejanza entre aquel título *Sacs et parchemins*, de Sandeau (1851) y el de la novelita montañesa. No encuentro la novela de Sandeau entre las traducidas por entonces.
[239] *Oliverio, novela inglesa, imitación de Dickens*, por F. A. F. [Fernell?], Madrid, 1848, 8º.

no aparece en librería hasta 1839, cuando Sauri da a luz en Barcelona una traducción de *Inés de las Sierras*. [240] No es imposible que alguna revista publicara con anterioridad cosas suyas, tal vez sin su nombre, como era costumbre. [241] Aún hay versiones de *El pintor de Saltzburgo*, 1840; *Smarra*, 1840, *Trilby*, 1842, y algunas otras cosas. Entre lo traducido por estos años nada encuentro de Mérimée, que ya había hecho un viaje a España (1830), tenía muchos amigos entre nosotros y había publicado alguna obra de tema español, como *Les âmes du Purgatoire* (1834), si no es *Colomba*, publicada anónima en 1841 en la *Revista andaluza*, de Sevilla; no sé si aparecería en volumen.

Cosa rara es que E. T. A. Hoffmann, de celebridad europea, traducido mil veces al francés —y en traducción gana mucho— llegara tan tarde a España. [242] En periódicos y revistas es posible que haya bastantes cosas suyas, con su nombre o anónimas, [243] pero en volumen no creo que haya nada en castellano anterior a los *Cuentos fantásticos*, escogidos y vertidos al español por don Cayetano Cortés, Madrid, Yenes, 1839, 2 vols., 8º mayor, y unas *Obras completas*, que distan de serlo, publicadas en Barcelona, Lloréns, 1847, 4 vols., 8º mayor. [244]

c) El desarrollo creciente de la industria editorial, que, sobre todo en Barcelona, trabajaba a la francesa, no podía menos de favorecer la introducción en España de aquellos folletines que en Francia habían inundado las librerías de compactos volúmenes, aumentado las tiradas de los grandes

---

[240]   Según Le Gentil, *Les revues*, 76, la misma se publicó, anónima, en la *Revista europea*, 1838, IV, 226.

[241]   Con posterioridad, el *Semanario pintoresco*, dio, anónima, *La gruta del hombre muerto*, 1855, XX, 91. En *El Laberinto*, núm. 9, 1 marzo 1844, salió un artículo sobre Nodier firmado por F. (probablemente [Antonio] F[lores]).

[242]   Zorrilla, *Recuerdos del tiempo viejo*, I, 40, refiere cómo, apenas llegado a Madrid, le dieron a traducir un cuento de Hoffman para el periódico *El porvenir*. No sé si llegó a hacerlo. Alonso Cortés, *Zorrilla*, ed. cit., 188, extracta un cuento de Zorrilla, *La Madona de Pablo Rubens*, en estilo muy de Hoffman, publicado en ese periódico. No se dio como traducción, y yo no encuentro el original. Hay un cuento de Hoffman en las *Horas de invierno*, colección publicada por Ochoa, y encuentro en *La Ilustración*, 1851, III, 171-175, 183-184, *El poeta y el compositor*. No se olvide que H. fue lectura juvenil de Bécquer.

[243]   V. además, F. Schneider, *Hoffmann en España*, Homenaje a Bonilla, Madrid, Ratés, 1927, I, 279.

[244]   La edición de los *Cuentos* hecha por Cortés no contiene sino cuatro: I, *Aventuras de la noche de San Silvestre, Salvator Rosa;* II, *Maese Martín el tonelero y sus oficiales, Marino Fallieri.* Hidalgo reproduce en su *Diccionario*, II, 154, un largo artículo publicado en *El piloto*, número 17, 17 mayo 1839, sobre la edición; hay también una nota muy breve sobre ella en el *Semanario pintoresco*, 1839, IV, 128; otro de Enrique Gil puede verse en sus *Obras en prosa*, Madrid, 1883, II, 50.

periódicos y producido millones a autores y empresarios. [245] La explotación del folletín español, que no fue sino tardía y aplicada a obras de calidad dudosa, fue también imitación, pero imitación industrial y comercial tanto o más que literaria. Fueron los editores, siempre en acecho de novedades, los que se apoderaron de esos libros, apenas ofrecían las seguridades de éxito que dejaban presumir tres o cuatro ediciones agotadas en el país de origen, y andando el tiempo ni eso fue necesario, y los folletines se tradujeron directamente de los periódicos, y a veces se emprendía su traducción antes de que la publicación terminara en Francia o pasara al libro. [246] El folletín fue esencialmente género de actualidad.

Aunque sea cosa excepcional, encuentro ya una traducción de Sue de 1836 —y hecha en París, por cierto—, [247] pero el éxito de los folletines de éste es algo más tardío, y lo primero que de su obra se traduce es lo más moderado y respetable de los escritos de su primera época. El primer cultivador del género que, como tal, tiene éxito entre nosotros es A. Dumas, del que Ochoa traduce *Murat, Paulina* y *Pascual Bruno* en 1837, 1838, y los publicó Sancha en Madrid. La acogida que se dispensó a Dumas en España —a su teatro, a sus novelas, a su persona— fue apoteósica. Ningún autor de los que han sobrevivido a las modas, ni Víctor Hugo, ni Balzac, ni nadie logra ser tan popular en el más lato sentido de la palabra. Cuando en 1846, con motivo de las bodas reales, el escritor estuvo en España, su extraña figura, su poderosa vitalidad atrajeron vivamente la atención de todos. «Les oeuvres de M. Dumas sont affichés à Madrid avec des lettres longues de deux mètres. On les traduit, on les recherche», escribía un periodista francés que, por la misma ocasión, coincidió con Dumas en la capital de España. [248] Protestas

---

[245] En el momento de mayor auge del género entre nosotros, se publicó un opúsculo anónimo, que supongo de origen francés: *De la novela-folletín, su origen, progresos e influencia social,* Madrid, Montellano, 1846.

[246] Creo que sólo así se explica —aparte algún yerro u omisión— el que las fechas de algunas ediciones españolas sean anteriores a las que H. P. Thieme, *Bibliographie de la littérature française de 1800 à 1930,* París, Droz, 1933, señala a las originales.

[247] Es un episodio de su libro *Plik et Ploc* (1831), con el título de *El gitano o el contrabandista en Andalucía,* trad. por M. Noriega, París, 1836, 16º. El Catálogo de Salvá menciona una edición de *Atar Gull* hecha en Valencia en 1835. Nadie ha dado razón de ella.

[248] Cuvillier-Fleury, *Voyages et voyageurs,* París, Michel Lévy, 1856, 144. El mismo Dumas tratará de ello en el libro en que relató su viaje; v. a propósito de éste, los interesantes datos reunidos por Sarrailh, *Le voyage en Espagne d'Alexandre Dumas, Enquêtes* (o en *Bulletin Hispanique,* 1928, XXX, 289-327). Citaré aún, de este tiempo, el artículo de Neira de Mosquera *Mr. Alejandro Dumas, El siglo pintoresco,* 1847, III, 265-269.

contra alguna salida de tono del novelista, tomada muy a mal por escritores quisquillosos, se extinguen en el aplauso universal. [249] Es notable que mientras que en Francia su prestigio literario decrece a medida que Dumas desarrolla sus talentos industriales, se van conociendo detalles de su fabricación de novelas y el nombre de sus colaboradores o de sus «nègres», Dumas se mantenga indiscutido en España; [250] durante todo el siglo XIX su gloria no sufre eclipse alguno entre nosotros, y los críticos más avisados le citarán constantemente junto a otros creadores de vida literaria más pura. Bajo la pluma de Valera mismo se verán surgir los nombres de Víctor Hugo, Balzac, G. Sand, Dumas y Sue como *pares inter paribus*. Y sus novelas, sus largos folletines, seguirán manteniendo su renombre, no obstante ser en gran parte lo menos *suyo* de su obra, cuando su teatro, que le dio a conocer y que era su creación más auténtica, había muerto en la escena y en el libro.

Sería una larga y enojosa repetición, pues todo puede verse con más detalles en la bibliografía, recordar ahora todas las novelas de Dumas, cortas, largas o torrenciales, traducidas al español de 1840 a 1850, publicadas aún mucho más tarde las más famosas; las bibliotecas populares las reeditan todavía en España, en Francia y en todas partes. [251] Baste decir que de *Los tres mosqueteros* salen a luz, sólo en el año mismo de su aparición en Francia y en el siguiente, cuatro traducciones diferentes en Barcelona, Madrid, Málaga y

---

[249] Las intemperancias de Dumas no dejaron de publicarse en español con atenuaciones o notas de protesta: *España y Africa. Cartas selectas... traducidas...* por varios literatos, seguidas de un breve análisis por D. W. A. de Izco, Madrid, Ayguals de Izco, 1847, 2 vols. 16°; *De París a Granada. Impresiones de viaje*, trad. de D. Víctor Balaguer, acompañada de una refutación del traductor, Barcelona, Viuda e hijos de Mayol, 1847, 8°. Se publicaron otras vindicaciones de España, entre las que recordaré la *Carta dirigida a Mr. Alejandro Dumas por el señor Martínez del Romero*, *Revista científica y literaria*, I, 1847, 203-207, en la que, entre mil puerilidades, se menciona cierta piececilla, *El baile de candil*, en que se ponía en ridículo a Dumas y que por ello tuvo mucho éxito.

[250] Aunque escritores bien informados traten de propalar estas especies; v. en la revista que acabamos de citar unas *Adiciones a la carta del señor don Antonio Martínez del Romero*, pág. 208-210, en que un activo publicista italiano radicado en España, Salvador Costanzo, da cuenta detallada de los procedimientos de Dumas.

[251] En 1860 y 1861 la editorial Rosa y Bouret de París hizo varias ediciones de Dumas, algunas reimpresas varias veces hasta 1877, y en ocasiones copiadas de otras anteriores peninsulares. Estas de Rosa y Bouret no es probable que circularan ya entre nosotros, y se harían seguramente con miras a América.

También, en el caso de Dumas, la exploración de las revistas literarias daría resultados —sin contar el número extraordinario de ediciones que hubieron de salir en folletones de periódicos—. Recordaré, como ejemplo, *La juventud de Napoleón*, publicada en el *Semanario pintoresco*, 1840, V, 287, 291.

Cádiz; [252] que de *El Conde de Montecristo,* impreso también en español a raíz de su publicación en París, 1845, hay seis ediciones de 1846 y 1847; dos de Barcelona, una de Madrid, una de Valencia, otra de Málaga y otra de Logroño. [253] Como el de Walter Scott, el éxito de Dumas determinó algunas imitaciones españolas, fracasadas como aquéllas —y con más motivo—, pues los émulos del francés fueron gente de menor cuantía, salvo uno que si no dio la obra que quizá estaba llamado a crear, no fue por falta de talento.

El éxito de los largos y pretenciosos folletines de E. Sue (1804-1875) tuvo un eco inmediato en España, donde se tradujo casi todo lo que creó el autor, desde aquellas primeras narraciones marítimas, que merecieron la atención de un Balzac o de un Sainte-Beuve —polos opuestos—, hasta los novelones diluviales. Fue la que se le dispensó por el público español una acogida cándida, ingenua; la fabulación vertiginosa del novelista arrastraba en su rápido vuelo a lectores que no deseaban otra cosa; pocos dieron importancia a las tesis o doctrinas sociales que el autor pretendía inculcarles aunque algunos de sus más fervientes promotores, como Ayguals de Izco, le jalearan muy a sabiendas de lo que hacían. [254] «Antes de 1848 —dice Valera— apenas había en España quien supiese lo que era socialismo. *El Heraldo* y otros periódicos moderados publicaron en su folletín novelas como *El judío errante* y *Los misterios de París* sin advertir las doctrinas que divulgaban. De *Los misterios de París* se hicieron en España, en un año, más de veinte ediciones, y nadie o pocas personas dijeron que era antisocial esta novela». [255] Valera exageraba un poco; de *Los misterios de París* no logro

---

[252] Hasta 1850, salvo error u omisión de los bibliógrafos, el total de ediciones —en libro— asciende a 7; las tres nuevas son todas de Madrid.

[253] Hasta 1850 hay que sumar otra más, de Madrid. Sobre Dumas en España V. Peers, *Bibliografía de Dumas en España, Homenatge a D. Antoni Rubió i Lluch;* no he podido ver el artículo de Mario Verdaguer, *Alejandro Dumas en España,* en *Revista* (Barcelona), 1957, VI, pág. 8.

[254] El órgano más agresivo del «suismo» español fue *El Dómine Lucas,* que dirigía Ayguals, revista furiosamente anticlerical. Apenas hay número de ella en que no se hable de Sue y de sus obras, en cuya divulgación Ayguals estaba interesado también por razones mercantiles. V. entre otras cosas, el artículo *Eugenio Sue,* anónimo (del director probablemente), publicado en el núm. 13, 1 abril de 1854, página 100.

[255] *Los Miserables, Obras,* ed. cit., 303; cfr. *Las ilusiones del Doctor Faustino,* II, *Obras completas,* VI, 108. Una crítica muy sensata, que sí se hace cargo de esa tendencia, sin tomarla muy en serio, puede verse en la *Revista de Madrid,* 2.ª época, II, 1844, 405 sigs.; el autor de la reseña juzga por la traducción de A. Flores, que califica de mediana. En el *Semanario pintoresco,* 1846, XI, 285, a propósito de la aparición de *María,* de Ayguals de Izco, se coloca a Sue sobre Balzac y G. Sand, se le llama el «primer novelista contemporáneo» por haber ensanchado el campo de la

documentar sino once entre 1843 y 1845, a las que quizá haya que añadir las de los folletines de periódicos, inaccesibles; de el *Judío errante*, doce, impresas en 1844-1846. [256] Otro folletín sumamente leído fue *Martín el Expósito*, del que podrán verse detalladas en la bibliografía ocho ediciones de 1846-1847.

Por este tiempo se tradujo a Paul Féval (1817-1887), [257] a quien un cierto público ha permanecido fiel hasta nuestros días. La publicación de *Los misterios de París* por Sue determinó una verdadera plaga de «misterios»: hubo *Misterios de Rusia,* [258] *Misterios de Roma,* y hasta *Misterios de Madrid* o *Misterios de Barcelona,* sin contar que Sue mismo reincidió con sus *Mistères du peuple,* 1849, que, por supuesto, se tradujeron al castellano.

---

novela, dando a ésta mayor transcendencia. De notar son unos artículos de R. de Navarrete, *La novela española,* ibídem, 1847, XII, en que también se considera la fórmula de Sue como la más perfecta de la novela moderna y la que debe ser imitada. V. otro de A. Fernández de los Ríos en *El siglo pintoresco,* 1846, II, 209-212. Un testimonio de este éxito, tardío, pero referido a esos años, e interesante porque revela una fidelidad a prueba de cambios y progresos, puede verse en *Mis memorias,* por J. M. Sanromá, Madrid, 1887, I, 144: «era en aquel tiempo [Sue] el gigante de la novela, con pensamiento, con sistema, con miras de reformador... Digan lo que quieran, tampoco ha pasado *El judío errante...*» Aunque de lo que sigue se deduce que lo defiende aún por espíritu sectario, y sobre todo por su antijesuitismo.

[256] En *El Dómine Lucas,* que no sólo imprimía su propia propaganda, sino cuanto podía espigar de algún interés en la prensa de provincias, se leen cosas curiosas sobre el éxito de esta novela. En *El pasatiempo,* de Lérida, 11 mayo 1845, se leía (ap. *Dómine,* 1845, 119): «Siete u ocho imprentas diferentes se ocupan a la vez en dar a conocer a los españoles el Zurriago de los Jesuítas.» Y R. de Carvajal escribía en *El Fénix,* de Valencia, 19 enero del mismo año (*Dómine,* ibid., 83): «en ningún país como el de nuestra España se ha encarnado tanto la manía de explotarla [la novela] y más de mil traductores se disputan la ganancia del *Judío...* Apenas hay periódico que no la inserte en sus folletines, ni empresa literaria que no la imprima». En *El Dómine,* 1844, 54, se dice que la Sociedad literaria que dirigía Ayguals contaba con «cerca de cuatro mil suscritores al *Judío errante».* En esa revista puede seguirse la historia de las ediciones emprendidas por Ayguals, repartidas por entregas, como casi todas las novelas algo voluminosas de aquellos tiempos.

[257] Si, como creo, es un caso de plagio, interesa recordar aquí el de la primera traducción de Féval que recuerdo. En el *Semanario pintoresco,* 1843, VIII, se publicó una novelita titulada *La espada del rey Pelayo,* que, en sustancia, no es otra que la que con el título *Los armeros de Toledo,* y a nombre de Féval, publicó más tarde en su colección de novelas *El Correo de Ultramar,* París, De Lassalle y Mélan, 1861. El texto del *Semanario* va firmado con las iniciales N. M., que corresponden al nombre de Nicolás Magán, activo colaborador por aquel entonces. Ignoro la fecha de la novelita de Féval, pero me parece imposible que fuese él quien arrebatase a Magán el argumento; el relato de éste, por lo demás, no está libre de otras contaminaciones.

[258] Una novela de este título, traducida por Manuel M. del Campo, debió de publicarse en Sevilla, según anuncio en el *Semanario pintoresco,* 1845, X, 160, sin el nombre del autor.

(Ello produjo las inevitables parodias, como *Los misterios de Chamberí* de A. Flores, *El Laberinto*, 1844, I, págs. 262-264. Mesonero escribió también unos versos, *Los misterios de Madrid*, que pueden verse en el libro *Tipos, grupos y bocetos*, Madrid, Mellado, 1862, 263 sigs., en que se burla de tales folletines. Hacerlos en Madrid es ridículo, pues en Madrid no hay tales misterios.) Entre tantos libros de esta clase, el más famoso fue *Los misterios de Londres*, de Féval, publicado bajo el seudónimo de Sir Francis Trollopp, del que se hicieron seis ediciones españolas hasta 1845 inclusive, sin contar la primera, impresa por cierto en París, Locquin, 1844. La bibliografía española de este autor es copiosa, si no selecta. Ponson du Terrail no llegará a España sino varios años después.

Por estos años de 1846-1850, salvo en lo que al folletín se refiere, las corrientes tumultuosas se iban amansando, pero la confusión de los espíritus seguía siendo desconsoladora. Un testigo, hombre mediocre sin duda y de gustos inseguros, pero que leyó enormemente y tuvo muy en cuenta los cambios y las modas, resumía así sus impresiones de estos años, esquematizándolas quizá en demasía: «Walter Scott había pasado de moda; d'Arlincourt se iba anticuando; Sue, Dumas y Paul de Kock eran los amos del cotarro. Un poco menos, Féval y Soulié».[259] El folletín desalojará, durante largos años, la novela de arte, y cuando ésta vuelva a afirmarse, nunca desaparecerá del todo aquél, lectura clandestina, pero continua, aun de gentes nada vulgares, que buscaban en él un medio de escapar a la acucia del quehacer diario. Nombela, refiriéndose a sucesos de 1863, nos ha hablado de aquella lectura apasionada de folletines a que, a escondidas, se entregaba Ríos Rosas, y que le embargaba hasta el extremo de hacerle dilatar el despacho de asuntos urgentes o la recepción de visitas que podían interesarle.[260] Cuando la novela española empiece a manifestarse, la preocupación de lo folletinesco será sensible en ella, aun allí donde los autores ironizan, considerando ya el folletín algo enteramente ajeno al arte. Cuando en *Mariquita y Antonio*, 1861, Valera, inquieto por el éxito, se explique sobre el carácter corriente y cotidiano de los lances de su novela, añadirá: «ya escribiré yo con el tiempo una novela toda fingida en la cual he de poner más lances y más enredos que hay en *Los tres mosqueteros* y en *Los misterios de París*»,[261] lo que, irónico y todo, quizá explique el extraño sesgo que la narración toma hacia el final

---

[259] Sanromá, *Memorias*, I, 142. Los juicios que allí se hacen de todos esos autores dan la medida de la mentalidad del autor.
[260] *Impresiones y recuerdos*, III, 296-297.
[261] *Mariquita y Antonio, Obras completas*, XIII, 155.

de lo que de ella conocemos, y el extrañísimo que ofrecen a veces *Las ilusiones del Doctor Faustino*. Considerando estas cosas, parece milagroso el saludable cambio operado hacia 1868, y más milagroso, por ocurrir en los mismos años de que hacemos mención, el éxito de Fernán Caballero, bien que éste no fuera, en el primer momento al menos, un éxito de gran público.

Después del largo aislamiento, la revancha sin duda era extremosa, pero no era lo sensible que se tradujera mucho —Francia había traducido incomparablemente más, en algunos períodos de su historia, y aún seguía y seguiría traduciendo— ni que se escogiera mal, que no siempre es cierto; los libros de éxito aquí son los libros de éxito allá y acullá. Lo grave era que nada apareciese en España misma, que ésta no hiciera de esas aportaciones el punto de partida de un arte nacional nuevo y vigoroso. Lo extraño, lo que nos sigue pareciendo extraño, es que, dada esa apetencia del público, la novela española tuviese tan tardío advenimiento. [262]

No pasó esto desapercibido a los españoles más agudos y vigilantes. A las burlas de Larra, que aún habremos de examinar, pues implican muchas cosas, habría de añadir otras de Mesonero, quien al comprobar —el artículo se escribía en 1840— que la manía de traducir había llegado a su colmo, escribió: «nuestro país, en otro tiempo tan original, no es en el día otra cosa que una nación traducida», [263] frase que recuerda otra más sarcástica de Eça de Queiroz sobre Portugal. Casi siempre, burlas y críticas versan sobre dos extremos: la peligrosidad de los textos traducidos y su inanidad, y la corrupción de la lengua. Que todo estaba pésimamente traducido era lugar común entre censores y satíricos. «¿Traduciré del tonto algunas traducciones de Barcelona y no pocas de Madrid que han quedado más gabachas que antes de pasar los Pirineos?», se preguntaba Mesonero en su artículo. [264] Mora

---

[262] La impaciencia de la espera se escucha en las palabras escritas para saludar la aparición de nuestras primeras novelas históricas, que se disciernen como una esperanza. Así el artículo de Galiano, publicado en el *Athenaeum,* y que ya citamos: «These productions are quite a novelty in Spanish Literature as, with the exception of that feeble production *La Serafina,* no original fiction has been produced in Spain in an age so prolific in works of this description among all other European nations» (452 c).

[263] *Las traducciones,* en *Obras,* ed. cit., III, 156.

[264] Ibid., 156. Con anterioridad, en su artículo citado, Galiano había dicho, después de lamentar que «for the most part the intellectual food of Spain is of foreign growth»: «As a people the Spaniards are fond of novel reading, and they are supplied with French novels in abundance, the worst trash which issues from the press of France having appeared in Spanish garb, or, it might be more properly said, in a peculiar Spanish jargon which, it is to be feared, has irretrievably corrupted the Castilian language» (453 a).

en su prólogo a los *Ensayos*, de Lista —no está firmado, pero es suyo, según la portada— engloba las traducciones en su condenación de todo lo romántico; no habla concretamente de novelas, pero a ellas tienen que referirse las palabras «literatura lijera y de pura imajinación», «...dejando para trabajos más serios y meditados el examen de las consecuencias de estos deplorables abusos con respecto a los sentimientos religiosos y a las buenas costumbres, y fijándonos exclusivamente en las cualidades exteriores, que comprenden el estilo, la dicción y el lenguaje, ¿pueden leerse sin rubor y lástima las producciones destinadas al recreo de la juventud y del bello sexo y que podrían también suministrar una distracción grata en las amarguras de la vejez?». [265] Todo por este orden. El viejo «clásico» apenas se desmiente en esas palabras —poca simpatía por la literatura «lijera y de pura imajinación», aunque a duras penas la tolere—. Galiano, tratando de los escritores galicistas del siglo anterior, asegura que la obra de aquéllos «era menos francesa que algunas de nuestros actuales literatos, y mucho menos que las de nuestros traductores». [266] Segovia enviará su puntillada a los traductores que se dedican a «corromper nuestro hermoso idioma, destrozar los mejores originales extranjeros, acentuar la ignorancia del pueblo, estragar el gusto...». [267] Un crítico anónimo del *Semanario pintoresco*, a propósito de una novela de Navarro Villoslada, lamentará el «fárrago inmenso de traducciones descuidadas de malos originales que arrojan las prensas todos los días para viciar nuestro idioma no menos que nuestras costumbres». [268] Ochoa, bastante más tarde, ha de repetir la misma nota; los traductores «desvirtúan la genuina índole de nuestro idioma nacional», «corrompen la lengua, depravan el gusto» (los malos, es decir, en su concepto, casi todos), [269] frases que no dejan de tener gracia bajo la

---

[265] Lista, *Ensayos*, ed. cit., I, viii-ix.

[266] *Historia de la literatura...*, 29.

[267] *Traducciones y traductores*, *Semanario pintoresco*, 1839, IV, 367, artículo muy moderado, pero que parte de un principio, muy del tiempo, que es falso: «toda traducción literal es mala». Sabido es que Segovia, como casi todos nuestros escritores de costumbres, fue purista, pero nunca anduvo por extremos. Se ha publicado un informe suyo a la Academia sobre un diccionario de galicismos en proyecto (*Bol. de la Academia Española*, 1914, I, 291-297), que merece verse; muestra también gran discreción.

[268] *Semanario pintoresco*, 1847, XII, 251 b.

[269] *París, Londres y Madrid*, 479. Frases semejantes se encuentran en todas partes. Nadie las sospecharía en un libro puramente bibliográfico, pero que contiene varios lamentables artículos de crítica, el *Diccionario* de Hidalgo; allí, IV, 375, se habla del «formidable aluvión de novelas bárbaramente traducidas con que nuestros editores han inundado el país». Observaciones muy sensatas sobre este asunto pueden verse en la *Revista de Madrid*, 2.ª serie, I, 1844, 402 sigs.; pueden resumirse en dos

pluma de un hombre que tanto tradujo. Grave era eso de que se maleara la índole de la nación, si el peligro era cierto. Pero no lo era; esas protestas, como las de antaño, enmascaran apenas el malestar causado por el actual abatimiento. «¿A quién no humilla —dirá Ochoa pocas páginas más adelante— ver los folletines de nuestros periódicos exclusivamente ocupados por traducciones del francés?, ¿y, casi lo mismo, los anuncios de nuestros teatros?, ¿y lo mismo, también, las listas de nuestras obras de texto en letras y ciencias?». [270] Esto, esto era lo doloroso: que el español moderno parecía condenado a una vergonzosa inhibición en fuerza de su mediocridad. «Triste es que nos abandonemos —dice Fernán Caballero en un raro y curioso artículo de crítica— a punto de no hallar para nuestras novelas sino tipos cortados por las novelas francesas de Sue o de Dumas. ¿Qué dirían las generaciones que nos han precedido? ¿Qué dirán las que nos sucedan?». [271] La apatía, la falta de estímulo, el abandono, fomentan el espíritu de imitación. Vemos aquí cómo se va formando —o va proliferando— uno de los temas centrales de nuestro costumbrismo, formulado ya y glosado mil veces: España comienza a dejar de ser.

---

palabras: mal está que se traduzca tanto, pero peor sería el aislamiento y la barbarie, y si hace falta lo que no se produce, habrá que tomarlo de donde se haga mejor. En cuanto a la lengua, dada la dependencia de España en todos los órdenes, ya se corrompe de mil modos, aunque no se traduzcan novelas.

[270] *París, Londres y Madrid*, 485.

[271] Publicado en *El Parlamento*, 25 febrero 1857, reproducido por Hidalgo, *Diccionario*, II, 482 *b*. A propósito de Fernán Caballero recordaré otra de las infinitas protestas contra traducciones y traductores que se encuentran entonces a cada paso: el prólogo del Duque de Rivas a *La familia de Alvareda*.

Es curioso lo que refiere Wallis, *Spain, her institutions, politics and public men*, Boston, Ticknor, 1853, 229, de la discusión en las Cortes españolas de un proyecto de tarifas postales para impresos. Uno de los argumentos de la oposición era que, aceptándolo, se favorecería la difusión de malas traducciones. Las impresiones de Wallis, muy curiosas, se refieren al período aquí estudiado (Wallis hizo su viaje en 1849-1850).

No sé qué pueda ser cierto folleto que veo citado en el *Boletín bibliográfico* de Hidalgo: *Cuatro palabras a los señores traductores y editores de novelas*, por un suscriptor escarmentado, El Tío Cigüeño, Madrid, Hijos de Catalina Piñuela, 1838.

VI

LOS CLÁSICOS ESPAÑOLES

¿Y los clásicos españoles? Esta actividad editorial, creciente de año en año, ¿significa olvido absoluto de la tradición literaria española? ¿No interesan ya nada los viejos libros castizos a los románticos españoles? ¿Ignoran acaso que en otros países el Siglo de Oro español había sido una levadura de romanticismo? En España, donde en los años de mayor fervor romántico persistió un cierto clasicismo larvado, a veces en alianza con el propio romanticismo; en España, donde los románticos estudiaron a Tasso con tanto interés como a Byron; [272] donde nuestra Antología poética sufrió tan pocas modificaciones desde los días de Quintana; donde la conciencia del romanticismo fundamental de la literatura española de una parte, de otra el patriotismo, se conjuraron en la conservación de tantas cosas que parecían incongruentes con los gustos actuales, ¿no había de prevalecer la novela antigua, tan a menudo invocada por los costumbristas como su guía y modelo?

En general, no fue así. No era empresa fácil resucitar la antigua novela española. Era de muy ardua lectura y se refería, auténticamente, a una sociedad

---

[272] Todavía la *Jerusalén,* y aun el *Orlando,* de Ariosto, lo que se comprende mejor, eran susceptibles de cierta «romantización», y no extraña demasiado que el joven Espronceda —discípulo de Lista, como todas las personalidades importantes de su generación— ponga aquel poema sobre su cabeza; v. sus *Poesías,* ed. Clásicos Castellanos, I, 25. Lo curioso es que el *Aminta* sea uno de los libros más frecuentemente impresos en los comienzos del siglo: Madrid, 1814 (ed. de la Academia Española), Barcelona, Busquets, 1820, Madrid (es decir, París), 1821, Madrid, Vilches, 1822, Madrid, Aguado, 1829, Madrid, M. de Burgos, 1830 (en el *Tesoro* de Quintana), Baeza, Comisión de libros, 1848. Lo que así se imprime es la traducción de Jáuregui.

extinta que la novela histórica trataba de reconstruir bien arbitrariamente, ingi-
riendo en ella las pasiones de hoy. Un aparecido desbarataría una mascarada.
Los antiguos espejos reflejaban las cosas con una verdad que parecía mentira.
Nada de aquello servía ya. Los románticos españoles han conocido mal el
Siglo de Oro, salvo contadas excepciones, y lo que de él conocieron fue sobre
todo el teatro; en pequeña parte, esa Antología poética a que aludimos, ela-
borada desde Luzán hasta Quintana, a la que tal vez se agregaron partes del
Romancero, tal como ellos lo comprendían, en desenfrenada mescolanza de
viejo y nuevo, y aun este Romancero fue muy del gusto de Quintana mismo.

Cierto, Cervantes se lee mucho, o por lo menos se imprime mucho,
dentro y fuera de España. Ningún libro moderno cuenta, ni aproximada-
mente, con el número de ediciones que se hacen sólo del *Quijote,* en competencia con *Gil Blas.* Vale la pena constatar cómo la fortuna del *Quijote*
experimenta un auge considerable a medida que el siglo avanza. Una consulta a la *Bibliografía crítica* de Rius nos da noticia de las siguientes ediciones de los años 1820-1840:

París, Cormon y Blanc, 1824 (supongo que se trata de la misma que
lleva el pie de imprenta de Lyon, Durand y Perrin, 1825); París, Baudry,
1825; Madrid, M. de Burgos, 1826; ed. García de Arrieta, París, Librería
Hispano-francesa (Bossange) 1826 (de unas *Obras escogidas*); París, Didot,
1827; edición miniatura, París, Didot, 1827; París, Cormon y Blanc, 1827;
Madrid, Hijos de doña Catalina Piñuela, 1829; Madrid, Ramos y Cía., 1829;
Madrid, J. Espinosa, 1831; Zaragoza, Polo y Monge, 1831; Berlín, Benecke,
1831; Madrid, Fuentenebro, 1832; París, Baudry, 1832; Barcelona, Bergnes,
1832; 2ª edición miniatura, París, Didot, 1832 (cuidada por don Joaquín
Ferrer); Barcelona, Viuda e hijos de Gorchs, 1832-1834; México, Arévalo,
1833; ed. de Clemencín, Madrid, Aguado, 1833-1839; París, Baudry, 1835;
Leipzig, Flescher, 1836; Boston, Perkins y Mervin, 1836; Zaragoza, Polo y
Monge, 1837; Boston, Sales, 1837; París, Lefèvre, 1838; París, Baudry,
1838; Barcelona, Bergnes, 1839; Barcelona, Bergnes, 1840 (¿la misma?);
Madrid, imp. Venta pública, 1840 (no sé si será la misma que veo citada con
el pie de imprenta «Establecimiento Central, 1840», 4 vols., 8º); París,
Baudry, 1840.

Una treintena de ediciones en veinte años, y de ellas diez y seis extranjeras, si se les añade la de Méjico, que no es probable llegara a España. La
mayoría de las francesas se harían para América, aunque las de Didot no
dejaron de circular entre nosotros. Más de una vez el *Quijote* es mero pre-

texto para fabricar una edición lujosa ilustrada, uno de esos libros de regalo que nadie lee.

Las *Novelas* se imprimen también bastante, y en proporción infinitamente menor, las otras obras de Cervantes; ediciones estas últimas que, por lo común, forman parte de alguna colección de *Obras*. El prodigioso éxito de la *Galatea*, de Florian, indujo a pocos lectores curiosos a leer el original:

Novelas ejemplares: Madrid, M. de Burgos, 1821; *La Señora Cornelia, La fuerza de la sangre*, Leipzig, 1823; París, Cormon y Blanc, 1825; París, Bossange, 1826 (*Obras escogidas*); París, Rigoux, 1827 (*Obras escogidas*); Madrid, Hijos de doña Catalina Piñuela, 1829 (*Obras escogidas*); Barcelona, Bergnes, 1831-1832; Coblenz, Baedeker, 1832; *La Señora Cornelia, La fuerza de la sangre*, Leipzig, Baumgärtner, 1832 (edición con notas para el aprendizaje del español); París, Baudry, 1835; Nueva edición aumentada, Coblenz, Baedeker, 1836; Barcelona, Bergnes, 1836; Nueva edición, París, Baudry, 1838. Veo citadas, además, ediciones de *Rinconete y Cortadillo*, Barcelona, Oliveres, 1831, y de *El amante liberal, La Señora Cornelia, El casamiento engañoso* (¿y *El coloquio de los perros?*), Barcelona, Oliveres, 1838, 16°, ignoro si en volumen o separadas. Esta vez, de una quincena de ediciones totales o parciales, nueve son extranjeras.

Persiles: New York, Lanuza, 1827; Madrid, Hijos de doña Catalina Piñuela, 1829 (*Obras escogidas*); Barcelona, Bergnes, 1833; París, Baudry, 1835, 1841.

Galatea: Madrid, Hijos de doña Catalina Piñuela, 1829 (*Obras escogidas*); París, Baudry, 1835, 1841.

La publicación de otros viejos libros de imaginación españoles es, como todo lo que entonces hace la imprenta española, sobre manera confusa y anárquica. En qué medida intervino en la selección de los textos publicados la curiosidad erudita o el gusto personal, en qué medida se debe a puro capricho, son cosas difíciles de determinar hoy. No debe de ser ajena a ciertas aficiones románticas la publicación de algún libro de caballerías, y es curioso que hasta se tradujese otro del francés. Encuentro un *Amadís de Gaula*, «reimpreso literalmente según el texto de la más apreciable edición», Madrid, M. Pita, 1839, 4 vols.; Barcelona, Oliveres, 1847-1848; *Historia de los muy nobles y valientes caballeros Oliveros de Castilla y Artús de Algarbe*, compuesta por el bachiller Pedro de la Floresta, Barcelona, Oliva, 1841; *Historia del esforzado caballero Partinuplés*, traducida de lengua catalana en la nuestra castellana, Barcelona, Torner, 1842. No sé a quién se le ocurriría la idea de traducir la historia de *Gerardo de Nevers y la bella Euriana*, publicada en Barcelona por Oliveres en 1839, tomada seguramente de la serie de *Romans de chevalerie* del conde de Tressan, de la que procederá probablemente la edición hecha en París por Didot en 1828. (No hay que olvidar en esta conexión que ciertas formas degeneradas del género caballeresco seguían siendo muy gustadas del bajo pueblo, y así lo acreditan numerosos pliegos de cordel divulgados antes, entonces y más tarde por García Rodríguez, el impresor de Córdoba, y por otros muchos.)

La Celestina, que tanto encantaba a los románticos alemanes, se imprime también algunas veces, muy pocas en relación a su mérito (Madrid, Amarita, 1822; Barcelona, Gorchs, 1841, y otra vez por el mismo, 1842.) La estúpida censura fernandina, o calomardina, quizá fuera causa de esta rareza de ediciones, pues Hidalgo, al negar la existencia de cierta edición supuesta en 1832, posiblemente confundida con la que Amarita había hecho diez años antes, dice terminantemente que «no existe ni se hubiera permitido su venta en aquella época», lo que nos hace ver que la Santa y General Inquisicion era más tolerante que aquella censura, pero no explica que sigan faltando ediciones después de desaparecida ésta. Casi todo lo que en antiguos catálogos y bibliografías encuentro es del género picaresco: *Lazarillo de Tormes,* París, Gaultier-Laguionie, 1827; Madrid, 1831; Gerona, Oliva, 1834; Barcelona, Oliveres, 1842 (acompaña una edición de la *Guerra de Granada,* de Hurtado de Mendoza, a quien naturalmente se atribuye, como se lo atribuyen todas las otras); Barcelona, Fullá, 1844; Madrid, Mora y Soler, 1844 (edición de lujo e ilustrada con las continuaciones. Esta edición parece ser que estaba impresa por Castelló, según anuncio de *El Laberinto,* 1844, pág. 196, dado el cual acababa de salir, y el número tiene fecha de 16 de mayo. En otros sucesivos hay más anuncios). De *Guzmán de Alfarache* hay: Lyon, Cormon y Blanc, 1826; Madrid, Moreno, 1829; Madrid, Sanz, 1829; Barcelona, Oliveres, 1843; Valencia, López y Cía., 1843, de la que es copia la de Madrid, Gaspar y Roig, 1849; Sevilla 1849. De Castillo Solórzano se imprime también alguna cosa, *La garduña de Sevilla*, Madrid, Jordán, 1844. (Un anuncio ilustrado de *La garduña*, en *El Laberinto,* II, núm. 1, noviembre 1844. El impresor debió de ser Boix; Jordán era el librero); Madrid, Mellado, 1846; *Aventuras del Bachiller Trapaza*, Madrid, Yenes, 1844. Una edición de *La tía fingida*, atribuida naturalmente a Cervantes, sale a luz en Madrid, imp. del Colegio de Sordomudos, 1842. Por último citaremos otra de *Estebanillo González*, también de Madrid, Mellado, 1844. Fuera de esto hay alguna rara impresión de novelas cortesanas, como la de Céspedes, *Fortuna varia del soldado Píndaro*, ilustrada, Madrid, Castelló, 1845. (Para un estudio de las fortunas de Céspedes y de la antigua novela en esta época, no hay que olvidar el extracto, que no reedición, de *La constante cordobesa*, elogiada como «bellísima novela», publicado en *El Artista*, 1836, III, viii, 89-93.) Nuevamente las revistas literarias constituyen un documento nada despreciable para la inteligencia del modo de difundirse ciertos textos clásicos. (Otra novelita publicada de este modo fue la de Tirso *Los tres maridos burlados*, en *El Laberinto*, II, núms. 2-3, 15 noviembre-1 diciembre 1844, con una nota de Hartzenbusch.) Es raro que no sean frecuentes, ni en España ni fuera de ella, las ediciones de las *Guerras civiles de Granada*, libro que de seguro no fue ajeno a esa curiosa concepción del Oriente caballeresco y sentimental patente en alguna de las primitivas novelas históricas. En la primera mitad del siglo XIX, con anterioridad a las reimpresiones de Baudry y Rivadeneyra, sólo se citan una sin lugar de aparición, 1805, la de Madrid, Amarita, 1833, 2 vols., 8° (enteramente modernizada en el estilo) y otra de Madrid, 1847.

De Quevedo, sobre todo de sus obras satíricas y festivas, hay numerosas ediciones románticas, y con ellas o aparte sale a luz el *Buscón* repetidas veces: Madrid, Bueno, 1830; París, Baudry, 1842; Málaga, Martínez Aguilar, 1844; Madrid, Castelló, 1845; Barcelona, Viuda de Mayol, 1845; París, Pommeret, 1849; de todo lo cual pueden verse detalles en la bibliografía de Fernández Guerra.

Aún cabe citar la *Historia de Hipólito y Aminta* de Francisco de Quintana, impresa en Madrid, Repullés, 1806-1807, 2 vols. 8° (Colección de historias interesantes y divertidas).

Las revistas literarias, como ya dijimos, publican con frecuencia páginas escogidas de clásicos —así las de Quevedo, Alarcón, Montalbán, que sacó Estébanez en las *Cartas españolas*, 1831, II, 38, 131, 246, 250, ó las antologías frecuentes en el *Semanario pintoresco*—, pero a menos que no las redujeran o extractaran, poco era lo que podían contribuir a la difusión de antiguas novelas, si no eran de muy reducidas dimensiones, como la del *Abencerrage*, que en 1845 publicó en sus páginas *El siglo pintoresco*. Hartzenbusch dio a conocer extractos de Zabaleta en esta misma revista en 1845 y 1846 (*El galán*, 1845, I, 49; *La dama*, ibíd., 260; *El glotón que come al uso*, 1846, II, 153-156; *El linajudo*, ibíd., 268; *El paseo común*, 1847, III, 65; *El estrado*, ibíd., 178-182), y los recogió el *Semanario pintoresco*, 1847-1848. *El Correo de Ultramar* imprimía también un capítulo en 1855, III, y aun en 1858 el *Museo Universal* dedicó algún espacio a Zabaleta (*La comedia por la tarde*, II, 7). Se trata de los trozos más conocidos, y

estas selecciones no deben de ser ajenas a otras aparecidas en libro, como
la edición de la *Biblioteca Universal*.

De 1846 son los primeros tomos de la *Biblioteca de Autores Españoles*,
de Rivadeneyra; dos van dedicados precisamente a novelistas, el de Cervantes (I) y sus predecesores (III); los libros de caballerías se publicaron en
1857 (XL). En una publicación rival de aquélla, que se imprimió en Francia,
la *Colección de los mejores autores españoles*, de Baudry, sacó a luz Ochoa
(que la dirigió a partir de 1838), un gran número de novelas españolas;
además del *Tesoro de novelistas españoles*, que contiene la novelita del *Abencerrage*, el *Patrañuelo*, el *Lazarillo*, con la segunda parte de Luna, *La pícara
Justina, Los tres maridos burlados*, de Tirso, dos novelitas de Montalbán,
El donado hablador (de que había habido ediciones a comienzos del siglo,
Madrid, Ruiz, 1804; Madrid, Repullés, 1805, Madrid, 1807, pero ninguna
del período romántico, que yo sepa); *El curioso y sabio Alejandro* de Barbadillo, cuatro novelas de doña María de Zayas, *La garduña de Sevilla* y otras
novelitas de Castillo Solórzano; la *Vida de Don Gregorio Guadaña*, de
Enríquez Gómez (de que ya hubo una edición de Madrid, Castillo, 1801),
el *Estebanillo*, el *Diablo Cojuelo*, con otras cosas de Navarrete y Francisco
Santos, más la *Virtud al uso y mística a la moda*, de Afán de Ribera,
librito del que sin duda por pasión política se habían hecho varias ediciones
por aquellos días: París, Lecomte y Lasserre, 1837; Gerona, 1838, Madrid, Grimaud de Velaunde, 1838; además, pues, de todo esto, Baudry publicaba el mismo año un *Guzmán de Alfarache*, las *Novelas*, de doña María
de Zayas, completas, que no se habían visto de molde desde que fueron
publicadas en Madrid, en 1814, por la Viuda de Barco López, y las *Guerras
civiles de Granada*. Como se hacían tiradas aparte de todas o de las más
importantes obras que se incluían en los tomos colecticios de esta biblioteca,
muchas de las novelas publicadas por Ochoa pudieron alcanzar mayor difusión que no las que conseguían las impresas en los macizos tomos de Rivadeneyra, pero es poco probable que anduviesen en otras manos que las de
los lectores de gustos eruditos. No podían ser ya populares, y de seguro no
interesaban tampoco a los ingenios de la literatura militante. Su editor mismo
nos da explícito testimonio de ello. Las consideraciones de Ochoa sobre la
novelística castellana son tanto más de notar cuanto que versan sobre algunos de los textos que reprodujo él mismo. Para Ochoa, la novela española
era pobre en todos sus géneros. Pobre y aburrida. Nótese este párrafo:
«¡Cómo!, motejar de pobre... a la patria de la ingeniosa doña María de

Zayas, del dulcísimo Gil Polo, [273] del punzante Quevedo, del fecundo Francisco Santos...» (los autores mismos que han merecido su atención de erudito no invalidan, antes confirman sus condenaciones de crítico). Sólo Cervantes merece gracia a sus ojos, y por el *Quijote,* que le parece ser algo más que una novela, como se lo parecía a los literatos del siglo XVIII; las *Ejemplares,* aunque diga de ellas que las «imponderables originalidad y perfección de su estilo, la gracia sin igual de su elocución, la verdad de los caracteres, la admirable variedad de sus incidentes y los innumerables chistes de que están salpicadas, las constituyen en una de las más sabrosas lecturas», no le parecen poco defectuosas. Curioso es el historial que de la novela hace Ochoa, y su demostración de que este género no fue viable antes de la invención de la imprenta. Acepta en principio los libros de caballerías; los españoles los rechaza, no por ser de caballerías, sino por ser malos. No está mal observado lo que dice de que algo de la novela caballeresca persiste en las de Walter Scott. La novela pastoril se rechaza en bloque; se salvan las *Guerras civiles de Granada* y la «novela de costumbres»: «Para mí el *Quijote* no es más que una novela de costumbres, como el *Gil Blas* y el *Tom Jones...,* pero todavía me parece... que hay en el *Quijote* algo que le coloca en una esfera superior». Nota Ochoa que Cervantes no llama *novela* a esta obra, pero no se da bien cuenta de las razones que tuvo para ello, ni del valor de esa palabra en el léxico del tiempo. Lo extraordinario es que nuestro crítico discierna la causa de la superioridad del *Quijote* en su condición de sátira contra los libros de caballerías y en las «preciosas enseñanzas» que contiene. Como a tantos otros, la *novela* allí se le escapaba. Las del siglo XVII se condenan globalmente por soporíferas e inmorales (!); parece ser que algunos términos algo crudos que en ellas se contienen encalabrinan al crítico. Pero en su condenación hay discretos considerandos; Ochoa comprende perfectamente que la «fórmula» de la novela ha cambiado; o de otra manera: que el punto de mira del novelista moderno es de todo en todo diferente. Las tales novelas son relaciones de aventuras «sin que veamos nunca (o rarísima vez) la acción desarrollarse por sí misma a nuestra vista...; no la *vemos* pasar, la *oímos* referir». También el moralismo achatado de aquellas obras

---

[273] Enseguida hemos de ver que Ochoa no acepta la novela pastoril, en lo que sigue una corriente cuya existencia puede constatarse desde los comienzos del siglo. El triunfo prodigioso, y en parte anacrónico, de Florian, no benefició en nada a sus antecesores españoles. No existe ninguna reedición de Montemayor posterior a la de Madrid, 1795; Gil Polo fue algo más afortunado; la *Diana enamorada* se imprime en Madrid, Sancha, 1802, y París, Gaultier-Laguionie, 1827. Ya vimos cuál fue la fortuna de la *Galatea,* de Cervantes.

le parece mal: Si algo enseñan es «a precaverse de las malas artes y seducciones de las mujercillas, tahures y otra gente *non sancta*. En esto se cifra toda su moralidad. ¡Campo bien estrecho por cierto!». No cree Ochoa que *Gil Blas* sea obra española, cualesquiera fuesen sus fuentes castellanas. *Guzmán de Alfarache* «sería bellísima novela de costumbres despojado de los impertinentes pormenores que hacen tan lenta la marcha de su acción y tan pesada su lectura»; sería entonces «tan bella como la primera parte del *Lazarillo de Tormes*». *El gran Tacaño* le parece malograda por el desorden de su plan; salva *La Celestina; La pícara Justina*, aparte prolijidades en la ejecución y trivialidades en el argumento, «es también una buena novela de costumbres». Esto es todo. La novela no debe nada, absolutamente nada, a los españoles modernos; de Cervantes se pasa directamente a Fernán Caballero, a quien Ochoa considera «al mismo nivel de los primeros novelistas con que hoy se honran Inglaterra y Francia». [274]

Ochoa, a pesar de cierta innegable sagacidad, sensible sobre todo si se le compara con los otros críticos contemporáneos suyos, es tremendamente antihistórico en su perorata sobre la novela. No observa que no es posible conjugar a Cervantes con Walter Scott, y que esas viejas novelas españolas que condena no sólo eran bien superiores, en general, a lo que por entonces se publicaba en Europa, sino que, por ello mismo penetraron en todas partes, determinaron imitaciones numerosas e hicieron posibles logros más tardíos. Pero sus juicios son notables por las circunstancias mismas en que escribía y explican el alcance e intención de sus ediciones, pura erudición que no se inspira ni en un gran amor ni en un profundo conocimiento.

No deje de notarse que esas mismas ideas de Ochoa sobre la novela española invalidan sus protestas contra el aluvión de lo extranjerizo. Si la antigua producción novelesca no es sino un montón de cenizas —y ello era cierto, que poquísimos son los libros que sobrenadan en la historia— y si la llama se ha extinguido, ¿cuál era la tradición que había que seguir? No es de este lugar, sino propio de un estudio sobre el costumbrismo que ha de salir aparte, el examen de cómo Mesonero plantea y cree resolver el mismo problema; quizá Ochoa pensaba en algo parecido, en la adopción de nuevos temas y fórmulas, aderezados aquí con atavíos antiguos. Cabía hacer cosas nuevas animadas del antiguo espíritu, cierto, pero cosas enteramente nuevas, para las que la turbamulta de traducciones —o sus originales—

---

[274]   *París, Londres y Madrid*, 389-410. Estas páginas, con el título *De la novela en España* se habían publicado en la *Revista hispano-americana* en 1848, según la tesis de Randolph que citamos más adelante.

probaban ser un elemento fertilizador. Justamente venía a demostrarlo así el caso de Fernán Caballero. [275]

Tal era la verdadera actitud de los espíritus respecto de un pasado español que era tan común exaltar retóricamente. Obsérvese que ni siquiera se reimprimen, o se reimprimen tarde y no por entero, aquellos mismos «costumbristas» que con tanta frecuencia invocaban Estébanez y Mesonero: Zabaleta no fue conocido del público más cultivado sino cuando la obra de éstos andaba ya en manos de todos y sólo a través de unos cuantos fragmentos; la edición de Santos, cuidada por Ochoa, es, como acabamos de ver, de 1847. Negra fue la suerte de Luis Vélez de Guevara, costumbrista también a su manera; ya vimos que la mayoría de los Cojuelos que entonces se publican, y fueron muchos, eran traducciones de Le Sage y nada tienen que ver con la versión original, que aún para los mejores eruditos del tiempo resultaba impenetrable. [276]

De hecho, la influencia de los antiguos novelistas es escasísima, aunque los costumbristas que se pretenden «castizos» en general, muestren a menudo, con intención tan pronto seria, tan pronto satírica, resabios de lecturas no siempre bien digeridas, que rara vez penetran más allá de Cervantes y Quevedo. La influencia de Cervantes, la más fácil de comprobar de todas, empezando por Larra, que lo tenía en la uña, no suele exceder de la imitación de giros y frases familiares a todo el mundo. Con una tendencia u otra, se hace aún alguna parodia por el estilo de las que, originales o traducidas, publicaban Trigueros o Calzada en el siglo anterior, [277] pero ello

---

[275] En su *Miscelánea de literatura, viajes y novelas*, Madrid, Bailly-Baillière, 1867, sigs., Ochoa dedica otras dos páginas a la novela. Se trata esta vez de generalidades sin interés mayor. Insiste el autor en sus anteriores juicios; el gran novelista a quien ahora rinde culto es Balzac; «Octavio Feuillet y Julio Sandeau son en el día el verdadero honor de la novela francesa». De mayor interés es el juicio comparativo de las novelas francesas e inglesas impreso en *París, Londres y Madrid*, 372; Ochoa se declara enteramente partidario de las últimas. Las razones que da, de índole moral, ponen de relieve otra vez ese extraño parentesco que a veces se descubre entre los caracteres de ingleses y españoles, por lo menos en materia literaria; pero los párrafos de Ochoa contienen, además, cosas que no están mal vistas. El autor nota en las novelas inglesas un predominio de *las costumbres*, verdadero arsenal del novelista moderno. Juzgo su pintura más importante que la de las *pasiones*, y por de contado más propia de la novela. El legítimo campo de la pintura de las pasiones, entiendo yo que es el drama, el teatro».

[276] Basta ver, para convencerse, el increíble disparatario fabricado por don Agustín Durán en 1850, para satisfacer las dudas de un extranjero que se proponía traducir a Vélez; v. en Felipe Pérez y González, *El Diablo Cojuelo*, 1903, 19 sigs.

[277] Así el *Quijote del siglo XVIII, o historia de la vida y hechos, aventuras y fazañas de Mr. Le Grand, héroe filósofo moderno, caballero andante, predicador*

mismo revelaba más bien incomprensión. Hasta llegar a Galdós, que tantas cosas supo amalgamar en su obra, no encontramos un influjo beneficioso de Cervantes en la novela española moderna, y hasta es comprobable que a Fernán Caballero, a Trueba y a otros no les era muy simpático, como es comprobable que no lo entendían.

Los autores del siglo XVIII no podían ser considerados aún como clásicos, y, pasada su hora, su influencia es casi nula, aunque se les siga leyendo bastante, a juzgar por el número de ediciones. De *Fray Gerundio* —Isla figura ya con todo un tomo en la *Biblioteca de Autores Españoles,* muy pródiga en patentes de inmortalidad, pues hasta incluyó autores aún vivos, como Quintana y Toreno— hay reimpresiones españolas y alguna extranjera de 1820, 1822, 1824, 1830, 1835, 1842, 1846. [278] Se imprimió también bastante a Montengón; se imagina mal que sus obras pudieran satisfacer a los lectores de novelas románticas o folletinescas, [279] pero es lo cierto que el *Eusebio* se estampa en Perpiñán, Alzine, 1819; en París, Masson, 1824; Madrid, Villaamil, 1832; Barcelona, Sierra, 1840; Barcelona, Oliva, 1840-1841 (¿la misma?), y todavía en Barcelona, Tasso, 1855. Necesario es hacer mención del triunfo póstumo de Cadalso, prerromántico hasta en su bibliografía, pues la mayoría de las ediciones que de sus *Noches lúgubres* se hacen son anteriores a 1830; Madrid, Repullés, 1815 (hay otra tirada, sin nombre de editor, de este año); Valencia, 1817 (tres ediciones distintas de Cabrerizo, Mompié y Estevan, según parece, lo que no deja de ser extraño); París, Crepelet, 1817; Madrid, Repullés, 1818 (dos veces, una suelta y otra en *Obras*); París, Barrois, 1818; Barcelona, Piferrer, 1818; Burdeos, Lawalle, 1818, 1823; París, Bobée, 1819; Burdeos, Beaume, 1827; Zaragoza, Heras, 1831; Madrid, Establecimiento Central, 1846. Las *Cartas marruecas,* que a trechos son una interesante adivinación del costumbrismo,

---

y reformador de todo el género humano..., de J. F. Siñeriz, Madrid, M. de Burgos, 1836, 4 vols. 4º. Este libro fue traducido al francés en 1837 y retraducido al español con el título *El Quijote de la revolución, o historia... de Mr. Le Grandhomme Pampanuja..., caballero andante...,* Barcelona, Torras, 1841, V. Rius, II, 282-283.

[278] Datos demasiado sumarios de Lidforss en el prólogo a su edición, Leipzig, Brokhaus, I, xi. Añado la edición de Lyon, Cormon y Blanc, 1822; la de 1842 es de Barcelona, Tauló.

[279] Esta exagerada difusión se explica sin duda por haber sido el *Eusebio,* por una aberración incomprensible, un libro dedicado a la infancia. Como lectura hecha en su infancia lo cita Nombela, *Impresiones y recuerdos,* I (2ª edición), Madrid, *La última moda,* 1914, 92, quien añade: «me interesó muy poco su lectura», cosa que no nos extraña; sólo nos sorprendería lo contrario. Para la historia de este libro v. ahora el artículo de González Palencia, *Pedro Montengón y su novela «El Eusebio»* (*Entre dos siglos,* Estudios literarios, segunda serie, Madrid, 1943, 135-180).

se reimprimen con frecuencia en los comienzos del siglo, solas o en colección con las otras obras del autor: 1815, 1818 (dos veces), 1820, 1821, 1823, 1824, 1827. [280] Las *Noches lúgubres* no podían menos de hallar eco profundo en los días de la incipiente y más ingenua exaltación romántica, y algún libro publicado entonces, como la continuación de Cagigal, *Noches lúgubres,* Barcelona, 1828, la imitación de F. de P. Mellado, *Días fúnebres,* Madrid, Fuentenebro, 1832, demuestran que así fue en efecto.

---

[280] Para la bibliografía de Cadalso v. ahora *Noches lúgubres,* en la excelente edición de Edith F. Helman, Madrid, Zúñiga, 1951, 103 sigs.; recogemos aquí sólo las que a este período a que nos referimos interesan. Mrs. Helman no cita las de París, 1817; Burdeos, Beaume, 1827; Zaragoza, Heras, 1831, quizá por haberse atenido sólo a las que conoció *de visu.* Para las *Cartas marruecas,* v. la edición de éstas, por J. Tamayo (*Clásicos castellanos*), Madrid, 1935, 45, quien no menciona una de Madrid, Repullés, 1813, que cita Hidalgo, *Diccionario,* I, 342, aparecida en colección con las otras obras; quizá haya errata en esta fecha y se trate de la de 1815. Tampoco trae otra de Toulouse, 1824, 8º, mencionada en el Catálogo extenso de García Rico, 1916, núm. 3501. Sobre los *Días fúnebres* de Mellado. v. *Revista de Bibliografía nacional,* 1943, IV, 371.

VII

ROMANTICISMO E INDUSTRIA EDITORIAL

El balance es tan desconsolador, que estos románticos que presumen de continuar la historia de España se nos aparecen más bien como la interrupción de la corriente tradicional. Aun el relativo olvido de los clásicos sería lo de menos si una abundante producción española moderna pudiera oponerse al alud de traducciones hechas al azar y, de seguro, malas muchas de ellas. Un ligero examen de la producción librera viene a probar la amarga verdad de la frase de Larra: «Nuestro Siglo de Oro ha pasado y nuestro siglo XIX no ha llegado todavía». Estas palabras se imprimían en febrero de 1835. [281] Mucho tardaba el romanticismo en penetrar en España —uno de los países en que más ejemplarmente se había producido—. Entretanto, y hasta que el siglo XIX llega —y por entonces, siglo XIX español no podía significar sino «aportación original de España al romanticismo europeo»—, nuestro país se encuentra sin literatura y como sin voz. Se publica mucho —relativamente—, pero «todo ese atarugamiento y prisa de libros —dice el mismo Larra— reducido está a un centón de novelitas fúnebres y melancólicas, y de ninguna manera arguye la existencia de una literatura nacional, que no puede suponerse siquiera donde la mayor parte de lo que se publica, si no todo, es traducido, y no escribe el que sólo traduce». [282] «Nada nos queda sino el polvo de nuestros antepasados, que hollamos con planta indiferente». [283] En el artículo cuya es la frase que acabamos de citar, uno de los postreros y

[281] Artículo sobre las *Poesías*, de D. Juan Bautista Alonso, *Obras*, II, 300.
[282] *Carta a Andrés...* (1832), ibíd., I, 54.
[283] *Horas de invierno* (25 diciembre 1836), ibíd., III, 160.

uno de los más dramáticos de Larra, se explica cómo esa literatura original española es imposible, «efecto natural de nuestra decadencia», cómo todo el mundo carece de estímulo y todo esfuerzo ha de quedar frustrado; y la voz del satírico se quiebra en el conocido lamento: «Escribir en Madrid es tomar una apuntación, es escribir en un libro de memorias, es realizar un monólogo desesperante y triste... Escribir en Madrid es llorar, es buscar una voz sin encontrarla, como en una pesadilla abrumadora y violenta. Porque no escribe uno siquiera para los suyos. ¿Quiénes son los suyos? ¿Quién oye aquí?». [284]

Larra propende, como los intelectuales españoles lo han hecho siempre, a echar a las «masas» la culpa de este estado de cosas. Las pobres «masas», por el hecho mismo de serlo, ¿qué podían hacer? En uno de los primeros artículos suyos recogidos en colección, *¿Quién es el público y dónde se encuentra?* (1832), [285] que por cierto es imitación de otro de Jouy, lo que debería atenuar su vigencia española, Larra se pregunta si es el público «el que compra la *Galería fúnebre de espectros y sombras ensangrentadas...*, y el que se deja en la librería las *Vidas de los españoles célebres*», [286] y de todo el artículo se deduce que él cree en una expansión del mal gusto, en un aplebeyamiento progresivo de todas las clases. La «plebe de negro» de que habló Gracián, o, si se quiere, «el vulgo de guante pajizo y de casaca bien cortada» que encontró Mesonero, [287] lo que más tarde se ha llamado «vulgo de levita» es culpable en grado sumo de esta depresión literaria y de muchas otras cosas. Ello era grave porque esa clase no es siempre «masa», y, en todo caso, socialmente no actúa como tal; el fenómeno suponía la incapacidad rectora de las clases que se abrogaban el menester de dirigir a las demás. Larra era demasiado inteligente para no ver que el abatimiento era general, y que no eran sólo las «masas», sino también lo que en jerga moderna suele llamarse las *élites* lo que no estaba a la altura exigible o deseable. «Hay una armonía en las cosas del mundo que no consiente el

---

[284]   Ibíd., 163.
[285]   Para la fechación de los artículos me atengo a los datos de Sánchez Esteban, op. cit.
[286]   *Obras*, I, 54. Como estas cosas duraron más de la cuenta, es curioso hallar un eco muy claro de ellas todavía en 1852. Cfr. el artículo de Barrantes, *El escritor y el mundo, La Ilustración*, 1852, IV, ii: «Entonces, sin poderlo remediar, te se acuerdan tus compañeros de oficina..., que con sus manguitos raídos y sus anteojos calados se pasan las mañanas llorando a lágrima viva con *María, la hija de un jornalero*, con *Los misterios de París* o con *El judío errante...*, pero ni por eso desmayas. Aquél no es el público, dices; el público es el buen sentido...», etc.
[287]   *Industria de la capital* (s. f., 1843?), *Obras*, III, 39.

desnivel; cuando en política tenga [España] Talleyranes y Periers; cuando en armas tenga Soults; cuando en su cámara tenga Thiers; cuando en ciencias tenga Aragos, entonces tendrá en literatura Chateaubrianes y Balzacs». [288] Como no los hay, la plebe de negro o de color toma las cosas hechas donde las encuentra. He aquí por qué España se halla en pleno romanticismo... francés. Larra ha visto con perfecta claridad el problema. En su importante artículo *Literatura* (18 enero 1836), nota cómo la España moderna no evoluciona normalmente, que, no produciendo una cultura original, la importa de fuera, y que, por lo tanto, sus progresos son aparentes y precarios. «Viose entonces —dice, refiriéndose a los años finales del siglo XVIII y al advenimiento del romanticismo— un fenómeno raro en la marcha de las naciones; entonces nos hallamos en el término de una jornada sin haberla andado». [289] Esto es exactísimo, como lo es aquella frase —una de las lapidarias de Larra— que tan bien describe la situación: «estamos tomando el café después de la sopa». [290] Y el café es un producto de importación y, si se quiere, de lujo. Larra nota que se allegan mil cosas heteróclitas, en contradicción con lo que realmente es España ahora, con sus usos, con su moral, con sus más genuínas esencias. «¡Desorden sacrílego! ¡Inversión de las leyes de la naturaleza! En política, don Carlos, fuerte en el tercio de España, el Estatuto en lo demás, y en literatura Alejandro Dumas, Víctor Hugo, Eugenio Sue y Balzac». [291] En este mismo artículo se expresa, con sorprendente clarividencia, la reciente transformación de la sociedad española, y que todo en ella revela la transición. España ya no es un pueblo compacto, un todo nacional; España es «una multitud indiferente a todo, embrutecida y muerta por mucho tiempo para la patria...»; «una clase media que se ilustra lentamente, que empieza a sentir necesidades, que desde este momento comienza a conocer que ha estado y que está mal. Clase que ve la luz, que gusta ya de ella, pero que, como un niño, calcula mal la distancia a que la ve..., alarga la mano para cogerla, porque ni sabe los medios de hacerse dueño de la luz, ni en qué consiste el fenómeno de la luz, ni que la luz quema cogida a puñados.» Por último, una «clase privilegiada, poco numerosa, criada o deslumbrada en el extranjero, víctima o hija de las emigraciones, que se cree ella sola en España y que se asombra a cada paso de verse sola cien varas delante de los demás; hermoso caballo normando que cree tirar de

---

[288] *Horas de invierno,* loc. cit., 164.
[289] *Obras,* III, 7.
[290] Artículo sobre *Catalina Howard* (23 marzo 1836), ibíd., 67.
[291] Artículo sobre *Anthony,* de Dumas (23 junio 1836), *Obras,* III, 104.

un *tilbury,* y que, encontrándose con un carromato pesado...se alza, rompe los tiros y parte solo». [292] No creo que nunca se haya descrito mejor el divorcio entre los dirigentes —dirigentes intelectuales— y las masas que deberían seguirlos, trágica característica de la moderna sociedad española, ni la inadecuación de aquéllos para la dirección de éstas. La frase «criada o deslumbrada en el extranjero» es diamantina por su claridad y por su dureza.

Larra pertenecía a este último grupo. Fue quizá el primer español que tuvo conciencia clara de lo que significa no saber sacar de la entraña nacional un arte excelso, con la amargura de reconocerse mediocre fuera del ambiente cultural español. Hay también en su obra esas contradicciones que tan frecuentes han sido más tarde, entre los escritores del 98, por ejemplo: arremetidas violentas «contra esto y aquello», justificaciones y diatribas de lo propio y castizo, panegíricos e impugnaciones de lo extraño, y el torcedor del fracaso inevitable, siempre. Desde que España se ve abandonada de aquel orgullo que la impulsó al aislamiento, la actitud de sus mejores hijos, que se han obstinado en satisfacer aspiraciones contradictorias, ha tenido que ser ésa. Han vivido la tragedia que viviría un pintor que, con las ideas artísticas de Rafael, hubiese tenido los ojos del Greco y se hubiera percatado de ello. Uno de los artículos de Larra que con más claridad expresa esa inquietud, esa angustia del español descentrado que se da cuenta de que el corazón y la cabeza van cada uno por otra parte que debieran es *En este país* (30 abril 1833); no hemos de analizarlo en detalle; retengamos sólo algunas de esas magníficas fórmulas de que Fígaro se vale para definir la situación de España: «Sucédele al país lo que a una joven bella que sale de la adolescencia; no conoce el amor todavía ni sus goces; su corazón, sin embargo, o la naturaleza, por mejor decir, le empieza a revelar una necesidad que pronto será urgente para ella, y cuyo germen y cuyos medios de satisfacción tiene en sí misma, si bien los desconoce todavía; la vaga inquietud de su alma, que busca y ansía sin saber qué, la atormenta y la disgusta de su estado interior y del anterior en que vivía, y vésela despreciar y romper aquellos mismos sencillos juguetes que formaban poco antes el encanto de su inocente existencia». [293]

Todo esto es exacto. Pero esto era sobre todo el estado de espíritu de aquella «élite» a que nos referimos antes. El gran público, sin conductores

---

[292]   Ibíd., 102.
[293]   *Obras*, II, 36.

eficaces, seguía la «moda», la que le impusieran los gustos del momento, favorecida por las empresas de publicidad. Lo mismo ocurría en Francia, lo mismo ocurría en todas partes, sin que ello fuera obstáculo, al contrario, a que floreciese una espléndida literatura. Leyendo el artículo de Balzac *De la mode en littérature* podría creerse que los mejores esfuerzos del ingenio francés habían de frustrarse necesariamente en el ambiente de París. Cada día una exigencia contraria de la del anterior, cada día una escuela novísima: «Vous chercheriez des idées, le public voudrait de la couleur; vous feriez de la couleur, il vous demanderait du trait...; forgez-lui des moeurs exactes, il sera fou d'histoire; brodez-lui une époque en manière de tapisserie..., il vous tournera le dos pour admirer un homme qui s'est amusé à publier une variation littéraire dont le thème est un mot». [294] ¿Quién es el público y dónde se encuentra? Lamentarse de que la literatura ha de luchar con los gustos mantenidos por zarramplines y menguados, sujetos a la moda, ha sido cosa de todos los tiempos, [295] y ello pudo ser así entonces como en todos los tiempos, y no impidió que Balzac encontrara su público; el mismo Fígaro no ignoró enteramente el secreto, y la manera de sacar partido de él y del público conquistado.

En el hecho de la inundación de España por las novelas extranjeras había sin duda causas específicas que Larra ha visto bien; el público se conducía, empero, como todos los públicos, y una moda desterraba otra moda. En 1832 las «novelitas fúnebres y melancólicas» andaban ya por los baratillos y se leía otra cosa. [296] Había, con todo, en la manera de operarse aquellos fenómenos rasgos que eran del tiempo, que eran románticos, que con mayor o menor intensidad se dieron en todas partes. También Francia tradujo torrencialmente, y ello no le robó su originalidad; hasta creyó deber romper su tradición literaria y orientarse hacia ideales opuestos a los de su clasicismo, y, sin embargo, una instrucción pública de plan bien concebido

---

[294]   Artículo de *La mode*, 29 mayo 1830; *Oeuvres complètes; Oeuvres diverses*, ed. París, Conard, 1938, II, 39.

[295]   Ya en 1807, Tapia notaba que los libreros no vendían sino unas pocas «novelejas y [pa]pelillos sueltos para las señoritas y currutacos»; *Viaje de un curioso por Madrid*, Madrid, Fuentenebro, 1807, 23; ap. Porter, *Hispanic Review*, 1940, VIII, 149.

[296]   En el artículo *Las ferias* (1832), tratando de las librerías de viejo, Mesonero escribía: «¡Oh y cuántas producciones clásicas de nuestros días yacían en aquel *osario!* Allí... las sensibles parejas Fulano y Zutana, los amantes desgraciados y los dichosos, los castillos góticos, los Espectros y Fantasmas en galería...» (*Panorama, Obras*, I, 182). Ya hablamos de la especie de novela a que alude aquí Mesonero, en boga todavía al comenzar la «ominosa década».

bastó a impedir que el recuerdo de aquélla se perdiese. Lo que hasta ahora hemos examinado se caracteriza no tanto por su rareza como por lo extremado y exclusivo. Nuestra generación romántica se muestra más atenta a la acción que al pensamiento, sin duda, pero obra en el mismo sentido que la francesa, por ejemplo. No hubiera podido ser otra cosa. El romanticismo es primariamente una fusión o confusión de la literatura con la vida; es la vida misma organizada en obediencia al propósito de hacer de ella un poema, un vasto drama, una novela vertiginosa. La consecuencia de esta actitud fue doble: de una parte se produjo un deseo inmoderado de ficción literaria, todos sintieron como nunca el placer de las bellas fábulas, y en la misma medida en que esto ocurría así, la vida en torno pareció mezquina, y el lector romántico español, como el de otras partes, sintió el anhelo de anchos espacios en que aleteara su ensueño, ambientes exóticos, el pasado, las ciudades tentaculares que celan espantables misterios. Al español la vida en torno hubo de parecerle asfixiante por las mismas razones tal vez que a los primeros inventores de la «España de pandereta» les pareció el nuestro un país de ensueño. Cada cual buscaba lo que no tenía a su alcance, justamente porque no lo tenía. [297] A las damas y mozalbetes de Madrid, de Sevilla, de Cádiz, que leyeran aquella descripción de la alcoba de un joven casada que publicó el *No me olvides*, o los comienzos del *Ferragus*, de Balzac, traducido como ya vimos en 1843, con la evocación de aquella sórdida calleja de un París misterioso en que M. de Malincourt sorprende a Mme. Desmarets, la lectura tenía que producirle escalofríos de entusiasmo. ¡Los contrastes entre aquella misteriosa miseria, albergue tal vez del crimen, tan terrible y atrayente, y el lujo y las voluptuosidades refinadas de que sólo estos seres de excepción son capaces! Aquello era vivir, y no el miserable arrastrarse por la prosa de una mezquina existencia. Los mismos sentimientos que hubiera experimentado cualquier provinciana francesa, un caso de «bovarismo». No hablemos del folletín, en la lectura del cual todo el mundo ha adoptado siempre la actitud de la adolescencia ante las aventuras extraordinarias. [298]

---

[297] Sería muy largo para una nota observar las sensibles diferencias que pueden comprobarse a veces entre la producción novelesca peninsular y la de los emigrados, que a veces, en su interés por propalar el «caso de España» entre otros públicos, no escribían en español siquiera. Su visión de la dramática vida española, sus nostalgias, la conciencia de lo novelesco de sus vidas, dan a las obras de esos hombres un tono y una intensidad sensiblemente distintos. Pero es porque ven lo español desde otra perspectiva.

[298] Las dos circunstancias concurren en la evocación que de la lectura de *El Conde de Montecristo*, hecha en su adolescencia, nos ofrece Nombela, *Impresiones y recuerdos*, I, 94 sigs.

Creo que este modo de actuar y de reaccionar, común a los lectores, explica que las mediocres novelas españolas de entonces sean, o simples plagios, serviles imitaciones de ficciones sentimentales extranjeras —un modo de evadirse de la realidad—, o novelas históricas, evasión también. Y que el único sucedáneo de la novela contemporánea, atenta a las circunstancias actuales, que consigue alguna vitalidad entre nosotros, que aún guarda cierto carácter y presenta una originalidad relativa, el costumbrismo, tenga en la época romántica esa índole irónica que lo hace parecer una evasión a medias.

Conviene añadir algunos pormenores al estudio de esta novela extranjeriza y extraer algunas enseñanzas de esas áridas listas bibliográficas que hemos infligido al lector en las páginas precedentes, y que aun han de seguir, aunque más moderadas.

*
*   *

Es evidente que desde los años del antiguo régimen el gusto por la ficción literaria se generaliza, que en cierto modo se ha hecho «popular», y que al generalizarse da pábulo al espíritu de empresa, que a su vez había contribuido a suscitarlo. El editor y sus iniciativas deben entrar por mucho en este capítulo de nuestra historia literaria. Valdría la pena intentar, para los comienzos del siglo XIX, algo parecido a lo que Pérez Pastor hizo en sus bibliografías locales para el Siglo de Oro, y exhumar documentos que nos dieran algunas vislumbres de lo que fueron esas editoriales «por dentro».[299] Jamás fueron tan numerosas en España. En ciudades muertas hacía siglos, donde nadie sospecharía que pudieran editarse libros, se imprimen novelas, y no siempre son las que allí se imprimen las peor escogidas. Hoy mismo son raras las empresas editoriales que radican fuera de Madrid y Barcelona; el catálogo de la novela romántica nos hace ver que la provincia española despliega entonces un espíritu emprendedor —sobre todo por los años de 1830 a 1850— que ha perdido después. Los periódicos locales, de mayor ambición literaria que

---

[299] Algo hay ya, referente a libreros valencianos, en el libro de Serrano Morales *Reseña histórica sobre las imprentas de Valencia*, aunque en él lo contemporáneo ocupa poco lugar. Sobre Cabrerizo, el más interesante de ellos, biógrafo de sí mismo, puede verse ahora la monografía de Almela y Vives, útil, aunque algo atropellada y superficial, y no muy completa en lo bibliográfico, por fuerza de las circunstancias en que el autor se ha visto obligado a trabajar. El modelo a seguir en estas materias es el excelente libro de Olives Canals, sobre Bergnes de las Casas, donde no sólo aparece reunido un abundante material bibliográfico, sino que pone en claro ejemplarmente las circunstancias históricas, la mentalidad y los propósitos de Bergnes y cuanto el historiador puede desear.

los de hoy, contribuyeron poderosamente a ello. Si Gautier se maravillaba de
ver en Jaén, en 1840, el anuncio de una representación de *El campanero de
San Pablo,* de Bouchardy [300] —cosa que nada tenía de particular, pues para
públicos como debió de ser el de Jaén parecían escritos aquellos melodramas,
aunque tuvieran su cuna en la Porte de Saint-Martin—, ¡qué no hubiera
dicho al ver la *Rose et Blanche,* de G. Sand, traducida e impresa en Ronda,
1843, novelas atribuidas a Mrs. Radcliffe salir de las prensas del Puerto
de Santa María, 1839, o que en Granada el librero Benavides se atreviera
a lanzar una colección de novelas francesas y que Balzac se publicara en
Cádiz! [301] El fervor publicitario origina los más divertidos despropósitos.
Nadie sospecharía que uno de los más activos agentes de difusión de novelas
románticas y folletines fuera la *Revista médica* de Cádiz —sus talleres tipo-
gráficos, al menos—; si atendió a la medicina como a la literatura, merecerá
figurar brillantemente en los anales de la Facultad. [302]

El carácter de empresa que comienza a adquirir la producción literaria
nos la muestra sobremanera atenta a la actualidad, [303] y a causa de la deficiente legislación sobre propiedad intelectual, los editores tienen que com-

---

[300]   *Voyage en Espagne,* ed. cit., 198.
[301]   Los centros editoriales de que hay constancia en nuestras listas son: Madrid, Barcelona, Valencia, Cádiz, Sevilla, Málaga, Granada, Palma de Mallorca,
Ronda, Puerto de Santa María, Coruña, Vitoria, San Sebastián, Logroño, Valladolid, Burgos, Murcia, Gerona, Mataró, Igualada, etc. Siento no haber podido incluir
un índice de lugares e imprentas; de todos modos lo incompleto de mis datos lo
hubiera hecho poco satisfactorio.
[302]   No he podido ver nunca el libro póstumo de don Federico Rubio, *Mis
maestros y mi educación. Memorias de niñez y de juventud,* Madrid, Fernando Fe,
1912; sobre él y algunas curiosas anécdotas literarias que contiene v. E. Lafuente
Ferrari, *Revista de bibliografía nacional,* 1944, V, 231-246; no sé si contendrá recuerdos del ambiente literario gaditano de estos tiempos, aunque no lo creo, pues
el puntual reseñante no hubiera dejado de notarlo. El Cádiz literario de la primera
mitad del siglo, desde Galiano hasta *El eco de Occidente,* de Alarcón, está pidiendo
investigación minuciosa e inteligente.
[303]   El testimonio de don Modesto Lafuente puede referirse a estos tiempos:
«Yo sabía que había hombres que tenían comisionados en París, especie de plenipo-
tenciarios, ministros residentes..., con la exclusiva comisión... de estar en acecho de
cualquier drama, comedia o novela que... viera la luz pública, para mandarla inmediatamente... y dar en Madrid la traducción... antes que otro les ganara por la
mano» (*Teatro social,* Madrid, 1846, II, 146; comp. lo dicho antes, nota 5, sobre
lo que ocurría en Francia con las novelas inglesas en el siglo anterior). En *El Dómine Lucas,* 1845, núm. 17, 1 agosto, pág. 135, se lee, a propósito de la traducción
de *El judío errante:* «La traducción de don Wenceslao Ayguals de Izco quedará
terminada el mismo día que se reciba el último folletín de París, y tan pronto como
llegue original de los *Siete pecados capitales* emprenderá el mismo escritor su traducción».

batir sin tregua contra el peor adversario, el competidor poco escrupuloso, el «pirata». [304] Son de gran interés a este respecto los anuncios de publicaciones recientes o de libros prontos a salir que se leen en el *Boletín bibliográfico*, de Hidalgo, o en revistas del tiempo —traslado, sin duda, de los que aún engrudaban las esquinas—. Estos anuncios o prospectos eran tanto más necesarios cuanto que los libros a que se referían, a menudo voluminosos, solían publicarse por entregas [305] y era necesario asegurarse a tiempo de un número mínimo de suscriptores, a los que había que explicar de antemano que el libro en cuestión acababa de obtener en París un triunfo clamoroso, o que la misma obra, publicada por otra casa, había sido mal traducida y mal impresa. Así, cuando los editores Alegría y Charlain dan cuenta de la próxima aparición de *La cita en el platanal*, de Soulié —libro que, a lo que creo, no llegaron a publicar íntegramente—, afirman: «No hemos perdido tiempo en traducir la acreditada novela», y exponen a grandes rasgos los apasionantes problemas que el autor trata en ella, ponderan el interés que suscita; el asunto es de inmediata actualidad, la emancipación de los negros; ofrece animados cuadros de las «costumbres de los habitantes de las Antillas, como del carácter de los ingleses en contraste con el de los franceses». [306] Cabrerizo, que ha visto salir a luz una nueva edición de las *Obras* de Chateaubriand, se desata en denuestos de la ajena y en alabanzas de la que él mismo ha impreso: «...esperábamos con ansia las primeras entregas

---

[304] En el antiguo régimen, la licencia concedida a dos traducciones de una misma obra que habían de ver la luz simultáneamente era potestativa del juez de imprentas, que podía acordar que se imprimieran las dos para que el público eligiese; González Palencia, *La censura*, I, xlviii. La vida legal de las traducciones se reducía a una edición, y agotada ésta, la reimpresión podía ser denegada; ibíd.

[305] «Siguiendo la influencia periodística, hasta las obras de más unidad y trabazón han dado en publicarse en entregas mensuales, quincenales... Colecciones de novelas, colecciones de viajes..., todo se pliega a la forma común, todo se achica y estruja lo suficiente para poder entrar por debajo de las puertas..., y los más abultados mamotretos, divididos en cuadernillos-escrúpulos... filtran insensiblemente su quinta esencia en los más indiferentes lectores... A favor de esta división infinitesimal, van inundando los tocadores, las chimeneas y hasta las alcobas las novelas de Balzac, Soulié, G. Sand..., las cuales, apoderándose de las imaginaciones acaloradas, van inoculando en los corazones sencillos su dulce ponzoña» (*Semanario pintoresco*, 1839, IV, 191 b). El antiguo régimen, para evitar fraudes e informalidades, prohibió la publicación por entregas, a menos de permiso especial (González Palencia, loc. cit., xxxvi-xxxvii), pero las latitudes ofrecidas a la industria publicitaria por el régimen liberal y exigencias del negocio mismo las mantuvieron por muchos años; cfr. burlas y protestas de Galdós, *Revista de España*, 1870, XV, 164, lo que dice Rodríguez Correa en el prólogo a *Cosas que fueron*, de Alarcón (1871), etc.

[306] *Boletín bibliográfico*, III, Madrid, 1842, 61.

para juzgar si el monumento que levantaba al ilustre escritor francés correspondía a su alto renombre. Pronto vimos que la impresión catalana era de un género común y nada parecida a las muchas que con todas las galas del arte se publican en aquella ciudad [Barcelona], y en cuanto a la traducción y precisión ortográfica, a los hombres de ingenio toca juzgar».[307] Ciertas gacetillas de periódicos están inspiradas en el mismo espíritu: «Hemos visto anunciada la publicación de todas las obras de M. Eugenio Sue por la casa Frossart, como lo había sido ya por la de Ayguals de Izco, y lo particular es que para combatir la bien adquirida reputación de los señores Ayguals de Izco y Capua, que se han propuesto la dicha traducción, ofrece como muestra el Sr. Frossart un parrafito de pocas líneas, pero bastante para dar a conocer que si el traductor entiende algo de propiedad francesa y castellana, ha puesto el más delicado esmero en disimularlo... Mas nos queda la dulce esperanza de que siendo tantas las producciones de este autor, el encargado de verterlas a nuestro idioma tal vez lo hará menos mal cuando llegue a las últimas».[308] Probablemente, Capua mismo, que era de la casa, no sería ajeno a la redacción de este suelto.

Esto de las ediciones rivales debía de dificultar en grado sumo el ejercicio de la industria editorial, y se comprende que, sin el expediente de las suscripciones previas, los editores se hubieran arruinado en poco tiempo. Aun así, no era infrecuente que no terminara la publicación de alguna novela voluminosa o hubiera que renunciar a publicarla apenas aparecidas algunas entregas. Los libros de gran éxito son *res nullius* de que todos se apoderan tan pronto advierten apetencias favorables del público; algún editor hasta debió de aprovecharse de traducciones ya hechas y publicadas por otro competidor. Se habrá echado de ver en las anteriores listas bibliográficas cómo abundan esas «coincidencias» editoriales; recordemos aquí algunos casos ejemplares. De *Nuestra Señora de París* salen a luz cuatro ediciones de distinto editor entre 1836 y 1841; tres de ellas, en Barcelona y en años sucesivos (Oliva, 1840; Tauló, 1841, Sauri, 1841). De la *Indiana,* de G. Sand, hay tres ediciones diferentes en 1837 y 1838; de *Valentina,* otras tres de los mismos años; de *Consuelo,* dos, de 1842 y 1844. No se olvide lo dicho a propósito de los más famosos folletines de Dumas y de Sue. Los cuales se traducían directamente de los periódicos franceses.[309] No hablemos de los

---

[307] Ibíd., 110.
[308] *Semanario pintoresco,* 1845, X, 230.
[309] V. *Semanario pintoresco,* 1846, XI, 389, donde dice Godoy Alcántara, *Biografía de una novela contemporánea:* «Mi patria no es posible conocerla por mi

grandes éxitos de Paul de Kock, impreso y reimpreso hasta el empacho, tanto en España como en Francia —y de Francia nos vinieron ya hechas sus primeras ediciones, como las de Pigault-Lebrun—; cabe preguntarse cómo fue posible que el mercado de libros de un país donde, según los satíricos, nadie compraba libros y todos los pedían prestados, [310] pudiera absorber en nueve años, de 1836 a 1845, catorce obras de este autor en veintitantas ediciones diferentes.

Prácticamente el editor estaba inerme contra las desleales acometidas de los competidores. Es raro encontrar en los periódicos de la época noticias como la siguiente, a propósito de ediciones de *Martín el Expósito,* novela que traía revuelta a toda España: «*El Español* continúa con sus amenazas de querellas judiciales y luchas forenses, y mientras tanto apenas hay diario ni impresor que no prepare ediciones de ella». [311] Bien a las claras está que esas amenazas eran puramente platónicas; si de hecho se intentó cumplirlas, la bibliografía hace ver lo escaso de los resultados.

Si la industria editorial se desarrollaba, el comercio de librería no daba trazas de seguir sus huellas y continuó adormilado y pachorrento. Ya leímos (n. 138) un texto en que se resumen los pecados de omisión que se le imputan, con grave daño de la cultura española, y Wallis nos dirá lo que era una de esas librerías madrileñas de 1850: un local sórdido, donde no se hallaba nunca lo que se pedía, y donde el librero, primera encarnación del Estupiñá galdosiano, hacía lo posible por sacudirse los clientes. [312] Para vencer estos obstáculos y los otros, y entrar a los lectores por los ojos, el editor hubo de cuidar más que antes la parte material del libro. Hay bellas ediciones románticas, pero no un tipo de libro romántico español; también lo externo de la obra se copiaba de Francia, de donde venían muchos de los grabados, unas veces los de la edición original del libro traducido, otras, las

---

acento, pues que éste es mezclado de francés y catalán... Nací en París...; yo vine al mundo hecho trozos, los cuales, conforme los iba sacando a luz el autor de mi existencia, se iban colocando en el piso bajo de un diario... Corría el año 35 cuando en Barcelona un editor dispuso reunir mis fragmentos en un solo cuerpo...», con todo lo que sigue. V., también, la nota 303.

[310] Podrían recordarse mil chistes de Larra y otros; v. lo que refiriéndose a la incipiente boga de Poe, hacia 1858 —aún no se habían traducido sus obras—, dice Alarcón, *Juicios literarios...,* ed. citada, 108, quien añade que eso mismo, leer infinitas personas un libro por un solo ejemplar que corría de mano en mano, había ocurrido con otros autores de moda pocos años antes.

[311] *Semanario pintoresco,* 1846, XI, 245.

[312] *Spain,* 220.

más, de diversas procedencias. [313] Se copiaban las formas tipográficas de las ediciones, como la disposición de los periódicos; [314] se copiaban hasta los catálogos bibliográficos; el *Boletín,* de Hidalgo, es, en todo, una copia servil de la *Bibliographie de la France.* En este punto jamás han mostrado los españoles menos iniciativa. Por lo que a los grabados se refiere, algunos artistas de renombre, Alenza, Esquivel, trazaron muy lindas viñetas, pero su originalidad no fue grande. La técnica de las artes gráficas españolas, si bien hizo grandes progresos desde la aparición del *Semanario pintoresco* y gracias a él, quedaba muy por debajo de la francesa. El papel, gran escollo siempre de la librería española, seguía siendo de inferior calidad, y la gran mayoría de los libros resultaban feos y poco limpios. [315] Además eran caros; aun por suscripción salían a 20, 24 ó 30 reales por tomo de novela, y las más famosas, los folletines sobre todo, contaban varios volúmenes. El sistema de las entregas periódicas, al mismo tiempo que procuraba la lenta degustación de mamotretos espantables (los lectores, «sin saber cómo se encontraban al cabo del año con que habían leído diez grandes volúmenes y tragado inadvertidamente todo el veneno o narcótico que contienen», [316] dice un censor anónimo), permitía aligerarlo de una suma que nunca hubiera soltado de una vez. Desconocemos las razones de orden económico que obligaban a los editores a fijar tales precios —probablemente lo corto de las tiradas—; de seguro nunca pagaron derechos de autor, y ya vimos la suerte que se deparaba a los traductores. [317]

---

[313] Por ejemplo los *Trabajos y miserias de la vida...,* entretenimiento traducido y original de Aben-Zaide [Andueza], Madrid, Boix, 1842, lleva en anteportada la del libro original, *Petites misères de la vie humaine,* y reproduce sus grabados. En las ediciones de novelas originales se metía cuanto dibujo cayera buenamente en las manos del editor; v., por ejemplo, las ilustraciones de *Las ruinas de mi convento,* 2.ª edición, Madrid, 1856.

[314] Wallis, *Spain,* 85-86, nota «the french arrangement, type and taste which all journals there display, even to the ridiculous extent of devoting the botton of every sheet to a folletin... with a translation... of some... Parisian romance.»

[315] Entre las causas de que la librería española estuviera tan muerta, el *Semanario pintoresco,* 1841, VI, 415, señala «la estremada carestía y mala calidad del papel del país». «Peores libros que los que en nuestro país se dan muy baratos... no es posible hacerlos», dirá Ochoa, *París, Londres y Madrid,* 480 (pasaje escrito en 1857).

[316] *Semanario pintoresco,* 1839, I, 191 b.

[317] Aparte los chistes de Larra, y otros, que pueden ser exagerados, como todos los chistes, la misérrima remuneración de los traductores, sobre todo cuando se trataba de principiantes, de «gentes de la casa», de fracasados, puede computarse teniendo en cuenta lo que escritores de firma recibían por libros originales. V. ahora el excelente estudio de Luis Monguió, *Crematística de los novelistas españoles del*

No parece que el sistema francés de los gabinetes de lectura, que tanto contribuyó a la proliferación de la novela, tuviera gran acogida entre nosotros. En Barcelona existieron y eran una novedad en 1824, según puede comprobarse por una «Revista de Barcelona», publicada en *El Europeo*, I, n.º 12, 1824. No encuentro frecuente mención de este uso en la literatura del tiempo. Nuestra especialidad fue la literatura por entregas.

Quizá la mayor novedad que trae esta época al comercio de librería es la organización de extensas colecciones o bibliotecas, los libros seriados de un modo más o menos uniforme. Ya vimos que los precedentes de este sistema se remontan a muchos años atrás, pero desde que comienza la colección de novelas de Cabrerizo, continuada con rara fortuna y perseverancia durante muchos años (1819-1856; 178 volúmenes, 45 títulos), [318] las colecciones se multiplican. Los antecedentes que en el antiguo régimen podrían rastrearse tienen diverso carácter; [319] con poca anterioridad a Cabrerizo y no gran fortuna había publicado en Madrid don Pedro María Olive su *Biblioteca universal de novelas, cuentos e historias* (1816-1818; 12 tomos, 6 títulos). [319 bis] En Barcelona, Bergnes de las Casas, editor cultísimo, publicó una *Biblioteca selecta, portátil y económica* (1831-1833; 43 vols., 21 títulos), [320] continuada por la que se llamó *Biblioteca de damas* (1833-1834; 32 tomos, 10 títulos) y, más tarde, por la *Biblioteca selecta y económica* («dividida en dos secciones: la 1ª, principalmente florida y halagüeña, y la 2ª, esencialmente instructiva, sólida y fundamental» (1837-1839; 7 títulos, 7 tomos). [321] La

---

siglo XIX, Revista hispánica moderna, 1951, XVII, 2-4 (para el tiempo de que nos ocupamos). Para tiempos algo posteriores (hacia 1854), véase Nombela, *Impresiones y recuerdos*, II, 120; por el mismo libro, 118, puede apreciarse el bagaje literario y lingüístico de los que se metían a traducir así. Por lo que allí se lee y de otras cosas se deduce, ocurría a veces que la traducción encomendada a un escritor la hiciera otro por la mitad del precio convenido o menos; puede juzgarse de los resultados.

[318] Uno de los prospectos más antiguos puede verse en González Palencia, *La Censura*, II, 336. V. ahora el libro de Almela y Vives, no muy completo en sus datos.

[319] Ya citamos la *Biblioteca británica* (1808) y podría añadirse alguna publicación de título análogo, pero de muy diferente índole: *Colección de historias interesantes y divertidas*, Madrid, Repullés, 1805-1807, 8 tomos 8º, gran mescolanza de cosas nuevas y viejas. Alguna coleccioncita de contenido limitado, aparecida después de 1835, que ya veremos, continúa este espíritu de los antiguos tiempos.

[319 bis] Olive publicó, a lo que parece, dos series distintas de novelas; v. a págs. 255, 267 mención de obras contenidas en la que yo he examinado, muy diferentes de las que Hidalgo registra como publicadas en la colección de 1816.

[320] Algunos datos sobre sus debates con la censura en González Palencia, loc. cit., II, 353. V. ahora Olives Canals, pág. 131, núm. 10.

[321] Ibíd., números 72 y 128. Bergnes publicó otras muchas traducciones de novelas fuera de estas series, como podrá verse en la bibliografía.

que Repullés publicó en Madrid, *Colección de novelas históricas originales españolas*[322] (1832-1834; 31 tomos, 10 títulos; a pesar del de la colección, alguna de las aparecidas en ella no era española), fue quizá la única que logró vencer hasta cierto punto las prevenciones del público español, hostil por principio, como ya veremos, a las ficciones de los compatriotas. Estas empresas, atenidas únicamente a la producción española, murieron con frecuencia al nacer, como la proyectada por Estébanez, que no pasó del primer volumen.[323] No podríamos examinar aquí cuanta colección o biblioteca de novelas salió a plaza por entonces; las que obtuvieron mayor fama y provecho fueron las que, con cierta regularidad, ponían al alcance de nuestro público obras famosas extranjeras, entreveradas tal vez con algunas clásicas. La más importante fue quizá la que en 1842, y bajo la dirección literaria de don Jaime Tió, comenzó a editar en Barcelona el impresor Oliveres bajo el título general de *Tesoro de autores ilustres*.[324] Se publicaron en este *Tesoro* obras de d'Arlincourt, Soulié, G. Sand, Saintine, Sue, con otras de Cervantes, Alemán, Mendoza, Moncada, Melo. Por este tiempo, colecciones y bibliotecas pululan ya por toda España. Vale la pena fijarse en los títulos de algunas, reveladoras del espíritu literario de aquellos tiempos: *Nueva colección de novelas escogidas,* Barcelona, Oliva, 1836-1846 (81 vols., 33 títulos);[325] *Biblioteca de señoritas,* nueva colección de novelas originales, Cádiz, Feros, 1838-1841 (5 volúmenes, 2 títulos);[326] *Biblioteca en miniatura,* colección de novelas, historias, viajes, Madrid, U. López, 1840-1841 (5 volúmenes, 3 títulos);[327] *Biblioteca de tocador,* colección de novelas originales y traducidas, Madrid, Compañía tipográfica, 1838-1841 (6 vols., 2 títulos);[328] *Biblioteca recreativa,* colección de novelas originales e inéditas, Madrid, Llorenci, 1842;[329] *El álbum de la novela,* colección escogida y económica de las mejores obras de este género, originales y traducidas, Madrid, Madoz

---

[322] El editor verdadero era don Manuel Delgado; el expediente promovido para publicar esta *Colección* puede verse extractado en González Palencia, *La censura,* II, 354, núm. 602.

[323] V. sobre este proyecto Cánovas, *El Solitario y su tiempo,* Madrid, Pérez Dubrull, 1883, I, 308-309.

[324] Un anuncio con las condiciones de la publicación y lista de los volúmenes publicados puede verse en el *Boletín bibliográfico,* 1846, VI, 191.

[325] Hidalgo, *Diccionario,* I, 464.

[326] *Boletín,* I, 409; *Diccionario,* I, 255.

[327] *Boletín,* I, 49; *Diccionario,* I, 266; en ella aparecen mezclados Scribe y Florian.

[328] *Boletín,* II, núm. 298; *Diccionario,* I, 255. V. el prospecto en *El Panorama,* 3.ª época, IV, 1841, 176.

[329] *Boletín,* III, núm. 327.

y Sagasti, 1843 (publicaba dos tomos cada mes); [330] *Biblioteca de El Fénix,* publicación de novelas escogidas, Valencia, Garín, 1845 (daba igualmente dos tomos al mes; sólo publicó tres obras en 20 tomos); [331] *Galería literaria,* colección selecta y económica de novelas y obras instructivas de ciencias y artes, originales y traducidas, de los primeros ingenios españoles, franceses, italianos, ingleses y alemanes (publicaba cuatro tomos al mes a fecha fija y comenzó a salir en Madrid el 22 de noviembre de 1845); [332] *Museo de las hermosas,* colección de las más escogidas e interesantes novelitas que se publican en el extranjero, traducidas por don Víctor Balaguer, Madrid, Ayguals de Izco, 1845 (esta colección sólo consta de 4 tomos en 16º); [333] *El recreo popular,* colección escogida, portátil y económica de las más interesantes novelas y obras instructivas, traducidas de los escritores más renombrados, Madrid, 1845. [334] Por este tiempo las colecciones más populares por su carácter y también por su éxito fueron las tituladas *Biblioteca continua,* Madrid, 1843-1844 (88 vols., 73 títulos), y *Biblioteca de recreo,* Madrid, Mellado, 1841-1844 (34 tomos, 16 obras). Mellado desplegó una gran actividad, y aún sacó al mercado una *Biblioteca popular económica,* «colección de obras ya publicadas de conocido mérito y propiedad general, y las inéditas originales o traducidas que por su importancia se consideren dignas de figurar en la Biblioteca», [335] la cual de 1844 a 1863 llegó a contar 223 tomos (47 obras), y junto a algunos clásicos (Cervantes, Le Sage) reunió novelas de Sue, Scott, Dumas, Chateaubriand, Soulié, Hugo —y *El Señor de Bembibre,* de Enrique Gil—. De mucho interés como signo de los tiempos y como testimonio de aquella actividad desconocida a que antes nos referimos son las colecciones provincianas, algunas especializadas, por decirlo así, como la que de novelas francesas comenzó a publicar en Granada el librero Benavides y que duró poco; la *Colección de novelas escogidas de los mejores autores extranjeros,* de Sevilla, Alvarez, 1844 (que, a pesar de su título, acogió también algunas

---

[330] Ibíd., VI, 1845, 354. Los colaboradores de esta publicación eran don Andrés Echarri, don Fernando Madoz, don Gregorio Urbano Dargallo y don Ramón Rodríguez de la Barrera; nombres bien oscuros.

[331] Ibíd., 177; Hidalgo, *Diccionario,* I, 255.

[332] *Boletín,* ibíd., 355. No publicó más que tres novelas (Féval, Ariza), en 16 vols.

[333] Ibíd., 228. Creo que todo su contenido fue remozado bajo un nuevo título, *El novelista universal,* publicado por el mismo editor pocos años después.

[334] Ibíd., VI, 1845, 147; «publicación continua de cuatro tomos al mes en 8.º pequeño».

[335] Hidalgo, *Diccionario,* I, 276. Publicó también muchas obras sin carácter novelesco.

españolas), la *Biblioteca del Mediodía,* colección de novelas escogidas de los más célebres autores franceses e italianos alternados, Málaga, Cabrera y J. del Rosal, 1846-1849 (105 tomos, 18 títulos) que observó muy mal su programa, achaque frecuente; [336] la *Biblioteca de recreo* —diferente de la citada arriba—, del librero Martínez Aguilar, Málaga, 1847-1849, bastante afortunada también, pues en ese plazo llegó a contar 59 tomos correspondientes a 12 obras. [337] Todo ello seguía muy de cerca procedimientos editoriales franceses. Sobre todo las publicaciones de folletines en colección, cuidadas a veces por los mismos periódicos que los habían dado a luz, como la *Biblioteca de El Heraldo,* [338] la de *El diario de avisos,* [339] la de *El Nacional* [340] y más tarde la famosísima de *La Iberia,* [341] bien por las mismas empresas editoriales, pero con más disimulo, bien por editores voraces que se apoderaban sin escrúpulos de cuanto encontraban. A veces los títulos de las colecciones calcaban sin empacho los de publicaciones similares francesas, y hubo en España un *Eco de los folletines* (1854-1856), *Mil y un folletines* (hacia 1857), y del mismo género eran los cuadernos que más tarde editaba en París *El correo de Ultramar.* [342]

No hay que confundir con estas cosas los numerosos tomos colecticios que, con nombre más o menos fantástico, salieron en el período romántico sobre todo. Su contenido, muy heterogéneo, solía revolver lo romántico con lo no romántico. Así las *Auroras de Flora,* Madrid, Matton y Boix, 1832, 2 vols., las *Mañanas de primavera,* publicadas por don Eugenio de Ochoa e impresas en Madrid por Jordán, 1837, 3 tomos, 8°, [343] (no hay mención de ellas en la tesis de Randolph), o el *Vergel literario* o colección selecta y la más económica de las mejores obras literarias antiguas y modernas, Barcelona, Viuda e hijo de Mayol, 1845, 3 vols., 32°, que más bien parece una colección fracasada. Algunas tienen títulos sobremanera pintorescos, reveladores de la índole mental de los que las sacaban a plaza, como la *Colección*

---

336   Hidalgo, loc. cit., 256. Publicó novelas de Walter Scott y muchas de folletinistas de segundo orden.

337   Hidalgo, ibid., 254.

338   Ibid., 248 (1846-1847).

339   Ibid., 255 (1848-1849); 15 vols., 7 títulos.

340   Ibid., 176 (1851; el artículo de Hidalgo es sumamente confuso; se diría que se trata de un disforme tomo de narraciones breves).

341   Ibid., 251 (1858-1863; 52 tomos, 34 títulos). Muy importante también por la abundancia, pero no siempre se trata de novelas, fue la *Biblioteca de El Siglo,* 1848-1850, 175 tomos, 48 obras; ibid., 256.

342   Para detalles sobre todas estas publicaciones remitimos nuevamente a Hidalgo.

343   Hidalgo, *Diccionario,* IV, 96.

de cuentos fantásticos y sublimes, Madrid, Oficina del Establecimiento Central, hacia 1840. [344]

De interés considerable es la colección de Ochoa *Horas de invierno* (Madrid, tomos I, II, I. Sancha, 1836; t. III, Madrid, Jordán, 1837). D. A. Randolph, en su útil estudio *Eugenio de Ochoa y el romanticismo español,* Berkeley, 1966, dedica unas páginas acertadas al estudio de esta colección, tan rara hoy, que a pocos les habrá sido dado verla. Estos libros, que dieron pretexto a Larra para escribir el más dramático de sus artículos, son otra de las tentativas de Ochoa por europeizar los gustos de un público ya romántico. La variedad del contenido de esos volúmenes es muy de notar; pero ya no son revoltijos. Todo es de lo más moderno. Hemos incluido en nuestra bibliografía los escritos debidos a autores que tuvieron algún eco entre nosotros, no los de aquéllos que se vieron en las *Horas* por única vez en castellano. El curioso podrá juzgar del esfuerzo de Ochoa por el índice que publica Randolph.

Sería de interés, pero nos ocuparía mucho espacio, observar las grandes mescolanzas de autores y géneros que ofrecen algunas de las colecciones citadas; tomos hay en que junto a una novela de Dumas aparece un relato de Mme. Genlis o en que Florian se codea con autores románticos o realistas. [345] En la bibliografía podrán verse detalles de todo esto. Ya dijimos que en ocasiones los contenidos de una colección se repiten en otra que no difiere de la primera sino en el título, como las dos de Ayguals de Izco, *Museo de las hermosas* y *El novelista universal.* De interés sería también hacerse cargo de perduraciones curiosas, de publicaciones anacrónicas que no se explican sino porque ciertas obras, como *fondo,* han pertenecido siempre a una casa o han sido transmitidas, en traspasos comerciales, a otra; en alguna ocasión hemos notado cómo editoriales francesas publicaron muy a fines del siglo novelas sin actualidad alguna; podríamos recordar igualmente que en Madrid, hacia 1896, la *Colección Klong,* de bastantes pretensiones,

---

[344] Esta publicación debió de tener vida precaria; el segundo volumen salió a luz en 1841. Boix publicó en Madrid, 1838, una colección incongruente con los gustos dominantes, *Colección de novelas escogidas,* dos tomos 16°; v. su contenido en Hidalgo, *Diccionario,* I, 464.

[345] Pero no creo que el absurdo editorial llegara nunca tan lejos como en el caso de la *Biblioteca Universal,* que en 1851 publicaba en un tomo *Una hora más tarde,* de A. Karr, y *El murciélago alevoso,* de fray Diego González (!).

reimprimía libros de Soulié, Mme. de Girardin, Zschokke o Karr; que la casa Calleja ha impreso, ya en este siglo, novelas de Pigault-Lebrun —y no hablemos de las extrañísimas exhumaciones practicadas por *La novela ilustrada, La novela de ahora* y otras series por el estilo. Lo que quiere decir que el gran público español, como todos los públicos, lee y ha leído siempre cuanto se le presenta de cierta manera, y que las editoriales de nuestra tierra si no han hecho gustar otras obras a esos lectores es porque no han querido, porque no han podido, porque tenían que pagarlas. Todo lo cual no es ya literatura, sino negocio.

Los nombres de esas colecciones indican cómo buscaban los editores el favor de las mujeres: *Biblioteca de señoritas, Biblioteca de tocador, Museo de las hermosas...* Se acentúa en lo posible una nota de frivolidad amable. Desde antes de 1830 aparece entre nosotros, crece y prolifera la «niña romántica», un nuevo avatar de la marisabidilla, cuyo «pecho se inflama con la pintura del hermano de Saladino y de la huérfana de Underlach», y a la que, para halagarla, hay que leer novelas de d'Arlincourt y de Walter Scott. [346] Lo mismo le daba una cosa que otra. Ha aparecido la mujer que va a ser blanco de las sátiras de Gorostiza y de Bretón. El triunfo de la novela, con el advenimiento del romanticismo, va a escindir la sociedad en dos grupos, jóvenes y viejos; los jóvenes serán los grandes devoradores de novelas. Por espíritu romántico. Son los que hacen de ellas un artículo tan de primera necesidad que ya no se excusa. «Si no hay quien las escriba bien, las leeremos mal escritas, porque no se excusa leer novelas mientras haya jóvenes de ambos sexos, felices cuando a lo menos ven respetada en ella la moral», observará discretamente Lista, aunque contaba entre los viejos. [347] Por su novedad —olvidados de que algo parecido había pasado ya en otras épocas— lo que todos subrayan es la nueva sensibilidad novelesca de la mujer, entendidas estas palabras en todos sus sentidos. Es incalculable la importancia de este papel que la mujer desempeña en el drama romántico. Su participación en la vida literaria no era fenómeno nuevo en la historia; recuérdese que ya habían sido las mujeres grandes lectoras de libros de caballerías y de pastores. Pero nunca actuaron con mayor intensidad ni en tan gran número. La mescolanza de vida y literatura que fue el romanti-

---

[346]   Mesonero, *Las niñas del día* (1833); *Panorama*, ed. cit., 261, 263. *Contigo pan y cebolla*, de Gorostiza, se puso en escena ese mismo año. La sátira de Segovia, *Dulcidia o la dama romántica*, en *Nosotros*, 1838, 24, puede considerarse en la misma línea.

[347]   *Ensayos*, I, 156. Aún dirá que los lectores de novelas son «casi todo el bello sexo y casi todos los jóvenes del varonil», ibid., 164.

cismo, que ha sido, por esencia, todo romanticismo, ejerció un influjo embriagador sobre aquellas almas; como dice Valera, testigo de los últimos
años del período: «Muchos hombres y muchas mujeres se afiliaron a esta
secta y procuraron realizar sus doctrinas, así en las obras de imaginación...
como en la vida real». [348] Lista, más avisado estudioso de la moral de aquellos tiempos que otros que tanto hablaban de las «costumbres» buenas o
malas que la novela determinaba, no deja de inquietarse por el «pésimo
efecto de ciertas novelas que, bajo el pretexto de inocular el *sentimentalismo*,
presentan a la imaginación exaltada del joven un mundo ideal, cuyo menor
inconveniente es hacerle desconocer la sociedad verdadera... Sería necesario
el genio de Cervantes para presentar bajo el aspecto ridículo que tienen los
Quijotes de uno y otro sexo que ha vuelto locos el furor de la *sensibilidad*». [349]
La mujer, y la mujer joven, coadyuva poderosamente al triunfo de un arte
que se pretende joven; uno de los rasgos del romanticismo fue precisamente
esa *juvenilidad* de que hizo gala. Balzac lo vio muy bien, y como sus palabras vuelven a ser actuales, vale la pena recordarlas: «Cette manie de
jeunesse —escribía— est peut-être un signe de décrepitude; ou plutôt le
siècle n'étant encore majeur, il lui faut sans doute ses ménins. Quoi qu'il
en puisse être, nous avons la *Jeune France,* des jeunes hommes, et nous
voulons de jeunes idées, de jeunes livres, de jeunes auteurs.» «La lithographie
est complice de cette innocente tromperie. Les auteurs se font pourtraire
le cou nu, les cheveux bouclés; vous les prendriez pour des jeunes filles...
Ce sont des embryons qui font des oeuvres posthumes.» [350] Había que ser joven o parecerlo, y mostrar que el talento era algo innato, natural al poeta,
planta espontánea no necesitada de cultivo. Mesonero da frecuente testimonio
de todo ello en sus arremetidas contra los «genios improvisados desde la
edad de diez a la de veinte abriles, amén de algunos genios *de pecho*», y contra
los que pretenden creer que la «poesía es una planta natural de suyo que crece
con las barbas». [351] ¿Era esa juvenilidad lo que atraía a las mujeres? ¿O el
halago de verse siempre heroína y siempre musa? ¿O la nueva amoralidad, que
suponía para ella una especie de emancipación, en el ensueño si no en la
vida? Era todo ello a la vez, y aun muchas otras cosas. Sea como quiera,
la mujer es en aquellos años gran devoradora de novelas y definidora de la

---

[348] *Don Nicomedes Pastor Díaz* (1853), *Obras,* ed. Aguilar, II, 336.
[349] *Ensayos,* I, 164.
[350] *Oeuvres diverses,* ed. cit., 41-42.
[351] *Contrastes,* en *Los españoles pintados por sí mismos,* II, 503 (*Obras,*
ed. cit., III, 126).

moda y del gusto literarios; toda esa literatura «joven» —que al llegar hasta nosotros ya iba dejando de serlo— pasó por sus manos. Ensañándose contra esa mujer, algún satírico, su contemporáneo, nos ha dado cuenta detallada de sus aficiones, de sus lecturas, y al oirlo no sabríamos decidir siempre si es ella o el satírico quien tiene un lío en la cabeza:

Su biblioteca no es muy numerosa, pero sí selecta. En ella figuran en primer término, bellamente encuadernadas, las novelas de Jorge Sand, a quien la participación del sexo hace mirar... con cierta especie de idolatría. Siguen después Eugenio Sue, Balzac, Paul de Kock, Walter Scott, Alejandro Dumas, las obras de Víctor Hugo, las de Lamartine, algunas de Chateaubriand, las de Lord Byron, traducido al francés, y otras de varios autores de por allá, unos modernos y otros contemporáneos; nada de Corneille, ni de Racine, ni de Molière, ni de La Harpe (!), y mucho menos de Boileau, Delille (!) y demás poetas líricos a quienes sólo ha dado fama, según dice ella, la época en que vivieron. El insulso Fénelon acabó cuando niña con su paciencia: Masillon, Marmontel, Saint-Pierre, Berthélemy, Pascal, La Bruyère y todos los demás prosistas llamados clásicos (!) en otro tiempo, de poco sirven hoy día, porque ni sienten lo que escriben ni saben escribir para la generación presente. De Rousseau sólo conserva la *Julia*, y de Voltaire las composiciones dramáticas (!); al lado de las piezas de Scribe tiene los tremebundos dramas de Bouchardy, los de Casimiro Delavigne, el *Fausto*, de Goethe, y el *Don Carlos*, de Schiller... En punto a nuestras obras es algo más tolerante, pues no sólo ha conseguido reunir cuantas han dado a luz en la postrera década nuestros poetas líricos y dramáticos, sino que guarda con estimación el *Quijote* y las *Novelas* de Cervantes, una preciosa colección del teatro antiguo y de poesías selectas publicada por Quintana. La delicadeza de su gusto no le permite transigir con la mayor parte de los escritores antiguos... De Quevedo... dice que brillaría mucho más si no fuese tan vulgar y desaliñado y no hubiese dado en el necio empeño de escribir casi siempre chocarrerías; los historiadores españoles carecen de genio y filosofía; los publicistas (?) son pedantes; los escritores sagrados, hipócritos y misioneros, exceptuando únicamente a Santa Teresa, sin duda, aquí para nosotros, por lo que tenía de común con Eva. [352]

El papel de estas mujeres no es siempre enteramente pasivo. Los talentos femeninos egregios —Fernán Caballero, la Avellaneda— acaban de aparecer o están a punto de sobrevenir, y ya van surgiendo damas que escriben novelitas, y, sobre todo, versos. En privado, de un modo tímido y vergon-

---

[352] Rosell, *La marisabidilla, Los españoles...*, ibid, 422.

zante, generalmente sin atreverse a salir del medio familiar. Piénsese en lo que fueron los comienzos literarios de Fernán, cuyo recuerdo acude vivamente a la memoria cuando don Pedro de Madrazo, haciendo el retrato de la «señora mayor» nos dice que posee «en grado sublime el arte de argüir y se complace en chafar despiadadamente a todo mozalbete petulante; inclínase por lo general a la bella literatura y compone para su recreo comedias y novelitas de costumbres que se leen con aplauso en las reuniones nocturnas de su casa».[353] Se diría que el autor de estas palabras tenía presente al escribirlas la imagen de doña Cecilia, de la que él fue en efecto amigo y panegirista. En la época del primer fervor romántico —cuando las mujeres fueron, a lo sumo, traductoras—, más interesantes que estas recatadas literatas son las lectoras ardorosas, las que presumen de exquisitas como las modestas devoradoras de folletines.

Estas almas contaminadas de la pasión literaria, que las afecta como un morbo, son las que más van a contribuir al triunfo de lo extranjero; de lo para ellas exótico, de cuanto supone evasión, huida más allá de lo casero y cotidiano. El bovarismo a que nos referimos antes, bovarismo puro, como cristalizado en almas de mujer. No es de este lugar decir lo mucho que podría decirse de la influencia de todo ello en las costumbres; podríamos hablar de las víctimas —o victimarias— de Espronceda, de Larra; de las infinitas mujeres a quienes la fiebre literaria hizo perder el sentido de sí mismas. Pero ateniéndonos sólo a lo que a la historia de la novela interesa, insistiremos en que ese modo de comprender y de gustar la fabulación novelesca hizo imposible por mucho tiempo una novela española, si se exceptúa la histórica, que pocos entre nosotros estaban capacitados para emprender con éxito. Hartzenbusch ha referido una anécdota que, aunque no es femenina, es conveniente recordar aquí, pues el personaje de que se trata sintió y habló como una mujer. «Recordamos —escribía Hartzenbusch— haber oído a un condiscípulo nuestro decir muy de veras que le cansaban las novelas de Cervantes porque, además de lo añejo del habla, estaban rebutidas de nombres y apellidos ordinarios o extravagantes, como D. Juan de Cárcamo o D. Antonio de Isanza, al paso que en las novelas francesas todos los nombres eran tan bonitos como los de Dorval y Carolina.»[354] Las madres formadas en el romanticismo fueron sin duda las que renovaron la onomástica española, y Mme. Cottin —si no fue Ossian— tal vez no sea extraña al hecho

---

353 Madrazo, *La señora mayor*, ibid., 358.
354 Prólogo a las *Escenas matritenses*, de Mesonero, ed. cit., 9.

de que una hija del Duque de Rivas se llamara Malvina; es lícito suponer
que la Duquesa compartía las admiraciones de su marido. [355] Pero dejemos
esto aquí. Retengamos sólo ese deseo de irrealidad, la tensión soñadora que
el gusto por la ficción romántica comporta, hostil a las circunstancias, al ambiente cotidiano, que no se acepta sino bajo formas irónicas. Recordemos las
palabras de Fernán Caballero, escritas justamente por aquellos años: «nada
nacional podía pasar aquí ni lograr más que la burla y la calificación de
chabacano y ordinario, vulgar y trivial». [356]

Aquellos nombres llegaron a incorporarse a la onomástica española común por razones análogas a las que determinaron el que anidase en la realidad española una «mitología» que se instaló en ella con más fuerza que el
recuerdo de los más reales seres de carne y hueso. No sólo entre las gentes
ilustradas viven y animan los entes de ficción; todos conocen sus nombres

---

[355]   *El Curioso Parlante* es bien explícito a este respecto. Hablando en *Antes,
ahora y después,* de la joven mamá educada en la época romántica, la presenta bus-
cando nombre para un recién nacido, «haciendo calendarios, pues el común ya no
sirve sino para las gentes añejas de suyo, retrógradas y sin pizca de ilustración».
Después de varias discusiones, Margarita «consiguió su deseo, y el chico fue inau-
gurado con el fantástico nombre de Arturo». Más adelante llegará a «multiplicar...
su descendencia, llenando la casa de Carolinas y Rugeros, Amalteas y Pharamundos,
con otros nombres así, desenterrados de la Edad Media, que daban a la familia todo
el colorido de una leyenda del siglo XIII» (*Escenas,* ed. cit., 215, 217). No deja
de ser curioso el paralelo que esto ofrece con ciertas especies del *Criticón,* de Gracián
(II, cr. x); allí se habla de manías aristocráticas que no pudieron imprimir honda
huella en la onomástica general, pero en el contexto nos sorprenden unas frases
sobre las gentes que «hasta los nombres de santos conocidos no los querrían por
comunes..., sino tan extravagantes que no se hallen en ningún calendario».
No podemos tratar aquí, pues excedería de nuestro tema, del romanticismo en
las modas indumentarias; v. sobre ello Alonso Cortés, *Zorrilla,* 174.
[356]   Carta a Latour citada por Morel-Fatio, *Fernán Caballero d'après sa corres-
pondance avec Antoine de Latour, Bulletin Hispanique,* 1901, III, 281. En *La
Gaviota,* Fernán ha encarnado esta preocupación en el carácter de Eloísa (v. ed. Escritores Castellanos, Madrid, 1895, 278, y, sobre todo, 351). Consecuencias de todo
ello era el desvío por las novelas españolas, que, cierto, lo justificaban casi siempre.
Ochoa, en su famoso artículo sobre *La Gaviota* (v. ed. cit., 16), decía: «Salvo
contadas excepciones, nuestras novelas modernas, aún las que tienen... valor literario, carecen de todo interés novelesco, y no tienen en realidad de novelas más que
el nombre. Su habitual insulsez es tanta, que el público, escamado, con sólo ver el
adjetivo *original* al frente de una de ellas, la mira con desconfianza o la rechaza con
desdén». Esto duró mucho aún, y Valera incurría en el mismo pecado en 1879, aunque no fueran esos los motivos que le indujeran en él; v. el *Epistolario de Valera
y Menéndez Pelayo,* Madrid, 1930, 56, donde nuestro autor confiesa no haber leído
a Galdós hasta entonces «por ese extraño recelo que solemos tener los españoles de
que va a ser una tontería o un reflejo contrahecho de literatura de otros países todo
libro nuevo español que leamos». Se trata de dos fenómenos diferentes que venían
a coincidir en el resultado.

y saben de sus vidas; quien no las ha leído en los libros las leyó en pliegos sueltos de cordel o las oyó de los ciegos. Una y otra cosa —más aún en los tiempos en que, operante el folletín, la novela asciende a aquel cenit de su máxima popularidad que, como la del teatro en el siglo XVII, consistió en ser gustada por igual de altos y bajos, literalmente de «todo el mundo»— tuvieron como consecuencia hacer del de la novela algo cerrado y autónomo, que vivía con vida propia, un mundo en que no regían las leyes de la vida real, pero podía ser bastante fuerte para imponerse a ésta y falsearla; Galdós lo expuso así con sagacidad en un artículo de los comienzos de su carrera que se ha tenido poco en cuenta y que lo merece mucho. [357] Volvamos a ocuparnos de aquella «mitología» a que aludíamos, para comprobar ahora cómo la boga de la novelita de Chateaubriand hizo que pronto corriera por toda España la canción de Atala, la que con más vigor se mantuvo viva durante dos generaciones; [358] hubo también una canción de Pablo y

---

[357] Reseña de los *Proverbios*, de Ruiz de Aguilera, *Revista de España*, 1870, XV, 164. V. ahora mi artículo *Galdós en busca de la novela*, *Insula*, 1963, n.º 202.

[358] Sarrailh, *Enquêtes*, 78 sigs., cita una de las más antiguas menciones de esta canción, tomada de *L'Espagne de Ferdinand VII*, del Marqués de Custine (1838, con referencia a sucesos de 1833), pero no tuvo en cuenta los originales. Entre los pliegos sueltos de la Bibliothèque Nationale de Paris hay varios que la contienen: *Canción de la pata de cabra. Canción de Atala*, Madrid, imp. calle de Juanelo, s. a., 4º (Yg. 870); *Canción nueva de Atala. En ella se declaran los amores de la misma y del ardiente Chactas*, Barcelona, F. Vallés, s. a., 4º (Réserve Yg. 172); *Canción nueva. En ella se declaran los amores de la sencilla Atala y del ardiente Chactas...*, Valencia, B. Fortesa, s. a., 4º (Réserve, Yg. 148, Yg. 684); la reprodujo Bataillon, *Bulletin Hispanique*, 1934, XXXVI, 199, e, ignorando sin duda todo esto, volvió a imprimirla Entrambasaguas, *Revista de bibliografía nacional*, 1944, V, 103-110, según un pliego tardío, Madrid, Marés, 1844. Bataillon recuerda un pasaje curioso de *La Gaviota* (ed. cit., 497), en que la menciona Fernán Caballero —quien, en su devoción por lo popular-tradicional, detestaba cordialmente cosas como ésta—. Podrían añadirse mil menciones más, testimonio de la popularidad de la canción y de su arraigo en la memoria de las gentes durante larguísimo tiempo; se refieren a ella, V. de la Fuente, *El estudiante*, *Los españoles pintados por sí mismos*, I, 229; Duque de Rivas, *El hospedador de provincia*, ibid., 387. No se consideraba entre ciertas gentes como producto enteramente vulgar, y el mismo año en que se publicaba *La Gaviota*, *La Ilustración* (1849, I, 300), entre una serie de caricaturas sobre la música en Madrid, daba la de una desmelenada romántica que ejecutaba *Variaciones sobre la Atala;* Nombela, *Impresiones y recuerdos*, I, 12, la recuerda entre otras del tiempo, a par de *La canción del pirata*. Pero fue favorita de gentes de escaleras abajo. Compárese al texto de Fernán éste de Pereda, referente a un zapatero de portal: «no es muy hablador, porque en nada es vehemente, y lo prueba que menea la herramienta al compás del «Triste Chactas» desde que se ciñe el mandil» (*El buey suelto*, Ob. comp., II, 3.ª ed., Madrid, Viuda de Tello, 1899, 236). Galdós, que aún pudo oirla, escribe: «No sé por qué me figuraba al Vizconde [Chateaubriand] oomo una especie de *triste Chactas*, de tal modo que no podía pensar en él sin traer

Virginia, [359] otra de Corina, [360] otras de héroes famosos del teatro romántico. [361] Cuando no eran las canciones, litografías y grabados, siempre franceses, contribuían a dar a aquellos mitos corporeidad tan real como la de los
seres más reales. Una modesta barbería de Madrid comprenderá en su pobre
ajuar «varias estampas iluminadas... perpetuando la vida, milagros y amores
de Atala con Chaptas» (sic); [362] una pensión de familia, en Granada, ostenta
en sus paredes «diez o doce cuadros de litografía iluminada, representando
las aventuras de Matilde y Maleck Adel y las de Pablo y Virginia»; en el
comedor «había cuadros de litografía de Chactas y Atala y del *Gonzalo
de Córdoba*, de Florian». [363] Cuando Nombela nos describe la casa que
habitó de niño en Madrid, no olvida referir que «La sala tenía... en los otros
lienzos de pared seis cuadros, también con sus marcos dorados, representando
escenas... de los amores de Abelardo y Eloísa, sin olvidar al triste Chactas
y a la sentimental Corina, personajes de las novelas que más fama gozaron
en las primeras décadas de este siglo». [364] Nada tiene de extraño que todo
el mundo acuda a esa mitología cuando necesite valerse de términos de comparación o de encarecimiento. Un buhonero aragonés será comparado por
cierto costumbrista «al célebre mendigo que pinta Walter Scott con tan

---

a la memoria la célebre canción» (*Los cien mil hijos de San Luis*, Madrid, Hernando,
1906, 70). V., también la nota 362.

[359] *Breve relación de la trágica historia de Pablo y Virginia*, Barcelona, J. Estivill, 1833, 4º (Bib. Nat. de París, Yg. 1103).

[360] *Lamentos de Corina dirigidos a su idolatrado Osvaldo*, Barcelona, F. Vallés,
s. a., fol. (ibid., Réserve, Yg 276). Algo de esta literatura de cordel ha sido publicado después de escritas estas notas; v. Amada López de Meneses, *Pliegos sueltos
románticos*, *Bulletin Hispanique*, 1950, LII, págs. 93-117; 1951, LIII, 176-205.

[361] *Romance de Lucrecia Borgia*, Barcelona, J. Estivill,, s. a., cuarto (ibid., Réserve, Yg 207); *Canción nueva de Catalina Howard en el último día de su vida*,
Barcelona, Maimó, s. a., fol. (ibid., Réserve Yg 275). Aún cabe citar una *Canción
nueva de Abelardo y Eloísa*, Barcelona, Maimó, s. a., fol. (ibid., Réserve Yg. 273).

[362] A. Flores, *El barbero, Los españoles pintados por sí mismos*, I, 22.

[363] Valera, *Mariquita y Antonio, Obras completas*, XIII, 48, 77; en este libro
hay muchos recuerdos de juventud. Podrían multiplicarse las alusiones; cfr. el pasaje de Godoy Alcántara, *Biografía de una novela contemporánea, Semanario pintoresco*, 1846, XI, 390 *a*, en que se habla de cuadros «que representaban pasajes del
Han de Islandia y de *La torre de Nesle*», con otros de la vida de Abelardo y Eloísa.
Novelas y folletines salían frecuentemente ilustrados con profusión, pero, además,
se publicaban estampas que contribuían a popularizar su contenido. El *Boletín
bibliográfico*, VI, 137, anuncia, por ejemplo, una serie de litografías de *El judío
errante;* era el momento de su éxito apoteósico. Contra esta socaliña de los graba-
ditos extranjeros protesta V. de la Fuente, *Aleluyas finas, Semanario pintoresco*,
1844, IX, 218.

[364] Nombela, *Impresiones y recuerdos*, I, 4.

interesantes colores en la novela del *Anticuario*»;[365] todo hombre feo y contrahecho será equiparado a Quasimodo.[366] Aunque haya exageración en ciertos tipos de que burlan cuentistas y ensayistas contemporáneos, es evidente el parecido, si la osadía del trazo no es menos evidente;[367] hay suspiros que tienen su fuente en Arlincourt,[368] como antes hubo suicidios derivados de *Werther*.

Pero es evidente que esta sobresaturación del ambiente, bien afecte al gran público o sólo a literatos de marca, originó en todos el mayor despistamiento. Recuérdese el gran triunfo de Paul de Kock, que nos llegó traducido e impreso de Francia,[369] éxito que hacía reír a los escritores avisados, como Larra, quien ya lo atribuía a «libreros ambiciosos» y sólo lo hallaba comprensible entre «lectores de poco criterio».[370] Paul de Kock era la lectura favorita de aquellos calaveras que el mismo Fígaro, que vivió mucho entre ellos, tan bien describe. ¡Qué cosas leían y cómo debían de tener las cabezas! «Sabe casi de memoria a Paul de Kock —el calavera—, ha leído a Walter Scott, a d'Arlincourt, a Cooper, no ignora a Voltaire, cita a Pigault-Lebrun, mienta a Ariosto (!)».[371] Salvo ésta que tan extraña resulta, las lecturas citadas comprendían los últimos libros que habían aparecido por aquellas calendas, todo formando el revoltijo más increíble. No nos extrañe

---

[365] *El paniquesero*, por Un aficionado lugareño, *Semanario pintoresco*, 1842, VII, 235.

[366] *Las fiestas del lugar*, por el mismo, ibid., 406; C. Díaz, *Fragmento de mis viajes*, ibid., 1836, I, 206 *b*; «Hay en este pueblo [Piedrahita] un bobo que llaman Epifanio, parecido al Quasimodo de *Notre Dame de Paris*, y es campanero y enterrador, además» (Somoza, *Memorias de Piedrahita, Obras*, ed. Lomba, 26).

[367] V. en Trueba, *De la patria al cielo, Cuentos de color de rosa*, Madrid, Romero, 1905, 184, las disparatadas cosas que dice el protagonista, envenenado de literatura, cuando va a buscar «las blancas y limpias queserías habitadas por montañesas inocentes y hermosas como la Virgen de Underwald, cantada por el sublime d'Arlincourt».

[368] «...una romántica con nariz de cotorra que suspira a lo Arlincourt» (Giménez Serrano, *El ajuste de la calesa, Semanario pintoresco*, 1843, VIII, 77 *a*).

[369] El nombre de Paul de Kock, que apenas tiene cabida en la literatura, considerada como arte, en cuanto fenómeno sociológico entra de lleno en nuestra obra. En la bibliografía podrá observarse cómo las primeras traducciones que de sus obras salen, por 1826-1829, y aún más tarde, fueron hechas en Francia.

[370] Artículo sobre el *Panorama matritense, Obras*, ed. cit., III, 94; añade que «en París es el escritor de las modistillas». Se le leía mucho —y se le imprimía— hacia 1850, y en ese año, en su *Carta del lector de las Batuecas*, a Fernán Caballero, Ochoa repetía casi el mismo concepto: «ese pobre Paul de Kock a quien en Madrid hacen la traición de leerle en las salas y en los gabinetes, cuando en su país dicen que sólo se le lee en las cocinas y en las porterías» (*París, Londres y Madrid*, 279).

[371] *Los calaveras, Obras*, II, 391.

encontrar más tarde citas de autores ilustres y no ilustres en maridajes monstruosos, prueba de muchas y muy mal digeridas lecturas. Para cierto ensayista, un zapatero de portal «representa una de aquellas visiones que Ossian soñara en sus momentos de vértigo y Dumas y Víctor Hugo nos han reproducido en sus románticas composiciones».[372] En burlas antirrománticas se encuentra el mismo confusionismo: «...prueba el buen gusto de aquella época, a pesar de no haber nacido aún el *Han de Islandia* y la *Galería fúnebre de sombras ensangrentadas* (!)».[373] Y con todo, ¡qué respeto por aquellos autores más que humanos que llenaban Europa con su nombre! ¡Qué dignidad confería la menor deferencia de parte de ellos! Eran los felices tiempos en que se podía subyugar a la nación sin más esfuerzo que «ir a París y almorzar con Víctor Hugo», como dijo Zorrilla.[374] Una carta de Sue podía dar gloria al recipiendario. En 1845, *El Dómine Lucas* —que, claro es, económicamente estaba interesado en explotar el efecto— publicaba estas líneas: «El célebre Eugenio Sue, autor de esta... novela [*El Comendador de Malta*] ha dirigido una carta autógrafa al traductor don Juan de Capua... en que le colma de elogios por la elegancia y exactitud con que ha hecho la versión...».[375] Y en el número siguiente: «El célebre Eugenio Sue ha dirigido una carta autógrafa a D. Wenceslao Ayguals de Izco, en la que después de manifestarle su gratitud en términos altamente lisonjeros por la traducción de *El Judío errante*, admite la dedicatoria de *María o la hija de un jornalero*...», añadiéndose, con una cita de la carta en cuestión, un poquito de demagogia populachera.[376] Cosas así daban la vuelta a la prensa —que quizá las insertaba también con su cuenta y razón—, y una revista de tanto fuste como el *Semanario pintoresco* pudo publicar esta gacetilla que explica la actitud literaria de la época mejor que pudiera hacerlo un largo ensayo: «A nuestro amigo, el distinguido joven don Juan de Capua, ha escrito el célebre Eugenio Sue, dándole las más expresivas gracias por la correcta tra-

---

[372]   Valladares, *El zapatero de portal*, *Semanario pintoresco*, 1845, X, 338 *a*.
[373]   C. Díaz, *El matrimonio masculino*, ibid., 1836, I, 131. Otra mención de *Han de Islandia*, considerado como el colmo de la ridiculez romántica, por el mismo, en *Rasgo romántico*, ibid., 175.
[374]   Con ir un mes a París
                    y almorzar con Víctor Hugo,
                    vuelves y pones el yugo
                    literario a tu país
(Dedicatoria del tomo VII de sus *Poesías; Obras*, ed. Alonso Cortés, I, 328 *b*.)
[375]   El *Dómine Lucas*, 1845, núm. 15, 1 junio, 119.
[376]   Ibid., núm, 16, 1 julio, 126.

ducción de su novela *El Comendador de Malta*. La deferencia del primer novelista de la época aumenta la justa reputación de nuestro amigo, a quien damos la más sincera enhorabuena».[377] Pocas anécdotas podrán leerse —el caso ocurrió bastante más tarde— tan divertidas y penosas a la vez como la del encuentro de Nombela con el ya viejo y desilusionado Lamartine; indica cómo allí estaban perfectamente enterados de lo que era la vanidad literaria en estas provincias de Europa —porque no sólo España estaba en el caso— y cómo trataban de explotarla y se hacían valer: «Cuando me presenté... para entregarle de parte de Eduardo Bustillo su *Romancero...*, me causó profunda pena oirle no hablar de su pobreza..., sino de la edición de sus obras, de la importancia que me daría en España un ejemplar dedicado a mí, con su firma auténtica. Lo pedía casi como una limosna».[378] ¡Un ejemplar, dedicado por el autor, de las obras de Lamartine! ¿Qué necesitaba nadie saber si había sido comprado, y a qué precio?

*

* *

La juvenilidad de autores y público es un carácter del tiempo; es claramente discernible la de los traductores de novelas —de muchos de ellos, por lo menos— que no siempre fueron tan malos como los satíricos daban a entender. Hubo ciertamente de todo, tanto en lo que se refiere a la competencia como a la profesión o a la edad, pero no conviene exagerar las cosas, e ignorar que algunos editores, como Bergnes de las Casas, profesor de griego en la Universidad de Barcelona, o como Aribau, traductores ellos mismos, en ocasiones, fueron hombres de muy vasta cultura —aunque del primero dijera Camus que «sabía todos los idiomas menos el español»;[379]— por lo menos no podía faltarles enteramente el discernimiento. Otros, sin llegar a tanto, fueron ventajosamente conocidos como escritores;[380] así Ochoa, así Ayguals de Izco, y algunas de las figuras más destacadas del siglo XIX español, en letras o en erudición, comenzaron por traducir novelas; por muy tiernos que estuvieran aquellos ingenios al entregarse a tales menesteres, no puede confundírseles con los humildes proletarios de la literatura a que hacen alusión

---

[377] *Semanario pintoresco*, 1845, X, 135.
[378] *Impresiones y recuerdos*, III, 254.
[379] Sanromá, *Mis memorias*, I, 99.
[380] En Sevilla, cierto editor apellidado Fernel o Fernell, nombre que suena a extranjero, editó traducciones hechas por él mismo, firmadas de su nombre o iniciales. Casos así se repitieron más de una vez.

Larra y otros. Todo el mundo tradujo algo en ese tiempo del frenesí de la traducción, y los susomentados críticos no fueron siempre modelos en esto; piezas hubo, vertidas por el mismo Fígaro, que merecieron no injustas censuras, y esa su traducción del *Piloto,* de Cooper, que no llegó a publicarse según parece, quizá valiera lo que las de Bazo y Pagasartundua. De notar es que un escritor de la ciencia de don Eugenio de Ochoa no diese paz a la mano y publicara traducciones de Hugo, Dumas, Walter Scott y otros de mucho menor renombre; que el luego distinguido académico Ferrer del Río diera a luz una versión del *Rienzi,* de Bulwer-Lytton; que el erudito González Pedroso, que aún debía de ser muy joven y no soñaba siquiera en que andando el tiempo sería conocido sobre todo por una colección de autos sacramentales, firmase una traducción de *La Reina Margot,* de Dumas; que don Víctor Balaguer, poeta bilingüe, que también será académico un día, aparezca asociado con el energúmeno Ayguals de Izco en la empresa de traducir novelitas, y don Luis Lamarca trabaje para Cabrerizo... Don Jaime Tió, que dirigía el *Tesoro de autores ilustres* y tradujo para él numerosos tomos no era un escritor enteramente adocenado, y obtuvo cierto éxito con obras originales. Todavía es cierto el hecho de que la mayoría de las traducciones aparecieron como obra anónima o firmadas con iniciales que no es siempre fácil descifrar. En un comienzo ello se debería al escaso crédito de que la novela gozaba, y a considerárselas como fruslerías; si las traducciones no se firmaban, los nombres de los autores no constaban tampoco, y es a veces sobremanera trabajoso el identificarlos. Luego hubo la «moda del anónimo». Pero la mayor parte de los casos indican, más que falsa o legítima modestia, desvío por el trabajo forzado y desamor del galeote literario por la ingrata tarea que le ha sido impuesta, y que tan escasos provechos le rinde. Los traductores pululan, o porque la necesidad los constriña, o porque los trabajos de esa índole permitieran a muchos incapaces disfrazar su impotencia y pasar plaza de «escritores públicos»; así el traductor de folletines puede pasar por periodista; los «folletinistas de profesión, traductores de oficio, que revuelven colecciones de *La Presse* y de *La Revue de Paris,* para divertir al público con cuentecillos extranjeros, a razón de sesenta u ochenta reales por cuadro»; gentes que, por lo que abundan, han llegado a desmoralizar el oficio: «se encuentran hoy en todas las esquinas de Madrid folletinistas a méritos que ofrecen gratis sus servicios a todos los periódicos nacidos y por nacer». [381] La existencia de los tales es un dato que merece ser retenido,

---

[381] J. M. de Andueza, *El escritor público, Los españoles pintados por sí mismos,* I, 214.

pero lo menciono de pasada, pues el examen de aquella prensa me está vedado, y sólo su estudio detenido permitiría apreciar el papel que desempeñaron en la difusión de la literatura novelesca, sobre todo la novela corta y el cuento. Pero muchos de ellos serían responsables de algunas de las traducciones que hemos registrado, pues como asediaban las redacciones, asediarían las editoriales, siempre deseosas de asegurarse auxiliares a bajo precio.

Competentes o ignorantes, hombres de letras o simples aficionados, estos traductores se muestran a veces inseguros en la definición genérica de los libros que vierten al castellano. Se tiene la impresión de que el concepto de novela, que sólo en tiempos muy recientes ha llegado a comprender las obras de ficción extensas, sigue sin fijarse claramente. O mejor, puede asegurarse que lo fijan entonces editores y público, no sin protesta de las gentes chapadas a la antigua, que no comprendían siempre que se llamase novela una obra en diez tomos. Algún traductor no se da cuenta de que ya no es posible, sin incurrir en un equívoco monstruoso, rotular «romance» una obra de Víctor Hugo, y otro no más avisado traducirá con la misma palabra el término inglés *romance*. [382] El empleo de esa palabra en tal acepción venía de antiguo; fue bastante general en el siglo XVIII, cuando Hervás y Panduro escribía: «La tragedia de héroes y sucesos que no interesan se lee u oye como un romance fantástico» [383] y Antonio de las Nieves, en un discurso preliminar «sobre el poema *El feliz independiente*», cuya fecha desconozco, pero que por su estilo y doctrina debe de ser de fines del siglo XVIII: «Dejemos, pues, ventilar a sangre fría si *El feliz* es un poema o un romance; todos saben que ya en Francia hubo semejante debate cuando salió al público *Telémaco*». [384] Llorente titulará una obrita, que hizo el mucho ruido que se sabe, *Observaciones críticas sobre el romance de «Gil Blas de Santillana»*, y Fr. Servando Teresa de Mier, refiriéndose a su versión famosa, cuenta cómo alguien le trajo «a que tradujese el romancito o poema de la americana Atala, de M. de Chateaubriand». [385] En traducciones de tiempos mucho más recientes puede haber confusiones debidas a insuficiente conocimiento de la lengua de que

---

[382] V. en la bibliografía las ediciones de *Han de Islandia*, Barcelona, Sauri, 1842, y la de *El espejo de la tía Margarita*, de Walter Scott, «con un ensayo sobre el uso del maravilloso en el romance», Madrid, Jordán, 1830. No faltan cosas así en obras originales, como *Tancredo en Asia, romance histórico del tiempo de las Cruzadas*, de Cortada, Barcelona, 1834.

[383] *Historia de la vida del hombre*, trad. castellana, libro IV, capítulo vi; ap. Menéndez Pelayo, *Ideas estéticas*, VI, 51-52.

[384] *El hombre feliz, independiente...*, 12.ª edición, Madrid, 1842, 50.

[385] *Memorias*, ed. cit., 244.

se traduce [386] y de no ocuparse gran cosa el traductor de la propiedad de los términos. Alguna vez, por absurdo que parezca en una época en que los románticos se esforzaban en vindicar —y reivindicar— el romancero, el empleo de la acepción es enteramente deliberado y consciente. No nos imaginamos hoy a don Julián Sanz del Río, metido a definidor de la novela, pero así fue en una ocasión, y aun dijo cosas más razonables que otros contemporáneos, y estas otras que no lo son tanto: «Más inmediatamente allegado a la vida material, aunque no por esto menos rico de influjo ni menos capaz de nuevos adelantos y mejoras es el romance, o como se llama hoy, con poca propiedad por cierto, la novela». [387]

Igual inseguridad respecto de la noción «cuento». El talismán, de Walter Scott, relato bastante extenso, será subtitulado todavía en la edición de Barcelona, Bergnes, 1838 «cuento del tiempo de las Cruzadas»; la Consuelo, de G. Sand, recibe el mismo apelativo en una de sus versiones (Madrid, 1842); García de Villalta dará a la más conocida de sus obras el título: El golpe en vago, cuento de la XVIII centuria (Madrid, Repullés, 1835), y este «cuento» tiene nada menos que seis tomos. Todavía Fernández y González llamará de la misma manera su Luisa, en cinco volúmenes, en fecha tan tardía como el año 1857. La misma incerteza hace que se asimilen a la novela cosas que no lo son, y que, como ya vimos, poemas, y no ya poemas en prosa, sino otros escritos originalmente en verso, se den por novelas en versiones desmazaladas y pedestres, unas veces de manera expresa, otras por modo implícito. En ocasiones el ejemplo pudo venir de Francia, donde algunos ingenios de bajo vuelo hubieron de debatirse alguna vez en análogas confusiones. [388] Muy de notar son las que pudieran llamarse clasificaciones editoriales de las novelas, esos géneros y subgéneros que tantas veces se mencionan en las portadas, «novela americana», «novela española» y hasta «novela sueca», que nunca se refieren al origen del libro y en nada prejuzgan su índole estética, refiriéndose sólo de un modo vago a los países por donde discurre el argumento o a la naturaleza de los personajes. Esta costumbre también era

---

[386] V. lo que se dice en la nota 147 sobre posibles confusiones en que incurre Mora en su traducción de El talismán.

[387] Literatura y lengua alemana, Revista de Madrid, 1844, 2.ª época, II, 47.

[388] Pero lo normal es que se confiese el arreglo o la refundición. Comp. a la traducción que hizo Rementería de la misma obra, la portada de la edición francesa: La dame du lac, roman tiré du poème de Walter Scott, traduit de l'anglais par Mme. Elizabeth B[on], Paris, 1813.

añeja; procedía de los años finales del siglo XVIII,[389] y al ser adoptada más tarde, cuando la novela cuajaba en otros moldes, pero las antiguas se reimprimían aún, debió de despistar más que orientar a los lectores, y el editor que anunciaba el *René,* de Chateaubriand, como «novela americana»[390] o algún libro de Mme. de Genlis como «novela histórica», sin contar banales anécdotas así tituladas en las *Auroras de Flora,* en días en que se adoraba a Cooper y a Walter Scott, quizá se lo proponía deliberadamente.

Si los poemas se convirtieron en novelas, algún escritor español no vio obstáculo en versificar la novela, y tales «novelas en verso» son harto frecuentes en el período romántico. En los comienzos, algún gran poeta lo hizo así por instinto, casi sin darse cuenta, arrastrado por dotes temperamentales que a ello le movían. Valera vio certeramente el carácter novelesco de *El moro expósito,* que remotamente emparenta con las «novelas en verso» [nótese la perduración del término] de Walter Scott.[391] Quizá fuese el recuerdo de estas tales novelas lo que llevó a otros a cultivarlas con plena conciencia de lo que hacían, y a rotularlas así; recordemos alguna de don Gregorio Romero Larrañaga, por citar el nombre más ilustre, aunque no fue, ni muchísimo menos, el único que tal hiciera; sea ejemplo *Amar con poca fortuna* (Madrid, Omaña, 1844); recordemos igualmente que todavía en 1860 don Antonio Arnao podía dar a luz *El caudillo de los ciento,* con el mismo subtítulo de «novela en verso».[392] A esta tendencia a confundir con la novela, y más aún con el cuento, narraciones versificadas de

---

[389] En la colección de los *Cuentos morales,* de Toxar, cuya 2.ª edición es de Salamanca, 1803 —por no volver sobre otros casos que ya hemos visto— se halla *Zimeo,* «novela americana», y *Selico,* «novela africana». Treinta y tantos años después, Bergnes rotulará de modo análogo obras de Chateaubriand. Otras veces, caso más raro, el recuerdo de antiguos términos sigue actuando. En 1840 se publicó en París, por Girard, anónimo, un libro titulado *Los odios, novela épica en seis cantos.* (Obra, según parece, de Gironella y Ayguals.)

[390] Sobre la novela americana auténtica, la de Cooper y W. Irving y su difusión europea, v. lo que dice Chateaubriand, *Mémoires,* I, 426, en un curioso pasaje que debió de ser añadido en la revisión hecha hacia 1846.

[391] *Don Angel de Saavedra, Duque de Rivas* (1889), *Obras,* ed. Aguilar, 743. Valera fue muy pertinaz en esto de llamar cuento «todo lo que se contaba»; en el artículo citado se leen frases como ésta, en la misma página, «El duque llama, pues, al cuento *El cuento de un veterano».* En cambio negará ese carácter a novelas en que lo narrativo tiene poca importancia. Hablando de la de N. P. Díaz, *De Villahermosa a la China,* dirá: «Su libro no es un cuento, es un libro del orden de *La vida nueva* del eminente poeta gibelino (!)» (*Don Nicomedes Pastor Díaz,* ibid., 345).

[392] Que todavía en 1876 subtitule Alarcón «novela en verso» un brevísimo poema, *La cita soñada* (*Ilustración española y americana,* XX, ii, 211), creo que puede considerarse como una «boutade» sin importancia.

11

cualquier especie se le podrían encontrar precedentes prerrománticos, pero de otro carácter. Cuentos como *El calumniador*, de Somoza, o *La renuncia del sabio del Oriente*, que, aunque más acentuadamente narrativo, el autor rotula «trova» por no sé qué inexplicable confusión de los términos, podrían retrotraerse al ejemplo de J. de Lafontaine.[393] Con anterioridad al período romántico se habían versificado relatos de índole humorística, como *La Luciana*, novela escrita en verso castellano por don Antonio Farigola Domínguez, Madrid, Dávila, 1819, o, por los mismos días en que versificaba Larrañaga, *Juana la Papesa*, novela histórica en verso por T. H. V. (San Sebastián, Martínez, 1843). Todo esto tenía poca importancia, y esos libros son ilegibles, pero sí tuvo gran alcance el hecho de que los poetas de la generación romántica cultivaran con tanto amor un tipo de leyenda poética que, en ocasiones, no era sino un cuento versificado. Creo que puede decirse que una de las causas de que, contrariamente a lo que ocurre en Francia e Inglaterra, España produzca en esta época tan pocos cuentos y novelas cortas, y con frecuencia tan mediocres, fue la concurrencia ruinosa que les hizo la leyenda poética, tan afín del cuento, siempre preferida por rimadores fáciles y brillantes, que rara vez fueron buenos prosistas. Leyendas y cuentos fueron considerados como una misma cosa en esencia, y como —volviéndose con ello a la indeterminación genérica de los buenos tiempos viejos, a la indeterminación del Siglo de Oro— todo era bueno para todo, las consejas populares convenían a la literatura narrativa, versificada o prosaica, como al teatro o a cualquier otra cosa. No tienen desperdicio las palabras del Duque de Rivas, en una carta a Ramírez de las Casas Deza, que copiamos a continuación: «Como en las investigaciones prolijas que ha hecho V. no sólo de las antigüedades de esa provincia, sino también de sus *antiguallas*, debe V... haber topado con muchas tradiciones y consejas populares, despreciables sin duda para su propósito, pero de mucho precio para el género de literatura que yo cultivo, le ruego encarecidamente que se sirva comunicarme aquellas de que se acuerde. Raro castillo antiguo y abandonada ermita y hundido convento y enmarañado bosque y olvidada cueva hay que no tenga su particular recuerdo y su absurda historia, ya de una hazaña, ya de unos amoríos, ya de una aparición, ya de un milagro, y de estas cosas fantásticas

---

[393] V. los versos de Somoza en Rivad., LXVII, 476. Entre lo impreso en Francia en el período liberal, veo citados unos *Cuentos en verso*, de T. H. de las Torres, que ignoró qué puedan ser; llevan pie de imprenta de Valencia, Viuda de Garriga, 1821, pero Núñez de Arenas, *Revue Hispanique*, 1933, LXXXI, 466, los supone impresos en Burdeos. Para una edición anterior v. nota 110.

suelen sacarse muy buenos argumentos de dramas y romances». [394] A Rivas, que tenía el genio de la narración, no se le ocurrió hablar en ese paso de novelas o cuentos, porque, sin duda, lo que decía de los romances contenía cuanto él deseaba expresar. ¿Qué eran esos romances sino cuentos en verso? Lo eran mucho más que otros que así se titularon, desde luego. Uno de los poemas de más desmelenado efectismo de los primeros días, *El bulto vestido de negro capuz*, de Escosura, llevaba esta advertencia al aparecer en *El Artista* (1835, I, xviii, 208): «El cuento siguiente... nos ha sido remitido por su autor...» El romántico que Mesonero satiriza «rasguñó unas cuantas docenas de fragmentos en prosa poética y concluyó algunos cuentos en verso prosaico, y todos comenzaban con puntos suspensivos y concluían con *maldición!*». [395] No estaba mal vista esta indeterminación de los géneros, de la esencia misma del romanticismo, este jugar con las formas, consideradas como moldes de uso arbitrario en que podía plasmarse lo que se quisiera. Los rápidos relatos legendarios saltan ágilmente de la prosa al verso, del verso a la prosa —que también, más raramente, podían adoptar esta forma. [396]— Cuando Valera —en quien esto de hablar de «cuentos en verso» fue vicio muy arraigado—, volviendo por los fueros de la fantasía novelesca, citaba como dechado el cuento de Lisardo incluido por Lozano en sus *Soledades de la vida*, «si como está bien ideado y trazado estuviera bien escrito», [397] olvidaba decir que un instinto muy español, que el romanticismo se aplicaría a justificar, había sido ya causa de que saliera en versos vulgares y pedestres: aquellos romances reproducidos, no sin elogio, por Durán, no ajenos probablemente a la invención de *El estudiante de Salamanca* —ni quizá a la de *Les âmes du Purgatoire*, de Mérimée—, y que tal vez un brote de aquel

---

[394] Sevilla, 2 enero 1843; ap. Boussagol, *Bulletin Hispanique*, 1927, XXIX, 82.

[395] *El romanticismo y los románticos, Escenas, Obras*, ed. cit., II, 119.

[396] En el *Semanario pintoresco*, sobre todo en las épocas en que ya no lo dirigía Mesonero, se encuentran a veces cuentos en prosa que quieren ser poéticos y se pretenden «baladas» o algo por el estilo. No citaremos sino *Stellina*, «balada» de Benito Vicetto, (1845, X, 239) y *Edita, la del cuello de cisne*, de Víctor Balaguer (ibíd., 198), más pretenciosa, con afectaciones de lenguaje que rememoran aquel «medioevalismo» de que salieron la *Canción de Altabiscar* y cosas así. Si las citadas son sobremanera modestas, no cabe olvidarlas porque no faltan resabios de ese estilo en cosas mucho mejores, las *Leyendas*, de Bécquer, por ejemplo.

[397] *De la naturaleza y carácter de la novela* (1860), *Obras*, ed. Aguilar, II, 191. Recuérdese la nota 391, y adviértase que Valera contrae esta costumbre de hablar de cuentos en verso muy temprano: «El otro día... leí el cuento en verso que... traduje hace poco del inglés» [se refiere a *El paraíso y la peri*, de Moore]; carta de 16 enero 1847, *Correspondencia*, I, 19.

añoso tronco reverdece en cierta popular leyenda de Zorrilla. Pero la romántica no fue pronto sino una forma convencional dada a algunos relatos que se quería hacer pasar por «nacionales» y «tradicionales», aunque no lo fuesen, y en ocasiones se renunció a disfrazarlas y se las llamó «cuento» a secas. Zorrilla dio el ejemplo titulando así algunas piezas de los *Cantos del trovador* —cfr. con lo que venimos diciendo *La pasionaria*, en ese libro—, y a Zorrilla creo que se atiene Larrañaga, al que de nuevo encontramos ocupado en estos menesteres de versificar narraciones románticas. (*El sayón*, en 1836, [398] es claramente anterior, pero no los *Cuentos históricos, leyendas antiguas y tradiciones populares de España*, Madrid, Boix, 1841, ni las *Historias caballerescas españolas*, Madrid 1843.) En *El sayón* aún hay otros tonos, reminiscentes tal vez del romanticismo desgreñado de Escosura, pero en los cuentos históricos se oye bien claro aquel espíritu *trovadoresco* de Zorrilla, y si Larrañaga cede en todo a éste, es por falta de recursos; si el resultado es diferente, el propósito es el mismo:

> *Venid, venid en torno del trovador que canta*
> *ora que alumbra el fuego del chispeante hogar;*
> *veréis al dulce estruendo que su laúd levanta*
> *los siglos ya pasados su tumba abandonar...*
> *Veréis tornar los tiempos de magos y hechiceras,*
> *sus fábulas medrosas, su infiel superstición...*
> *Veréis cómo se ostentan de nuevo gigantescos*
> *los fuertes y castillos de la época feudal,*
> *las góticas capillas, los templos arabescos...*
> *Veréis las medias lunas enfrente de las cruces...*
> *Sabréis los altos hechos...*
> *de mil hijos de España...*
> *Las fiestas populares, curiosas ya por viejas,*
> *veréis, con sus estilos de rancia antigüedad,*
> *las doctas tradiciones, leyendas y consejas...*
> *Corred, bellas, sentaos en torno de su lira,*
> *mirad por ese prisma que aclara la ilusión...*

Aunque el programa estuviera tan torpemente expuesto, debió de parecer alucinante a toda aquella generación, y en el *Semanario pintoresco* y otras revistas de la época se encuentran numerosos cuentos versificados. [399] Es

---

[398] El *Semanario pintoresco* de ese año, I, 102, lo anunció con alto encomio y publicó dos muestras de su contenido, *El barco* y *El caballero*.

[399] Unos cuantos ejemplos, todo lamentablemente mediocre: J. F. Díaz, *Blanca*, *Semanario pintoresco*, 1836, I, 736; V. P., *El matón*, cuento, ibid., 1837, II, 408 («costumbrista» por excepción); G. Fernández Santiago, «cuento histórico que sirve

curioso observar en las páginas de esa sesuda publicación, acogedora de obrezuelas románticas, y, sin embargo, hostil en un principio, y por principio, al romanticismo, indicios de lo difícil que resultaba a aquellos hombres deslindar entre unos géneros y otros. Sus índices incluyen entre las novelas cierta traducción versificada de la *Parisina*, de Byron, lo que no puede sorprendernos después de conocer la suerte que corrieron esos poemas entre nosotros. Pero también algunas leyendas de Mora, reunidas por entonces en volumen [400] (*Don Policarpo, Escena de los tiempos feudales, Don Lope, La bordadora de Granada*), y la narración de José de Grijalba, *Don Jaime Ruiz de Arellano*, que el autor mismo subtitula *leyenda*, aparecen registradas al final del tomo como novelas en verso. [401] Nada testifica tan elocuentemente esa tendencia a desvirtuar un género que con tanta brillantez se anunciaba como la imitación en verso de obras que habían hallado en la prosa molde holgado y expresión adecuada. Así pudieron publicarse por aquellos tiempos libros como éste, cuyo título por sí solo prueba la tesis —y da idea de las luces del que lo hacía y del que lo editaba—: *Cuentos fantásticos originales, en verso, del género de los de Hoffmann, Ch. Nodier, A. Dumas, Chamisso,* etc. [402] El concepto del género no estaba nada claro y, sin duda, faltaba un instrumento idóneo de expresión. Como en los orígenes de una literatura, como en una época primitiva, el verso arrastraba a la prosa.

---

de prólogo a una leyenda inédita», ibid., 1842, VII, 254; E. López Pelegrín, *Los tres hermanos,* ibid., 1843, VIII, 398; J. de Grijalba, *Las promesas del ambicioso, El siglo pintoresco,* 1845, I, 262; A. Alcalá Galiano, *Los esponsales,* cuento, *Revista científica y literaria,* I, 1847, 39-48 (especie de romance histórico a la manera de Rivas, muy malo y prosaico por cierto). Algunos libros de este tiempo y aún muy posteriores: J. Sanz y Pérez, *Doña Luz y el fontanero,* cuento fantástico, Cádiz, *Revista médica,* 1847; *Poesías,* de Guillermo Malta. Segunda edición... I: *Cuentos en verso,* Madrid, La América, 1858. Desde que Rubí puso de moda el género andaluz, o en concomitancia con ello, existió un cierto costumbrismo en verso de más larga perduración que los relatos románticos; ha durado hasta nuestros días. Citaremos el libro de Ramón Franquelo, *Cuentos, mentiras y exageraciones andaluzas,* Madrid, Fonseca, 1848, que todavía se reeditó muy tarde en Madrid, San Martín, 1881.

[400] *Leyendas españolas,* Madrid, Sánchez, 1840; París, Salvá, 1840.

[401] *Semanario pintoresco,* 1841, VI. En la *Revista de Madrid,* 1842, tercera serie, VI, 355, hay otra obra de Grijalba, *Historia de un cuadro,* cuento en verso, de muy diferente carácter, especie de pequeño poema «avant la lettre».

[402] Madrid, Librería de la Cruz, 1841. El cuento primero era *Zulima,* por Torsac (?). Ignoro si llegaron a publicarse los otros.

Como curiosidad recordaré el disparatadísimo caso de que el *Pulpete y Balbeja,* de El Solitario, fuera puesto en verso todavía en 1888 (*Revista de España,* CXX, 279-288). Como la versión va dedicada a Cánovas, supongo que se intentó en homenaje a éste más que por honrar a Estébanez. El que semejante tontería se publicara tuvo tal vez la misma causa.

ESBOZO
DE UNA BIBLIOGRAFÍA ESPAÑOLA
DE TRADUCCIONES DE NOVELAS
(1800-1850)

ADVERTENCIA

Las listas bibliográficas que siguen responden al propósito de hacer comprensibles las reflexiones que anteceden; de ninguna manera pretenden hacerse pasar por una bibliografía de novelas traducidas ni de cosa ninguna. A la tentativa de hacer esa bibliografía se opone nuestra larga ausencia de España, la escasez de repertorios completos y exactos y el carácter mismo de los libros que aquí se registran, que, pasado su éxito, hubieron de ser objeto de un sañudo exterminio.

Por lo que a la literatura española se refiere, las precisiones bibliográficas más difíciles de obtener son las que atañen a algún problema de nuestra cultura moderna. Allegar noticias requiere una prodigiosa pérdida de tiempo, dado el desparramamiento de los materiales. Los que podrían ser más útiles, los catálogos de librería, suelen estar muy incompletos en sus datos, y, encetados de mala manera, bajo la acucia del negocio, llenos de erratas y de disparates de mil clases, deparan a quien al cabo de los años los consulta grandes quebraderos de cabeza. A partir de aquel memorable Boletín que comenzó a compilar don Dionisio Hidalgo, no han faltado publicaciones periódicas que tratasen de recoger, como en otros países, noticias de la producción librera española. En ellas se encuentra registrado lo más y mejor de ella, pero por no sé qué fatalidades emanadas de la condición de los tiempos, y por la especialísima de los hombres que compilaban esos repertorios, suelen ser tan poco de fiar, las omisiones son tantas, los dislates tan de bulto, que ante aquellos datos, a menos que sea dable contrastarlos con otros, el pobre erudito que los necesita, como el filósofo antiguo, «sólo sabe que no sabe nada». Si a partir de 1840 la situación mejora y los medios de información se multiplican, la exploración del período anterior es sobremanera ardua. Las dificultades se acrecientan cuando estudiamos los años en que se origina la crisis del espíritu de la España moderna. ¡Qué mal conocemos los finales del siglo XVIII, tan fascinadores! ¡Cuántas sugestiones po-

dría insinuarnos, cuántos lugares comunes invalidar, cuántas preocupaciones desvanecer una buena bibliografía de aquellos tiempos!

Con no muchas excepciones lo aquí catalogado se inscribe entre las fechas 1800-1850. Hemos excedido con alguna frecuencia la primera, ya que en la segunda mitad del siglo XVIII, y en ocasiones antes, llegaron a nosotros libros que suponían un gran cobro; apenas hemos rebasado el último tope que nos propusimos, aunque reconozcamos que el detenernos en 1850 es un poco arbitrario. Es, ciertamente, el momento de surgir y afirmarse la novela de Fernán Caballero; ya puede hablarse, aunque con gran modestia, de una novela española. Pero los gustos públicos siguieron por muchos años fieles a los dioses de antaño, y no hubo discontinuidad en el culto a Scott, a Hugo, a Dumas y a tantos otros, aunque no sean siempre los mismos fieles los que asisten a sus capillas. Quede para el día en que una documentación más copiosa nos permita hacerlo el precisar cómo obras otrora gloriosas llegan a hacer la delicia de lectores cada vez menos exigentes. El estudio que antecede y estas notas bibliográficas no pueden ser sino una primera aportación al planteamiento de este nuevo problema, el de la sociología de la novela contemporánea. Sería echarlo todo a perder que pretendiéramos ahora hacer más de lo que podemos. Si con tan parvo acopio de noticias salimos a plaza es porque quisiéramos estimular a otros al estudio de estas apasionantes cuestiones. Estudios como los que aquí se inician requieren la cooperación de todos.

En las listas que siguen hemos allegado datos de mil clases y procedencias, lo que explica desde luego su desigualdad. Hay mucha noticia de segunda mano, mejorada tal vez, pues siempre procuramos completar lo que nos hizo saber confusamente tal o cual libro con especies espigadas en otros campos. La base principal de nuestro Esbozo es el Diccionario de Hidalgo (al que nos referimos siempre que en las listas sólo se invoca el nombre del compilador, que lo fue además de otras obras; cuando nos referimos a éstas damos la indicación precisa). La aportación de la librería extranjera a la difusión de novelas por España y los países de habla española está en estas notas mucho mejor expuesta de lo que podía estar en Hidalgo, ya que la Bibliothèque Nationale de París, el British Museum y otros centros, sobre todo el primero, conservan muchos de los libros que aquí se citan. El temor de exceder los límites que una elemental prudencia nos impuso nos ha obligado a reducir a lo esencial cada reseña; las portadas no se copian in extenso; nos reducimos a indicar el título, abreviado siempre que es posible, el nombre o las iniciales del traductor —rectificadas cuando pude hacerlo; Hidalgo las cita mal con frecuencia—, los impresores o editores, o ambos, la fecha, el formato [1] y la extensión de la obra, cuando nos es conocida. En consecuencia de esta misma simplificación mencionamos los ejemplares que nos ha sido dado localizar, y referimos a las fuentes de que hemos bebido siempre que no estamos seguros de la existencia de una edición, o de que no ha sido confundida con otra.

Con respecto a la obra de los autores de mayor influjo, Scott, Chateaubriand, Saint-Pierre, Hugo, etc., hay monografías valiosas que nos eximen de mayores precisiones. Aun en estos casos, el lector atento notará que nuestras listas no dejan de aportar algo nuevo, y que en ocasiones oponen implícitamente a las otras un reparo que a cualquiera se le alcanza: me parece de toda evidencia que no pocas veces se han multiplicado las tiradas, atribuidas unas al editor o librero que sacaba a luz el libro, otras al impresor de cuyas prensas salía. El manejo de la Bibliographie de la France *nos ha puesto mil veces sobre aviso respecto al riesgo de seguir a ciegas los datos de Quérard y otros. Los fondos de la* Bibliothèque Nationale *resuelven algunos de estos problemas, pero no todos, pues algunas de las ediciones salidas de la provincia francesa a comienzos del siglo no están allí. En la duda lo he citado todo, pero no sin hacer constar mis incertidumbres cuando ha parecido conveniente hacerlo.*

Hubiera podido abreviar espacio disponiendo los datos de otro modo; he preferido, sin embargo, la agrupación sinóptica de las ediciones, y el orden cronológico, pues ello permite, con una rápida ojeada, apreciar el área de difusión de cada libro y la amplitud de su éxito.

Cuando una novela salió anónima en todas sus ediciones, o hay de ella una sola edición anónima, el nombre de su autor va entre corchetes. Dios sabe las horas que me ha costado dar con los nombres de esos autores, en su mayoría desconocidos y casi siempre muy dignos del olvido. De algunos de los que no fueron condenados —o no se condenaron a sí mismos— al anonimato, no he hallado rastro en ningún repertorio; otros fueron olvidados ya en vida. El lector notará —por ello hemos aducido las fechas de nacimiento y muerte de los novelistas— que no es siempre fácil determinar la órbita de sus vidas. Lo meteórico de su aparición era un fenómeno que no podía omitirse, pues caracteriza rigurosamente la temporalidad de las obras. No se atribuya a pedantería nuestra lo que responde al deseo de ofrecer un dato altamente significativo.

---

[1]   Esto de los formatos es de difícil determinación. Cada bibliógrafo o catalogador los ha estimado como se le antojaba. Nos hemos limitado a unificar los datos.

Los anónimos que han resistido toda tentativa de identificación van en lista aparte; espero que gentes más informadas que yo, y nuevas indagaciones, permitan reducirla. No sería imposible que algunos de esos libros sean anónimos por descuido de Hidalgo, o de otros, y que el nombre de los autores conste en la portada, en la introducción u otra parte del libro.

En algunos casos hemos añadido al título de la traducción española, entre paréntesis, la fecha de la primera edición del original. Quizá hubiera sido mejor hacerlo siempre, pero nuestro deseo de abreviar y el considerar que en mil ocasiones cualquier libro de referencia podía auxiliar al lector que necesitase el dato, nos han inhibido. Hubiera parecido pedante dar aquí la fecha de Candide, *de* Werther, *de* Gulliver *o de* Ivanhoe. *Con frecuencia es muy de notar, en cambio, cómo la novela que se difunde en París en los folletones de un periódico aparece en Madrid antes de que ultramontes fuese recogida en volumen. Para no repetir cosas ya dichas, volvemos a remitir al curioso a nuestro estudio y a las notas bibliográficas mismas.*

Las dos partes de este libro son interdependientes, tan trabadas entre sí que el manejo de una requiere el de la otra. Por ello no repetimos la bibliografía ya utilizada, a que seguimos refiriendo, abreviados los títulos. Sólo añadiremos ya las abreviaturas referentes a los depósitos bibliográficos a que hemos tenido acceso o cuyos fondos nos son conocidos por catálogos fidedignos.

ABREVIATURAS

BM (British Museum, Londres).

B. N. M. (Biblioteca Nacional, Madrid).

B. N. P. (Bibliothèque Nationale, Paris).

Boston PL (Boston Public Library).

BUCalifornia (Biblioteca de la Universidad de California, Berkeley).

BUC, Fontana Library (la misma, colección del seminario de italiano).

BUHarvard (Biblioteca de la Universidad de Harvard).

BUPoitiers (Biblioteca de la Universidad de Poitiers).

Columbia University (Biblioteca de la Universidad de Columbia, Nueva York).

HS (Hispanic Society, Nueva York).

IEH (Institut des Etudes Hispaniques, Paris).

Lib of Congress (Biblioteca del Congreso, Washington).

Monterrey (Museo de Monterrey, California).

NYPL (Public Library, New York).

Ranch (Biblioteca particular de don Eduardo Ranch, Villavieja de Nules, Castellón).

ABRANTES, Laure Saint-Martin Permon-Junot, Duquesa de (1784-1838).

1836. *Clara de Almeida,* historia de nuestros tiempos, sacada de las *Escenas de la vida española...,* por don Francisco Javier Maeztu, París, Rosa, 2 vols. 12º. [B. N. P., Y² 74958-74959.]
El torero, trad. por don Fernando Bielsa, París, Rosa, 12º. [B. N. P., Y² 12780.]
La española, trad. de Ochoa, (*Horas de invierno,* II).

1838. *El almirante de Castilla,* Madrid, Arias, (I tomo) y Albert, (II y III, pero la impresión es igual en toda la obra). 3 vols. 16º, 310, 243 y 207 págs. [Ranch.] Un anuncio de esta edición, sin nombre de autor, en *Semanario pintoresco,* 1838, III, 694.

1843. *El Almirante de Castilla,* Madrid, Mellado, 3 vols. 16º mayor, 256, 196 y 208 págs. (*Biblioteca de recreo.*)

1850. *Un amor sin esperanza.* Novela histórica... Madrid, Gil, 2 vols. 8º, 196 y 266 págs. (*Biblioteca popular europea.*)

ACHARD, Amédée (1814-1875).

1845. *El brazalete de coral,* trad. por don Víctor Balaguer, Madrid, Ayguals de Izco, 16º mayor. (*Museo de las hermosas,* IV.) [1]

1848. Reproducción del texto anterior en *El novelista universal,* XIII, Madrid, Ayguals de Izco, 16º mayor.

AGOULT, Condesa de.

V. FLAVIGNY.

AINSWORTH, William Harrison (1805-1882).

1844. *La torre de Londres,* trad. del inglés por Viale y Baeza, Barcelona, Oliveres, 2 vols. 8º mayor. (*Tesoro de Autores Ilustres,* XII-XIII.)

---

[1] El original procedería de seguro de alguna revista. *Le bracelet de corail,* si mis datos no yerran, no fue coleccionado hasta algunos años más tarde en el volumen *Les femmes honnêtes,* 1858.

1847. *La Corte de la Reina Ana.* Novela histórica..., trad. del inglés por don Ignacio de Tro y Hortolano, Madrid, Sociedad literaria, 5 vols. 16º mayor.

ALMEIDA, P. Teodoro de (1722-1803).

1785. *El hombre feliz, independiente del mundo y la fortuna...,* trad. por el Dr. don Joseph Francisco Monserrate y Urbina, Madrid, B. Román, 3 vols. 8º. [B. N. P., R-19624-19625, 26389.]

1787. *El hombre feliz...,* trad., corregida y exornada con un compendio histórico, un mapa geográfico y otras notas y estampas por don Benito Estaun de Riol, Madrid, 3 vols. 8º.

1790. Reimpresión de la anterior, Madrid, 3 vols. 8º.

1796. Reimpresión, Madrid, 3 vols. [2]

1800. Reimpresión, Madrid, Imprenta Real, 3 vols. 8º. (Esta y la anterior son, respectivamente, la octava y la novena edición.)

1806. *El hombre feliz...,* nueva traducción, mejorada en el estilo y en los versos, por el P. don Francisco Vázquez, Madrid, 4 vols. 12º.

1829. *El hombre feliz...,* trad. de Riol, Madrid, Moreno, 8º, 683 págs. [HS.]

1832. *El hombre feliz...,* trad. de Vázquez..., con las notas del autor, 2.ª edición, París, «se expende en Méjico, en la librería de Galván», 4 vols. 12º. [B. N. P., R-26390-26393.]

1834. *El hombre feliz...,* Zaragoza, Heras, 3 vols. 16º.

1842. *El hombre feliz...,* duodécima impresión, Madrid, imp. calle del Humilladero, 3 vols. 12º. [BU. Poitiers, 71519.]

1849. *El hombre feliz...,* París, Rosa, 2 vols. 18º. [B. N. P., Y² 13545, sólo el segundo tomo.]

Para las otras muchas obras del P. Almeida que salieron en español remitimos al *Diccionario* de Hidalgo. De *El hombre feliz* hay otras infinitas, impresas ya en la segunda mitad del siglo XIX.

ANA MARÍA

V. BEAUREPAIRE.

ARLINCOURT, Víctor, Vizconde de (1789-1856).

1823. *El solitario* (1821), París, Rosa (imp. de Smith). Hay ejemplares con el pie de imprenta de Madrid, Sancha. 2 vols. 18º. [B. N. P., Y² 14386-14387.]

El renegado (1822), París, Rosa (imp. de Smith), con pie de imprenta de Sancha a veces como el anterior, 2 vols. 18º. [B. N. P., Y² 14357-14358.]

1825. *El renegado,* trad. libre de don F. Grimaud de Velaunde..., Madrid, Repullés, 3 vols. 8º. (Sin nombre de autor.)

---

2 El ejemplar de HS. está formado con tomos de la octava y la novena impresión.

1830.   *El solitario del monte salvaje*, Valencia, Cabrerizo, 2 vols. 16°, x-276 y
296 págs. Hidalgo advierte: «Se han hecho de esta edición varias reimpresiones
sin poner el año.» (Reseña en *Cartas españolas*, IV, 1832, 315.) [3]
  El renegado, Barcelona (Palau).
  La estrangera o La muger misteriosa (1825), Valencia, Cabrerizo, 2 vols.
16°. (Reseña en *Cartas españolas*, loc. cit.).

1832.   *El amor y la muerte o La hechicera* (1827), novela histórica, trad. por A. G.,
Valencia, Cabrerizo, 16°. (Reseña en *Cartas españolas*, loc. cit.)

1833.   *El renegado o el triunfo de la fe...*, trad. por don Luis Lamarca, Valencia,
Cabrerizo, 3 vols. 16° x-330, 316 y 320 págs.
  La hechicera, Valencia, 16°. (Catálogo de Salvá.)
  Ipsiboe..., trad. por don Eleuterio Martín Regnat, Barcelona, Viuda e hijos
de Gorchs, 2 vols.

1834.   *Los rebeldes en tiempo de Carlos V* (1832), Barcelona, Piferrer (?), 3 vols.
8°. [4]

1836.   *El solitario*, París, Pillet, 2 vols. 18°. [B. N. P., Y² 14388-14389.]
  El solitario, trad. por el Dr. F. P. [¿Patxot?], Barcelona, Piferrer, 2 vols.
12°, 192 y 198 págs. [5]
  La extrangera o la mujer misteriosa, Barcelona, Gaspar y Cía., 16°, 2 vols.
306 y 301 págs. [Ranch.]
  La estrangera o La muger misteriosa..., trad, por el Dr. F. P., Barcelona,
Piferrer, 2 vols. 12°, 214 y 202 págs.
  La estrangera..., nueva traducción, Barcelona, Oliva, 2 vols. 16°, págs. 281
y 272. (*Nueva colección de novelas escogidas.*) [Ranch.]
  El renegado, Barcelona, Oliva, 3 vols. 16°. (*Nueva colección...*)
  Las revueltas intestinas o sea doble reinado (=*Le double règne*, 1836), trad.
por D. F. P., Barcelona, Torner. [6]
  Los desolladores, o sea La usurpación y la peste. Fragmentos históricos es-
critos... por el célebre... Puestos en castellano por D. F. P., Barcelona, J. Torner, 2 vols. 12°, 210 y 196 págs. [Ranch.]
  La verdulera (=*L'herbagère*, 1837, traducida también con el título *La hortelana*), Barcelona, Oliva, 2 vols. 16°. (*Nueva colección...*)

1837.   *La hortelana...*, trad. libremente..., Barcelona, Indar, 2 vols. 18°.
  El amor y la muerte o La hechicera, París, Pillet, 16°. [B. N. P., Ye
14348.]

---

3   Creo que el hijo de Hartzenbusch alude a esta edición cuando dice: «El año
mil ochocientos veintitantos tradujo... esta novela... D. Juan González Acevedo, trasla-
dando Hartzenbusch... los versos...» (*Bibliografia de Hartzenbusch*. pág. 383.)
  4   En 1832 se denegó a Piferrer permiso para publicarla, mandándose «recoger los
ejemplares en cualquier idioma». (G. Palencia, *La censura*, II, 360, número 609.) En
1834 todavía se vedó publicarla por suscripción (ibid., 352, número 595).
  5   En 1835 se publicó en Barcelona, por M. Texero, un libro, *El bandido o la religión*, «imitación de Arlincourt puesta en castellano por F. P.». Elías de Molíns, II,
307, anota que las iniciales son las de Patxot. Lo mismo podría decirse de otras ediciones barcelonesas del tiempo, esta vez de obras ciertas del vizconde, firmadas de
igual manera por el traductor.
  6   Elías de Molíns, I, 39, cita una traducción de este libro y la cita mal, *Le double
roi*, (sic) hecha por Altés, Barcelona, Ribera, 1836. No la he encontrado en ningún otro
repertorio.

El solitario, trad. de la nona edición francesa, París, Pillet, 2 vols. 18°. (*Bibl. de la France*, 1837, pág. 397. Ha de ser la de 1836.)

La estrangera..., París, Pillet, 2 vols. 16°. [B. N. P., Y² 14316-14317.]

El renegado, París, Pillet, 3 vols. 18°. [B. N. P., Y² 14359-14361.]

El renegado, París, Pillet, 2 vols. 18°. [B. N. P., 14362-14363.] (¿Edición diferente, o la anterior incompleta?) [7]

1838. *Los rebeldes...*, 2.ª edición, Barcelona, Sauri, 3 vols. 8°, viii-264, iv-224 y 224 págs.

La noche de sangre (?), Barcelona, Oliva, 8° mayor.

1840. *El solitario*, 2.ª edición, Barcelona, Oliva, 2 vols. 16°. (*Nueva colección...*)

Los tres castillos (1840), historia contemporánea, trad. por don José Oriol Ronquillo, Barcelona, Sauri, 2 vols. 16°.

1841. *Ida y Natalia* (=*Ida*, 1841), Barcelona, Oliva, 2 vols. 16°. (*Nueva colección...*)

Ida..., trad. por doña Vicenta Maturana, Barcelona, Sauri.

La noche sangrienta, novela..., trad... por O. A., Barcelona, J. Mayol y Cía. [HS].

1842. *El solitario...*, trad... por A. de Covert Spring, Barcelona, Tauló, 2 vols. 16°.

El renegado o el triunfo..., Valencia, Cabrerizo, 3 vols. 16°.

El amor y la muerte, trad. A. G. Valencia, Cabrerizo, 16°, xii-276 págs.

La verdulera..., Barcelona, Oliva, 2 vols. 16°. (*Nueva colección...*)

El peregrino (1842), trad. por don Jaime Tió, Barcelona, Oliveres, 8° mayor, 416 págs. (*Tesoro de Autores Ilustres*, I.)

El peregrino..., Madrid, Mellado, 6 vols. 16°. (Citada por Hidalgo, *Bol.* III, núm. 469; *Diccionario*, II, 501 a; la fecha debe de estar equivocada.)

1843. *El peregrino*, trad. por don Jaime Tió, Barcelona, Oliveres, 8°, 344 págs.

La estrangera..., 2.ª edición, Barcelona, Oliva, 2 vols. 16°. (*Nueva colección...*)

La estrella polar (1843), trad... por don José March y Llopis, Barcelona, Sauri, 2 vols. 16°.

La estrella polar. Segundo viaje del Peregrino, trad. por D. J. V. M. de G., Barcelona, Oliveres, 8° mayor. (*Tesoro de Autores Ilustres*, VII.)

1844. *La extranjera...*, trad. por D. M. D. y N., Barcelona, Ribot, 2 vols. 16°.

La hortelana, Barcelona.

Los tres reinos (1844). Tercer viaje del Peregrino, trad. por D. J. V. M. de G., Barcelona, Oliveres, 8°. (*Tesoro de Autores Ilustres*, XVI.)

1845. *Los eslabones de una cadena* (1844), trad. por D. F. de P. V. y P., Barcelona, Oliveres, 8°, ii-222 págs. (*Tesoro de Autores Ilustres*, XLI.)

Los sicarios. Guerra civil, anarquía y usurpación, o sea fragmentos históricos del siglo xv. Trad. libremente... por don Pablo Polo de Bernabé, Teruel, Juan García, 3 vols. 16°, 138, 130 y 132 págs. [Ranch.]

1847. *La mancha de sangre* (1847), Madrid, 8°.

La estrangera..., Valencia, Cabrerizo, 2 vols. 16°, 360 y 334 págs.

---

[7] El catálogo de B. N. P. no advierte nada que diferencie estas ediciones.

1849. *El renegado...*, Barcelona, Oliva, 3 vols. 16°. (*Nueva colección...*)
   La extranjera, Barcelona, (Palau).
   La cartera del ciego, trad. por D. Mariano Suay, s. l. n. i. (Valencia, Monfort?), 16°, 110 págs. [Ranch.]
1850. *Los desposados de la muerte* (1850), trad. por don Víctor Balaguer y don Narciso Bassols, Barcelona, Viuda e hijos de Mayol, 8°.
   Los desposados de la muerte, Madrid, Fortanet, 8° mayor. (Una impresión de Méjico, *La Civilización*, 1851, en BM., 12511.aaaa.35, es, posiblemente, copia de ésta.)
1851. *Los rebeldes...*, Madrid. (Palau.)
   El castillo de Chaumont (1851), crónica de la Edad Media, trad... por la redacción de *La Esperanza*, Madrid, imp. de *La Esperanza*, 8° mayor, 160 págs.
1853. *Carlos el Temerario o el solitario del monte salvaje...*, trad. por J. Alegret de Mesa, Madrid, Vicente, 4°, 248 págs. (Hidalgo le da la fecha 1854. ¿Hubo otra reimpresión de ese año?)

ARNAUD,

V. BACULARD D'ARNAUD.

ARNAUD, Henriette (Mme. Charles de Reybaud) (1802-1871).

1836. *Aventuras de un renegado español*, relación verdadera..., trad. por don Francisco Xavier Maeztu, París, Rosa, 4 vols. 16°. [B. N. P., Y² 14539-14542.]
   Pedro, cuento..., trad. por don Francisco Xavier Maeztu, París, Rosa, 4 vols. 16°. [B. N. P., Y² 14549, 75018-75021.]
1842? *El baile del vice legado*, Cádiz. (*Museo de novelas históricas*, I.) [8]
1843. *Jorge*, Granada, Benavides y Pérez, 8°, 188 págs. [Trad. por don Luis de Montes y don Lino Talavera.] [9]
1846. *Dos cuñadas...*, trad. por V. R. del G., Málaga, Cabrera, 4 vols. 16° mayor. (*Biblioteca del Mediodía*, tomos V-VIII.)
1848. *Mezelia*, Cádiz, 2 vols.
1849. *Pedro...*, Madrid, García, 2 vols. 8°, 172 y 208 págs. (*La Época, Biblioteca para todos*, tomos XIII y XIV.)
1850. *Dos cuñadas...*, trad. por D. A. T. C., Sevilla, Gómez, 2 vols. 8°, 208 y 184 págs.
1858. *La posada de Gaubert* (1858), trad. por la redacción de *La Esperanza*, Madrid, 8°.

---

[8] Supongo la fecha por los confusos datos de Hidalgo. No sé si ese *Museo* fue una colección fracasada o una de las muchas compilaciones de relatos heterogéneos aparecidas por entonces. *Le bal du vice-légat* fue recogido en el volumen *Gabrielle et Lucie* en ese año de 1842.
[9] Formaba el primer tomo de una colección efímera que con el título de *Novelas francesas*, traducidas por los escritores citados, comenzó a salir en Granada aquel año.

ARNAULT, Antoine-Vincent (1766-1834).

1831.   *Recreaciones del hombre sensible o colección de sucesos verdaderos y casos sublimes de virtud conforme a las máximas de sana moral.* Obra escrita por el célebre..., corregida y adicionada por D. Julián Anento, Madrid, L. Núñez, 4 vols. (Citado por María Soledad Carrasco, *El moro de Granada en la literatura*, Madrid, Revista de Occidente, 1956, pág. 311.)

ARNOULD, Auguste (1803-1854).

1843.   *La carta anónima*, Madrid, Mellado, 16º mayor. (*Biblioteca de recreo.*) [10] V. FOURNIER, N.

AUDOUIN DE GERONVAL, Maurice Ernest (1802-1839).

1830.   *Celina*, novela helveciana, con la del *Impío y Amelia...*, vertidas... por don Mariano de Rementería y Fica, Madrid, Moreno, 8º. [Monterrey.]

AUGER, Hippolyte Nicolas Juste, llamado Auger Saint-Hippolyte (1797-1881).

1857.   *El príncipe de Maquiavelo o La Romaña en 1502* (1834), trad. libremente por don José Muñoz y Gaviria... Tercera edición, Madrid, Nieto, 16º mayor, 410 págs. [11]

AULNOY, Condesa de (1650-1705).

1838.   *Historia de Hipólito, Conde de Douglas* (1690), Madrid, Boix, 2 vols. 8º, iv-112 págs. y ii-148 págs. [12]

1844.   *Bella Bella o el caballero afortunado* (1698). Cuento..., trad... por don José Llorente, Logroño, viuda de Brieva, cuaderno en 8º.

1852.   *Cuentos de Madama d'Aulnoy*, Madrid, imp. de la Biblioteca Universal, fol., 34 págs. (*Biblioteca Universal.*) [13]

AZAÏS, Pierre Hyacinthe (1766-1845).

1823.   Hay cuentos suyos en *Anales de la juventud*, impresos ese año, y en la portada se dice de los autores que figuran en ese libro que tienen «varias obras traducidas al español». V. BOUILLY.

---

[10]   El volumen, de 228 págs., contiene, desde la 139, la novelita *Gudula*, de Henri Berthoud.
    La edición que de los *Crímenes célebres*, de Dumas, hizo en 1858 el editor Tasso, de Barcelona, recogió también alguna obra de Arnould.
[11]   Las dos primeras ediciones, cuyo año ignoro, debieron de publicarse en el período que aquí estudiamos.
[12]   Había una edición francesa reciente del texto original, Avignon, Offray, 1827, 2 vols. 18º. No sé si tendrá algo que ver con este libro otro *Hipólito* que en una *Colección de novelas escogidas compuestas por los mejores ingenios españoles* (sic), cita un catálogo de Mompié de 1816.
[13]   Supongo que habría ediciones españolas de estos famosos cuentos impresas anteriormente, pero no las veo citadas en ningún repertorio.

AZEGLIO, Massimo de (1796-1866).

1836. *El desafío de Barletta,* romance italiano..., trad. por don Juan Cortada, Barcelona, Herederos de Roca, 2 vols. 16°, 192 y 227 págs.
1841. *Hector Fieramosca o El desafío de Barletta,* Madrid, Comp. Tipográfica, 4 vols. 32°. (*Biblioteca de tocador,* tomos I-IV.) [14]
1844. *Los últimos días de un pueblo o Los nobles y los plebeyos.* Episodio de la historia de las repúblicas italianas..., trad... por don Pedro Barinaga, Madrid, Loma Corradi y Martínez Navarro, 8° mayor. («No se publicó más que la primera entrega, de 10 de que debía constar la obra», Hidalgo.) El título original es *Nicolò de Lapi,* 1841. [15]

BACULARD D'ARNAUD, François Thomas (1718-1805).

1791. *Los amantes desgraciados o El Conde de Cominge,* trad. de Manuel Bellosartes, Madrid. (El autor escribió un drama y una novela sobre el asunto, y ambos se tradujeron. Lo cito todo, pues las bibliografías no dicen qué es qué.)
1792. *Los amantes...,* Barcelona, Piferrer, 8° mayor.
1795. *Las dos novelas* (?), Barcelona, 8°. (Palau).
1795-1799. *Esperimentos de sensibilidad.* Historias y novelas..., puestas en castellano por D. Juan Corradi, Madrid, 8 vols. 8°.
1797. *Rosalía o la joven seducida.* Trad. por L. P., Madrid, 8°. (Prohibida, según Palau, por edicto de 1804.)
1804-1805. *Lorimon o el hombre según es...,* libremente trasladada..., por D. J. M. de C., Madrid, 4 vols. 8°. (Las iniciales del traductor parecen ser las de Carnerero.)
1820. *Los amantes...,* Barcelona, Torner, 4° mayor.
1827. *Denevil o el hombre según debe ser,* Madrid, 2 vols. 8°. (Así, sin nombre de autor, en el catálogo de Salvá. El original, *Denneville, ou l'homme tel qu'il devrait être,* salió en 1802, y la publicación tan anterior de la novela precedentemente citada, *Lorimon,* me hace pensar que quizá ésta sea reimpresión de otra más antigua.) [16]

BALZAC, Honoré de (1799-1850).

1836. *La Marana,* trad. por D. M. de V., París, Rosa, 18°, 189 págs. [B. N. P., Y² 15713.]
        Jesucristo en Flandes. (Horas de invierno, I.)
        El Alejado, ibíd., II. [17]

---

[14] Esta versión se publicó parcialmente en *El Panorama,* 1841, 3.ª época, IV, 17 mayo-25 mayo, págs. 169, 178-179, 186-188, 193-195.
[15] Parece evidente que la traducción española debe de proceder de esta otra: *Les derniers jours d'un peuple ou Nicolò de Lapi.* Episode de l'histoire des républiques italiennes, París, Lavigne, 1844.
[16] El que el nombre de este autor aparezca unas veces como *Baculard,* otras bajo *d'Arnaud* hace difícil reunir su bibliografía, complicada en Palau e inextricable —casi inexistente— en Hidalgo.
[17] Estas dos últimas trads. son de Ochoa, el cual en 1835 publicó en *El Artista* (I, 79-80) un cuentecillo sin nombre de autor, *Yadeste!* que más tarde, en *Lecturas amenas sacadas de varios autores extranjeros,* Madrid, 1864, atribuyó a Balzac. No sé qué pueda ser.

1837. *Fisiología del matrimonio o Meditaciones de filosofía ecléctica sobre la felicidad y la desgracia conyugal*, Burdeos, Teycheney, 2 vols. 12º. [B. N. P., R 27507-27508.]

1838. *El padre Goriot*, historia parisiense, trad. por D. R. S. de G., Madrid, Boix, 2 vols. 8º, 198 y iv-216 págs.

1839. *La vendetta*, Granada, Sanz, 16º.

El alquimista flamenco (=*La recherche de l'absolu*, 1834), trad. por F[rancisco] de S[ales] M[ayo], Madrid, Omaña, 2 vols. 8º, 208 y 160 págs. (Hidalgo identifica al traductor, pero no dice que el libro pertenece a la colección de novelas de *La Mariposa*.)

1840. *La última hechicera*, Madrid, Boix, 2 vols. 16º.

Eugenia Grandet, trad. por J[aime] T[ió] y L. C., Barcelona, Oliveres. (Tomo IV de *Obras escogidas*.)

El cura de lugar, Madrid, Sánchez, 16º. [18]

Petrita (=*Pierrette*, 1840), Madrid, Mellado, 2 vols. 8º.

1841. *Fisiología del matrimonio*, Barcelona, Oliveres, 2 vols. 8º.

El excomulgado, novela del siglo XV, Málaga, imp. de *El Comercio*, 3 vols. 8º (bajo el seudónimo de H. de Saint-Aubin).

1842. *La condesa con dos maridos* (=*La comtesse à deux maris*, 1835, = *Le Colonel Chabert*), Sevilla, Alvarez, 8º.

Los dos polacos (=*La fausse maîtresse?* 1841), en *Museo de novelas históricas*, Cádiz. (Inseguro el año.)

Alberto Savarus, trad. para el folletín de *El Heraldo*, Madrid, imp. de *El Heraldo*, 8º, 104 págs. (sin nombre de autor).

1843. *Historia de los Trece. Ferragus, jefe de los devorantes*, Madrid, Mellado, 16º. (*Biblioteca de recreo*.)

Historia del Emperador Napoleón, referida en una granja por un veterano de sus ejércitos, trad. libremente de la tercera edición por D. A. de C. y M., Madrid, imp. Carrera de San Jerónimo, 12º.

Memorias de dos jóvenes casadas, Cádiz, El Comercio, 8º.

1844. *La piel de zapa*, trad. por L. C., Barcelona, Oliveres, 2 vols. 8º mayor (tomos II y III de *Obras escogidas*). [19]

Cuentos filosóficos [*Los proscritos, El elixir de larga vida, Una obra maestra, La venta, roja, Maese Cornelio*], trad. por J. Y. L., Barcelona, Oliveres, 8º. (Tomo I de *Obras escogidas*.)

Escenas de la vida de provincia [*El mensaje, La mujer abandonada, La granadera, Los célibes* (=*Les célibataires* = *Le curé de Tours*, 1832)], trad. por J[aime] T[ió] y F. V., Barcelona, Oliveres 8º. (Tomo V de *Obras escogidas*.)

Escenas de la vida de París. Historia de los Trece, Cádiz, El Comercio, 8º, ii-220 págs.

Eugenia Grandet (reimpresión), Barcelona, Oliveres, 8º.

1845. *La piel de zapa* (sin nombre de autor en la portada), trad. por M[ariano] U[rrabieta]. Madrid, Gaspar, 2 vols. 16º. [Ranch.]

---

[18] Hay contradicciones respecto al lugar de la impresión, que otros suponen en Cádiz.

[19] Palau le da la fecha de 1845.

El padre Goriot, trad. M[ariano] U[rrabieta], Madrid, Gaspar, 2 vols. 16º.

El lirio en el valle, trad. por M[ariano] U[rrabieta], Madrid, Gaspar, 2 vols. 16º. (III de las *Obras* de Balzac que comenzó a publicar Gaspar, serie que no continuó, según Hidalgo.)

Juana la Pálida, Sevilla, Herrera Dávila, 3 vols. 16º con 836 págs.

Rouget o La depravación (*¿Un ménage de garçon?*, 1842), trad. libremente... por D. F. A. F. (¿Fernell?), Sevilla, Alvarez, 2 vols. 8º.

1849.   *Plagas del parentesco*, trad. libremente... *Primera plaga: Las primas* (*¿La cousine Bette?*, 1846), Madrid, imp. de *La Reforma*, 8º.

Pequeñas miserias del matrimonio, trad. por D. S. C., Málaga, Martínez de Aguilar, 2 vols. 32º. (*Biblioteca de recreo*).

1852.   *El lirio en el valle*, trad. por don Isidoro F. Monje, Madrid, 4º. (*Biblioteca selecta*).

1854.   *La piel de zapa...*, vertida nuevamente... por don Vicente Barrantes (se publicó en el folletín de *Las Novedades* y aparte, 4º, ii-390 páginas).

1856.   *El excomulgado o la víctima de unos frailes...*, trad. por B. M. Araque, Madrid, Manini, 4º, 400 págs. (esta vez con nombre de Balzac).

1858.   *Un grande hombre de provincia en París*, trad. por don Ventura Ruiz Aguilera, Madrid, imp. de *La Iberia* (en cuyo folletín debió de publicarse), 8º, 388 págs. (Biblioteca de *La Iberia*).

Eva y David (= *Eve et David* = *David Séchard*, 1843), trad. por don Juan Ruiz del Cerro, Madrid, imp. de *La Iberia*, 8º, 236 págs. (en el mismo caso que la anterior).

s. a. *Fisiología del matrimonio o meditaciones de filosofía ecléctica sobre la felicidad y la desgracia conyugales...* Madrid, 8º, 480 págs.

Apócrifo:

1843.   *Rosita. Ecos de Castilla, o sean Recuerdos de España en 1838*, originales de M. Balzac, trad. por Emilio Polanco, Cádiz, Núñez, 8º. [20]

BARTHELEMY, J. J. (1716-1795).

1797.   *Caritá y Polidoro* (1758). Novela de los tiempos heroicos, Madrid, 8º.

1811.   *Viaje de Anacarsis...*, trad. por I. P. Sandino de Castro, Mallorca, 9 vols. 8º. [HS., ejemplar incompleto].

1813-1814.   *Viaje del joven Anacarsis a la Grecia a mediados del siglo IV*, Madrid, Sojo, 7 vols. 8º.

1833.   *Del viaje de Anacarsis a la Grecia...*, extractado por Ant. C..., Barcelona, 2 vols. 8º.

---

20   No sé si esto tendrá algo que ver con esta otra novela: *Rosita la maja. Recuerdos de España*, trads. del francés por el excapitán refugiado J. B. Jino, publicada sin nombre de autor en Argel, Besanceney, 1846, 8o, iv-110 págs.

Ignoro si *El verdugo* que figura en la Biblioteca popular de *El Nacional*, es la novelita de Balzac; no lleva tampoco nombre de autor.

Hay una traducción de la *Fisiología del matrimonio*, por F. H. Iglesias, Madrid, s. a., que no sé si corresponde a este período o si es posterior; el libro se publicó repetidamente más tarde (1865, 1879, etc.).

El médico de aldea, «novela francesa» que se publica en Valencia, Rius, 1850, 16o, 74 págs., no parece que pueda ser el de Balzac, en razón de su volumen, a menos que se trate de alguno de aquellos brutales «arreglos» tan del gusto de la época.

1835. *Viaje del joven Anacarsis...*, París, Rosa, 7 vols. 12º. [B. N. P., J 11612-11618].

1837. *Viaje del joven Anacarsis...*, compend. para uso de los jóvenes, París, Pillet, 4 vols. 4º. [B. N. P., J 11624-11627].

1838. *Caridad y Polidoro*, Valencia, Paluzié.

1845. *Viaje del joven Anacarsis...*, París, Lecointe (imp. Fournier).

1847. *Viaje de Anacarsis a la Grecia...*, Madrid, imp. de *La Ilustración*, 11 vols. 8º.

[BASSOMPIERRE, Charles Augustin, llamado Sewrin, (1771-1853)].

1840. *Los Recoletos de Munich*, historia alemana (1803), París, Pillet, 18º. [B. N. P., Y² 61665].

1841. Otra edición de este año (?).

1843. *Historia de un perro escrita por él mismo y publicada por un hombre amigo suyo* (1802). Obra crítica, moral y filosófica que tomó del francés D. J. M. de N., Madrid, Sánchez.

1845. *Historia de un perro...* Madrid, M. de Burgos, 12º. ²¹

BEAUREPAIRE, Anne Albe Cornélie, Condesa de Hautefeuille (seudónimo Ana María) (1788-1862).

1840. *El alma desterrada...*, trad. por D. E. de Ochoa, París, Rosa (imp. de Schneider), 32º, 60 págs.
   Angélica, novela... trad. por J. P. Comoto, Madrid, 2 vols. 12º, 192 y 168 págs.

1841. *El alma desterrada...*, trad. por D. E. de Ochoa, Madrid, Suárez, 16º. (Reseña en *El Iris*, 1841, I, pág. 193).

1857. *El alma desterrada...*, Madrid, imp. de *La Ilustración*, 4º, ii-22 páginas. (Salió en el folletín de *Las Novedades*). ²²

BEAUVOIR, Roger de (1809-1866).

1838. *El artista, o sea El pintor de la Virgen...*, Barcelona, J. Torner, 8º, 141 págs.

1844. *El Polichinela...*, trad. por M. y C., Barcelona, Fullá, 32º.

1856. *El enano del rey de Polonia*, trad. por M. N. A., París, Lassalle y Mélan, 4º, 219 págs. (Publicaciones de *El Correo de Ultramar*). ²³

BENNET, Agnes María, (* hacia 1760-1808).

---

²¹ Sewrin es también autor de cierta *Histoire d'une chatte*, 1802, que no sé si tendrá algo que ver con unas *Aventuras de Zapaquilda*, publicadas por Mellado, Madrid, 1841, sin nombre de autor, como todos los libros citados arriba.
²² De *El alma desterrada* hay un ditirámbico elogio en el cuento de Trueba *Creo en Dios. (Cuentos de color de rosa*, Madrid, Romero, 1905, pág. 394.) El librito, que contribuye grandemente a la conversión del protagonista, es, según Trueba, «la leyenda más delicada y bella que la musa cristiana ha producido».
²³ En la *Revista de Madrid*, 1.ª época, 3.ª serie, IV, 1840, pág. 73, hay un curioso artículo contra otro de Beauvoir en que se atacaba a los pintores madrileños.

1818-1819.   *Ana o La heredera del País de Gales,* trad. por don Félix Enciso, Madrid, Repullés, 4 vols. 8°, viii-292, 312, 276 y 310 págs. (Debía formar colección con la siguiente).

1819-1820.   *Rosa o la niña mendiga y sus bienhechores...,* trad. por don Félix Enciso, Madrid, Repullés, 10 vols. 8° en 5 tomos. [24]

¿s. a.?   *Colección de obras completas de Mistris...* Comprende las historias de *La heredera del País de Gales* y de la *Rosa o la niña mendiga,* Madrid, Escamilla, 14 vols. 8°.

[BÉRENGER, Laurent P. (1794-1822).]

1823.   *La moral en acción* o lo más selecto de hechos memorables y anécdotas instructivas...,* trad. por Cecilio Corpas. Edición hecha bajo la dirección de José René Masson, París, Masson et Fils, 2 vols. 18°. [B. N. P., R 21280-21281] (sin nombre de autor).

1826.   *La moral en acción...,* París, 2 vols. 18°. (Sin nombre de autor.)

1842.   *La moral en acción...,* trad. por don Antonio García Almarza, Madrid, imp. Calle del Sordo, 8° mayor, 152 págs.

1848.   *La moral en acción...,* trad. por don Cecilio Corpas, París, Mézin (imp. Schneider), 2 vols. 32°. (La misma de 1823, sin nombre de autor). [B. N. P., R 21283-21284, con fecha de 1849].

BERNARD, Charles de (1804-1850).

1841.   *La caza de amantes,* novela nueva (= *La peu du lion et la chasse aux amants,* 1841), Cádiz, *Revista médica,* 8°. (Sin nombre de autor).
   Gerfaut..., trad. por don Antonio María de Ojeda, Madrid, Sociedad literaria y tipográfica, 4°, 294 págs.

1842.   *El hombre de cincuenta años...,* trad. por don P[edro] H[iginio] B[arinaga], Madrid, *El Eco del Comercio,* 8° mayor, 114 p.

1843.   *La piel del león...,* trad. por J. M., Madrid, Unión Comercial, 5 vols. 32°. (*Biblioteca continua*).
   La inocencia de un presidiario, Granada, Benavides, 8°. (98 primeras páginas de un volumen de 212, completado con *La capilla gótica,* de Dumas),

1843-1844.   *Un hombre grave,* en *Revista de Madrid,* II época, I, págs. 44, 107, 149, 209, 253, 316, 365, 422; II, 1844, 14, 85, 130, 174, 258, 302, 369, 411. (Sin nombre de autor, como todas las novelas que publicaba esta revista).

1844   *Gerfaut...,* trad. por don Antonio María de Ojeda, Madrid, Sociedad literaria, 4°. (Salió también el mismo año en la *Revista de Madrid,* sin nombre de autor).
   Un hombre grave, trad. del mismo Ojeda, Madrid, Sociedad literaria y tipográfica, 4°, 236 págs.

---

[24] Ya en 1803 hubo una traducción de esta novela por Ángel Antonio Henri que, a pesar de las censuras favorables, no llegó a imprimirse. Hay otros documentos sobre el asunto, de 1808, y tampoco entonces se publicó según parece. V. G. Palencia, *La censura,* II, págs. 297-298, 316-317. núms. 540, 550.

1848-1849. *La baronesa de Bergenheim,* Cádiz, Arjona, 2 vols. 8°. (*Biblioteca económica popular*).

BERQUIN, Arnaud (1747-1791).

1807. *Historias morales,* por el célebre..., Madrid, 8°.
1834. *El pequeño Grandisson,* trad. por doña Segunda Martínez de Robles, Madrid, 8°.
1835. *Sandford y Merton.* Historia moral compuesta para los niños. París, Pillet, 4 vols. 18°. (Arreglo de otro libro de Thomas Day). [B. N. P., Y² 22835-22838] ²⁵

BERTHET, Elie (1815-1891).

1843. *El buhonero,* trad. por A. T. Q., Madrid, Unión comercial, 2 vols. 32°. (*Biblioteca continua*).
    La cruz del acecho (= *La croix de l'affût,* 1841), trad. por A. T. Q. Madrid, Unión comercial, 2 vols. 32°. (*Biblioteca continua*).
1845. *El capitán Remy...,* versión... por Fernando Madoz, Madrid, Madoz y Sagasti, 3 vols. 16° (*Album de la novela*).
1848. *El esmerejón,* novela histórica..., trad. por L. O., Málaga, Martínez de Aguilar, 2 vols. 16°, 196 y 168 págs. (*Biblioteca de recreo*).
    El primer arenque, trad. por L. M., Málaga, Martínez de Aguilar, 16°, 180 págs. (*Biblioteca de recreo*).
1851 *La cruz del acecho,* Barcelona. (Biblioteca popular de *El Nacional*). ²⁶

BERTHOUD, Samuel Henri (1804-1891).

¿1842? *Entre mediodía y las dos. Las tortas del príncipe Bedredín. La caldereta de Bicêtre.* Cádiz. (*Museo de novelas históricas,* I; II).
1843. *Esteban el Manco,* Madrid, Mellado, 16° mayor, 106 págs. (con *Ana de Arfet,* de J. M. Tenorio, que continúa el volumen hasta la pág. 154). (*Biblioteca de recreo*).
    De las doce a las dos. Diana, Madrid, Mellado, 8° (en un volumen que contiene otros dos relatos).
    Samuel Dubois, Madrid, Mellado, 16° mayor. (*Biblioteca de recreo*).
    Gudula, Madrid, Mellado, 16° mayor (págs. 139-228 de un volumen que comienza con *La carta anónima,* de A. Arnould). (*Biblioteca de recreo*).
    El Padrenuestro. Historia religiosa..., vertida por I. J. Escobar, Madrid, Unión comercial, 32.° (*Biblioteca continua*).
1844. *Juana de Lewardeen,* Madrid, Mellado (con *La maga de la montaña,* atribuída falsamente a W. Scott).

---

²⁵ Un gran elogio de Berquin en el artículo de Aribau, *Sobre el método de poner las fábulas en manos de los niños, El Europeo,* II, núm. 12, 1824.
²⁶ A partir de esta fecha, la bibliografía española de Berthet es bastante copiosa; entre 1854 y 1861 encuentro diez ediciones de obras suyas, la mayoría impresas en Francia. Todavía en 1898, Baroja le dedicaba un artículo en *El Liberal.*

1845. *Mariana de Salvignies...*, trad. por don José Aguirre, Madrid, Mellado, 4 vols. 16º mayor.

1850. *María*, Madrid, Aguirre, 8º, 92 págs. (Biblioteca de *El Siglo*). (Termina el último tomo de *Los hijos del amor*, de Sue). [27]

BLANCHARD, Pierre (1772-1856).

1825. *Los accidentes de la niñez*, París, Smith, 18º, 210 págs. [B. N. P., R 29183, sin nombre de autor].

1826. *El tesoro de los niños...*, trad. de la trigésima ed. por C. A., Burdeos, Lawalle, 12º, 250 págs. [B. N. P., R 22004.]

1832. *El tesoro...*, trad. corregida y aumentada por don Enrique Ataide y Portugal, tercera edición, Madrid, Fuentenebro, 8º.

1836. *Félix y Paulina o El sepulcro al pie del Monte Jura...*, puesto en castellano por D. V. A., Barcelona, Oliva, 8º.

1840. *El tesoro...*, trad. de C. A., Burdeos, Lawalle.

1851. *El tesoro...*, trad. de Ataide, cuarta edición, Madrid, Fuentenebro, 8º, 160 págs.

BLOWER, Eliza.

V. VILLEMAIN D'ABANCOURT.

[BOISARD, Paul-Jean.]

1812. *Teófilo de Selincour o La virtud sacrificada* (1803), Madrid, 8º.

BONJOUR, Casimir (1796-1856).

1837. *La desgracia del rico y la felicidad del pobre...*, trad. por don Francisco Altés, Barcelona, Piferrer, 12º, 180 págs.

BOTTENS, Isabelle de, Baronesa de Montolieu (1751-1832).

1796. *Carolina de Lichtfield*, trad. por Felipe David y Otero, Madrid. [28]

¿1801? *Carolina de Lichtfield*. [29]

1817. *Carolina de Lichtfield*, puesta en castellano por D. F[elipe] D[avid] O[tero], cuarta edición, Valencia, Mompié, 3 vols. 12º [30].

---

[27] Es curioso leer el juicio sobre Berthoud que Lista puso en su estudio sobre la novela histórica; v. en sus *Ensayos literarios*, I, págs. 159-161.

[28] El libro fue aprobado por la censura, y se conserva un elogioso parecer de Estala; la licencia es de 22 de febrero de 1796; v. G. Palencia, *La censura*, II, 289, núm. 534. Debo a mi amigo don Antonio Rodríguez Moñino un curioso prospecto, *Se abre suscripción a la novela intitulada...*, en diálogo, impreso en Madrid, Imprenta Real, 1796. Supongo que en ella se imprimiría el libro.

[29] Hay otra licencia de 24 de noviembre de 1801; ibid.

[30] Debe de haber una tercera edición anterior a 1816, pues en la de *Maclovia y Federico*, hecha por Mompié en ese año, se la cita así: «Lichtfield, *La Carolina*, tres tomos en dozavo». El *Bol.*, III, pág. 286, cita otra cuarta edición, Valencia, 1822, confundiéndola con la quinta.

1822. *Carolina de Lichtfield* (la misma trad.), quinta edición, Valencia, Monfort, 3 vols. 12º.

1823. *Carolina de Lichtfield* (la misma trad.), Barcelona, 3 vols. 12º.

1835. *Carolina de Lichtfield*, París, Pillet, 4 vols. 16.º [B. N. P., Y² 55025-55028].

Arturo e Isaura o Los cautivos de Unflans, novela suiza del siglo IX, sacada de las anécdotas y crónicas antiguas que con el título de *Los castillos suizos* publicó..., por R. V., Barcelona, Bergnes.

1837. *Carolina de Lichtfield*, París, Pillet, 4 vols. 18.º

1841. *Arturo e Isaura...*, Barcelona, Bergnes, 2 vols. 16.º mayor.

1842. *Corisandra de Beauvilliers o El dechado del amor filial*, novela histórica del siglo XVI, trad. por don Miguel Jaumandreu, Barcelona, Oliveres, 2 vols. 16º, 184 y 226 págs. (Se trata de la adaptación de una novela de Charlotte Smith hecha por Mme. de Montolieu).

1844. *Arturo e Isaura...*, Barcelona, Oliveres, 2 vols. 16º (sin nombre de autor).

1846. *Carolina de Lichtfield...*, Barcelona, Oliva, 2 vols. 16º. (*Nueva colección de novelas escogidas.*) [31]

BOUILLY, J.-N. (1763-1842).

1811. *Consejos a mi hija* (1811), Madrid (Palau).

1821. *Cuentos a mi hija* (1809), obra trad. de la sexta ed. por P. F. y C., Madrid, imp. de la Calle de la Greda, 2 vols. 8º. [32]

Consejos a mi hija..., trad. libremente por don Francisco Grimaud de Velaunde, Madrid, Amarita, 2 vols. 12º. [B. N. P., R 23629-23630]. El contenido de la edición puede verse en Hidalgo. [33]

1822. *Las jóvenes* ...trad. ...por J. J. de Mora. Madrid, 2 vols. 12º. (Contiene *Los brillantes. La timidez culpable. Paciencia y trabajo*, cuentos publicados por Mora en el *Museo Universal de Ciencias y Artes*, Londres, tomo II, 1826).

1823. *Las jóvenes*. Madrid, Librería Europea, 2 vols. 8º. [¿Lo mismo que la anterior?)].

Cuentos a mi hija, París, Rosa, 2 vols. 12º. (Este libro siguió imprimiéndose en Francia hasta fines del siglo).

Hay cuentos de Bouilly en una publicación colectiva de este año: *Anales de la juventud*, colección de cuentos y novelas compuestos en francés por Bouilly, Azaïs, etc., Gerona, Oliva, 8º. [34]

---

31 Mme. de Montolieu fue incansable adaptadora de novelas ajenas. Se le debe una de *Maria y Fedor*, de Lafontaine, otra de *La Princesa de Wolfenbüttel*, de Zschokke, otra de *Saint-Clair de las islas*, de Mrs. Helme, otra del *Robinson suizo*, de Wyss, y otras más. Todos esos libros fueron traducidos al castellano, generalmente según la versión francesa de esta autora; v. los artículos correspondientes en nuestra bibliografía.

32 Esta edición fue la que determinó las posteriores severidades de la censura; v. G. Palencia, *La censura*, II, págs. 633, núm. 561. Ya nos ocupamos en el estudio anterior de este detalle característico de la época. Por ello no debe de ser cierto lo que dice Salvá en su catálogo, que el libro está impreso en París, a menos que se trate de otra cosa.

33 El catálogo de la B. N. P. copia un pie de imprenta de Madrid, Denné hijo. Es claro que se trata de una edición hecha en Francia

34 Traducción a todas luces de *Annales de la jeunesse*, redigées par M. et Mme. Azaïs, Mrs. J.-N. Bouilly, De Rougemont et Lefèvre, París, Foulon, 1817.

1825. *Consejos a mi hija,* trad. de Velaunde, París, Rosa, 2 vols. 12°.
1837. *Las madres de familia* (1823), Madrid, Aguado, 2 vols. 8°. [35]

BOURBON, Charles.

1849. *El gabinete negro,* trad. por don Víctor Balaguer y don F. J. Orellana. (Salió en el folletín de *El bien público*).

[BOURNON, Mme. Charlotte Mallarmé, (1753-† hacia 1830).]

1838. *Miralba, gefe de bandoleros* (1800; 3.ª edición, 1821), París, Pillet, 4 vols. 12.° [B. N. P., Y² 53732-53735]. (Hidalgo le da la fecha 1840 y la describe como 4 vols. 18°; podría ser una nueva edición).

[BRAYER DE SAINT-LÉON, Louise, (1765-?)]

1808. *Maclovia y Federico o Las minas del Tirol,* anécdota verdadera trad... por D. J. S. Y., Madrid, Valin, 8°.
1816. *Maclovia...,* la misma trad., Valencia, Ildefonso Mompié, 12°, 157 págs. [I. E. H.].
1833. *Maclovia...,* la misma trad., México. Imprenta a cargo de Miguel González, 16°, 133 págs.
1842. *Maclovia...,* París, Pillet, 18°, 216 págs. [B. N. P., Y² 49982; única, a lo que parece, con nombre de autor].
        Maclovia..., Barcelona, Sauri, 12°. (Debe de ser el mismo disparatadísimo texto de las primeras ediciones. Hidalgo, *Bol.,* IV, número 88, da las iniciales del traductor *J. S. H.,* supongo que por errata).
        Es curioso notar que esta tontería se imprimió aún en Carmona, 1866, 4°, 40 págs., según veo en un catálogo de la librería de Antonio Guzmán, núm. 37, 1956, pág. 40.

BULWER, Edward

V. LYTTON

BURNER, Auguste

1844. *La ingratitud castigada,* novela..., trad. libremente... por D. P. R., Igualada, Jover, 16° (en volumen con *El desdichado,* de Porta, que lo encabeza).

BYRON, George Gordon, Lord (1788-1824).

1818. *El sitio de Corinto,* publicado en La *Minerva o El Revisor general.*
1827. *El corsario...,* trad. por M., París, Librería americana (imp. de David), 18°, 210 págs. [B. N. P., Yk 2185].

---

[35] «Hay ejemplares con portada de «segunda edición», 1838, pero «es la misma que la primera» (Hidalgo).

1828. *El corsario,* París, Decourchant (¿diferente de la anterior?).

La desposada de Abydos, novela turca, París, Decourchant (Librería americana), 18°, 131 págs. [B. N. P., Yk 2207].

El infiel o El giaur, París, Decourchant (Librería americana), 18°, 144 págs. [B. N. P. Yk 2199; Monterrey].

Lara, novela española, París, Decourchant (Librería americana), 18°, 132 págs. [B. N. P. Yk 2192].

Mazeppa, novela..., París, Decourchant (Librería americana), 12°, 75 páginas. [B. N. P., Yk 2203].

El sitio de Corintio, París, Decourchant (Librería americana), 18°, 63 páginas [B. N. P., Y² 20370].

1829. *Beppo,* novela veneciana, París, Decourchant (Librería americana), 18°, 112 páginas (Quérard).

Don Juan, novela, París, Decourchant (Librería americana), 2 vols. 18°. [B. N. P., Yk 2174-2175].

Oscar de Alba, novela española, París, Decourchant, 18°, 67 págs. (Quérard).

Parisina, novela, Paris, Decourchant, 18°. (Quérard).

El preso de Chillon, novela, París, Decourchant, 18°, 16 págs. [B. N. P., Yk 2201].

1830. *Beppo...,* París, Decourchant, 18°, 112 págs. [B. N. P., Yk 2205; Monterrey].

Oscar de Alba..., París, Decourchant, 18°, 67 págs. [B. N. P., Yk 2202].

Parisina..., París, Decourchant, 18.° [B. N. P., Yk 2204].³⁶

El sitio de Ismail, novela histórica, París, Decourchant, 18°, 184 págs. [B. N. P., Yk 2206; Monterrey].³⁷

El corsario, Valencia, Cabrerizo, 16°.

1832. *El corsario,* Valencia, Cabrerizo, 16°, viii-278 págs.

1833. *El corsario,* Valencia, Cabrerizo, 16° (catálogo de Salvá; probablemente idéntica a la anterior).

1838. *El sitio de Corinto o El renegado del Adriático,* trad. del francés al castellano, Barcelona, Sauri, 16°, 128 págs

1841. *El corsario,* Gerona, Oliva (Palau).

Mazeppa, poema..., trad... por A. M., Barcelona, J. Mayol y Cía. (con *La noche sangrienta,* de Arlincourt). [HS].

1843. *Don Juan, o El hijo de Doña Inés.* Poema por... Madrid, Unión Comercial, 3 vols. 12°, 198, 227 y 244 págs. Traducido en prosa. [Ranch].

1844. *El corsario,* Valencia, Cabrerizo, 16°.

Apócrifos.

1824. *El vampiro,* novela atribuida a..., Barcelona, 12°.

---

³⁶ La costumbre de los editores franceses de antedatar o postdatar las ediciones, de que da frecuente testimonio la *Bibliographie de la France,* me hace pensar que estas tres últimas ediciones y las citadas por Quérard como del año anterior son una misma cosa.

³⁷ Son los cantos VII-VIII de *Don Juan.* En el catálogo de B. N. P. se da por error la fecha 1850.

1829. *El vampiro...*, París, Decourchant, 18°, 112 págs. [B. N. P., Y² 20374; Monterrey].

1841. *El vampiro...*, Madrid, imp. popular, 8°.

1843. *El vampiro o La sangre de las víctimas...*, trad. por D. L. L., Madrid, Establecimiento central, 16.° ³⁸

CAMPE, Joachim Heinrich (1746-1818).

1800. *El nuevo Robinsón*, trad. por don Tomás de Iriarte, Barcelona, Jordi, Roca y Gaspar.

¿1804? *El nuevo Robinsón*, Madrid, 4 vols. 8.° ³⁹

1806. *Eufemia*, sacada de la *Elisa* del célebre alemán..., Madrid, 8°.

1807. *Consejos de un padre a su hijo para que pueda desempeñar bien su destino y vivir feliz en el estado de esposo, de padre y de buen ciudadano*, sacados de las diferentes obras del célebre alemán... por D. García Rodríguez, Madrid, Villalpando, 8°.

1809. *El nuevo Robinsón*, trad. de Iriarte, Hamburgo, Perthes.

1817. *El nuevo Robinsón*, trad. de Iriarte, «Quinta edición», Madrid, Fuentenebro, 2 vols. 8°.

1818. *Eufemia o La mujer verdaderamente instruida*, sacada de la *Elisa* del célebre alemán... Su editor, don Miguel Antonio Esteban. Segunda edición, Madrid, Villalpando, 8°.

1823. *El nuevo Robinsón*, trad. de Iriarte, Zaragoza, Heras, 2 vols. 12°, 412 páginas.

1824. *El nuevo Robinsón*, trad., del inglés por Juan Otero, Nueva York, 18°, 216 págs.

1825. *El nuevo Robinsón*, trad. de Iriarte, París, Cormon y Blanc, 3 vols. 12°. [B. N. P., Y² 11313-11315].

1829. *El nuevo Robinsón*, trad de Iriarte, Madrid, Verges, 12°.

1831. *Eufemia...*, Habana, 16°, 144 págs.

1832. *El nuevo Robinsón*, trad. de Iriarte. Nueva edición, publicada por don Vicente Salvá, París (Troyes, imp. Cardon), 2 vols. 18°. [Hay ejemplares con pie de imprenta de Méjico, Galván, como el de la B. N. P., Y² 11316-11317. Hay reimpresión de 1844, ibid. Y² 11318, y otras posteriores].

1833. *El nuevo Robinsón*, trad. de Iriarte, Barcelona, Piferrer.

1835. *Continuación de la historia moral del Nuevo Robinson*, reducida a diálogos para instrucción y entretenimiento de niños y jóvenes de ambos sexos..., trad. por D. Tomás de Iriarte, Madrid, Herederos de Dávila, 12°, 316 págs. (Incompleto?) [Ranch.]

1838. *Eufemia...*, Barcelona, Piferrer, 8°, vi-258 págs.

1840. *Eufemia...*, Barcelona, Piferrer, 8°.

1841. *El nuevo Robinsón*, trad. de Iriarte, Barcelona, Piferrer.

---

³⁸ Citaré aún: *Amores secretos de Lord Byron*, traducidos del inglés, Barcelona, 1843, 2 vols. 16.°

³⁹ Las licencias para una edición de ese año en G. Palencia, *La censura*, II, 299-300, núm. 542.

1843. *El nuevo Robinsón,* trad. de Iriarte, Madrid, Imp. Calle de las Fuentes, 2 vols. 12°.

El nuevo Robinsón, trad. de Iriarte, París, Fournier (imp. de Lecointe), 12°.

1846. *El nuevo Robinsón,* trad. de Iriarte, Madrid, Lalama, 8°.

El nuevo Robinsón, trad. de Iriarte «reducida a diálogos». Nueva edición. Palma, José Gelabert, 2 vols. 16°, 342 y 340 págs. [Ranch.]

1847. *Eufemia...,* París, A. Bouret y Morel, 16°, 256 págs. [B. N. P., Y² 20694, donde se conservan, además, varias reimpresiones hasta 1881.]

1850. *Eufemia...* Su editor D. M. A. G., Barcelona, Gaspar, 8°, 296 págs.

CANTÙ, Cesare (1804-1895).

1849. *El buen niño.* Cuentos de un maestro de primera educación, traducidos por don Manuel Solsona, Sevilla, Geofrín, 8°.

CARACCIOLO, Louis Antoine (1721-1803).

1774-1775. *Obras,* trad. por don Francisco Mariano Nipho, Madrid, Escribano, 30 vols. (Detalle del contenido en Latassa, II, pág. 412.) [40]

1777. *Idioma de la razón,* Madrid, 8°.

1779. *Idioma de la razón,* trad. de Nipho, Madrid, 8°.

Última despedida de la mariscala a sus hijos, trad. de Nipho. Madrid, 12°, 390 págs. (Catálogo A. Guzmán, n.º 42, 1958.)

1786. *Última despedida...,* trad. de Nipho. Quinta impresión, Madrid, 12°. 4 h. + 299 págs.

1795. *Última despedida...,* Madrid, 8°.

1808. *Idioma de la razón,* trad. de Nipho. Novena impresión, Madrid, F. La Parte, 8°, 252 págs.

1817. *Última despedida...,* trad. de Nipho. Novena impresión, Madrid, 8°.

1818. *Última despedida...,* Barcelona, 12°.

1819. *Viaje de la razón por la Europa...,* trad. de Nipho. Undécima impresión, Madrid, Cano, 2 vols. 8°.

1823. *Última despedida...,* trad. de Nipho. Undécima impresión, Barcelona, Piferrer, 8°.

1830. *Última despedida...,* Gerona, 16° mayor.

CASTILLE, Charles Hippolythe (1820-1886).

1844. *El Markgrave de Claris,* novela..., arreglada al español para los folletines de *El ómnibus gaditano,* Cádiz, *Revista médica,* 8°.

---

[40] Latassa, I, pág. 453, dice que el P. Ramón Esteban, fallecido en 1776, tradujo «las obras del célebre marqués Caracciolo». «Tenía ya las licencias de su Religión para publicar esta útil y larga obra, pero su muerte impidió que viese la luz pública.»

CHARRIN, P. J.

1831. *Recreo de las damas o Las noches de París...*, trad. por don Francisco de Paula Mellado, Madrid, Sanz, 2 vols. 8°, iv-292 y iv-268 págs. (V. índice del contenido en Hidalgo, *Diccionario*, V, pág. 481 b.)

CHATEAUBRIAND, François René, Vizconde de (1768-1848).

1801. *Atala o Los amores de dos salvajes en el desierto...*, trad. de la tercera edición, nuevamente corregida, por S. Robinson. [Servando Teresa de Mier?] París, s. i., 12°, xxiv-188 págs. [BM, 12511.a.9.] [40 bis]

1802. *Atala*, París (igual a la de 1801, según Quérard).

1803. *Atala...*, trad. por P. G. R[ódenas], Valencia, J. de Orga, 163 págs.

1806. *Atala...*, trad. por T[orcuato] T[orío] de la R[iva], Madrid, Hija de Ibarra (con *El Genio del Cristianismo*).

1807. *Atala y René*, trad. de Torío de la Riva, París, Lenormant, 12°.

1808. *Atala...*, Barcelona, Sierra y Martí, 8°, 199 págs.

1812. *Atala...*, París.

1813. *Atala...*, tercera impresión, Valencia, J. Ferrer de Orga, 12°. [BUCalifornia, Fontana Library.]

Vida del joven René [trad. por Martínez Colomer; cf. ed. de 1827], Valencia, Faulí, 8°, 84 págs.

1816. *Los mártires o el triunfo de la religión cristiana*. Poema..., trad... en versos prosaicos por E. M. D. V. D. P. [Madrid, M. de Burgos.] (Págs. 149-208 del volumen que comienza con un *Ensayo sobre la versificación más propia para la epopeya en las lenguas modernas...* El nombre del traductor se interpreta dubitativamente en una nota manuscrita del ejemplar de la Biblioteca Menéndez Pelayo: «¿El marqués de Villanueva del Pardo?»)

Los Mártires, trad. por D. L. G. P., Madrid, M. de Burgos.

Veleda. Episodio del poema *Los Mártires*, Barcelona, Brusí.

1818. *Atala...*, trad. Torío de la Riva, Madrid, Ibarra. (Con *El genio del cristianismo*; reimpresión de la de 1806.)

Los Mártires, Madrid, M. de Burgos (Palau).

1819. *Atala, René*, trad. de Torío de la Riva, Burdeos, Beaume, 18°. [41]

1822. *Atala...*, trad. de Ródenas, París, Barrois, 18°, 193 págs. [B. N. P., Y² 22504; BM., 12511.a.6.]

Atala y René..., bajo los cuidados de José René Masson, París, Masson (imp. de Bobée), 18°, 317 págs. (con *La cabaña indiana* y *El café de Surate*, de Saint-Pierre). [B. N. P., Y² 22535.]

1823. *Atala...*, trad. de Torío de la Riva, Barcelona, Sierra, 8°.

Atala..., Valencia.

Atala, René, trad. Masson, París (probablemente la de 1822).

---

40 bis A pesar de la terminante afirmación de Mier, la identidad del traductor se ha puesto en duda, y se ha sostenido que fue el venezolano don Simón Rodríguez, el maestro de Bolívar. V. el trabajo de Grases citado antes, pág. 48, nota 107.

41 Según una referencia del catálogo de Salvá, el traductor es Martínez Colomer. Claro que esto sólo puede referirse a la versión de *René*.

Los mártires..., trad. de D. L. G. P., segunda edición, Madrid, Burgos, 2 vols., 323 y 353 págs.

Los mártires..., trad. de la última edición francesa por D. M. J. C., Murcia, Llinás.

1825. *Atala...*, Perpiñán.

Atala..., París, Seguin, 18°, 192 págs. [B. N. P., Y² 22505.]

Atala..., Blois, Aucher-Eloy. [B. N. P., Y² 22513.] (Estas dos últimas es probable que sean la misma cosa, y aún podría ser que coincidieran con la de Perpiñán, pues es frecuente que libros impresos en provincias salgan con pie de imprenta diferente.)

Genio del Cristianismo, nueva trad..., Perpiñán, 4 vols. 12°, 426, 440, 440 y 568 págs. [HS., N. S. 4.]

1826. *Atala y René*. Nueva traducción. Perpiñán, Alzine, 12°, 219 págs. [B. N. P., Y² 22534.] (Probablemente la misma que Sarrailh registra como de 1825. Recuérdese lo dicho sobre los libros antedatados en las bibliografías.)

Los mártires o El triunfo..., trad. últimamente por D. M. P. de A., París, Bossange (Blois, imp. de Aucher-Eloy), 2 vols. 12°. [B. N. P., Y² 75236-75237.]

Las aventuras del último abencerrage..., trad. libremente por don Mariano José Sicilia, París, Wincop, 18°. («Las ediciones de Barcelona [¿1832?] y Valencia [¿1827?] están hechas con arreglo a esta traducción, sólo varían en los preliminares; la primera contiene un corto prefacio del editor, la dedicatoria del traductor...y un extenso prólogo del traductor, mientras que la de Valencia se limita a un reducido prólogo del traductor que en nada se parece al del verdadero que contienen la de Barcelona y ésta de París.» Hidalgo.) [42]

Atala..., trad. de Ródenas, París, Barrois, 18°. (Palau.)

1827. *Atala y René*, París, Wincop (Blois, Aucher-Eloy), 18°, 257 págs. [B. N. P., Y² 22514.]

Atala y René. Nueva traducción, Barcelona, Piferrer, 8°, iv-248 págs.

Atala, René, trad. Masson, París, Masson, 18°. (Hidalgo cita otra de ese año, París, Wincop, que es la que con el pie de imprenta Librería americana figura en el catálogo de la B. N. P., Y² 22514. Es posible que la de Masson sea la misma cosa.)

Aventuras del último abencerrage, Valencia, Ferrer de Orga. [Ranch.]

Aventuras del último abencerrage..., obra trad. libremente por don Mariano José Sicilia, París, Librería americana, 12°, 234 págs. [B. N. P., Y² 22539.]

Vida del joven René..., trad. por el P. Fr. Vicente Martínez Colomer. Segunda edición, Valencia, Mompié.

Itinerario del viaje de París a Jerusalén..., París, Rosa, 2 vols. 18°. [B. N. P., O²f 134.]

1828. *Atala...*, cuarta edición, Valencia, J. Ferrer de Orga, 8°, xvi-160 págs.

Los mártires..., trad. de D. L. G. P., Madrid, Burgos, 2 vols. 8°.

1829. *Las aventuras del último abencerrage*. Segunda edición, Valencia, Cabrerizo, 16°. (Debe de haber otra de 1828, que sería la «primera» a que esta segunda

---

42 Sobre ese traductor v. Lloréns, *Liberales y románticos*, 17, 145.

corresponde. La de 1829 figura en el catálogo de Salvá. V. también Olives Canals, pág. 136, núm. 22.)

Los Natchez o Los habitantes de la Luisiana, poema en prosa..., trad. libremente por don José March, Barcelona, Sauri, 2 vols. 367 y 416 págs. (Peers señala dos ediciones de *Los Natchez* del año 1829, ambas de Sauri, ambas en dos tomos, una traducida por J. March y otra por T. March. Como refiere a ejemplares conservados en la Biblioteca Universitaria de Valencia, es de suponer que lo ha comprobado, pero no advierte cosa alguna sobre tan extraño hecho.)

1830.   *Los Natchez*, novela americana..., refundida... al gusto de la literatura española por don Mariano José Sicilia, París. Librería americana (imp. Pochard), 6 vols. 12°. [B. N. P., Y² 22590-22595.] (A pesar de la fecha, salió a fines del año 1829, pues está registrada en el fascículo 51 de ese año en la *Bibliographie de la France*, núm. 7661.)

1832.   *Atala...*, ed. Torío de la Riva, Madrid, Bueno, 32°. (Reseña en *Cartas españolas*, IV, 23 febrero 1832, pág. 248; anuncio de su aparición en el *Diario de avisos* de Madrid, 22 febrero.)

Abdallah, novela siria..., Barcelona, Bergnes, 32°, 236 págs. (*Biblioteca selecta, portátil y económica*, VI. Es un fragmento del *Itineraire de Paris à Jerusalem*, publicado ahora en un mismo volumen con *El apóstata y la devota*, de Mme. de Genlis, y *Saint Hubert o Las funestas consecuencias del juego*.)

Cimodocea, novela griega sacada de *Los mártires... El sarraceno*, novela morisca sacada de la historia de los abencerrajes..., Barcelona, Bergnes, 32°, 264 págs. (*Biblioteca selecta...*, 3.ª serie, I.)

René, novela americana..., *Celuta*, novela americana, sacada de *Los Natchez*, Barcelona, Bergnes, 32°, 254 pág. (*Biblioteca selecta...*, 3.ª serie, V.)

1834.   *Los mártires...*, trad. de D. L. G. P., Madrid, Burgos, 2 vols. 8°.

1835.   *Atala...*, quinta edición, Valencia, J. Ferrer de Orga, 8°, xvi-160 págs. (En el catálogo de Salvá se advierte: «trad. corregida por D. Vicente Salvá».)

Los Natchez, trad. J. March, 3 vols. 8°. (Peers la cita con referencia al *Diario mercantil* de Valencia, 25 enero 1836.)

1838.   *Atala y René*. Nueva edición, París, Pillet, 18°, 232 págs. [B. N. P., Y² 22515.]

Las aventuras del último abencerraje..., trad. de Mariano José Sicilia, Barcelona, Oliva, 16°. (*Nueva colección de novelas escogidas*.)

Los mártires..., Barcelona, Bergnes, 4° mayor. (*Biblioteca selecta...*, 1.ª serie, III.)

1841.   *Atala y René*. Episodios del *Genio del Cristianismo*, Barcelona, Oliva, 16°.

Los Natchez..., trad. J. March, Barcelona, Sauri. (Palau.)

1842.   *Los mártires... Poema...* traducido nuevamente al español, Barcelona, Mayol, 2 vols. 8°.

1843.   *Obras completas*, Valencia, Cabrerizo, 4°. (Estuvieron en curso de publicación hasta 1850 y formaban 30 volúmenes, de los que el primero es un *Ensayo sobre la vida y obras* del autor, el segundo *Atala, René y El último abencerraje*. Mencionaremos los demás que aquí nos interesen en el año de su aparición.)

1844.   *Atala y René*. Nueva traducción..., Barcelona, Oliva (imp. de T. Carreras), 16°, iv-196 págs. (*Nueva colección de novelas escogidas*, LXXVI.)

Los mártires..., Valencia, Cabrerizo, 2 vols. 4°, xx-394 y 448 págs. (*Obras completas*, tomos IX y X.)

Los Natchez..., Valencia, Cabrerizo, 2 vols. 4°, xvi-368 y 408 págs. (*Obras completas*, vols. XI y XII.)

1845. *Los mártires*, poema... puesto en verso por el Dr. don Justo Barbagero, Burgos, Sergio de Villanueva, 2 vols. 4°, x-260, ii-342 págs. [HS.]

1847. *Los mártires...*, Nueva edición, Madrid, Mellado, 2 vols. 8°, 448 y 360 páginas. (*Biblioteca popular económica.*)

1850. *Novelas. La Atala, René, El último abencerraje y Los Natchez*, Madrid, Mellado, 2 vols. 8°. (*Biblioteca popular económica.*)

1851. *Atala, René, El último abencerraje*, trad. por don José Alegret de Mesa, Madrid, Vicente. (Con *Pablo y Virginia* y *La cabaña indiana*, de Saint-Pierre, todas con paginación propia. Hidalgo da a este libro la fecha de 1850.)

1852. *Los mártires*, trad. por Manuel M. Flamant, Madrid, Gaspar y Roig, 4° mayor, 192 págs. (*Biblioteca ilustrada Gaspar y Roig*. Hidalgo advierte que hay una reimpresión de 1858.)

1853. *Los Natchez...*, trad. por Manuel M. Flamant, Madrid, Gaspar y Roig, 4° mayor, 144 págs. (*Biblioteca ilustrada...*)

1854. *La Atala, El René, El último abencerraje*, trad. por Manuel M. Flamant, Madrid, Gaspar y Roig, 4° mayor, 68 págs. (Llevan paginación diferente y salieron en tiradas aparte también. *Biblioteca ilustrada...*)

s. a. *Las aventuras del último abencerraje...*, Valencia, Cabrerizo, 16°, xii-194 páginas. (¿La primera de esta editorial, que debió de sacarla hacia 1828?)

s. a. *Los Natchez...*, trad. de J. March, Barcelona, Sauri. (*Bol.* II, núm. 692.)

Elías de Molíns, II, 237 b, cita una «traducción del *René* de Chateaubriand en prosa castellana» por don Ramón Muns y Seriñá, pero no indica dónde está publicada, ni si lo está. Debe de ser de hacia 1840, a juzgar por el lugar que ocupa en la bibliografía.

[CHODERLOS DE LACLOS, Pierre, 1741-1803.]

1822. *Las amistades peligrosas*. Colección de cartas recopiladas en una sociedad, traducidas por la primera vez al castellano por D. C. C., París, Bossange (imp. de A. Bobée), 2 vols. 12° [B. N. P., Y² 49214-49215. El mismo catálogo da otra de 1822, que no especifica, y debe de ser esta misma, o tal vez la que se cita a continuación.]

Las amistades peligrosas, cartas recogidas... y publicadas por C. de L., Madrid, imp. de *El Censor*, 3 vols. 12° [B. N. P., Y² 49211-49213. A pesar del pie de imprenta debe de ser cosa impresa ultramontes. Hidalgo, *Diccionario*, III, 465, señala una edición hecha en España, en dos tomos; podría ser la del artículo anterior con pie de imprenta supuesto.]

1827. *Las amistades peligrosas*, París, Bossange.

1831. *Las amistades peligrosas*, París, 2 vols. 18°.

1837. *Las amistades peligrosas...*, trad. por primera vez al castellano por D. C. C., Barcelona, Oliva, 3 vols. 16°. (*Nueva colección de novelas escogidas.*)

1847. *Las amistades...*, Barcelona, Oliva.

CHOISEUL-MEUSE, Condesa Felicité (florece entre 1799-1824).

¿1832? *La familia alemana* (1815). Las *Cartas españolas* de ese año publicaron una reseña de este libro, que supongo aparecería por entonces traducido, pero no hallo mención de él en ningún repertorio e ignoro sus características.

COLET, Louise (1808-1876).

1848. *El marqués de Entrecasteaux, Presidente del Parlamento de Provenza*. Episodio del siglo XVIII..., trad. por D. J. D. D., Santa Cruz de Tenerife, Imp. Isleña, 8°, 68 págs. (Las últimas 116 del volumen que es pequeño, las ocupa *Un artista*, novela original, es decir, española (?), anónima.)

CONSTANT, Benjamín (1767-1830).

1827. *Adolfo,* anécdota hallada entre los papeles de un desconocido, París, Belin, 18°, 212 págs. [B. N. P., Y² 23789.] [43]
1845. *Adolfo...,* precedida de un ensayo analítico por Planche, Barcelona, Oliveres, 8°.

COOPER, James Fenimore (1789-1851).

1831. *El bravo* (1831), Barcelona, 32°. (Catálogo de Salvá. ¿Error de fecha?)
El espía, novela americana, Burdeos, 4 vols. 18°.
1832-1833. *Los nacimientos del Susquehanna o Los primeros plantadores,* novela..., trad. por don Manuel Bazo, Madrid, Jordán, 2 vols. 8°.
Los nacimientos del Susquehanna, París, 2 vols. 8°.
El piloto. Historia marítima..., trad. del francés por don Vicente Pagasartundua, Madrid, Jordán, 2 vols. 8°.
La pradera..., trad. del francés por don Manuel Bazo, Madrid, Jordán, 2 vols. 8°.
La pradera, trad. de Bazo, París, 2 vols.
El último de los mohicanos, historia de 1757..., traducida del francés por don Vicente Pagasartundua, Madrid, Jordán, 2 vols. 8°.
El último mohicano, historia americana..., trad. por G. M. P., Valencia, J. Orga, 4 vols. 12°.
1834. *El bravo,* novela veneciana... Nueva traducción con aclaraciones y notas históricas, Barcelona, Bergnes, 4 vols. 32°, 284, 272, 244, 238 págs. (*Biblioteca de damas,* tomos XXII-XXV.)
1835. *La pradera,* trad. de Bazo, París, Librería Lecointe, 4 vols. 12°. [Monterrey.]
El último mohicano, trad. por G. M. P., París, Lecointe, 4 vols. 12°. [B. N. P., Y² 24182-24185.]
1836. *El bravo,* París, 4 vols.
El piloto..., nueva traducción con aclaraciones y notas históricas, París, Rosa, 4 vols. 18°. [B. N. P., Y² 24400-24403.]

---

[43] Con fecha de 1828.

El puritano de América o El valle de Wish ton Wish, trad. por don J. M. Moralejo, París, Rosa, 4 vols. 18°. [B. N. P., Y² 24455-24458.]

1837.   *Los plantadores de América o Los nacimientos del Susquehanna*, trad. de Bazo, París, Librería americana [Lagny, imp. Leboyer], 4 vols. 18°. [B. N. P., Y² 24425-24428; Monterrey.]

1839-1840.   *El corsario rojo...*, Madrid, Hijos de doña Catalina Piñuela, 4 vols. 16° mayor, 192, 176, 192 y 166 págs. (cfr. *El Panorama*, 3.ª época, IV, 1841, pág. 177). [HS.]

1841.   *El espía*, novela americana, traducida libremente del inglés por J., Barcelona, Grau, 4 vols. 8°.

Doña Mercedes de Castilla o El viaje a Catay, trad. por don Pedro A. O'Crowley, Cádiz, *Revista médica*, 8° mayor (debe de ser la misma que en Palau lleva la fecha 1841-1842).

Doña Mercedes de Castilla, París (Palau).

El verdugo de Berna, Madrid, *El Panorama*, 4 vols. 8°.

1842.   *Lionel Lincoln o El sitio de Boston*, novela americana, Madrid, Suárez, 8°.

1847.   *Mercedes de Castilla*, Madrid, Espinosa, 8°, 5 vols. (Biblioteca de *El Heraldo*, tomos VII, IX, XI, XIII, XIV, último de la colección.)

Entre 1852 y 1859 hay aún otras ocho ediciones de obras de Cooper, especialmente de Madrid, Mellado (publicadas en su *Biblioteca española*) y de Barcelona, Tasso (en la colección *La Maravilla*).

CORJI (?). [44]

1837.   *Victorina o La joven desconocida*. Obra escrita en francés por Mr..., trad. por D. J. de O., Barcelona, Tauló (*Bol.*, V., núm. 807).

COTTIN, Marie Risteau, Mme. (1770-1807).

1810.   *Isabel o Los desterrados de Siberia...*, trad. por D. T. Díaz de la Peña, Londres, 12°. [BM., 634. e. 15.]

1820.   *El heroísmo del amor filial, Isabel o los desterrados de Siberia*, Madrid, 8°. (Catálogo de Salvá.)

1821.   *Matilde*, trad. por M. García Suelto, Madrid, Brugada, 3 vols., 374, 366, 356 págs. (Reseña en *El Censor*, 1822, XV, núm. 85, pág. 22.)

Isabel o Los desterrados de Siberia..., trad. por D. F. D. O., Barcelona, Torras, 2 vols. 8°, 128 y 144 págs.

1822.   *Clara de Alba*, novelita en cartas, París, Barrois, 18°, 215 págs. (Hay ejemplares con el pie de imprenta de Madrid, Sancha.) [B. N. P., Y² 24673.]

Isabel o Los desterrados..., París, Smith, 18°, 189 págs. (en el mismo caso de la anterior). [B. N. P., Y² 24705.]

1826.   *Matilde o Memorias sacadas de la historia de las Cruzadas*, trad. por D. P. C., París, Bobée, 4 vols. 18°. [B. N. P., Y² 24762-24765.]

1827.   *Isabel o Los desterrados...*, París, Smith (Quérard).

---

[44] Este nombre debe de ser resultado de una de esas brutales erratas que hacen siempre de tan difícil manejo las publicaciones de Hidalgo. No lo he encontrado, ni nada parecido, en parte alguna.

1829. *Matilde...*, trad. por Santiago Alvarado de la Peña, Madrid, 4 vols. 8°.
Clara de Alba, segunda impresión, París, Pillet, 18°, 215 págs. [B. N. P.,
Y² 24674.]
Isabel o Los desterrados..., segunda impresión, París, Pillet, 18°, 189 págs.
[B. N. P., Y² 24706.]
¿1830? *Malvina*, Valencia, Cabrerizo. (Cabrerizo la publicó por entonces, pues la
cita en un prospecto de 24 de marzo de este año extractado por Sarrailh, *Enquêtes*, pág. 146.)
1831. *Matilde...*, trad. de Alvarado, Barcelona.
1832. *Malvina*, trad. por García Suelto, Madrid (?). [45]
Clara de Alba..., publícala don M. Sauri, Barcelona, Sauri, 8°, viii-196
páginas.
1833. *Malvina*, Madrid.
Malvina, París, Pillet, 6 vols. 18°. [B. N. P., Y² 24730-24735.]
Amelia Mansfield, París, Pillet, 6 vols. 18°. [B. N. P., Y² 24659-24664.]
1833-1834. *Malvina*, Valencia, Cabrerizo, 3 vols. 16°.
1835. *Amelia Mansfield*, trad. por don Pedro Barinaga, Valencia, Cabrerizo, 4 vols.
16°, viii-328, 324, 328 y 328 págs. [46]
Matilde..., trad. por Manuel Antonio Tabat, Madrid.
1836. *Amelia Mansfield*, trad. de Barinaga, Valencia, Cabrerizo (Palau).
Matilde..., trad. de Tabat. «aumentada con la historia del sitio de Constan-
tinopla», París, Rosa, 4 vols. 18°. [B. N. P., Y² 24766-24769.]
1837. *Malvina*, Barcelona, Oliva, 3 vols. 16°. (*Nueva colección de novelas escogidas.*)
1841. *Matilde...*, trad. de Alvarado, Barcelona.
Matilde..., «arreglada al castellano e ilustrada con grabados por una sociedad de artistas españoles», Madrid, G. del Valle.
1843. *Clara de Alba o La víctima de una amistad peligrosa*, Barcelona, Sauri, 16°,
232 págs.
Matilde..., París, Pillet, 4 vols. 18°. [B. N. P., Y² 24770-24773.]
1845. *Matilde...*, «Segunda edición» (!), Madrid, M. de Burgos, 2 vols. 4°.
1846. *Matilde...*, trad. por don Víctor Balaguer, Barcelona, Viuda e hijos de Mayol, 2 vols. 8° (al fin va *La toma de Jericó o La pecadora convertida*).
1847. *Matilde...*, trad. por [Antonio] Martínez del Romero, Madrid, Gaspar y
Roig, 2 vols. 4°, 317 y 300 págs. («Se ha omitido el cuadro histórico de las
Cruzadas que generalmente acompaña a todas las ediciones, por no pertenecer a
la autora», Hidalgo.)
1848. *Isabel o Los desterrados...*, Barcelona, Albert.
1851. *Isabel o Los desterrados*, Madrid, *Biblioteca Universal*, fol., 18 págs.
1852. *Matilde...*, Madrid, Gaspar y Roig.
1858. *Matilde...*, Madrid, Gaspar y Roig, 4°, 140 págs. (*Biblioteca ilustrada de
Gaspar y Roig.*)

---

45 Creo imposible que esta edición exista, pues la censura no dio licencia hasta 3
de agosto de 1833; Hidalgo, *Bol.*, IV, núm. 151, ha debido de confundirla con la
siguiente. V. los documentos citados por G. Palencia, *La censura*, II, 335, núm. 573.
46 V. ibid. 348, núm. 586, una aprobación de 1834 para imprimirla en Madrid. No
veo citada esa edición. El texto era del mismo traductor.

Isabel..., Madrid (folletín de *Las Novedades*).

Instigados por el éxito de *Matilde*, los editores acogen también alguna imitación, como la de F. Vernes, llamado Vernes de Luze, *Mathilde au Mont Carmel, ou Continuation de Mathilde*, París, 1822.

1830. *Selim Adhel o Mathilde en el Oriente*. Segunda parte, o sea, continuación de *Matilde*... Obra traducida, imitada, reformada y con notas de la escrita..., por Mr. Vernes de Luce bajo el título de *Matilde en el Monte Carmelo*, por don Santiago Alvarado y de la Peña, traductor de la expresada *Matilde*, Madrid, Sancha, 2 vols. 8° 74 + 230 y 288 págs. [Ranch.] (Reimpresa en 1839).

1836. *Selim Adhel o Matilde en el monte Carmelo*, trad. libremente por don Manuel Antonio Tabat, París, Rosa, 2 vols. 18°. [B. N. P., Y² 72926-72927.]

1840. *Selim Adhel...*, trad. por D. R. y R., Barcelona, Viuda e hijos de Mayol, 8°.

1852. *Selim Adhel...*, trad. por J. Alegret de Mesa, Madrid, Vicente, 4° mayor, xxxvi, 266 págs.

COTTON, John S.

1846. *El rabo de un tigre* (*Tale of a tiger*, 1842). Aventura peligrosa del capitán Mac Clenchem, del Ejército de Bengala, trad. del inglés... por A. X. San Martín, París, Lacrampe (ed. Schmitz), 18°, 35 págs. [B. N. P., Sp 11044.] [47]

[CROCE, Giulio Cesare della, (1550-1620.)]
(y Adriano Banchieri, 1567-1634.) [48]

1745. *Historia de la vida, hechos y astucias sutilísimas del rústico Bertoldo, la de Bertoldino su hijo y la de Cacaseno su nieto*, trad. por don Juan Bartholomé, Madrid, P. Millán, 4°, 280 págs. [BM., 12315. g.; HS.]

1769. *Historia...*, trad. de Bartolomé, Barcelona, Suria.

1781. *Historia...*, Madrid, Escribano.

1788. *Historia...*, Barcelona, F. Suria y Burgada, 8°, 393 págs. [B. N. P., Y² 42546; BM., 1458. d. 3.]

1797. *Historia...*, Valladolid, Roldán, 8°, 376 págs. [HS.]

1817. *Historia...*, Madrid, 8°.

1821. *Historia...*, Barcelona, Sierra y Martí, 8°.

1840. *Historia...*, trad. de Bartolomé, Madrid, Viuda de Razola, 8°.

1844. *Historia...*, Barcelona, Piferrer, 8°, 311 págs.

1845. *Historia...*, Barcelona, Albert.

1846. *Historia...*, Barcelona, 8°, 304 págs.

1849. *Historia...*, obra traducida del toscano, anotada y aumentada con un apéndice del Tío Camorra, Madrid, Viuda de Domínguez, 8°, v-208, xii-33 págs.

---

[47] Este relato debió de tener extraordinario éxito, pues en París se publicó un librito del Abbé de Savigny titulado *Histoire d'un tigre*, imitée de l'anglais de John S. Cotton, 1843, y en el *Semanario pintoresco*, 1846, XI, 210, 219, hay un cuento anónimo, *Historia de un tigre*, aventura cómica ocurrida al capitán Mac Clemchen en el desierto de Hooghly, que debe de ser un resumen de alguna de esas cosas.

[48] Este último es el autor de la *Novella di Cacasenno*, que entre nosotros siempre se ha publicado con las otras.

1851. *Historia...*, París, Rosa y Bouret, 18°, vii-313 págs. [B. N. P., Y² 42547 y 42548.] (De esta edición se hicieron cinco reimpresiones hasta 1870, y aún hay varias posteriores de Garnier y de otros. Las españolas han sido también frecuentísimas hasta nuestros mismos días.)

[CUMBERLAND, Richard, (1732-1811.)]

1808. *Arundel o Los dos hermanos, el bueno y el malo* (1789). Cuento sacado del inglés y contenido en la colección periódica de *La Minerva,* Madrid, Fuentene-bro, 8° mayor, 64 págs. («Para completar el cuaderno se ha añadido una noticia curiosa de las costumbres de los salvajes de América», Hidalgo).

DANIEL STERN

V. FLAVIGNY.

DASH, Gabrielle Anne de Courtiras, Condesa de (1805-1872).

1844. *El palacio de Pinon...*, trad. por D. J. M., Madrid, Mellado, 2 vols. 16°. (*Biblioteca de recreo*).
El castillo de Pinon, Cádiz, Uclés, 8° mayor.
1849. *Un marido...*, trad. por don A. T. Cordoncillo, Sevilla, Gómez, 8°, 168 págs.

DAVID, Jules.

1841. *Un pretendiente.* Madrid. Comp. tipográfica, 2 vols. 32°. (*Biblioteca de to-cador,* tomos V y VI, últimos).
V. WALTER SCOTT, apócrifos, 1844.

DAY, Thomas.

V. BERQUIN.

DEFAUCONPRÊT, Auguste Jean Baptiste (1767-1843).

1844. *Massaniello o los ocho días de revolución en Nápoles...*, trad. y adicionado por D. F. de P. Fons de Casamayor, Barcelona, Oliveres. 8° mayor, xiv-239 págs. (*Tesoro de Autores Ilustres,* XIV).

DEFOE, Daniel (¿1660?-1731).

1835. *Aventuras de Robinsón Crusoe...*, publicadas por la primera vez en castellano, París, Pillet, 4 vols. 12°. [B. N. P., Y² 36696-36699].
1837. *Aventuras de Robinsón...*, París, Pillet, 4 vols. 18°. (Hidalgo, Palau).
Un compendio de la novela fue publicado en este año en Barcelona: *Aven-turas de Robinsón...*, trad. del francés, Barcelona, Verdaguer, 12°.
1840. No sé qué pueda ser la *Historia de los acontecimientos de Robinsón en sus viages, morada en una isla de Indias y regreso a su patria.* Valladolid, 8°, 24 págs. Probablemente un pliego de cordel, como algún *Gulliver* de por entonces.

1843. *Aventuras...,* Madrid, Boix, 4°. (Los primeros pliegos se repartieron con *El Laberinto*).[49]
1846. *Aventuras...,* México, Cumplido.
1849-1850. *Aventuras...,* trad. por don José Alegret de Mesa, publicadas por don Nicolás Cabello, Madrid, A. Vicente, 2 vols. 4°, 304 y 288 páginas (reimpresas varias veces luego). [BM., 12613. gg.]
1850. *Aventuras...,* trad. al castellano de la última edición francesa, Madrid, Mellado, 5 vols. 16°, 220, 174, 230, 216 y 206 págs. (*Biblioteca Juventud*).
A esto hay que añadir algunas ediciones infantiles, o más infantiles aún:
1826. *El Robinsoncito o Aventuras de Robinsón Crusoe,* dispuestas para la diversión de los niños, París, imp. J. Smith, 2 vols. 12°. [B. N. P., Y² 36702-36703].
1841. *El Robinsón de los niños o Aventuras las más curiosas de Robinsón Crusoe,* contadas por un padre a sus hijos, Madrid, Boix, 8°.

DELECLUZE, Etienne Jean (1781-1863).

1843. *Doña Olimpia...,* trad. por M. A., Barcelona, Hermanos Lloréns. 2 vols. 8°.

DERIÈGE, Félix.

1845. *La cruz de Berny...,* trad. por don Fernando Rubine, Coruña, Puga, 8°.[50]

DICKENS, Charles (1812-1870).

1847. *La campana de difuntos* (= *The chimes,* 1845), novela escrita en francés (sic)..., trad. por F. V., Málaga, Martínez de Aguilar, 16°. (*Biblioteca de recreo*).
1848. Cabe citar aquí, aunque no es propiamente una traducción, *Oliverio,* novela inglesa, imitación de Dickens, por F. A. F[ernel?], Madrid, Imp. de los herederos de D. J. J., 8° mayor.
1849. *El hombre y el espectro o El pacto* (= *The Haunted Man and the Ghost's Bargain,* 1848), Cuento fantástico..., Madrid, García, 8°, 176 págs. (*La Época. Biblioteca para todos,* tomo XLVI).
1853. *El grillo del hogar,* Madrid, imp. de *El Semanario y La Ilustración,* 4°, 24 págs. (*El Eco de los folletines,* I).
1854. *La batalla de la vida,* Madrid, imp. de *El Semanario...,* 4°, 36 páginas. (ibid., II).

DIDEROT, Denis (1713-1784).

1821. *La religiosa...,* trad libremente... por D. M. V. M. [¿Marchena?]. París, Rosa, 12°, 355 págs. [B. N. P., Y² 27669].

---

[49] Es decir, hasta la página 96; esta última entrega salió con el número de 1.º de noviembre. Un anuncio de la edición en volumen en *Laberinto,* 1844, I, pág. 69 (1 enero).
[50] Sospecho que hay aquí o una confusión de Hidalgo, o mala información del editor español. *La cruz de Berny* es una novela de Mme. de Girardin, Méry, Gautier y Sandeau, cuya primera edición es de 1846. Pudo salir antes en folletones, como tantas otras de las que se tradujeron por entonces en España. Por lo demás, Deriège no es ciertamente un personaje de ficción; fue fecundo folletinista y «fisiologista». Quérard no recuerda «superchería» alguna que nos permita comprender este caso.

1831. *La religiosa...*, París, 12°. (Catálogo Salvá).

DIDIER, Charles (1805-1864).

1839. *Roma subterránea o Los carbonarios de Italia...*, trad. libremente... por J. P. y Latre y S. Millana, Madrid, Omaña, 2 vols. 8°. [HS] [51]
1842. *Roma subterránea...*, trad. libre... por J. M., Barcelona, Indar, 2 vols. 8° mayor.
1854. *Roma subterránea...*, Madrid, Mellado, 4°, 160 págs. [52]

DROUINEAU, Gustave (1800-1878).

1836. *Nelly*, novela sacada de la obra intitulada *A las sombras* (sic) trad. por M... y D., París, Rosa, 16°, 191 págs. [B. N. P., Y² 28400].
1837. *El manuscrito verde...*, trad por E[ugenio] de O[choa], Madrid, Sancha, 8°, 2 vols. (Formaba parte de la *Colección de los más célebres autores extranjeros* que dirigía Ochoa).
1839. *Resignación...*, trad. libremente... de la última edición, por J. N. Micron de S., Barcelona, Tauló, 2 vols. 16°.
1844. *Las sombras...*, trad. por S. A. S. M., Barcelona, Oliveres, 2 vols. 16°. (*Biblioteca europea*, tomos VIII-IX).

DUCANGE, Victor (1783-1833).

1847. *Thelena o El amor y la guerra...*, trad. de don Emilio Polanco, Cádiz, Fernández de Arjona, 2 vols. 8°.

DUCLOS, Charles Pinot (1704-1772).

1787. *Caracteres morales de Teofrasto*. Reflexiones filosóficas sobre las costumbres de nuestro siglo, trad. por Ignacio López de Ayala. Madrid, Escribano, 8°.

DUCRAY-DUMINIL, François Guillaume (1761-1819).

1792. *Los dos robinsones, o aventuras de Carlos y Fanny, dos niños ingleses abandonados en una isla de América*. Madrid, 3 vols. 12°.
1798. *Alexo u la casita en los bosques*. Manuscrito encontrado junto a las orillas del río Isera..., trad. por don J. y don T. M. L., Madrid, Cano, 4 vols. 16°, xii-226, 260, 320, 307, págs. [BUCalifornia, Fontana Library].
1803-1804. *Tardes de la granja* (=*Soirées de la chaumière*, 1798), trad. por don Vicente Rodríguez de Arellano, Madrid, Repullés.
1804. *Alejo...*, trad. por D. J. y D. T. M. L., segunda edición, Madrid, Fuentenebro, 4 vols. 12°.
1816. *Tardes de la granja*, trad. de R. de Arellano, Madrid, Fuentenebro.
1819. *Alejo*, Barcelona, Brusi, 4 vols. 12°.

---

51 El *Bol.*, I, núm. 81, y III, núm. 349, cita dos ediciones de Omaña, 1838 y 1839. Supongo que se trata de la misma y que los dos volúmenes salieron en años sucesivos. El *Diccionario* de Hidalgo no menciona la de 1838. En el catálogo de la Librería García Rico, 1916, núm. 6.755, se ofrecía sólo una de 1839.
52 Hidalgo dice que salió junta con *Los dos cadáveres* de Soulié, pero según parece las obras llevaban paginación diferente y se vendieron también por separado. El citado catálogo de García Rico no menciona *Los dos cadáveres*, núm. 6757.

Días de campo o pintura de una buena familia, trad. por don Vicente Fernández Villares, Coruña, Iguereta, 4 vols. 8º.

1820. *Alejo...,* Gerona, Oliva, 4 vols. 12º.

1821. *Alejo...,* Barcelona, Torner, 2 vols. 12º.

Alejo..., París, 4 vols. 12º.

Los huérfanos de la aldea, Madrid, 3 vols. 8º. (Catálogo Salvá).

1824. *Alejo...,* trad. de D. J. y D. T. M. L., nueva edición, Burdeos, Beaume, 4 vols. 18º. [B. N. P., Y² 29430-29433].

Carlos y Fanny (=*Lolotte et Fanfan,* 1807), o *Aventuras de dos niños abandonados en una isla desierta,* París, Smith, 2 vols. 18º. [B. N. P., Y² 29434-29435].

1830. *Carlos y Fanny...,* París, Pillet, 2 vols. 18º. [B. N. P., Y² 29436-29437].

1831. *Alejo...,* trad. de D. J. y D. T. M. L., Zaragoza, Heras, 4 vols. 12º.

Tardes de la granja, trad. Arellano, quinta edición, Madrid, Fuentenebro, 4 vols. 8º.

1834. *Las veladas de la cabaña,* trad. por José Garriga y Baucis, Barcelona, Piferrer, 4 vols. 12º.

1835. *Las tardes de la granja o Lecciones de un buen padre...,* sexta edición, París, Pillet, 6 vols. 12º. [B. N. P., Y² 29445-29450].

1838. *Los huérfanos de la aldea,* trad. de la quinta edición francesa, París, Pillet, 4 vols. 18º (con fecha 1837). [B. N. P., Y² 29441-29444].

1841. *Los huérfanos de la aldea,* trad. por don Santiago Hernández de Tejada «y corregido por una reunión de amigos», Barcelona, V. Peris, 3 vols. 12º.

1842. *Los huérfanos...,* trad. de Tejada «reformada por M. M. M.», Madrid, imprenta calle de las Fuentes, 4 vols. viii-206, 206, 216, 190, 12º. (Colección *La variedad,* tomos IV-VIII).

1843. *Tardes de la granja...,* «reformada sobre la traducida en el año de 1843 por M. M.», Madrid, imp. calle de las Fuentes, 4 vols. 12º. (*La variedad,* tomos X-XIII).

1846. *Tardes de la granja* (reimpresión de la de 1843), Madrid, Gómez Fuentenebro, 8º mayor.

1849. *Tardes de la granja...,* trad. Arellano, sexta edición, Madrid, Boix, 4 vols. 8º. Aún se hicieron numerosas ediciones, hasta 1902, sobre todo en Francia.

1852. *Los cincuenta francos de Juanita,* Madrid, *Biblioteca Universal,* fol., 44 páginas.

DU HAMEL, Victor (1810-?).

1842. *Los comuneros de Castilla...* Barcelona, 4º, 310 págs.

1845. *Las dos gemelas,* trad. por J. O., Málaga, Martínez Aguilar. 16º mayor (en volumen con *El nuevo Aladino,* de P. de Musset).

1846. *La liga de Ávila.* Novela del tiempo de las Comunidades de Castilla, Madrid, Mellado, 4º (sin nombre de autor). (Otra que cita Hidalgo, 1847, 4º, iv-252 págs., será probablemente esta misma).

DULAURENS, Henri Joseph (1719-1797).

1820. *El compadre Mateo o Baturrillo del espíritu humano,* trad. por D. M., París, 2 vols. 8°. (Catálogo de García Rico, 1916, núm. 5351. Debe de ser igual a la siguiente, y, en todo caso, la misma traducción).

1821. *El compadre Mateo...,* trad. por D. M. V. M. [¿Marchena?], París, Rosa, 12°, 2 vols. [B. N. P., Y² 29569-29570].

DUMAS, Alexandre (1803-1870).

1837. *Murat...,* trad. por E[ugenio] de [Ochoa], Madrid, Sancha, 8°, 224 páginas. (Debió de ser tomado de algún folletón, pues la edición de *Crimes celèbres* es posterior a esta fecha). Completa el volumen la *Historia de un inglés que tomó una palabra por otra,* publicada en *Le Figaro* de 1837 antes de pasar a las *Impressions de voyage,* 1840-1842.

Cantillón, trad. por Ochoa (*Horas de invierno,* III).

1838. *Pascual Bruno,* trad. por don Eugenio de Ochoa, Madrid, Sancha (en volumen con *Paulina*). 2 vols. 8° mayor (*Colección de novelas de los más célebres autores extranjeros.* Serie segunda).

Murat, Madrid, Sancha, 8°, 224 págs.

Isabel de Baviera o La locura de un rey, Madrid, 6 vols. 12°.

1840. *Aventuras de John Davys...,* Barcelona, Pons y Cía., 4 vols. 8°.

• *Los Estuardos.* Trad. por A. M., Barcelona, J. Roger, 3 vols. [Ranch.].

Otón el arquero, Madrid, Mellado, 8°.

1840-1841. *Crímenes célebres...,* Barcelona, Pons y Cía., 2 vols. 8°. [I: *Los Cenci. La Marquesa de Brinvilliers.* II: *Carlos Luis Sand. Urbano Grandier*].

1841. *El balcón de Anversa,* novela histórica..., trad. por D. M. de G., Barcelona, Roca y Suñol, 16°, 302 págs.

La caza del mirlo, Madrid, Mellado, 16°. (*Biblioteca de recreo,* tomo II).

Los Estuardos..., Barcelona, Sellas y Oliva, 3 vols. 16°.

Impresiones de viaje..., trad. por D. S. J. y D. S. C., Barcelona, Gorchs, 2 vols. 4° mayor.

El mártir Urbano Grandier, novela histórica..., vertida... por D. V. O. y D. E. de G., Barcelona, Roca y Suñol, 16°.

Murat o Joaquín I rey de Nápoles..., vertida... por D. V. O. y D. E. de G., Barcelona, Roca y Suñol, 16°.

Quince días en el Monte Sinaí..., Barcelona, Oliveres, dos vols. 8°.

1842. *Nisida,* historia napolitana escrita con arreglo a los archivos de la corte criminal de Nápoles..., trad. por R. Castañeira, Madrid, Mellado, 8°. (*Biblioteca de recreo,* con *La cicatriz,* de M. Saint-Agnet, que completa el tomo).

Actea, trad. por don J. Belda, Madrid, Gila y Brun, 8°.

Actea..., trad. por T. S. y C., Barcelona, Oliveres, 2 vols. 16°, vii-242 y iv-238 págs. [Monterrey].

1843. *La capilla gótica,* Granada, Benavides, 8°. (Completa, desde la pág. 98-212 el volumen *La inocencia de un presidiario,* de Ch. de Bernard).

La capilla gótica, Madrid, Mellado. 16.° mayor. (*Biblioteca de recreo*).

Una herencia... (probablemente *Les heritiers d'un grand'homme,* en *Le corricolo,* 1842-1843). *Lustrac,* cuento de origen francés, acomodado a nuestro gusto por El-Modhafer, Madrid, Unión comercial, 32º, 96 págs. (*Biblioteca continua*).

Una justa o El combate subterráneo (=*Une joûte*, en *Le livre des conteurs*, III, 1833), Madrid, Unión comercial, 16º. (*Biblioteca continua*. En volumen con *Esperanza*, de Jules de Saint-Félix, que encabeza el tomo, y *Sancho*, de Florian).

Maese Adan el Calabrés, trad. para el folletín de *El Heraldo*, Madrid, imp. de *El Heraldo*, 8º mayor, 84 págs.

La Marquesa de Ganges, crímen célebre..., vertido por D. E. de G., Barcelona, Rosa y Cía., 16º.

Paulina, Barcelona, Oliveres, 16º mayor. (*Biblioteca europea*).

Por todas partes se va a Roma, Madrid, Mellado, 16º. (*Biblioteca de recreo*).

Rogerio de Aguilhem..., trad. por S. A. S. M., Barcelona, Oliveres, 4 vols. 16º mayor. (*Biblioteca europea*, tomos III-VI).

1844. *Amaury*, Madrid, Espinosa y Cía, 2 vols. 8º mayor, 214 y 200 págs. (Se imprimió como regalo a las suscriptores de *El Heraldo*. Completa el volumen *Leonardo el cochero*).

Ascanio, Madrid, Mellado, 3 vols. 8º.

Los Borgia, Historia romana del siglo xv..., trad. por G. y F., Barcelona, Sánchez, 8º mayor.

Los tres mosqueteros del rey Luis XIII..., trad. por D. L. C. y D. J. L., Barcelona, Oliveres, 2 vols. 8º, 532 y 524 págs.

1844-1845. *La hija del Regente*..., trad. expresamente... para el folletín de *El ómnibus gaditano*, Cádiz, *Revista médica*, 4 vols.

1845. *El caballero de Hermental*, novela histórica..., trad. por don Rafael Carvajal, Valencia, Monfort, 5 vols. 16º mayor. (Biblioteca de *El Fénix*, tomos I-V).

Los Estuardos..., Madrid, Mellado, 8º, 328 págs. (*Biblioteca popular económica*).

La guerra de las mujeres..., Madrid, Fuentes, 8º mayor. (*Álbum de las damas*, regalo a los suscriptores de *La Ilustración*).

Isabel de Baviera. (Sin nombre de traductor), Valencia, Monfort, 8º, 479 págs. [Ranch.]. (Es un tomo, pero se había anunciado que constaría de dos. Al pie de los pliegos se iba imprimiendo: «T. I.» Una advertencia lo aclara).

Jorge..., Cádiz, Vélez, 2 vols. 8º mayor.

Lazzaronis y esbirros, recuerdos de Nápoles, trad. por don Víctor Balaguer, Madrid, Ayguals de Izco, 16º mayor. (*Museo de las hermosas*, II).

Por todas partes se va a Roma, novela..., trad. libremente..., por D. S. F. V., Sevilla, Álvarez, 8º. (*Colección de novelas escogidas*).

La reina Margarita, novela..., trad. por don Eduardo González Pedroso, Madrid, Sociedad literaria y tipográfica (colección de novelas de *El Globo*).

Los tres mosqueteros, novela..., trad. por don Diego Bravo Destouet, Madrid, Sociedad literaria y tipográfica, 5 vols. 16º. (Colección de novelas de *El Globo*).

Los tres mosqueteros..., trad. por don Antonio Benigno Cabrera, Málaga, Cabrera y Laffore, 7 vols. 8º.

D'Artagnan y los tres mosqueteros..., arreglada al español para la colección de novelas de la *Revista médica*, Cádiz, *Revista médica*, 2 vols. 16º.

Veinte años después... trad. por Ignacio Oliveres, 8°, 4 vols.

1845-1846. *La dama de Monsoreau...*, trad. por don Nemesio Fernández Cuesta, Madrid, Castelló, 2 vols. 8° mayor.

Veinte años después..., trad. por D. L. C., Barcelona, Oliveres, 4 vols. 8°, 316, 320, 316 y 438 págs.

Veinte años después..., trad. por don Antonio Benigno Cabrera, Málaga, Cabrera y Laffore, 9 vols. 8° mayor. [B. N. M., 5/4.566]. [53]

1846. *El Conde de Montecristo...*, Madrid, Mellado, 2 vols. 4°. [Monterrey]. (Hidalgo da la fecha 1846-1849, pero creo evidente que la segunda fecha es de una reimpresión).

El Conde de Montecristo..., trad. por don Eduardo Pérez de la Vega, Barcelona, Sauri, 2 vols. 8°.

El Conde de Montecristo..., trad. por don Víctor Balaguer, Barcelona, Viuda e hijos de Mayol, 4 vols. 8° mayor.

El Conde de Montecristo..., trad. por don Manuel de Ojeda y Siles, Valencia, Monfort, 8° (*Mil y una novelas*).

Historia de los homicidas, incendiarios, emponzoñadores y asesinos más célebres del mundo..., Madrid, M. Alvarez, tomo I, 8°, 296 págs. (Contiene *Martín Guerra* y *Dernes*. Parece ser que sólo se publicó ese tomo).

Margarita Pusterla..., trad. por D. C. B., Sevilla, Alvarez, 8°.

Napoleón, Madrid, Mellado, 8° (*Biblioteca popular económica*).

Los tres mosqueteros, Madrid, Mellado, 3 vols. 4°.

Veinte años después... Madrid, Sociedad literaria, 8 vols. 16°.

Memorias de un médico, Madrid, Espinosa, 6 vols. 8°. (Biblioteca de *El Heraldo*).

Memorias de un médico, Valencia, Cervera, 2 vols. 8° mayor.

1846-1847. *Memorias de un médico*, París, *Correo de Ultramar*, 8°, dos volúmenes. [B. N. P., Y² 30450-30451].

1846-1848. *Memorias de un médico*, Madrid, Mellado, 2 vols. 4°.

1847. *Agenor de Monleon el de la mano de hierro...*, trad. por don Francisco Navarro Villoslada, Madrid, imp. de *El Español*, 4° mayor, 344 págs. («Los primeros capítulos de esta obra se publicaron en el folletín de "El Español"... El señor Navarro Villoslada no tradujo sino los primeros capítulos». Hidalgo).

La dama de Monsoreau..., Madrid, Mellado, 2 vols. 4°, 332 y 304 páginas. (*La abeja*, segunda serie, vols. X-XI).

El caballero de Casa-roja..., trad. de don Gregorio Severino de la Huerta, Barcelona, Viuda e hijos de Mayol, 2 vols. 8°.

El caballero de Casa-roja, Sevilla, 4 vols. 8°.

El caballero de Hermental..., Madrid, Mellado, 4°, iv-328 págs.

El Conde de Montecristo..., trad. por don J. del P., Málaga, del Rosal, 11 vols. 16°.

El Conde de Montecristo, ed. económica, Logroño, Ruiz, 6 vols. 8°, 196, 368, 404, 398, 390, 234 págs.

---

[53] Hidalgo ha trascrito sistemáticamente mal el nombre del segundo socio de esta empresa de publicaciones; agradezco vivamente la corrección a don Felipe Camarero R. Maldonado.

De París a Granada. Impresiones de viaje..., trad. de don Víctor Balaguer, acompañada de una refutación del traductor, Barcelona, Viuda e hijos de Mayol, 8°, 243 págs. [HS].

Las dos Dianas..., Madrid, Mellado, 8° mayor.

España y África. Cartas selectas..., trads. por varios literatos, seguidas de un breve análisis, por don W. A. de Izco, Madrid, Ayguals de Izco, 2 vols. 16°.

La guerra de las mujeres..., trad. por L. M., Málaga, Martínez de Aguilar, 7 vols. 16°. (*Biblioteca de recreo*).

La hija del Regente..., trad. por L. M., Málaga, Martínez Aguilar, 4 vols. 16°. (*Biblioteca de recreo*).

La reina Margarita..., trad. por J. A. G., Málaga, Martínez de Aguilar, 7 vols. 16°. (*Biblioteca de recreo*).

Veinte años después..., Madrid, Mellado, 2 vols. 8° mayor.

Viajes de ―― por España y África, trad. de don Víctor Balaguer, Barcelona.

Los cuarenta y cinco, Madrid, Espinosa, 6 vols. 8°. (Biblioteca de *El Heraldo,* tomos II, V, VI, VIII, X, XII).

Los cuarenta y cinco..., Madrid, Mellado, 2 vols. 4°, 358 y 228-124 páginas. (*La abeja,* segunda serie, tomos VIII-IX. Las últimas 124 págs. con portada y paginación independiente, contienen *El Rey,* de Clémence Robert).

Los cuarenta y cinco..., trad. para el folletín de *El Español* por don Esteban Garrido Martínez, Madrid, imp. de *El Español.* 4° mayor.

1847-1848. *Los cuarenta y cinco...*, Madrid, Mellado, 2 vols. 8° mayor.

El Vizconde de Bragelonne..., trad. por don Diego Bravo y Destouet, Madrid, Rivera, 18 vols. 16° mayor. (Biblioteca de *El Siglo*).

1848. *Ascanio...*, Madrid, 3 vols. 8°. (Biblioteca de *El Siglo*).

El bastardo Agenor de Monleon..., trad. por don José Ignacio de Michelena, Cádiz, La Publicidad, 4 vols. 8°. (*Biblioteca económica popular*).

El caballero de Casa-roja, Madrid, Mellado, 4° mayor, 160 págs. (*Biblioteca ómnibus*).

El capitán Pablo..., trad. por don Juan Casado, Málaga, del Rosal, 2 vols. 16° mayor (*Biblioteca del Mediodia*).

La dama de Monsoreau..., trad. de don Víctor Balaguer y don F. J. Orellana, Barcelona, Viuda e hijos de Mayol, 2 vols. 8°.

La dama de Monsoreau..., trad. por F. B. R., Málaga, Martínez de Aguilar, s. a. [1848], 10 vols. 16°.

Las dos Dianas..., Madrid, 6 vols. 8°. (Biblioteca de *El Siglo,* tomos 96, 98, 99, 100, 102 y 103).

Las dos Dianas..., Cádiz, Ruiz, 6 vols. 16° marquilla.

Las dos Dianas..., Madrid, Boix, 8°. (Hidalgo sólo registra el tomo I).

Una familia corsa... Pascual Bruno, Madrid, 8°. (Biblioteca de *El Siglo,* tomo 112).

Fernanda..., Madrid, 2 vols. 8°. (Biblioteca de *El Siglo,* tomos 82, 83. La novela, según parece, es de H. Auger, que la reivindicó como suya).

Lazzaronis y esbirros..., trad. de don Víctor Balaguer, Madrid, Ayguals de Izco. (*El novelista universal,* XI).

Memorias de un médico..., trads. por D. A. F. de los R. [Ángel Fernández de los Ríos]. Edición de lujo... Madrid, 4°, 3 vols.

La reina Margarita..., Madrid, Mellado, 8° mayor.

Los tres mosqueteros, Madrid, Mellado, 4° mayor, 332 págs.

Veinte años después, Madrid, Mellado, 4° mayor, 366 págs.

1848-1849. *Jorge...,* trad. de V. G. y F. de P. Ll., Barcelona, Frexas, 2 vols. 8°.

Sylvandira..., Madrid, Alonso, 2 vols. 8°, 238 y 232 págs.

1849. *Amaury...,* Málaga, del Rosal, 4 vols. 16° mayor. *(Biblioteca del Mediodía. Leonardo el cochero* ocupa las 234 págs. del último tomo). Hay un juicio crítico de este libro en *La censura,* II, pág. 373.

El capitán Pablo..., Madrid, Mellado, 8° mayor viii-200 págs.

El capitán Pablo, Sevilla, 2 vols. 8° menor.

Memorias de un médico. Segunda parte: *El collar de la reina...,* Madrid, 10 vols. 8°. (Biblioteca de *El Siglo).*

Memorias de un médico. El collar de la reina..., Madrid, García, 8°. *(La época,* tomo XVIII).

El collar de la reina..., trad. de don Eladio de Gironella, Madrid, Ayguals de Izco, 3 vols. 8°.

El Conde de Montecristo, Madrid, Mellado, 2 vols. 4°. (Cfr. lo dicho respecto de la ed. de 1846).

Las dos Dianas, folletón de *El Heraldo.* (V. sobre esta publicación el libro de Th. Heinermann, *Cecilia Böhl de Faber y Juan Eugenio de Hartzenbusch;* el lector puede hallar en su índice las indicaciones necesarias).

Elena de Orleans, novela histórica..., Madrid, 3 vols. 8°. (Biblioteca de *El Siglo,* t. 136).

Elena de Orleans..., Sevilla, 3 vols. 8°.

Gabriel Lambert..., trad. de don José Ignacio de Michelena, Cádiz, Fernández de Arjona, 2 vols. 8°. *(Biblioteca económica popular).*

Luis XIV y su siglo. Historia-novela..., Madrid, 6 vols. 8°. (Biblioteca de *El Siglo,* tomos 114, 117, 119, 122-124).

Luis XIV y su siglo..., Málaga, del Rosal. *(Biblioteca del Mediodía).*

Margarita de Valois..., trad. por R. A. G., Sevilla, Gómez, 4 vols., 8°, 192, 176, 204 y 122 págs.

Los mil y un fantasmas, cuentos de media noche, Madrid, Mellado, 4°.

Los mil y un fantasmas..., Madrid, García, 4 vols. 8°. (Biblioteca de *La Época,* tomos 31, 32, 37, 40).

Los mil y un fantasmas..., Madrid, 3 vols. 8° menor. (Catálogo de García Rico, 1916, núm. 7091. Si la colección está completa, es evidentemente una publicación diferente de las anteriores).

Paulina..., Madrid, 8°. (Biblioteca de *El Siglo,* tomo 130).

Paulina..., Sevilla, Gómez, 2 vols. 16°, 188 y 84-76 págs.; las últimas contienen *Vida y aventuras de Scaramucha,* de Gobineau.

La Regencia, Madrid, Mellado, 4°, 144 págs. (al final *El fruto de una apuesta,* de don Pascual Riesgo).

El traje de boda (= *Cécile,* 1844, aparecida en 1849, en ediciones piratea-das belgas con el título *La robe de noce;* de alguna de ellas deriva ésta) trad. por D. S. C., Cádiz, Fernández de Arjona, 2 vols. 8°. (*Biblioteca económica popular*).

Los mosqueteros, Madrid, 4° mayor. (Biblioteca de *El Siglo*).

Un drama al pie del Vesubio. Trad. libre por D. Manuel Danvila. Valencia, Monfort, 16°, 60 págs. [Ranch.].

Veinte años después, Madrid, imp. de *El Siglo*, 4° mayor. (Hidalgo dice: «Edición de la Biblioteca de *El Siglo*», pero no la da como perteneciente a esa biblioteca, ni figura en la lista que consta en el tomo I del *Diccionario*, como tampoco *Los tres mosqueteros*).

Veinte años después, Barcelona, 2 vols. 8° mayor.

1849-1850. *El Vizconde de Bragelonne*, Madrid, Mellado, 4 vols. 4°.

1850. *Colección completa de las obras de* ——, trads. por una sociedad de literatos, Madrid, imp. que fue de Operarios, 8° mayor. (Sólo salió a luz la primera entrega de *Las dos Dianas*).

El collar de la reina. Segunda parte de las *Memorias de un médico*, Madrid, Mellado, 2 vols. 4°, iv-346 y 232 págs.

Memorias de un médico. Tercera parte. *Angel Pitou...*, Madrid, Aguirre y Cía., 6 vols. 8°.

Cecilia..., Madrid, Aguirre, 2 vols. 8°. (Biblioteca de *El Siglo*.)

La Condesa de Salisbury..., trad. por don Evaristo Acuaviva y Galán, Cádiz, Fernández de Arjona, 3 vols. 16° mayor. (*Biblioteca económica popular*. Contiene también *La pesca con redes*, trad. por A. G. M.)

Luis XV..., Madrid, Mellado, 4°.

El maestro de armas..., Madrid, A. Aguirre, 3 vols. 8°. (Biblioteca de *El Siglo*.)

1850-1851. *La reina Margarita...*, Madrid, Aguirre, 6 vols. 8°.

s. a. *El collar de la reina*, trad. por M. R. de Q., Málaga, Martínez de Aguilar, 11 vols. que suman 979 págs. [Ranch.]

Interrumpimos aquí intencionalmente esta bibliografía, pues la española de Dumas es literalmente inagotable. Sólo lo impreso hasta 1860 constituye otro medio centenar de títulos, y a Dumas se le tradujo, incansablemente, a todo lo largo del siglo XIX y sus obras se siguen publicando aún. Se reimprimió mucho de lo ya indicado, pero, además, ni el novelista ni sus innumerables colaboradores y *nègres* dieron paz a la mano, y cuanto se publicaba en Francia se traducía en España al instante mismo de aparecer. Creemos que lo indicado basta para dar una idea de lo que fue la acogida de su obra entre nosotros.

[DURAS, Claire Lechal de Kersaint, Duquesa de] (* hacia 1779-1828).

1824. *Urica* (*Ourica*, 1824), trad. por la señorita D. Ozama de Esmenard, París, Bobée, 18°, 89 págs. [B. N. P., Y² 72272.]

1825. *Urica, la negra sensible o Los efectos de una educación equivocada*, suceso verdadero, trad. por S., París, Pochard, 12°, 155 págs. [B. N. P., Y² 72273.]

1841. *Urica o La monja negra*, trad. libremente por P. P. Segunda edición, Barcelona, Oliveres, 12°. [54]

[EILLEAUX, Condesa de, nacida Dessorneaux.]

1837. *Napoleón y el Imperio.* Memorias del Duque de Vicenza, recogidas y publicadas por Mme. Carlota de Sor..., Gerona, Oliva, dos vols. 8°, viii-292 y iv-270 págs.

1843. *Recuerdos del Duque de Vicenza.* Leyenda francesa de Carlota de Sor..., trad. por don José Lesen y Moreno, Madrid, Unión comercial, 16°. (*Biblioteca continua.*)

FÉNELON, François de Salignac de La Mothe (1651-1715).

1793. *Telémaco*, Madrid, Viuda e hijos de Marín, 2 vols. 8°. [B. N. P., Y² 34581-34582.] [55]

1803. *Las aventuras de Telémaco, hijo de Ulyses*, trad.... por F. N. Rebolleda, Madrid, Repullés, 4 vols. 8°, 321, 389, 331, 353 págs. (edición ilustrada bilingüe). [56]

1804. *Aventuras de Telémaco*, París, Bossange, Masson y Besson. (Textos en español e inglés.) (Catálogo de Salvá.)

1805. *Telémaco...*, nueva edición corregida, Madrid, Villalpando, dos vols. 8°. [HS.]

1817. *Telémaco...*, Barcelona, J. I. Jordi, 8°, 2 vols. ii-376 y ii-288 págs.

1820. *Las aventuras...*, trad. de Rebolleda, Barcelona, Sierra y Martí, 8°, 2 vols. 350 y 328 págs. («Tercera edición».)

1822. *Las aventuras...*, trad. de Rebolleda, Perpiñán, Alzine, 12°, dos vols. [Bilingüe, B. N. P., Y² 34583-34584; traducción sola: B. N. P., Y² 34585.]

1825. *Telémaco*, Burdeos, Lawalle, 12°. [B. N. P., Y² 34586.]

1827. *Las aventuras...*, trad. de Rebolleda, Madrid, Fuentenebro, 8°, 430 págs. *Telémaco*, Burdeos, 12°. (Catálogo de Salvá.)

1829. *Las aventuras...*, trad. de Rebolleda, Madrid, Fuentenebro, dos vols. 8°. (Bilingüe.)

1830. *Télémaque espagnol-français*, trad. par M. Raull, Lyon, Babeuf, 12°.

1832. *Telémaco*, trad. por Mariano Antonio Collado, Valencia, J. de Orga, 2 vols. 8° mayor, xii-456 y viii-498 págs. (Bilingüe; parece ser que hubo una tirada en español sólo.)
Las aventuras..., trad. Rebolleda, París, Pillet, 12°. [B. N. P., Y² 34587.]

1835. *Telémaco*, París, Baudry (asociado a los editores Amyot y Barrois), 12° [edición en seis lenguas, una de ellas el español, B. N. P., Y² 34591].

---

[54] Como es improbable que se hayan tenido en cuenta las eds. francesas, hay que suponer que Oliveres hizo otra con anterioridad.
[55] Para las ediciones anteriores a 1800, v. Hidalgo, *Diccionario*, I, pág. 181.
[56] V. G. Palencia, *La censura*, II, 213, núm. 489, con censuras y licencias de agosto-septiembre de 1802 que deben referirse a esta edición de la cual cita Palencia dos tiradas, una en dos vols., 8o, y otra en cuatro vols., bilingüe.
Bover, *Memoria biográfica de los mallorquines*, Palma, Guasp, 1842, 78 b., cita una versión del *Telémaco* hecha por Cladera, que, por lo visto, quedó inédita y era «la mejor... que se ha hecho, en sentir de los inteligentes».

1837. La misma, reimpresión. Hay otra del mismo año, bilingüe, dos vols. 12°.
[B. N. P., Y² 34589-34590.]

1841. *Telémaco*, París, Terzuolo («para el estudio del francés»).

1841-1843. *Telémaco*, trad. de Collado, Valencia, Monfort. («Hay ejemplares con
la fecha 1841, en que comenzó la impresión». Hidalgo. Por lo que se deduce
de los datos de Serrano Morales, más bien parece que fue reimpresa en 1843.)

1842. *Telémaco*, París, Pillet, 12°. [B. N. P., Y² 34594.]

Telémaco, París, Baudry. [Bilingüe: B. N. P., Y² 34592-34593; hay reimpresiones de 1845, ibíd., Y² 34595-34596 y de 1849, ibíd., Y² 34597. Todas
en 12°.]

1843. *Aventuras de Telémaco, seguidas de las de Aristonoo...*, trad. de Collado,
Valencia, Monfort, 4° mayor, xv-555 págs. (ilustrada por T. Blasco Soler).
[Ranch.]

1849. *Telémaco, hijo de Ulises*, trad. por don J[ulián] A. M[anzano]. Madrid, La
Publicidad, 8°.

Telémaco, París, Rosa, 12°. [Con fecha 1850, bilingüe, B. N. P., Y² 34600;
hay otra impresión en dos vols., ibíd., Y² 34598-34599, y se reimprimió luego
muchas veces.]

1850. *Aventuras de Telémaco, seguidas de las de Aristonoo...*, trad. por J. Alegret
de Mesa, Madrid, A. Vicente, 4°, xxiv-412 págs.

1851. *Las aventuras...*, trad. de Rebolleda, Barcelona, Castaños, 8°, 446 págs.

1852. *Las aventuras...*, trad. de Rebolleda, Madrid, imp. del *Semanario* y *La Ilustración*, fol., 80 págs. (*Biblioteca Universal.*)

FERNEY, Paul.

V. MESNIER

FEUILLET, Octave (1821-1890).

1848. *Alix*, trad. por E. de Ochoa, *Revista hispanoamericana*, I, págs. 37-56, 69-71.

FEVAL, Paul (1817-1887).

1844. *Misterios de Londres*. Primera parte: *Los caballeros nocturnos*, trad. por el
caballero don J. de M., París, imp. de F. Locquin, 4° mayor. [B. N. P., Y²
5835.] (Féval publicó sus *Misterios* bajo el seudónimo de Sir Francis Trollop,
conservado, naturalmente, en las versiones castellanas.)

Los misterios de Londres..., trasladada al español por don Isidro M. de A.,
Cádiz, *Revista médica*, 10 vols. 8°.

Los misterios de Londres, trad. por F. G. y M. F., Málaga, Martínez de
Aguilar, 6 vols. 8°. (Un anuncio de esta edición en *El Laberinto*, II, 1844,
n.° 4, pág. 64.)

1844-1845. *Los misterios de Londres...*, Sevilla, Morales y Gómez, 7 (?) vols. 16°.

1845. *Los misterios de Londres...*, trad. libremente por don José María de Arre-
nolas, Barcelona, Indar, 3 vols. 8° mayor, viii-336, viii-454 y iv-520 págs.

Los misterios de Londres..., Barcelona, Sauri.

Los misterios de Londres..., trad. por don Rafael Carvajal, Valencia, Monfort, 13 vols. 16° mayor. (Biblioteca de *El Fénix*, tomos IX-XXI; las 128 últimas

páginas del postrer tomo contienen una novelita, *La Fornarina,* que no sé si será de Féval). [Ranch.].

El club de los anfibios, trad. por don Víctor Balaguer, Madrid, Ayguals de Izco, 16° mayor. (*Museo de las hermosas,* III.)

1846. *Los amores de París...,* trad. por don E. F. Sanz, Madrid, González, 9 vols. 16° mayor. (*Galería literaria.*)

El hijo del diablo..., trad. por Gregorio Urbano Dargallo, Madrid, Madoz y Sagasti, 13 vols. 16°. (*Horas de recreo,* tomos I-XIII.)

1846-1847. *Los amores de París...,* trad. por F. de P. C., Málaga, del Rosal, 11 volúmenes. 16° mayor. (*Biblioteca del Mediodía.*)

1847. *Los caballeros del firmamento...,* Madrid, Mellado, 4°, 205 págs. (*La abeja,* 2.ª serie; con *El mendigo negro.*)

Los incendiarios de Irlanda..., Cádiz, El Comercio, 2 vols. 8° mayor, 392 y 376 págs.

Los caballeros del firmamento..., Madrid, Espinosa, 2 vols. 8°, 194 y 232 páginas. (Biblioteca de *El Heraldo.*)

Los caballeros del firmamento..., trad. por D. L. B., Barcelona, Viuda e hijos de Mayol, 8°.

El hijo del diablo, trad. por don Gregorio Urbano Dargallo, Madrid, Mellado, 3 vols. 4°, iv-328, iv-300 y iv-312 págs. (*La abeja literaria.*)

El negro mendigo..., trad. por los redactores de la *Revista Yucateca,* Mérida de Yucatán, 4°. [BM., PP 4104. b. (2).]

1848. *Alizia Pauli...,* trad. por J. B. G. L., Nueva York, Stewart, 4°, 144 págs. (Novelas de *La Crónica.*)

El mendigo negro..., Málaga, del Rosal, 16° mayor. (*Biblioteca del Mediodía.*)

Los misterios de Londres..., Madrid, imp. del *Diccionario geográfico.* (*Biblioteca popular europea.*)

El club de los anfibios, trad. de Balaguer, Madrid, Ayguals de Izco, 16° mayor. (*El novelista universal,* XII.)

1849. *Alizia Pauli...,* Habana, Barcina, 4°, 294 págs.

El banquero de cera, trad. para la *Revista Yucateca,* Mérida de Yucatán, 4°. [BM., PP 4104. b (3).]

Los fanfarrones del rey..., trad. de don José Ignacio de Michelena, Cádiz, Fernández de Arjona, 2 vols. 16° mayor, 252 y 268 págs. (*Biblioteca económica popular*).

1850. *El hijo del diablo,* Málaga, s. a. [1850], 15 vols. (Catálogo de la librería de A. Guzmán, 1947, núm. 20, pág. 36.)

Elías de Molíns cita, sin aducir dato alguno, una traducción de *Los misterios de Londres,* hecha por don Luis Bordas y Muns (1798-1875). Quizás se refiera a la de Sauri, 1845.

A partir de 1850, la bibliografía española de Féval sigue siendo sobremanera copiosa; el novelista ha sido acogido, aun a principios de este siglo, en numerosas colecciones de novelas populares. Como en el caso de otros escritores del mismo carácter, si la popularidad crece con el siglo, ello se debe en parte a que lo más logrado de su obra corresponde a un período posterior al que aquí nos ocupa. No podemos referir sino a los comienzos de esa popularidad.

FIELDING, Henry (1707-1754).

1795-1796. *Historia de Amelia Booth...*, traducida al castellano por D. R. A. D. Q., Madrid, Viuda de Ibarra, 5 vols. 12°. [BM. 12604 c. 1.]
1796. *Tom Jones o El expósito...*, trad. del francés [de M. de la Place] por don Ignacio de Ordejón, Madrid, B. Cano, 4 vols. 8°. [B. N. P., Y² 12043-12046; BM, 1207. a.10-13.]
1834. *Tom Jones...*, trad. de Ordejón, París, Pillet, 8 vols. 18°. [B. N. P., Y² 12047-12054.]

[FIELDING, Sarah, 1710-1768.]

1804. *La huerfanita inglesa o Historia de Carlota Summers*, imitada del inglés por M. de la Place y trad. por D. E. A. D., Madrid, Gómez Fuentenebro. («Segunda edición». Ignoro la fecha de la primera. *L'orpheline anglaise* de De la Place se publicó en 1751.)
1826. *La huerfanita inglesa o Historia de Carlota Summers*, Gerona, 4 vols. 12°. (Catálogo de Salvá.)
1842. *La huerfanita...*, novela imitada del inglés por M. de la Place. Nueva edición, Barcelona, Oliva, 4 vols. 16°. (*Nueva colección de novelas escogidas*.) En ninguno de los repertorios que he visto lleva este libro nombre de autor.

[FIEVÉE, Joseph, 1767-1839.]

1807. *El dote de Suceta o Historia de Mme. de Sanneterre*, trad. por don José María Camacho, Madrid, 8°.
1827. *El dote de Paquita o Historia de Mme. de Sanneterre, contada por ella misma*, París, Smith, 2 vols. 16°. [B. N. P., Y² 35625-35626.] (Con el nombre del autor esta vez.)

FLAVIGNY, Marie de, Condesa de Agoult, seudónimo Daniel Stern (1805-1876).

1847. *Nelida*, por Daniel Stern, trad. por M. Urrabieta, Madrid, Mellado, 8° mayor.
      Nelida (en igual trad.), Burgos, P. Polo, 240 págs. [Lib. of Congress.]

FLORIAN, Jean Pierre Claris de (1755-1794).

1793. *Numa Pompilio*, poema puesto en castellano por el traductor de las *Veladas de la quinta* (¿Gilman?), Madrid, Viuda e hijos de Marín.
1794. *Gonzalo de Córdoba o La conquista de Granada*, trad. por don Juan López de Peñalver, Madrid.
1797. *Estela*, pastoral en prosa y verso, trad. por... don Vicente Rodríguez de Arellano y del Arco, Madrid, Sancha, 16°, 182 págs. [B. N. P., Y² 36185.]
      Galatea, trad. por don Casiano Pellicer, Madrid, Viuda de Ibarra, xxv-120 páginas. [Lib. of Congress. HS.]
1799. *Novelas*, trads. por don Gaspar Zabala y Zamora, Madrid, 18°.
1800. *Novelas nuevas*, trads. por Gaspar de Zabala, Perpiñán, Alzine.
1801. *Gonzalo de Córdoba o La conquista de Granada*, Perpiñán, dos vols. 18°.

(Se le menciona en un catálogo de la librería de la Viuda de Ibarra que acompaña su impresión del entremés *El hambriento*.)

1803. *Selico*, novela africana, Salamanca, Toxar. (Contenido en una *Colección de cuentos morales*.)

1804. *Estela...*, Perpiñán, Alzine, 18°. (En el catálogo de la Viuda de Ibarra ya citado.)

Galatea..., Perpiñán, Alzine.

Gonzalo de Córdoba..., trad. de López de Peñalver, Madrid, Imprenta de la Administración del Real Arbitrio, 2 vols. 16°, 312 y 304 págs. [BU California, Berkeley; BM., 12513.a.16.]

1805. *Eliezer y Neftalí*, poema en cuatro cantos, trad. de las *Obras póstumas...*, Madrid, Imprenta Real. (Reseña, con una biografía y juicio de Florian en las *Nuevas efemérides de España, históricas y literarias*, por don P. M. O[live], Madrid, Vega, 1805, págs. 6-11. [HS.]

1808. *Gonzalo de Córdoba...*, trad. López de Peñalver, Londres, R. Juigné, 2 vols. (Bib. N. Madrid, Col. Gayangos, 1-15867.)

1809. *Numa Pompilio*, Perpiñán, Alzine, 2 vols. 18°. [B. N. P., Y² 36349-36350.]

1810. *Galatea*, Filadelfia (Palau).

1811. *Novelas y cuentos*, Perpiñán, Alzine. [Boston PL., col. Ticknor.]

1812. *Gonzalo de Córdoba...*, trad. de López de Peñalver, Perpiñán, Alzine, 2 volúmenes. 18°. (Edición de 2500 ejemplares registrada en la *Bibliographie de la France*. Debió de salir a fines de 1811.) [B. N. P., Y² 36249-36250.]

Novelas, Mataró, Silveyro Lleixá, 12°, 204 págs. (En el catálogo de la librería Bardón de 1948, fasc. 6, núm. 1099, se advierte que «contiene una novela inglesa y otra americana, la que se desarrolla en el Paraguay». Esto está tan mal redactado que no se echa bien de ver si se trata de adiciones ajenas a la pluma de Florian o si ése es el contenido de todo el tomo, en cuyo caso las novelas serán probablemente *Bolton* y *Camiré*.)

1814. *Estela...*, Barcelona, Dorca (Palau).

Galatea, trad. de Pellicer, Madrid, Viuda de Barco López, 12°, xx-159 páginas. [HS.]

Selico, trad. de Zabala. (En *Elementarbuch der spanischen Sprache für deutsche Gymnasien und hohe Schulen* de J. G. Keil, Gotha, Stendel, 8°, 158 páginas.)

1817. *Estela...*, trad. de Rodríguez de Arellano, Perpiñán, Alzine, 16°, vi-210 páginas. [B. N. P., Y² 36186; Boston PL., colección Ticknor.]

Galatea..., trad. de Pellicer, Perpiñán, Alzine 18°, 180 págs. [B. N. P., Y² 36216.]

1818. *Numa Pompilio*, Burdeos, 2 vols. 18°. (Catálogo de Salvá.)

1819. *Novelas nuevas...*, trad. por Zabala, Avignon, Seguin, 18°, 176 págs. (Barrois era el editor, y hay ejemplares con pie de imprenta de Madrid, Sancha, como el de B. N. P., Y² 36296.)

Numa Pompilio, Gerona, 2 vols. 16°.

Estela..., Burdeos, 18°. (Catálogo de Salvá.)

1820. *Galatea...*, Madrid, Collado (Palau).

Estela, pastoral en prosa, trad. Rodríguez de Arellano, Madrid, Collado. [Ranch.]

Numa Pompilio, puesto en castellano por el traductor de las *Veladas de la quinta,* Madrid, 2 vols. [Lib. of Gongress.]

1821. *Gonzalo de Córdoba...,* París 2 vols. 18°. (Catálogo de Salvá.)
Guillermo Tell o La Suiza libre, trad. por una joven señorita, Madrid, Sancha, 8° mayor. [Ranch.] (Reseña en *El Censor,* VIII, 1821, núm. 44, 2 junio, págs. 144-147.)

1822. *Guillermo Tell... Eliezer y Nephtalí,* trads. por la primera vez (!)..., por José Antonio P., París, Masson e hijo, 18°. [B. N. P., Y² 36276.]

1823. *Guillermo Tell...,* trad. por José Antonio P., París, Masson, 12. [HS.]
(Debe de ser la anterior remozada.)

1824. *Estela...,* trad. de Rodríguez de Arellano, Burdeos, Lawalle jeune, 18°, 171 páginas. [B. N. P., Y² 36187.]
Galatea..., trad. de Pellicer, Perpiñán, Alzine, 18°, 180 págs. [B. N. P., Y² 36217, HS.]
Galatea..., trad. de Pellicer, Burdeos, Lawalle jeune, 18°, 188 págs. [B. N. P., Y² 36218.]

1825. *Gonzalo de Córdoba...,* trad. de López de Peñalver, Burdeos, Lawalle, 2 volúmenes. 18°. [B. N. P., Y² 36251-36252.]

1826. *Gonzalo de Córdoba...,* trad. López de Peñalver. Tercera impresión, Madrid, M. de Burgos, 2 vols. 12°.
Numa Pompilio..., Burdeos, Lawalle, 2 vols. 18°. [B. N. P., Y² 36351-36352.]
Eliezer y Nephtaly..., puesto en verso español por Félix Megía, Filadelfia, Guillermo Stavely. [HS.]

1827. *Gonzalo de Córdoba,* Barcelona.

1828. *Gonzalo de Córdoba...,* trad. de López de Peñalver, Perpiñán, Alzine, 2 volúmenes. 18°. [B. N. P., Y² 36253-36254.]
Bolton o El esposo infiel, Cartas inglesas... *El tejedor y el visir,* cuento oriental..., Barcelona, J. Mayol, 8°, 153 págs. [Lib. of Congress.]

1829. *Compendio de la historia de los árabes, dividido en cuatro épocas...,* Valladolid, Aparicio, 8°, xviii-186 págs.
Gonzalo de Córdoba..., trad. de Peñalver, París, Smith, 18, 306 págs. [B. N. P., Y² 36255.]
Numa Pompilio, Barcelona, Sauri, 8°, xlii-256 págs.

1830. *Galatea...,* trad. de Pellicer, Barcelona, Sauri, 16° mayor, 173 págs. [BU. California, Berkeley.]

1831. *Fábulas,* trads. por don Gaspar Zabala y Zamora, corregidas y aumentadas por don José Fernández de la Vega Potán, Madrid, Jordán, 8°, 141 págs.
Numa Pompilio..., Madrid, 12°. (Catálogo de A. Guzmán, julio 1949, núm. 1371.)

1834. *Estela...,* trad. de Arellano, Barcelona, Indar, 8°.
La Estela..., trad de Arellano, Barcelona, Piferrer, 12°.
Numa Pompilio, París, Pillet 2 vols. 18°. [B. N. P., Y² 36353-36354.]

1835. *Numa Pompilio...,* Perpiñán, Alzine, 18°, 331 págs. [B. N. P., Y² 36355.]
Zulbar y la hormiga, novela indiana trad. del francés por don Jerónimo Ferrer y V., Madrid, Ortega, 8°, 40 págs. (Sin nombre de autor.)

1838. *Gonzalo de Córdoba...*, trad. de Peñalver, París, Pillet, 18°, 306 págs. [B. N. P., Y² 36356.]

   El padre y sus hijos. Apólogo, trad. por J. N. Gallego, *El Liceo,* 1838, I, pág. 29.

1839. *Estela...*, trad. de Arellano, París, Pillet, 18°, 208 págs. [B. N. P., Y² 36188.]

   Galatea..., trad. de Pellicer, París, Pillet, 18°, 174 págs. [B. N. P., Y² 36219.]

   Novelas y cuentos, París, Pillet, 2 vols. 18°. [B. N. P., 36291-36292.]

1840. *Estela...*, trad. de Arellano, Barcelona, Indar, 8°, viii-xxviii-170 págs.

   Estela..., París, Pillet, 18°. (Hidalgo. Debe de ser la de 1839.)

   Gonzalo de Córdoba, Barcelona, Tauló. (Catálogo García Rico.)

   Guillermo Tell o la Suiza..., nueva traducción, Barcelona, Pons y Cía. (Sin nombre de autor?)

   Novelas y cuentos, París, Pillet, 2 vols. 18°. (Hidalgo. Debe de ser la de 1839.)

1841. *Gonzalo de Córdoba...*, trad. de Peñalver, Barcelona, Tauló, 2 vols. 8°.

   Guillermo Tell..., trad. por D. I. M. L., Madrid, López, 12°. (*Biblioteca en Miniatura,* V.)

1842. *Novelas y cuentos,* París, Pillet, 2 vols. 8° (Hidalgo).

1843. *Camiré,* novela americana..., Madrid, Unión comercial, 16°, 96 págs. (*Biblioteca continua.* En las ocho últimas páginas, *La corona de un artista,* fantasía de Teodoro Guerrero.)

   Celestina, novela española, Madrid, Unión comercial, 16°. (*Biblioteca continua,* junto con *La copa de ron,* de Teodoro Guerrero, que encabeza el volumen.)

   Sancho, novela portuguesa, Madrid, Unión Comercial, 16°. (*Biblioteca continua,* junto con *Una justa,* de Dumas, y *Esperanza,* de Jules de Saint-Félix, que encabeza el volumen.)

1846. *Numa Pompilio,* Perpiñán, Alzine, 18°, 255 págs. [B. N. P., Y² 36356.]

1847. *Gonzalo de Córdoba...*, París, Pillet, 18°, 306 págs. [B. N. P., Y² 36257.]

s. a. *Galatea...*, Perpiñán, Alzine (Palau). Probablemente procede de los comienzos del siglo.

   Las imprentas extranjeras, francesas sobre todo, siguieron publicando libros de Florian muchos años más tarde. No comprendemos a quién iban destinados. Probablemente todo lo absorbió la América española. En la Península no recordamos una presencia reciente de Florian.

FORBIN, Conde de (1779-1841).

1825. *Carlos Barimore,* trad. por D. J. C. Pagés, París, Viuda de Wincop (imp. de Davíd), 8°, 274 págs. [B. N. P., Y² 36773.]

1828. *Historia de Ismail y Mariam,* novela oriental [tomada de *Souvenirs de Sicile,* 1823]..., París, Viuda de Wincop, 18°, 82 págs. [B. N. P., Y² 36774.]

1838. *Historia de Ismayl y Marian...*, trad. por D. F. G. y V., Granada, Viuda de Moreno, 24°. (El volumen contiene, además, *Historia de un polaco,* que no sé qué pueda ser.)

FOSCOLO, Hugo (1778-1827).

1822. *Últimas cartas de Jacobo Ortiz,* trad. por José Antonio Miralla, Habana, Díaz Castro, 16°, 241 págs.

1833. *Últimas cartas...,* Barcelona, Bergnes, 32°, 256 págs. (*Biblioteca selecta, portátil y económica,* XXVIII.)

1835. *Últimas cartas...,* Buenos Aires, imp. Argentina. (Reimpresión de la edición de La Habana, Palau.)

FOURNIER, Marc (1818-1879).

1848. *Virginia,* Madrid, 8°, 176 págs. (Biblioteca de *El Siglo,* tomo 88.)

FOURNIER, N. (1803-1880) y ARNOULD, Auguste (1803-1854).

1838. *Struensee o La reina y el privado.* Historia danesa del año 1769..., trad. por A. M., Barcelona, Bergnes, 4° mayor. [Monterrey.] (Contiene también *Carlos IV en Marsella,* de Rey Dusseuil.)

1849. *Struensee...,* trad. de A. M., Barcelona, Oliveres, 4° mayor (con *Carlos IV...;* parece reimpresión de la anterior).
Struensee..., Málaga, del Rosal, 4 vols. 12°. (*Biblioteca del Mediodía.*]
Hay aún varias ediciones de esta novela, posteriores a 1850.

FULLER, Anne.

1838. *Alano, Conde de Fitz-Osborne o Eduardo en Palestina.* Novela histórica del tiempo de las Cruzadas..., trad. libremente..., por el doctor don Nicolás Molero, Sevilla, imp. de *El Sevillano,* 2 vols. 8°, viii-162 y 230 págs.

FULLERTON, Lady Georgiana Charlotte (1812-1885).

1848. *El castillo de Grantley,* novela..., trad. por D. J. R. F., Madrid, Gil, 2 vols. 8°. (*Biblioteca popular europea.* La traducción parece haber sido hecha directamente esta vez, pues Lorenz no registra más edición francesa que una de 1852.)
El castillo de Grantley... (sin nombre de traductor), Málaga, imprenta de *El Avisador,* 3 vols. 32°, 200, 192 y 166 págs.

[GALLAND, Antoine, 1646-1715.]

1838. *Las mil y una noches,* París, Rosa, 10 vols. 18°, más uno de láminas. [B. N. P., Y² 8892-8902.]

GAY, Delphine, Mme. de Girardin (1804-1855).

1850. *La caña de Monsieur Balzac* (sic = *La canne de Mr. Balzac,* 1836), novela escrita por Mme. Emilia (sic) de Girardin, trad. por Guillermo Mortgat, Madrid, Rodríguez, 4°. (*Biblioteca de recreo,* I.) [Ranch.]

GAY, Sofía (1776-1852).

Hacia 1842. *María Luisa de Orleans, reina de España*, Cádiz. (*Museo de novelas históricas*, III, IV, V.)
El perro y el chal, Cádiz. (Ibid., I.)

GENLIS, Mme. Stéphanie Félicité de (1746-1830).

1785. *Adela y Teodoro o Cartas sobre la educación*, trad. por don Bernardo María de Calzada, Madrid, Ibarra, 3 vols. 8°. (La tercera parte de esta obra es *Adelayda;* v. 1801.)

1787. *Adela y Teodoro...*, trad. de Calzada, Madrid, Ibarra.

1788. *Veladas de la quinta o novelas e historias sumamente útiles para las madres de familia*, trad. por don Fernando Gilman, Madrid, González. [57]

1792. *Adela y Teodoro...*, Madrid, Imprenta Real, 3 vols. 8°. [58]
Los anales de la virtud, Madrid, Aznar, 2 vols. 8°. (No tiene nada de novelesco. Hidalgo, *Diccionario*, V. 175 b., cita otra edición en dos vols. 8° mayor, para la que no señala imprenta ni año; no sabemos de qué pueda tratarse; el traductor es Calzada. Este libro continúa *Adela y Teodoro* y *Las veladas de la quinta*.)

1801. *Adelayda o El triunfo del amor...*, trad. por doña M. J. C. X., Madrid, Aznar, 12°. [BM., 12512. a. 25.]

1804. *Veladas de la quinta...*, trad. de Gilman, tercera edición, Madrid, Collado, 3 vols. 8° mayor (cfr. G. Palencia, *La censura*, II, 299).

1822. *El zafir portentoso, La dichosa hipocresía y El guardapiés*, cuentos..., Barcelona, 8°. (Catálogo de Salvá.)

1823. *El sitio de la Rochela*, Perpiñán, 2 vols. 12° (ibid.).

1825. *La señorita de Clermont*, trad. por P. Ferrer, Burdeos, Lawalle jeune, 8°, 186 págs. [B. N. P., Y² 38513.]
Luisa de Clermont, novela histórica trad. por D. J. C. Pagés, París, Viuda de Wincop, 24°, 162 págs. [B. N. P., Y² 50961; debió de salir a fines de 1824, a juzgar por la mención que contiene la *Bibliographie de la France*.]

1826. *Adelayda o el triunfo del amor.* Trad. por doña M. J. C. X., Madrid, F. Martínez Dávila. 16°, iv-133 págs. [Ranch.]
Plácido y Blanca o Las Batuecas..., trad. por D. A. P., Valencia, Mompié, 2 vols. 16°, xii-196 y 280 págs.

1827. *Zuma o el descubrimiento de la quina*, novela peruana. *Las cañas del Tíber*, París, Viuda de Wincop, 18°, 204 págs. [B. N. P., Y² 38524.]

1828. *Inés de Castro*, trad. por D., París, Wincop, 2 vols. 18°. [B. N. P., Y² 38508-38509.]
Luisa de Clermont..., trad. por D. J. C. Pagés, intérprete real, 2.ª edición, París, Wincop, 12°, 139 págs. [B. M. P., Y² 38512.]

---

57 Un prospecto de esta publicación apareció en el núm. 166 de *El Correo de Madrid*, y sobre ella hay una carta, ibíd., núm. 169, III, 1788, pág. 978.
58 En B. N. P., R 4380, hay un ejemplar incompleto y falto de portada de esta obra; no sé si se trata de alguna de esas ediciones o de otra

El sitio de la Rochela, trad. por D. F. D. O., Madrid, 2 vols. 16°. (Palau, quizá por error. Olives Canals cita una edición de Barcelona, Rubió, de este año.)

1829. *Luisa de Clermont.* Segunda edición, revista y corregida, París, 12°.

Las pastoras de Madian o La juventud de Moisés, poema en prosa, Barcelona, Gaspar, 16°, 185 págs.

Veladas de la quinta, trad. de Gilman, París, Cosson, 6 vols. 18°. [B. N. P., R 37072-37077.]

1830. *Valeria y Beaumanoir o la caprichosa penitencia.* Trad. por don Manuel Marqués, Madrid, Burgos. [Ranch.]

1831. *La bella Paulina, o Amar sin saber a quién,* Barcelona, 8°. (Catálogo de Salvá.)

1832. *Alfonso o El hijo natural...,* puesto en español por don P[edro] H[iginio] B[arinaga], Valencia, Cabrerizo, 2 vols. 16°, x-286 y 284. [59]

Las cañas del Tíber o Los desgraciados amores de Rozeval y Urania, Barcelona, 8°. (Catálogo de Salvá.)

Inés de Castro, novela tomada de la historia de Portugal. Trad. por D. Salvador Izquierdo. Madrid, Bueno, 12°, 176 págs. [Ranch.] [60]

Las madres rivales o La calumnia..., puesta en español por don P[edro] H[iginio] B[arinaga], Valencia, Cabrerizo, 4 vols. 16°, viii-390, 400, 400 y 372 págs. [HS.] [60 bis]

El sitio de la Rochela, París, Rosa, 2 vols. 12°. [B. N. P., Y² 38514-38515.]

El apóstata y la devota o sea el poder irresistible de los buenos principios..., trad. por el Barón de Ortaffa, Barcelona, Bergnes. (*Biblioteca selecta, portátil y económica,* vi-47-200 págs. En un tomo con *Abdallah,* de Chateaubriand, y *Saint-Hubert o las funestas consecuencias del juego.*)

Zuma o El descubrimiento de la quina y Zeneida o la perfección ideal, Barcelona, 2 vols. 8°. (Catálogo de Salvá.)

1835. *Alfonso o El hijo natural,* París, Pillet, 3 vols. 18°. [B. N. P., Y² 38501-38502, ejemplar incompleto.]

La princesa de Clermont..., trad. por D. G. G., 2.ª edición, Barcelona, Oliva, 32°.

1836. *Los votos temerarios o El entusiasmo,* trad. por don Manuel de Vergara, Valencia, Cabrerizo, 3 vols. 16°, 336, 316 y 304 págs.

1838. *La heroína...,* trad. por D., Madrid, Cía. de impresores, 8°. («Segunda impresión». Ignoro cuándo se hizo la primera.)

El sitio de la Rochela o El infortunio y la conciencia... Nueva trad. por E., Barcelona, Bergnes, 8°. (En volumen con *El talismán,* de W. Scott. Parece ser que hubo tirada aparte.) [BU Poitiers.]

---

59 No sé en qué fecha se había rechazado por la censura una traducción «tan baja, tan arrastrada, con tan poca inteligencia de la lengua francesa y del idioma español, que sería un desdoro...». (G. Palencia, *La censura,* 318, núm. 552.) No es probable que se trate de ésta.

60 G. Palencia, *La censura,* II, 331, núm. 570, da cuenta de los documentos relativos a la aprobación de *Inés de Castro* en una edición que debe de ser ésta, pues la licencia es de 1831 y el traductor era Izquierdo.

60 bis En la colección Ranch hay un ejemplar de este libro que en la anteportada lleva la fecha 1833, en la portada, 1840. Pero la paginación no coincide con el citado arriba. Hubo, por lo visto, numerosas tiradas.

1840. *Inés de Castro...*, trad. por don M. G. Gutiérrez, Barcelona, Sauri, 2 vols. 16º.

El sitio de la Rochela..., París, Pillet, 2 vols. 18º. [B. N. P., Y² 38516-38517.] (*La Bibliographie de la France* la registra en el volumen correspondiente a 1841.)

1841. *El sitio de la Rochela o La desgracia y la conciencia.* Vertida por D. O. R. J. Barcelona, J. Rubió, 2 vols. [Ranch, que sólo posee el segundo.]

1842. *Veladas de la quinta,* trad. de Gilman, Barcelona, 2 vols. 8º.

1845. *Inés de Castro...*, trad. por don Salvador Izquierdo, Tercera edición, Madrid, Lalama, 8º.

El castillo de Kolmeras, trad. por don Víctor Balaguer, Madrid, Ayguals de Izco, 16º mayor. (*Museo de las hermosas,* II.)

1848. *El castillo de Kolmeras,* trad. de Balaguer, Madrid, Ayguals de Izco, 16º mayor. (*El novelista universal,* XI, junta con novelas de G. Sand, Méry, A. Dumas.)

1849. *El sitio de la Rochela,* Barcelona, Oliveres, 8º. (Con *El talismán,* de W. Scott; reimpresión de la de Bergnes, 1838.)

1850. *El sitio de la Rochela...*, trad. por M. A. M., nueva edición, Perpiñán, Alzine, 12º [B. N. P., Y² 38518. Hay reimpresiones numerosas hasta 1872, y todavía la sacaba a luz Garnier en 1912.]

De lo dicho en la nota anterior se desprende que la bibliografía española de Mme. de Genlis sigue siendo copiosa, sobre todo fuera de España. Como otras veces, no comprendemos bien a qué público se dirigía.

GENOUX, Claude (1811-1874).

1848. *Memorias de un niño de Saboya,* Madrid, Mellado, 4º mayor. (Llena las 104 págs. finales, con numeración aparte, de *La marquesa de Menville,* de Soulié.)

GEORGE SAND, Aurore Dupin, llamada (1804-1876).

1836. *León Leoni,* trad. por don Fernando Bielsa, París, Rosa, 2 vols. 12º. [B. N. P. Y² 65314-65315.]

1837. *Andrés...*, trad. libre por don P[edro] R[eynés] S[olá], Barcelona, Oliva, 2 vols. 16º, vi-216 y viii-232 págs. (*Nueva colección de novelas escogidas.*)

Indiana, trad. por don E[ugenio] de Ochoa, Madrid. (*Mañanas de primavera,* vols. II-III.)

León Leoni, trad. del mismo, Madrid. (*Mañanas de primavera,* I.)

El secretario..., trad. por E[ugenio] de O[choa], Madrid, Sancha. (*Colección de novelas de los más célebres autores extranjeros,* dirigida por Ochoa.) [61]

Indiana..., trad. de la cuarta edición... por don Juan Cortada, Barcelona Piferrer, 2 vols. 12º, 328 y 360 págs.

---

[61] Hidalgo cita equivocadamente una edición de Madrid, Pascual, 1831; en esa fecha el libro no estaba escrito.

Valentina, trad. por don Eugenio de Ochoa, Madrid, Sancha, 2 vols. 12°, 297 y 312 págs. *(Colección de novelas de los más célebres autores...)*

Valentina..., trad. de la tercera edición... por don Francisco Altés, Barcelona, Piferrer, 2 vols. 12°, 242 y 232 págs.

1838.   *Cartas de un viajero...,* trad. por don Pedro Reynés Solá, Barcelona, Oliva, 3 vols. 16°, viii-248, iv-288 y iv-256 págs. *(Nueva colección de novelas escogidas,* tomos XLVII-XLIX.)

Indiana..., Barcelona, Oliva, 2 vols. 16° mayor. *(Nueva colección de novelas...)*

Jacobo..., Barcelona, Oliva, 3 tomos 16° mayor. (De la misma colección.)

León Leoni..., Barcelona, Oliva, 2 vols. 16° mayor, viii-184 y iv-176 páginas. (De la misma colección.)

El secretario privado, Barcelona, Oliva, 2 vols. 16° mayor. (De la misma colección.)

Simón, trad. por don P[edro] R[eynés] S[olá], Barcelona, Oliva, 2 vols. 16° mayor. (De la misma colección.)

Valentina, nueva traducción (por el mismo), Barcelona, Oliva, 2 vols. 16° mayor, viii-344 y viii-336 págs. (De la misma colección.)

1840.   *Lavinia,* Barcelona, Pons y Cía., 16°.

1842-1843.   *Consuelo,* cuento... traducido para el folletín de *El Heraldo,* Madrid, *El Heraldo,* 3 vols. 8° mayor, 244, 234 y 170 págs.

Consuelo, Madrid, 4° (Hidalgo).

1843.   *Espiridión...,* trad. por J. de Luna, Barcelona, Oliveres, 8°, iv-354 págs. *(Tesoro de Autores Ilustres,* IX.)

Galería de las mujeres de Jorge Sand, trad. por Eugenio de Ochoa, Bruselas, 4°. (Texto francés y castellano, con 24 láminas en acero; el texto es de Jacob.)

Lelia, trad. por don Jaime Tió, Barcelona, Oliveres, 8°, xii-334 págs. *(Tesoro de Autores Ilustres,* VIII. Elías de Molíns cita otra edición de este año a la que señala diferentes características: 2 vols. 8°, viii-333 y 121 págs. La desproporción de los tomos hace el dato sospechoso.)

Paulina, trad. por J. A. S. M., Barcelona, Oliveres, 12°. *(Biblioteca europea,* VII.)

Rosa y Blanca [escrita con Jules Sandeau, 1831]..., trad. por don Emilio Polanco, Ronda, Moretí, 3 vols. 8°.

1844.   *La condesa de Rudolstadt...,* trad. por don J. Pérez Comoto, Madrid, Mellado, 4 vols. 4°.

La Condesa de Rudolstadt, Habana.

Consuelo..., Madrid, Mellado, 6 vols. 16° mayor. *(Biblioteca de recreo.)*

Consuelo, Habana, imp. de *La Prensa,* 3 vols. 8°, ii-342, 360 y 240 págs.

La Marquesa, Lavinia, Metella, Matea..., trad. libremente por don J. M. Toledo, Sevilla, Álvarez, 8°. *(Colección de novelas escogidas de los mejores autores extranjeros.)*

Lavinia y Metella, Cádiz, 8°, 282 págs. (Se cita esta edición en el catálogo de la librería Bardón, 1948, 6 núm. 1112, pero se trata de un ejemplar sin portada. ¿Pertenecerán estas novelas a la edición de Sevilla?)

Orio Soranzo, historia veneciana..., Madrid, Soc. tip. Minerva, 8°, 258 págs. (Publicada por *El Heraldo.*)

Orio Soranzo, Habana.
1845. *Juana...,* trad. por don J. Aguirre, Madrid, Aguado, 3 vols. 16° mayor.
(*Recreo popular.*)
Mauprat, Madrid, Espinosa, 2 vols. 8° mayor, 142 y 232 págs.
La prima donna, trad. por don Víctor Balaguer, Madrid, Ayguals de Izco,
16° mayor. (*Museo de las hermosas,* II.)
1846. *Teverino...,* trad. J. M. de Andueza, Madrid, Espinosa, 8°, 230 págs. [62]
1848. *La prima donna,* trad. de Balaguer, Madrid, Ayguals de Izco. (*El novelista
universal,* XI, con *El castillo de Kolmeras,* de Mme. de Genlis.)
1851. *Lavinia,* Barcelona. (Biblioteca popular de *El Nacional*).
Posteriormente a esta fecha hay muchas más traducciones, que no han faltado
en este mismo siglo. Sé de otras 10 hasta 1888, y mis notas son incompletísimas.

[GÉRARD, Philippe-Louis.]

1792-1793. *Triunfos de la verdadera religión contra los extravíos de la razón en
el Conde de Valmont.* Cartas recogidas y publicadas por el señor N., trads...
por el R. P. Fr. Clemente Millana, Murcia y Madrid, 5 vols. (Para las fortunas de este libro v. Herr, Op. cit., pág. 306.)

GOBINEAU, Arthur, Conde de (1816-1882).

1843. *Scaramuccia...,* Madrid, Compañía bibliográfica, 16°, 136 págs. [63]
1849. *Vida y aventuras de Scaramucha,* Sevilla, Gómez, 16°, 76 págs. (Completa
el 2.° volumen de *Paulina,* de A. Dumas.)

GOETHE, Johan Wolfgang (1749-1832).

1800. *Werther,* trad. de Casiano Pellicer. No llegó a publicarse; presentado el
manuscrito a la censura, el traductor pidió que se lo devolvieran por no estar
satisfecho de su obra. V. G. Palencia, *La censura,* II, núm. 286.
1802. *Werther,* trad. de Bladeau; v. el estudio anterior, págs. 26-30.
1803. *Werther,* trad. del alemán..., París Guilleminot, 8°, viii-212 págs. [B. N.
P., Y² 39229; BM, 12547. bb. 20.]
1804. *Werther,* París, Guilleminot, 12°. (Quérard. Parece ser que hubo una edición bilingüe, española y francesa, por el mismo impresor y de este año, 2
vols. 12°).
¿1812? *Herman y Dorotea,* Valencia, Esteban. (¿Confusión de fecha?)
1819. *Herman y Dorotea...* Publícala en español don Mariano Cabrerizo, Valencia,
Esteban, 12°, 216 págs.
Las pasiones del joven Verter..., Valencia, Cabrerizo, 16°.
Werther, Barcelona. (Citado por Olives Canals, pág. 178, núm. 104.)

---

[62] Hidalgo cita una edición de la Biblioteca de *El Siglo,* 8°, que no detalla en su
catálogo de títulos. No debe de ser ésta, pues dicha biblioteca empezó a salir en 1848.
[63] Caso cierto de novela tomada directamente de un periódico francés. *Scara-
mouche,* 1843, salió como folletín en *L'Unité.*

1820. *Verter o Las pasiones,* trad. por D. A. R., Valencia, J. Ferrer de Orga, 12°, 286 págs. (Aunque no lo imprimió éste, pertenece a la *Colección de novelas* de Cabrerizo.)

1821. *Werther o las pasiones.* Barcelona, Torner.

1825. *Werther,* París, Seguin, 18°, viii-294 págs. [B. N. P., Y² 39230.]

1828. *Herman y Dorotea,* ed. de Cabrerizo, Valencia, Gimeno.

1835. *Las cuitas de Werther...,* trad. directamente... por D. José Mor de Fuentes, Barcelona, Bergnes, 12°, 251 págs. (Sobre los orígenes y circunstancias de esta traducción v. el *Bosquejillo,* ed. citada, págs. 67-68).

1836. *Las cuitas...,* trad. de Mor, Valencia.

1842. *Herman y Dorotea...,* Tercera edición, Valencia, Cabrerizo, 16°, 256 páginas.

1849. *Las pasiones del joven Werther* (¿trad. de Mor?), Madrid, García, 8°, 156 págs. (*La época. Biblioteca para todos,* X.) [64]

GOGOL, Nicolai V. (1809-1852).

1849. *Memorias de un loco,* en *La Ilustración,* I, págs. 91, 102, 107.

GOLDSMITH, Oliver (1728-1774).

1808. *La historia de Ana Primrose,* en *Biblioteca Británica,* Madrid, Vega.

1831. *La familia de Primrose,* Barcelona, 2 vols. 32° (Catálogo de Salvá.) [65]

1833. *La familia...,* novela moral escrita en inglés... con el título de *The Vicar of Wakefield,* trad. por D. A[ntonio] B[ergnes] y L. D. C., Barcelona, Bergnes, 2 vols. 32°, 246 y 222 págs. (*Biblioteca selecta, portátil y económica,* tomos 33 y 34.) [BM, 12604. aa.]

1851. *El vicario de Wakefield...,* Madrid, 4°, 40 págs. (*Biblioteca Universal.*) [BM, 12410. h. 5.] (El catálogo de BM da como fecha 1855; se trata probablemente de una reimpresión.)

GOLOWKIN, Fedor

1830. *La princesa de Amalfi,* trad. por la señorita Hermancia de Ayala, París, David, 32°, 239 págs. [B. N. P. Y² 75590.]

GÓMEZ, Madeleine Angélique Poisson, Mme. de (1684-1770).

1792-1797. *Jornadas divertidas.* Políticas sentencias y hechos memorables de reyes y héroes de la antigüedad, trad... por D. Baltasar Driguet, Madrid, varias

---

[64] Para la filiación de las primeras ediciones, v. el artículo de Robert Pageard, *Werther en Espagne, Gesammelte Aufsätze zur Kulturgeschichte Spaniens* (Görres Gesellschaft), XI, Münster, Aschendorff, 1955, págs. 215-220, artículo que reúne bastantes datos, pero en gran confusión, pues el autor no se hace siempre cargo de quién es quién.
En *Horas de invierno,* III, 1837, Ochoa publicó *La herradura,* breve poema de Goethe que no interesa aquí.

[65] De este año hubo dos tentativas, frustradas por la censura, de publicación de *El vicario*; v. G. Palencia, *La censura,* II, 351. Sorprende la mención de Salvá, quizá error de copia o de imprenta; él todavía estuvo a tiempo de conocer la edición de Bergnes y de registrarla.

imprentas (I, Hernández Pacheco, II-VI, Benito Cano; VII-VIII, Villalpando, [NYPL.] 8 vols. 4°. En el catálogo de la librería *El Callejón*, fasc. 5, número 2103, 1953, se ofrece un ejemplar impreso entre 1797-1821. El dato prueba que ese libro a todas luces facticio se completó con tomos de diferentes tiradas.

GONZALES, Emmanuel (1815-1887).

1842.   *Los hermanos de la costa*, novela americana, trad. por don I. J. Escobar, Madrid, Compañía tipográfica, 3 vols. 8°.
1844-1845.   *Memorias de un ángel...*, Málaga, Cabrera y Laffore, 4 vols. 8° mayor. (Parece ser que salió sin nombre de autor, pues en *Bol.*, VI, núm. 168, se le designa en nota, donde también se advierte que el libro fue traducido por don Antonio B[enigno] Cabrera. Lo mismo se lee en el *Diccionario* de Hidalgo.)
1851.   *Los hermanos de la costa*, Madrid, fol. 56 págs. (*Biblioteca Universal.*)
   Hay más traducciones posteriores, como ocurre con todos los folletinistas de aquel tiempo.

GOZLAN, León (1803-1866).

1837.   *Rog*, trad. de Ochoa. (*Horas de invierno*, III).
1843.   *Leónidas el buzo...*, trad. por A. Abrial, Madrid, Unión comercial, 16°, 64 págs. (*Biblioteca continua.*)
1845.   *La verdad de un epitafio...*, trad. por don Eduardo González Pedroso, Madrid, Sociedad literaria, 4°.
   Hay algunas traducciones posteriores.

GRAFFIGNY, Françoise de (1694-1758).

1792.   *Cartas de una peruana*, trads. con correcciones y notas por doña María Romero Masegosa y Cancelada, Valladolid, Viuda de Santarén, 8°, 518 págs. [HS.]
1823.   *Cartas peruanas... Cartas de Aza* [de J. H. de Lamarche-Courmont], París, Rosa (imp. de Moreau), 12°, 308 págs. [B. N. P., Z 15607; BM, 12490. bb. 17; HS.]
1836.   *Cartas de una peruana...*, trads. por D. J. G., Valencia, J. de Orga, 8°. (Sin nombre de autor.)

GROSSI, Tommaso (1791-1853).

1847.   *Marcos Visconti*, narración histórica sacada de las crónicas del siglo XIV..., trad. por D. M. A. M. y D. J[aime] T[ió], Barcelona, Oliveres, 8° mayor (*Tesoro de Autores Ilustres*, LXII.)

GUÉNARD, Mme., Baronne de Méré (1751-1829).

1818.   *Elena y Roberto o Los dos padres...*, Valencia, Esteban, dos vols. 16°, 196 y 236 págs. (*Colección de novelas* de Cabrerizo.)
1819.   *Elena y Roberto...*, Valencia, Cabrerizo, 2 vols. (¿Diferente de la anterior?)
1837.   *Los capuchinos o El secreto del gabinete oscuro*, trad. por D..., Barcelona, Oliveres, 8°. (Sin nombre de autor.)

1840. *Elena y Roberto,* Valencia, Cabrerizo. [Ranch.]

[GUEULLETTE, Thomas Simon (1683-1766)]

1742. *Los mil y un cuartos de hora* (1723). Cuentos tártaros, trads. por el P. Fr. Miguel de Sequeiros..., Madrid, G. Ramírez, 2 vols. 8°. [B. N. P., 8°, Y² 62043.]

1789. *Los mil y un cuartos de hora,* trad. de Sequeiros, Madrid, 2 vols. 12°, 260 y 318 págs.

1820. *Los mil y un cuartos de hora...,* trad. de Sequeiros, y añadido con la historia y aventuras de los siete viajes que hizo el famoso Simbad el Marino por D. F. A. D., Madrid, Viuda de Barco López, 2 vols. 8°, 317 y 350 págs.

GUINOT, Eugène (1805-1861).

1843. *Desgracias de un gigante,* trad. por El-Modhafer, Madrid, Unión comercial, 16°, 96 págs. (*Biblioteca continua.* Contiene, además, *La tarántula,* versión del mismo traductor.)

HEDOUIN, Pierre F. N. (1789-1868).

1828. *María de Boloña o La excomunión...,* París, Decourchant (Librería americana), 18°. [B. N. P., Y² 50912.]

s. a. (Hacia 1846) *María de Boloña...,* Barcelona, Gaspar.

HELME, Mrs. Elizabeth.

1803. *Luisa o La cabaña en el valle...,* trad. por D. G. A. J. C. F., 2.ª edición, Salamanca, Toxar, 2 vols. 12°.

1807. *Alberto o El destierro de Strathnavern...,* trad. por D. E. A. P., Madrid, imp. calle de la Greda, 3 vols. 8.°, viii-344, vi-356, vi-266 págs.

1819. *Luisa...,* Barcelona, 2 vols. 8°.

1823. *Luisa...,* París, Smith, 18°, 240 págs. (Según parece hay ejemplares con pie de imprenta de Madrid, Sancha.) [B. N. P. Y² 49820.]

1827. *Luisa...,* 2.ª edición, revista y corregida, París, Smith, 18°, 240 págs. [B. N. P., Y² 49821.]

1828. *Saint-Clair de las islas o Los desterrados a la isla de la Barra,* Barcelona, Gorchs, 3 vols. 8°.

1832. *El peregrino o Cristabela de Mowbray,* Madrid, 2 vols. 8°.

1834. *Alberto...,* París, Pillet, 4 vols. 18°. [B. N. P., Y² 41649-41652.]

1838. *Saint-Clair de las islas...,* trad. libremente... por J. M., 2.ª edición, Barcelona, Gorchs, 3 vols. 8°.

1842. *Luisa...,* trad. de D. G. A. J. C. F., Barcelona, Albert, 2 vols. 8°.

HENRION, Mathieu Richard Auguste. (*1805-?)

1835. *El capitán Roberto o El padre de familia reconciliado con la religión por los ejemplos domésticos...,* trad por M. J. Martí, Barcelona, J. y J. Gaspar, 8°.

15

HERCULANO, Alexandre (1810-1877).

1845. *El Monasticon*. Colección de crónicas, leyendas y poemas..., trads. por D.
N. de T., Barcelona, Rosa, 8° mayor.

HOFFMANN, E. T. A. (1776-1822).

1837. *La lección de violín*, trad. de Ochoa. (*Horas de invierno*, III).
1839. *Cuentos fantásticos*, escogidos y vertidos... por don Cayetano Cortés, Madrid,
Yenes, 2 vols. 8° mayor, iv-100 y 100 págs. [I: *Aventuras de la noche de San
Silvestre; Salvator Rosa;* II: *Maese Martín el tonelero y sus oficiales; Marino
Fallieri.*]
1841. *El mayorazgo*, cuento fantástico..., trad. del francés por R. C., Madrid,
Oficina del Establecimiento central, 32°. (*Colección de cuentos fantásticos y
sublimes*, III.)
1843. *Los maestros cantores*, cuento nocturno..., Madrid, Unión comercial, 16°,
134 págs. (*Biblioteca continua*.)
1845. *Fascinación*, cuento fantástico, trad. por don Víctor Balaguer, Madrid,
Ayguals de Izco, 16° mayor. (*Museo de las hermosas*, I.)
1847. *Obras completas... Cuentos fantásticos* trads. por D. A. M., Barcelona, Lloréns hermanos, 4 vols. 8° mayor. [66]

HOUSSAYE, Arsène (1815-1896).

1845. *Adela de Marivaux*, trad. por don Víctor Balaguer, Madrid, Ayguals de
Izco, 16° mayor. (*Museo de las hermosas*, IV.)
1848. La misma versión, Madrid, Ayguals de Izco, 16° mayor. (*El novelista universal*, XIII.)

HUART, Louis.

V. PHILIPON.

HUGO, Víctor (1802-1885).

1834. *El último día de un reo de muerte*, trad. por J. García de Villalta, Madrid,
Llorenci, 8°. [67]
1835. *Bug Jargal*, trad... de la quinta edición francesa por don Eugenio de Ochoa,
Madrid, Jordán, 8°, 256 págs.
    Han de Islandia, trad... de la cuarta edición francesa por don Eugenio de
Ochoa, Madrid, Jordán, 8°, 256 págs.
1836. *Bug Jargal*, París, Rosa, 3 vols. 18°. [B. N. P., 8°, Y² 8467; Monterrey.]
    Nuestra Señora de París, novela... trad... de la octava edición francesa por
don Eugenio de Ochoa, Madrid, Jordán, 3 vols. 8° mayor, 294, 320 y 362 pá-

---

66 Para las fortunas de Hoffmann en España, v. F. Schneider, *E. T. A. Hoffmann
en España*, en *Estudios eruditos in memoriam de Adolfo Bonilla*, Madrid, 1927.
67 Aprobada en 1833. La censura es de Lista, pero no contiene juicio literario alguno; v. en G. Palencia, *La censura*, II, 358, núm. 605. Sobre esta traducción hay un
artículo, firmado con las iniciales C. A., que deben de ser las de Campo Alange, en
El Artista, 1835, I, núm. iv, págs. 40-43.

ginas. (Hidalgo, reseñando esta edición, dice que «es diferente de la de Barcelona hecha en 1836», pero no describe esta última.)
Nuestra Señora de París, Barcelona (v. la nota anterior).
Imberto Galloix (en *Mélanges de Littérature et Philosophie*, 1834), trad. de Ochoa (*Horas de invierno*, II).

1838. *Nuestra Señora de París*, Burdeos, Laplace y Beaume, 4 vols. 12º. [B. N. P., 8º Y² 8507.]

1840. *Bug-Jargal o El negro rey*, trad. por D. M. Bosch, Barcelona, Sauri, 12º.
Nuestra Señora de París, Barcelona, Oliva, 3 vols. 16º, xii-324, iv-434 y iv-382 págs. (*Nueva colección de novelas escogidas*, tomos LIII-LV.)
El último día de un reo de muerte, Madrid, Boix, 16º.

1841. *Bug-Jargal o El negro rey...*, trad. de Bosch, Barcelona, Sauri, 16º. (¿Distinta de la anterior?)
Nuestra Señora de París, Barcelona, Sauri. (De unas *Obras escogidas*. Anuncio en *Bol.*, II, pág. 200. Debía estar terminada a principios de julio de ese año.)
Nuestra Señora de París, trad. de Ochoa, Barcelona, Tauló, 4 vols. 8º mayor.
El último día de un reo de muerte, Barcelona.

1842. *Han de Islandia o El hombre fiera*, romance histórico del siglo XVII..., trad. nuevamente... por D. E. de O. y V., Barcelona, Sauri, 2 vols. 8º.
Nuestra Señora de París, Barcelona, Sauri, 8º. (*Obras escogidas;* diferente de la de 1841?)

1845. *Amores del hermoso Pecopín y de la bella Baldour* (en *Le Rhin*, 1842), Madrid, Ayguals de Izco, 16º mayor. (*Museo de las hermosas*, I.)
Nuestra Señora de París, trad. de Ochoa, Madrid.

1846. *Nuestra Señora de París*, Madrid, Mellado, 2 vols. 8º. (*Biblioteca popular económica.*)
Nuestra Señora de París, trad. de la última ed... por D. Eduardo Fernández, Madrid, Gaspar y Roig, 4º, 531 págs. + 2 hs. Las 4 primeras págs. no numeradas llevan una *Reseña biográfica* por Méry. [Ranch.]

1847. *Nuestra Señora de París*, trad. de la última edición francesa por Eduardo Chao, Madrid, Gaspar, 4º mayor.

1850. *Nuestra Señora de París*, trad. de Chao, Madrid, Gaspar y Roig, 4º mayor. (*Biblioteca ilustrada*, de Gaspar y Roig.)
Como ya dijimos, la bibliografía de Hugo crece con el siglo, entre otras razones porque alguno de sus libros de más éxito —*Los miserables*, sobre todo— son posteriores a 1850. Para ello referimos al estudio de Peers.

INCHBALD, Elizabeth Simpson (1753-1821).

1837. *Sencilla historia...*, trad. del francés por don Francisco Xavier Maeztu, París, Rosa, 2 vols. 12º. [B. N. P., Y² 43330-43331.]

1855. *Una historia sencilla*, Madrid, imp. de *Las Novedades*, 4º, 66 págs. (*El Eco de los folletines*, V.)

IRELAND, W. H. (1777-1836).

1822. *La abadesa*, trad. del inglés por C. L., París, Rosa, 2 vols. 12º. [El ejemplar de la B. N. P., Y² 43446-43447 lleva pie de imprenta de Madrid, Albán, 1822.]

1836? *La abadesa o Procedimientos inquisitoriales,* Barcelona, Oliva. (*Nueva colección de novelas escogidas.*)

La abadesa o Las intrigas inquisitoriales, Barcelona, Sauri, dos vols. 16º (sin nombre de autor).

1838. *La abadesa...,* segunda edición, Barcelona, Oliva, 2 vols. 16º. (*Nueva colección de novelas escogidas.*)

1854. *La priora de Santa María la Nova,* novela inglesa..., Madrid, González, 4º, 208 págs. [68]

IRVING, Washington (1783-1859)

1829. Según R. F. Brown, *La novela en España,* pág. 85 n. 6, el libro de J. W. Montgomery, *Tareas de un solitario,* Madrid, Espinosa, contiene tres historias de Irving, del *Sketch Book* y *Tales of a traveller.* Por lo que indica, el libro parece haber sido reimpreso en 1832, pero no lo registra entre los de ese año.

1831. *Crónica de la conquista de Granada...,* trad. por don Jorge W. Montgomery, Madrid, Sancha, 2 vols. 8º. [69] [BM., 9180. bb. 4.; HS.]

1833. *Cuentos de la Alhambra...,* trads. por D. L[uis] L[amarca], Valencia, J. Ferrer de Orga, 16º, x-248 págs. (El nombre del traductor figura en el catálogo de Salvá.) [BM., 12638.a; HS., 867. Ir. 8 a] [70]

1833-1834. *Historia de la vida y viajes de Cristóbal Colón...,* trad. por don José García de Villalta, Madrid, Palacios, 4 vols. 8º. [HS.]

1835. *Aventuras de un estudiante alemán,* El Artista, I, núm. xxvi, págs. 306-309.

1836. *El espectro desposado,* trad. de Ochoa (*Horas de invierno,* I).

1840. *El califa y el astrólogo,* cuento granadino, *Semanario pintoresco,* V, pág. 306 (sin nombre de autor).

Cuento de la Alhambra. El comandante manco y el soldado, ibíd., págs. 333, 341 (sin nombre del autor.)

1851. *Vida y viajes de Cristóbal Colón,* Madrid, Gaspar, 4º mayor.

1854. *Vida y viajes de Cristóbal Colón.* Tercera edición, Madrid, Gaspar y Roig, 4º mayor, ii-256 págs. [BM., 10408. f. 16.]

---

[68] Hidalgo cita una novela anónima con el título de *La abadia,* que parece ser *La abadesa,* ed. Saurí, 1836.

[69] El expediente en González Palencia, *La censura,* II, 330, núm. 568. No consta la decisión, pero no cabe duda de que se trata de este libro.

Hemos incluido en esta lista obras que no son propiamente de ficción, sino más bien de historia popularizada al alcance del gran público. Los pocos datos espigados en revistas mostrarán que el español recibió por ellas algo de la obra más popular de Irving, sin saber siempre de qué se trataba.

[70] Según el catálogo de BM., la edición es de París, aunque la portada diga Valencia. Hemos visto el ejemplar de HS. y nos parece errada aquella afirmación. La edición es valenciana a todas luces. La portada grabada lleva los nombres de Mallen y Berard, los libreros que sacaban el libro, pero a la vuelta de la anteportada figura el nombre de Orga como impresor.

No he podido ver el folleto de A. Gallego Morell, *Versiones españolas de los «Cuentos de la Alhambra» de Washington Irving,* Granada, 1945, 4º, 7 págs.

Viajes y descubrimientos de los compañeros de Colón, Madrid, Gaspar y Roig, 4° mayor, 80 págs. (*Biblioteca ilustrada de Gaspar y Roig*.) [BM., 10408. f. 27.]

JACOB, P. L.

V. LACROIX, Paul

JACQUOT, Charles Jean Baptiste, llamado Eugène de Mirecourt (1812-1880).

1846. *Mi tío el procurador...*, trad. por F. G., Málaga, Martínez de Aguilar, 2 volúmenes 16°. (*Biblioteca de recreo.*)
    Con posterioridad a 1850 abundan las traducciones de Mirecourt.

JAMES, George Payne Rainsford (1799-1860).

1844. *El jitano...*, trad. para el folletín de *La Esperanza* por D. J. B. Beratarechea, Madrid, del Castillo, 2 vols. 8° mayor.

JAMIESON, Mrs.

1837. *Heroísmo y valor*, trad. por E. de Ochoa, Madrid, Jordán (en *Mañanas de primavera*. Colección de novelas de los más célebres autores extranjeros, I).

JANIN, Jules (1804-1874).

1837. *Memorias de un ahorcado*, trad. de Ochoa (*Horas de invierno*, III).
1838. *Memorias del Príncipe de Wolfen*. Obra escrita... sobre la que publicó Mr. Jules Janin... bajo el título de *Barnabé*, por don Ramón López Soler, Madrid, Compañía tipográfica, 2 vols. 16° mayor, xiv-174 y 194 págs. (Aunque esta obra es una imitación y no una traducción propiamente dicha, el caso es bastante curioso para incluirla aquí. Se trata de un libro póstumo de López Soler.)
1843. *Un corazón para dos amores...*, trad. por S. A. S., Barcelona, Oliveres, 2 vols. 16° mayor (*Biblioteca Europea*).
1845. *El asno muerto*, novela filosófica..., versión... de Vicente Guimerá, Madrid, Campuzano, 4°, xxxii-284 págs.
    Abundan las impresiones de esta novela con posterioridad a 1850. V. también RICHARDSON.

JAUFFRET, Louis François (1770-1840).

1804. *Viajes de Rolando y de sus compañeros de fortuna alrededor del mundo*, Madrid, 4 vols. 8°.
    Las gracias de la niñez y los placeres del amor maternal, Madrid, 2 vols.

JOHNSON, Samuel (1709-1784).

1798. *El Príncipe de Abisinia*, novela traducida del inglés por doña Inés Joyes y Blake. Va inserta a continuación una apología de las mujeres en carta original de la traductora a sus hijas, Madrid, Sancha, 8°, 204 págs.

1813. *Raselas, Príncipe de Abisinia,* romance... trad. del inglés... por F. Fernández, Londres, 12° [BM., 12614. aa.].
1831. *El héroe de Abisinia,* trad. por don Mariano Antonio Collado, Valencia, José de Orga. 2 vols. 16°, 298 y 291 págs. (El libro es de noviembre de ese año.) [Ranch.]

JUSSIEU, Laurent de (1792-1866).

1819. *Simón de Nantua o el mercader forastero* (sic, por «marchand forain»)..., trad. libremente al español por don Torcuato Torío de la Riva, Madrid, Ibarra, 8°, xvi-270 págs.
1820. *Simón de Nantua...* Hala trad. J. B. C., Barcelona, J. Busquets, 232 págs. [Ranch.]
1835. *Simón de Nantua...,* trad. de J. B. C., Barcelona, Piferrer, 8°.
1839. *Simón de Nantua...* La misma trad. Barcelona, 12°, 198 págs. (Catálogo A. Guzmán, n.° 42, 1958.)
   Obras póstumas de Simón de Nantua, compiladas por su antiguo compañero de viaje..., trads. por don José A. Bujeres y Abad, Barcelona, Piferrer, 8°.
1842. *Simón de Nantua...,* trad. de Torío de la Riva, París, Lecointe y Lasserre, 12°, 215 págs. [B. N. P., R 39798.]
   Aún hay numerosas ediciones posteriores, sobre todo en Francia. [71]

KARR, Alphonse (1808-1890).

1837. *La nieta de Pedro el Grande,* trad. de Ochoa (*Horas de invierno,* III).
1849. *Genoveva,* en *La Ilustración,* I, 182 sigs. (el último trozo figura a pág. 350. Reproducía una edición en dos tomos, pues en la página 263 se lee la observación: «Fin del tomo primero», lo que probablemente se refiere al original francés. No sé si esta traducción llegó a publicarse aparte).
   Sin verse ibíd., 22 sigs. (termina a página 79).
1850. *El camino más corto,* Madrid, fol. (*Biblioteca Universal.*)
   Una historia extravagante, en *La Ilustración,* II, 126 sigs. (termina a página 175).
1851. *Una hora más tarde* (título inadecuado para *Une heure trop tard,* 1833), Madrid, fol., 56 págs. (*Biblioteca Universal.*)
1852. *Fa sostenido,* Madrid, fol., 24 págs. (*Biblioteca Universal.*)
   Este es el momento de la gran influencia de Karr sobre la bohemia literaria post-romántica; el testimonio de Alarcón es suficientemente probante. No tiene nada de extraño que en los años que siguen abunden las versiones de esas obras de moda. Conozco 14, más o menos extensas, impresas entre 1854 y 1861, y aún siguieron publicándose esas y otras, por inercia, en fecha más tardía.

KOCK, Ch. Paul de (1793-1871).

1826. *El hijo de mi mujer,* París, Smith, 3 vols. 18°. [B. N. P., Y² 45619-45621.]

---

[71] Del *Simón de Nantua,* inocentada educativa, que «se ha adoptado en algunas escuelas», hay mención de Aribau en un largo artículo sobre Barcelona, *El Europeo,* I, núm. 12, 1824.

1828. *Gustavo o El calavera,* París, Smith, 4 vols. 18°. [B. N. P., Y² 45611-45614.]

1829. *Marica o la sobrina del tabelión,* París, Smith, 4 vols. 12°. [B. N. P., Y² 45640-45643.]

1836. *La lechera de Montfermeil...,* trad. por don Francisco Javier Maeztu, París, Rosa, 5 vols. 12°. [B. N. P., Y² 45631-45635.]
Juan..., Madrid, Villaamil, 2 vols. 8°.
Mi vecino Raimundo..., trad. de don Pablo de Xérica, París, Rosa, 4 vols. 12°. [B. N. P., Y² 45644-45647.]

1837. *El cornudo...,* trad. al castellano, en el que se publica por primera vez, Madrid, imp. Calle del Humilladero, 4 vols. 8°.
La hermana Ana..., trad. por F. Javier Maeztu, París, Rosa, 4 vols. 12°. [B. N. P., Y² 45615-45618; la publicación comenzó en 1836.]

1839. *La mujer y los dos amigos* (*La femme, le mari et l'amant,* 1829), trad. por G[regorio] R[omero] L[arrañaga], 4 vols. 16° mayor. (Colección de novelas de *La Mariposa.*)

1840. *Un soldado bisoño, novela de costumbres...,* trad. por el doctor Moralejo y don Luis Rubio, Madrid, Boix, 4 vols. 16°. [BM., 12511. a. 23.]

1841. *Bigotes...,* trad. por don P[edro] A[lonso] O'Crowley, Cádiz, *Revista médica,* 4 vols. 16°.
El hombre de los tres calzones..., Madrid, Mellado, 3 vols. 8°.

1842. *Vigotes* (sic)*...,* trad. por don José March y Llopis, Barcelona, Mayol, 8°.
El barbero de París..., trad. libremente por don José March y Llopis, Barcelona, Indar, 2 vols. 8°.
El barbero de París..., vertida por don Pedro A[lonso] O'Crowley, Cádiz, *Revista médica,* 2 vols. 8°.
La casa blanca o Isaura y su perro, puesta en castellano por D. Félix Enciso Castrillón, Madrid, 3 vols. 16°. (Anunciado en el catálogo de Guzmán n.° 40, 1957, 1315. Quizá sea la misma ed. del año siguiente.)
Fisiología del hombre casado, arreglada a nuestro idioma... por Ramón Castañeira, Madrid, Mellado, 16° mayor, 112 págs.
Fisiología del hombre casado..., trad. por N. N., Barcelona, Bergnes, 16° mayor, 128 págs.
La lechera de Montfermeil..., trad. libremente por don José March y Llopis, Barcelona, Indar, 2 vols. 8°.
Un recluta..., trad. por..., Cádiz, *Revista médica,* 2 vols. 8°, 216 y 230 páginas.

1843. Empiezan a publicarse en Madrid por la Unión Literaria unas *Obras completas,* que, naturalmente, no lo fueron nunca. Detallamos en su lugar las que nos son conocidas. [72]
Camila la cómica..., Madrid, Unión comercial, 16°, 84 págs. (*Biblioteca continua.*)
La casa blanca o Isaura y su perro..., puesta en castellano por don Félix Enciso Castrillón, Madrid, Yenes, 3 vols. 18°.

---

[72] Un anuncio de estas *Obras completas* en *El Laberinto,* 1843, I, pág. 28.

El hombre de los tres calzones..., trad. por J. P[érez] Comoto. Segunda edición, Madrid, Mellado, 2 vols. 16° mayor, de 300 págs. (En *Bol.* IV, número 776, se da como parte de las *Obras completas* citadas, lo que no deja de ser extraño, pues por grande que fuera el éxito de Kock no parece posible que se hicieran dos ediciones en tan poco tiempo. En el *Diccionario,* Hidalgo no menciona lo de las *Obras completas.* Ignoro la fecha de la primera edición.)

La inocente Virginia, trad. por don I. J. Escobar, Madrid, Mellado, dos vols. 16° mayor, 274 y 296 págs. (II de las *Obras).*

Lances de amor y fortuna..., publicada por *El Corresponsal* con el título *Cuantas veo tantas quiero,* trad. por don I. J. Escobar, Madrid, Hidalgo, 2 vols. 16° mayor (III de *Obras).*

1844. *El cornudo...,* escrita en español por M. Pons y Guimerá, Barcelona, Mayol, 2 vols. 8°.

La doncella de Belleville..., trad. libremente por N., Barcelona, Tauló, 2 vols. 8° mayor.

La hermana Ana..., Madrid, Mellado, 2 vols. 16° mayor (IV de *Obras completas).*

La hermana Ana..., Madrid, Sociedad tipográfica, 3 vols. 16 mayor, 310, 310 y 318 págs.

Un hombre que desea casarse, novela... trad. por J. Torrente y Ricart, Barcelona, Matas y Bodallés, 12°.

Un novio o Monsieur Frontin, Madrid, Guimerá, 16° mayor (es lo mismo que la novela anterior).

1844-1845. *La gran ciudad.* Nuevo cuadro de París cómico, crítico y filosófico..., trad. por don José María Redecilla y don Próspero A. de Larramendi, Madrid, Boix, 5 vols. 16°.

1845. *Las carcajadas.* Colección selecta y festiva de cuentos y artículos de costumbres elegidos entre las obras del célebre novelista..., trad. y arreglados libremente por don Gregorio Urbano Dargallo... y los señores Orgaz, Neira de Mosquera, La Barrera y Menéndez, Madrid, Madoz y Sagasti, 3 vols. 8°.

Georgina..., trad. por D. S. C., Málaga, Martínez de Aguilar, 2 vols. 16°.

1846. *Juana o los tres mercados de flores...,* trad. libremente por el Andaluz, Cádiz, Arjona y Cantelmi, 8°, 88 págs. [HS.]

1847. *Andrés el Saboyano...,* trad. por F. M., Madrid, imp. de *La Ilustración,* 2 vols 8°, 252 y 298 págs. (Biblioteca de *La Ilustración.)*

Un hombre casado..., trad. libremente., Madrid, Alonso, 8° mayor.

1847-1848. *El amante de la luna...,* trad. por don José Ignacio de Michelena, Cádiz, Arjona, 6 vols. 8°. *(Biblioteca económica popular.)*

1847-1849. *El amante de la luna...,* trad. por M. M. F., Madrid, M. Alvarez, 11 volúmenes. 16° mayor.

1848. *Antes que te cases mira lo que haces,* Madrid, Alonso, 2 vols. 8°, 256 y 288 págs. (Biblioteca de *El Diario de avisos.)*

Clotilde o Las tres flores..., trad. por don Fernando de Casanova y Broca, Madrid, Casanova, 8°.

Fisiología del hombre casado..., trad. por N. N., Barcelona, 16° mayor.

1849-1850. *La linda muchacha del barrio...,* trad. por A. G. M., Cádiz, Fernández de Arjona, 3 vols. 16° marquilla.

1850. *Biblioteca festiva.* Colección completa de las novelas de ———, Madrid, Alonso. (Se publicaron 9 vols. con las obras siguientes: *El hijo de mi mujer* [B. N. P., Y² 45622], *El hombre de la naturaleza y el hombre civilizado* [Ibíd., 45624-45625], *Georgina, La casa blanca* [Ibíd., 45006-45007], *La mujer, el marido y el amante, Sultán, Zizina.* En 8°.)

Magdalena..., trad. por F. de U. Madrid, García, 3 vols. 8°. (Biblioteca de *El Siglo*)

Dado el carácter especial de la obra de Kock, estos libros se reimprimieron sin cesar hasta nuestros días mismos Las notas incompletísimas que sobre ello poseo registran, entre 1851-1885 (más algunas sin año) veinticuatro ediciones españolas y seis francesas.

KOTZEBUE, August Friedrich Ferdinand (1761-1819)

1804. *El año más memorable de mi vida,* trad. del alemán al francés, y de éste al castellano por don R. T...., Madrid, Espinosa, 2 vols. 8°. [73]

1843. *Aventuras de mi padre o causas de mi venida a este mundo,* novela..., trad. por D. A. B. C. [Bergnes?], Barcelona, Sauri, 16° [Ranch.]

LA CALPRENÈDE, Gauthier de (1614-1663)

1792. *La Casandra...,* trad. por don Manuel Bellosartes, Madrid, Benito Cano, 10 vols. 12°. [HS., ejemplar incompleto, el 2.° tomo, es de la edición siguiente.]

1798. *La Casandra,* trad. por don Manuel Bellosartes, Madrid, 10 vols. 8°.

1841. *La Casandra,* en el mismo texto, nueva edición. París, Rosa (imp. Schneider), 5 vols. 12°. [B. N. P., Y² 21295-21299.] (La *Bibliographie de la France* la registra en el volumen correspondiente a 1842.)

LACROIX, Jules (1809-1887)

1849. *La víbora...,* trad. por Emilio de Tamarit, Sevilla, Gómez, 3 vols. 16°.

LACROIX, Paul, llamado P. L. Jacob (1806-1884)

1838-1839. *Los dos bufones,* historia del tiempo de Francisco I..., Madrid, S. Albert, 2 vols. 8° mayor, 210 y 176 págs.

1846. *Claudio Lepetit y su mono...,* trad. por D. J. N. E., Cádiz, Núñez y Arjona, 2 vols. 8°.

1848. *Piñerol,* historia del tiempo de Luis XIV, año de 1680..., Madrid, Gil, 2 vols. 8°, 214 y 150 págs. (*Biblioteca popular europea.*) Aún hay una reimpresión de 1860.

[LA FERTÉ-MELUN, Condesa de].

1824. *Leoncio y Clemencia o La confesión del crimen,* novela... por el autor de las *Cartas sobre el Bósforo...,* Barcelona, Viuda e hijos de Brusí, 2 vols. 12°.

---

[73] Mi amigo don Luis Monguió me hace notar que J. J. de Mora había publicado en su *No me olvides,* Londres, 1824, *El amor a prueba,* «novela alemana por Augusto de Kotzebue». Es poco probable que esto se leyera mucho en España.

LAFONTAINE, August von (1758-1831)

1817. *María y Fedor,* Historia rusa..., trad. por don Pedro María de Olive, Madrid, Núñez, 2 vols. 8°. (La supongo traducción del arreglo de Mme. de Montolieu, *Maria Menzicoff et Fedor Dolgorouki,* 1804. *Biblioteca universal de novelas* de Olive, tomos VII, VIII.)

1818. *El pícaro de opinión o La selección virtuosa...* Valencia, Estevan, 2 vols. 16°, xii-251 y 267 págs. + 2 hojas. («Es la que de Augusto Lafontaine tradujo al francés la autora de *Carolina de Lichtfield* con el [título] de *Tableaux de famille ou Journal de Charles Engelman»,* dice la advertencia del editor, pág. vi.) [BU California, Fontana Library.]

1822. *El hombre original o Emilio en el mundo,* imitado del alemán... por don Ramón Salas, Madrid, Villalpando, 2 vols. 12°.

1824. *El hombre original...,* trad. de Salas, Madrid, Villalpando, 2 vols. 12°. [Ranch.]

1826. *El galanteo de las ventanas o La rosa de Luisita,* París, Smith, 12°, 166 págs. [B. N. P., Y² 46694.]

1828. *La Condesa de Kiburgo o Las amistades y conexiones políticas...* trad. del alemán al francés y puesta en castellano por don Antonio Camilo de Valencia, Madrid, Fuentenebro, 3 vols. 8°.

  María y Fedor..., Madrid, 2 vols. 8°. (Catálogo de Salvá.)

1830. *Anita y el pícaro de opinión...,* Valencia, 2 vols. 16° mayor. (Ibid.; debe de ser impresión de Cabrerizo, que hizo una edición posterior.)

1831. *El castillo de Martenau y Amelia y Teófilo,* Barcelona, 2 vols. 32°. (Salvá; probable error de fecha.)

1832-1833. *El húsar o La familia de Falkenstein,* novela trad. libremente por don Ramón Mariano Escamilla, Barcelona, Bergnes, 4 vols. 32°, 240, 256, 292 y 266 págs. (*Biblioteca selecta, portátil y económica,* tomos XX, XXV, XXVI y XXVII.) (Sin nombre de autor.)[74]

1833. *El castillo de Martenau o El pacto singular,* trad. por D. J. de O., Barcelona, Bergnes, 32°, 272 págs. (*Biblioteca selecta...,* tomo XXXII.) (Sin nombre de autor.)

  Amelia y Teófilo o La felicidad inesperada, Barcelona, Bagnes, 32°, 256 págs. (*Biblioteca selecta...,* tomo XXXV.) (Anónima también.)

1837. *Anita y el pícaro de opinión,* Valencia, Cabrerizo, 2 vols. 16°, 296 y 320 págs.

1841. *La vestal,* novela histórica, precedida de una explicación del origen de las vestales..., trad. del francés por A. J. de B. y V., Barcelona. Sauri, 16° mayor, xviii-166 págs.

LAMARCHE-COURMONT, J. H. de.

  Cartas de Aza. V. GRAFFIGNY, Mme. de.

---

74 Aprobada por la censura en 1832; González Palencia, *La censura,* II, 350, número 590; Sarrailh, *Enquêtes,* pág. 149.

LAMARTELIERE, J. H. F. (1761-1830).

1824. *Los tres Gil Blases o Cinco años de travesuras...*, Burdeos, 4 vols. 18° (Catálago de Salvá.)
1828. *Los tres Gil Blases...* Puesta en castellano por D. Manuel Vergara, Burdeos, 4 tomos 16°.
1837. *Los tres Gil Blases...*, historia para unos y novela para otros..., puesta en castellano por don Manuel Vergara, Barcelona, Piferrer, 4 vols. 8°.

LAMARTINE, Alphonse de (1790-1869).

1848. *Las confidencias*, Madrid, imp. de la Biblioteca de *El Siglo*, 2 vols. 8° mayor.
1849. *Confidencias...*, trads. por A. Martín Gutiérrez, Madrid, García. 3 vols. 8°.
    Rafael, páginas de los veinte años..., trad. por don Víctor Balaguer, Barcelona, Viuda e hijos de Mayol, 8° mayor, 338 págs.
    Rafael..., Madrid, 2 vols. (Biblioteca de *El Siglo*, tomos 128 y 129.) [75]
    Rafael..., Madrid, L. García, 2 vols. 8°. (Hidalgo.)
    Rafael..., Sevilla, Gómez 2 vols. 16° mayor.
    A partir de 1853 hay nuevas ediciones de otros libros de Lamartine, cuya *Graziella* (1852) salió el año siguiente en la *Revista española de ambos mundos* y en volumen impreso por Mellado.

LAMOTHE-LANGON, Etienne Léon (1786 (ó 1790)-1864).

1832. *La desterrada de Holy-Rood*, trad. por J. R. H. y D. B., Barcelona, Torner, 8°. (Sin nombre de autor.)
1849. *Los misterios de la Torre de San Juan o Los caballeros Templarios*, novela..., Madrid, Alonso, 8°, 2 vols. viii-280 y iv-368 págs. (Biblioteca de *El Diario*.)

LANTIER, Etienne François de (1734-1826).

1802. *Viajes de Antenor por Grecia y Asia, con nociones sobre Egipto...* Madrid, 3 vols. 8°.
1817. *Blanca y Delmon*, historia verdadera, trad. libremente..., Madrid, F. de la Parte, 2 vols. 8°.
1823. *Viajes de Antenor*, trads. por Calzada, nueva edición, Burdeos, Beaume, 3 vols. 12°. [B. N. P., J 19414-19416.]
1828. *Viajes de Antenor...*, trad. de Calzada, París, Librería americana (imp. Wincop), 5 vols. 12°. [B. N. P., J 19417-19421.]
    Viajes de Antenor..., trad. de Calzada, Blois, Dézaire, 5 vols. 18°. (Debe ser la misma anterior.)
1838. *Viajes de Antenor...*, trad. de Calzada, 3.ª edición, Madrid, Sanz y Sanz, 2 vols. 12°, xii-440 y vii-488 págs.

---

[75] Un artículo sobre esta obra en *La Ilustración*, 1849, I, págs. 23-24.

1839. *Viajes de Antenor...*, París, Pillet, 4 vols. 18º. [B. N. P., J 19422-19425.]

1843. *Viajes de Antenor...*, trad. de Calzada, Burdeos, Viuda de Laplace, 12º.

LA PLACE

    V. FIELDING, Sarah.

[LASTEYRIE DE SAILLANT, Mme. Josephine Sirey (1776-1843).]

1829. *María de Courtenay o El amor y la virtud,* escrita en francés por la señora de S..., trad... de la tercera edición por... doña María del Carmen Obispo y Merino..., Madrid, Moreno, 8º.

[LAVAISSIERE DE] LAVERGNE, Alexandre de (1808-1879).

1839. *Ana de Arcona,* Madrid. (Folletín de *El Piloto,* de 7 de mayo a 29 del mismo mes.)

1846. *Paulina Butler,* novela..., trad. libremente por don Antonio R. Guerra, Cádiz, Cantelmi, 8º, 279 págs.

LEBASSU D'HELF, Mme. Josephine. [76]

1837. *La sansimoniana...,* trad. por J. R. O. [J. Rubió y Ors], Barcelona, Rubió, 2 vols. 8º, 200 y 250 págs.

LECLERC D'AUBIGNY, J. B.

1843. *Un sacerdote o La sociedad en el siglo XIX,* novela moral..., trad. por don P. de la Escosura, París, Rosa (imp. Schneider), 6 vols. 16º. [B. N. P., Y² 48028-48033.]

LEDHUI, Carle (1808-1862).

1846. *El paje holandés...,* trad. por don Antonio Benigno Cabrera. *La rosa blanca* (¿del mismo?), trad. por F. J. de M., Málaga, Cabrera, 4 vols. 16º mayor. (*Biblioteca del Mediodía,* tomos I-IV.)

LEE, Harriet (1757-1851).

1835. *El asesinato,* novela..., París, Pillet, 3 vols. 12º. [B. N. P., Y² 48111-48113.]

---

[76] Este nombre ha sido perversamente reproducido en bibliografías y catálogos: Hidalgo trae LEBASSER, Joseph, y así lo puse ya en la primera edición; luego lo he visto convertido en LEBASAN y LEBASSAN. A juzgar por el *Catalogue* de la B. N. P., fue fecunda escritora de novelas, de las que ésta debe ser una de las primeras, pero tan olvidada hoy que no doy con ella en ningún libro de referencia.

LEE, Sophia (1750-1824).

1817. *El subterráneo o Las dos hermanas Matilde y Leonor*, novela... trad... y corregida perfectamente en esta última edición. Madrid, Villalpando, 3 vols. 12º. (Se había impreso antes, en efecto, quizá más de una vez. En el catálogo de Mompié que acompaña su edición de *Maclovia y Federico*, 1816, se cita «La Matilde o El subterráneo.» El original, *The Recess*, es una antigualla de 1785.)

1819. *El subterráneo...*, Barcelona, 3 vols. 12º. (Catálogo de Salvá.)

[LEGAY, Louis Pierre Prudent (1744-1826).]

1842. *El espectro de la montaña de Granada*, París, Pillet, 4 vols. 18º. [B. N. P., Y² 33155-33158.] [77]

LEMERCIER, Nepomoucène (1771-1840).

1846. *Almenti o El casamiento sacrílego*, novela fisiológica... versión libre... del Dr. D. L[orenzo] S[ánchez] N[úñez], Madrid, La Publicidad, 4 vols. 8º.

LE PRINCE DE BEAUMONT, Jeanne Marie (1711-1780).

1776. *Almacén y biblioteca completa de los niños o Diálogos de una sabia directora con sus discípulas de la primera distinción...*, trad... por don Matías de Guitet, 2 vols. 8º. (Anunciado en *La Gaceta*, de 8 de octubre, pág. 360, donde se citan las *Conversaciones familiares*, de la misma autora como existentes en la misma librería, la de Manuel Martín, calle de la Cruz.)

1790. *Almacén...*, Madrid, Barco López, 4 vols. 8º.

1791. *Las americanas o Las pruebas de la religión*, trad. de la Condesa de Lalaing, rechazada por la censura ese año; v. nuestro estudio, pág. 24, nota 56.

1796. *Cartas de Madama Montier recogidas por...*, trad. por doña María Antonia del Río y Arnedo, Madrid, Josef López, 3 vols. 8º menor.

1797. *La nueva Clarisa o Cartas de Clarisa Derby a Madama Harieta...*, trad. por don José de Bernabé y Calvo, Madrid, 3 vols. 8º.

1801. *Cartas de Madama Montier a su hija...*, trads. por doña María Antonia del Río y Arnedo, Madrid, 3 vols. 8º. (Según Quérard no es ella la autora, sino la correctora del libro.)

1804. *Almacén de las señoritas adolescentes o Diálogos de una sabia directora...*, para servir de continuación al *Almacén de los niños...*, trad. por don Plácido Barco López, Madrid, Viuda de Barco López, 4 vols. 8º, xl-280, 358, 384 y 460 págs.

1807. *Cartas de Emeranza a Lucía...*, trads. por D. N. D. N., Madrid, Viuda de Barco López, 2 vols. 8º, 414 y 392 págs.

1817. *Biblioteca completa de educación* o instrucciones para las señoras jóvenes, en la edad de entrar ya en la sociedad y poderse casar... trad. por don José de la

---

[77] La autoría de esta novela es cosa dudosa. Pigoreau, *Bibliographie* cit., página 163, atribuye primero este libro a una Désirée Castellerat que Quérard desconoce, pero luego, pág. 236, lo da como obra de Legay. Quérard, a su vez, menciona una Désirée Castera, entre cuyas obras pone un libro de este título. Ignoro quién pudiera ser esa señora; quizá el nombre sea simplemente un seudónimo.

Fresa, Madrid, Viuda de Barco López, 6 vols. 8°. (Hidalgo advierte que «forman el resto de esta biblioteca las dos obras siguientes, anunciadas a las páginas 48 y 49 de este tomo: *Almacén de las señoritas...*, *Almacén y biblioteca completa de los niños...*» Pero las allí anunciadas no coinciden en fecha. Posiblemente Hidalgo quiso decir que estas obras, de la misma serie, precedían a esta otra *Biblioteca*. De la cual parece que hubo otras ediciones; el mismo Hidalgo cita una de Marín, s. a., que considera impresa a fines del siglo XVIII y debe de preceder en efecto a ésta de 1817.)

1824.   *El almacén de los niños,* París, Smith, 2 vols. 12°. [B. N. P., Y² 13531-13532.]

   Almacén y biblioteca..., Burdeos, 4 vols. 18°. (Catálogo de Salvá.)

1828.   *Almacén y biblioteca...*, trad. de Guitet, Madrid, J. Viana Razola, 4 vols. 8°.

1846.   *El almacén de los niños...* Nueva edición, París, Mézin (imp. de Lacrampe), 12°, xii-576 págs. [B. N. P., R 41603.]

   Todos estos libros siguieron imprimiéndose abundantemente, a causa sin duda de su intención pedagógica. Ya en 1833 decía Quérard del último citado que estaba traducido a todas las lenguas de Europa.

LE SAGE, Alain René (1668-1747).

V. nuestro estudio anterior, pág. 3, nota.

[LEWIS, Matthew Gregory (1775-1818).]

1821.   *El fraile o historia del Padre Ambrosio y de la bella Antonia,* París, Rosa. (Sin nombre de autor y con la fecha de 1822.)

¿s. a.?   *El fraile,* versión castellana de León Compte, Barcelona, 4°. (Catálogo de García Rico, 1916, núm. 12.324; no se indica el año ni la imprenta, pero consta el nombre del autor.)

LHÉRITIER DE VILLANDON, Marie Jeanne (1664-1734).

L'adroite princesse; V. PERRAULT, *Cuentos.*

L'HOMME SAINT-ALPHONSE.

1836-1837.   *El campo santo o los efectos de la calumnia,* novela histórica, Tarragona, Sánchez, 4 vols. 18°. [78]

LOUVET DE COUVRAY, Jean Baptiste (1760-1797).

1820.   *Aventuras del baroncito de Faublas,* trad. libremente... por Eugenio Santos Gutiérrez, secretario de D. J. A. Llorente, París, Rosa, 4 vols. 8°. [B. N. P., Y² 49699-49702.]

---

[78]   Nadie ha sabido decir jamás quién era este personaje. El original, *Campo Santo ou les effets de la calomnie* es de 1819. Quizá ese extraño nombre del autor sea simplemente un seudónimo.

1821. *Aventuras...*, trad. de Gutiérrez, París, Rosa, 4 vols. 8°. (Citada por Hidalgo; debe de ser la anterior.)

1822. *Aventuras...*, trad. libremente... por D. J. A. Llorente, Madrid (París), 4 vols. 8°. (Debe de ser el mismo texto de la otra; ignoro si el que ha omitido el nombre de Gutiérrez ha sido Hidalgo o el antiguo editor.)

1836. *Aventuras...*, Sevilla, 4 vols. 8° (v. 1838).

1837. *Aventuras...*, Nueva traducción, París, Librería americana, (imp. Moquet), 4 vols. 16°. [B. N. P., Y² 49703-49706.]

1838. *Aventuras...*, Nueva edición, trad. libremente..., Sevilla, 4 vols. 12°.

Aventuras... Nueva edición, trad. libremente..., Barcelona, Gaspar y Roig, 4 vols. 8° mayor.

LYTTON, Edward Bulwer, Lord (1803-1873).

1838. *La doncella de Malinas* (de *The Pilgrims of the Rhine*, 1834) Habana, 16°. (Completa un volumen que contiene *La nevasca*, de John Wilson.) [BM., 12620. a.]

1838. *Los dos hermanos*, Habana, R. Oliva (en vol. con *El cuarto entapizado*, de W. Scott.) (BM, 12603. a. 14).

1843. *Rienzi o El último tribuno...*, trad. por don Antonio Ferrer del Río, Madrid, Boix, 2 vols. 4° mayor. [79]

1845. *Ernesto Maltravers* y *Alicia o Los misterios*, Habana, 2 vols. 4°.

Eugenio Aram, Habana, 4°.

Leila o El sitio de Granada, escrito... por el autor de *Eugenio Aram*, *Rienzi*, etc., por la señora doña..., Madrid, Rivadeneyra, 4°, 186 págs. (Dada la costumbre inglesa de publicar las novelas sin dar el nombre del autor, y en cambio el título de sus otros libros, esa portada pudo ser transcrita del original y no implica que las tales novelas fueran muy conocidas entre nosotros. El libro se repartía gratis a los suscritores de la *Revista de España, de Indias y del extranjero*, según Hidalgo.) [B. N. P., Y² 20211.]

1846. *Zanoni...*, Sevilla, Gómez, 4 vols. 16°.

1847. *Devereux...*, trad. por don Nemesio Fernández Cuesta, Madrid, Rodríguez Rivera, 6 vols. 16°.

1848. *Falkland...*, trad. del original inglés por don José Plácido Sansón, Santa Cruz de Tenerife, Imp. Isleña, 2 vols. 8°, viii-130 y 108 págs.

Los últimos días de Pompeya..., trad. por don Isaac Núñez de Arenas, Madrid, Alonso, 2 vols. 8°, 336 y 320 págs. (Biblioteca del *Diario de Avisos*.)

MAISTRE, Xavier de (1763-1852).

1825. *El leproso de la ciudad de Aosta*, París, Rigoux, 18°. (Sin nombre de autor, en tomo con *Evelina*, novela también anónima que precede.)

1832. *El leproso...*, trad. libremente y corregida por D. R. M., Madrid, Boix (*Auroras de Flora*, II, con *Evelina*; parece copia de la edición anterior).

---

[79] Anuncio de este libro en *El Laberinto*, I, 1843, pág. 42, y otra vez con una ilustración, ibíd., pág. 69. El traductor colaboraba en la revista, publicada, además, por Boix.

s. a. *El leproso...*, París, Parmantier, 12°, 209 págs. (con *Evelina*), [B. N. P., Y² 33355.]

MALLARMÉ, Mme.

V. BOURNON.

MALLÉS DE BEAULIEU, Mme. († 1825)

1830. *El Robinsón de doce años.* Historia interesante de un grumete francés abandonado en una isla desierta..., trad... de la octava edición, publicada en París en 1828, Madrid, Llorenci, 8°, 278 págs. (Así en *Bol.*, III, núm. 432; en el *Diccionario* Hidalgo le da la fecha 1829.)
1838. *El Robinsón de doce años...*, París, Pillet, 18°.

MANZONI, Alessandro (1784-1873)

1833. *Lorenzo o los prometidos esposos.* Suceso de la historia de Milán del siglo XVI..., puesto en castellano por don Félix Enciso Castrillón, Madrid. Librería de Cuesta, 3 vols. 8°. [80]
1836-1837. *Los novios*, historia milanesa del siglo XVI, trad. por don J. N. G[allego], Barcelona, Bergnes, 4 vols. 8°.
1850. *Los prometidos esposos...*, seguida de la *Historia de la columna infame*, trads. por don José Alegret de Mesa, Madrid, Vicente, tres vols. 4° mayor, 311, 306 y 84 págs. No sé qué completaría el tercer tomo.
    Los prometidos esposos, historia milanesa del siglo XVII, seguida de la historia de la *Columna infame...*, Madrid, Gil, 4 vols. 8°. (*Biblioteca popular europea.*)
1852. *Los desposados*, historia milanesa del siglo XVII..., París, I. Boix, 8° mayor, 334 págs. (Biblioteca de *El eco de ambos mundos.*) [B. N. P., Y² 3763.]
    De la traducción de Gallego debe de haber otras reimpresiones. La última que vi, de la *Biblioteca clásica*, era de 1908; las habrá posteriores.

MARIN, Michel-Ange (1697-1767)

s. a.? *La cómica convertida*, trad. por don Joaquín Benito Castellot, Madrid, Pantaleón Aznar. (La cita Latassa sin indicar el año. Del nombre del impresor se deduce que debe de ser cosa de fines del siglo XVIII.)
1806. *Virginia o La doncella cristiana.* Historia siciliana que se propone por modelo a las señoras que aspiran a la perfección..., trad. por doña Cayetana Aguirre y Rosales, Madrid, Repullés [81].
1820. *Virginia...*, Palma de Mallorca, Savall, 4 vols. 8°.
1823. *Virginia...*, trad. de doña C. Aguirre, 2.ª edición, Madrid, Imprenta Real, 4 vols. 8°.

---

80 La petición de licencia citada por Sarrailh, *Enquêtes*, pág. 150.
81 Un extracto de *La Minerva*, en Serrano Sanz, *Escritoras*, I, 16, da idea de que esto es lo menos novela que puede imaginarse.

1841. *Virginia...*, la misma trad., Barcelona, Pons, 4 vols. 8°.
1851. *Virginia...*, la misma trad., París, Mézin, 12°, 519 págs. [B. N. P., Y² 73490.]
   Virginia..., París, Rosa y Bouret, 12°, 519 págs. [Ibíd., 51104.] (¿La misma que la anterior?)

MARINI, G. Ambrosio (* hacia 1594 — † hacia 1630).

1808. *Los desesperados*, novela imitando a las de caballerías. *La Oxilea*, novela cómica..., Madrid, Cano, 8°. (Las dos tienen portada y paginación independiente.)

MARMIER, X.

s. a. *Deschellaleddin*, novela rusa. Trad. por M. Carboneres, Ruzafa, Piles, 16°, 128 págs. [Ranch.]

MARMONTEL, Jean François (1723-1799)

1788. *La mala madre...*, con un prólogo en que se trata sobre la antigüedad, progresos y utilidad de este género de literatura. Trad. de don Vicente María Santibáñez, Valladolid.
1788-1789. De estos años son las *Novelas morales* que, traducidas en Cartagena, se fueron publicando en Murcia, al menos las que conozco; dado el anuncio a que nos referíamos en nuestro estudio, es posible que haya impresiones del año anterior. Las firmaba *Un Apasionado* e iban saliendo en cuadernos sueltos. El BM., 1459. a. 50., conserva *Error de una mala madre...*, Murcia, 8° (por estar mutilada la fecha, el catálogo le asigna hipotéticamente la errónea de 1780); la HS. posee *El misántropo enmendado, amante a la sociedad*, Murcia, Benedito, 1789. La colección que reseñamos con la fecha de 1827 es evidentemente reimpresión de todo esto.
1812. *Cuentos morales*, trads. por don P[edro] E[stala], Valencia, J. Ferrer de Orga, 12° (sólo se publicó un tomo que contiene: *Los solitarios de Murcia, El error de un buen padre, Palemón, La mala madre*).
1813. *Cuentos morales*, trad. de Estala, Valencia, Ferrer de Orga, 12°. (Así en el *Catálogo de la Biblioteca Salvá*, II, 160, donde se añade que Salvá (el padre) corrigió la traducción. Debe de tratarse de la edición anteriormente citada.) [BM., 12512. a. 20.]
1815. *Belisario*, trad. por D. S. A. V., Burdeos, Beaume, 16°, 276 págs. [B. N. P., Y² 51328.]
1816. *Belisario*, trad. por D. S. A. V., Burdeos, Beaume, 18° (Quérard; debe ser la anterió r).
1820. *Belisario*, Burdeos, Beaume, 12°. (Núñez Arenas, *Imp. esp. en Burdeos*, pág. 464, núm. 44, cita una edición de ese año con pie de imprenta de Madrid, pero añade: «Es la misma traducción de 1815. A pesar de lo que reza la portada parece impresa en Burdeos.» Quizá sea la misma que pasamos a citar.)
1821. *Belisario*, Madrid, s. i., 12°. (He visto ejemplar en una biblioteca particular de Poitiers, y la creo seguramente impresa en Francia.)

1822. *Belisario*, trad. por M. V. M., Madrid, 12°, 276 págs.
       Los incas o La destrucción del imperio del Perú, trad. por la primera vez...,
       por F. de Cabello, París, Masson e hijo, 2 vols. 12°. [B. N. P., Y² 51480-
       51481; HS]. (Quizá sea la que, en 2 vols. 18° e impresa en París indica Salvá
       en su catálogo, sin decir la imprenta.)
1826. *Belisario*, trad. por D. S. A. V., Burdeos, Beaume, 18° (Quérard.)
1827. *Belisario*, trad. por D. S. A. V., tercera edición, revisada y corregida, Bur-
       deos, Beaume, 18°, 273 págs. [B. N. P., Y² 51329.] (Probablemente igual
       a la anteriormente citada.)
       Colección de novelas morales, Madrid, 8°. (*El misántropo enmendado, El
       literato ridículo, La escuela de los padres, La esclavitud llega al trono, El
       filósofo según él, Amor fastidia a sí mismo.* Catálogo de la librería de A.
       Guzmán, 1949, fasc. 25, núm. 1415. No queda claro si todo esto formaba
       un tomo o eran cuadernos aparte, pues Hidalgo cita, con esta fecha, *Amor
       fastidia a sí mismo*, trad. por *Un Aficionado* (probablemente *Un Apasionado*),
       Madrid, Fuentenebro, 8°, 48 págs., que cuesta creer no sea la misma traducción
       citada antes. La manía de los libreros de no indicar, o raramente, los impre-
       sores de los libros que ofrecen, dificulta sobremanera la tarea de poner sus
       datos en limpio.)
1832. *Los incas...*, trad. de Cabello, París, Masson e hijo. (Palau.)
1837. *Los incas...*, Barcelona, Oliveres, 2 vols. 8° mayor.
1840. *Belisario...*, trad. por B. M., Barcelona, Pons y Cía., 8°, 216 págs.
1849. Fernán Caballero tenía traducido en octubre de 1849 *Le Mari Silphe*, de
       Marmontel. Según parece, ese texto se ha perdido. V. Heinermann, pág. 108.

MARNÉ DE MORVILLE, Mme. de Rome (* hacia 1750).

1828. *Pelayo, restaurador de la monarquía española*, novela histórica..., trad. por
       doña Petra Pedregal de Hervás, Madrid, Sanz, 2 vols. 8°.

MARRYAT, Frédéric (1792-1848).

1842. *Santiago fiel o Los marinos de agua dulce*, trad. del inglés..., por don
       F. Ulloa, Madrid, Alegría y Charlain, 2 vols. 8°, iv-412 y iv-408 págs.
       (Primera de una serie de novelas de Marryat que pensaban publicar los editores
       y que no continuó. A pesar de lo que dice la portada, todo hace pensar que
       la traducción está hecha sobre la de Defauconprêt, *Jacob fidèle ou les marins
       d'eau douce*, 1837. No lleva nombre de autor, o, al menos, no consta en
       Hidalgo).
       La nave fantasma, leyenda de la mar..., puesta en castellano por don Pedro
       A[lonso] O'Crowley, Cádiz, *Revista médica*, 3 vols. 16° mayor.
1852. *Pedro Simple...*, Madrid, Mellado, 4° mayor (*Biblioteca española*) (BM.
       12620.k. 20).

[MARTIGNAC, Vizconde de (1778-1832)]

1832. *El Monasterio de Santa María la Real de las Huelgas*, trad. por B. L. C.,
       Barcelona, Bergnes, 32°, 121 págs. (*Biblioteca selecta, portátil y económica*,
       3.ª serie, tomo XII, en el que sigue a *Cimodocea* y *El sarraceno* de Chateau-

briand. El título de la versión original es *Le couvent de Sainte Marie aux Bois. Episode précédé d'une notice sur la guerre d'Espagne en 1823*, 1832.)
1836. *El Convento de Santa María de las Huelgas*, trad. de Ochoa (*Horas de invierno*, I).

MARTIN, Henri (1810-1883)

1842. *Media noche y medio día*, 1630-1649..., trad. por D. F. B. de L., Valencia, Mateu de Cervera, 2 vols. 8°.

MASSON, Michel, llamado Michel Raymond (1800-1883)

1839. *La resurrección de Tadeo*, Madrid, *El Panorama*, 3 vols. (Se había publicado a fines de ese año, según anuncio de *La Esperanza*, núm. 32, 10 noviembre, pág. 256.)
1841. *A la reina no se toca* (=*Ne touchez pas à la reine*, 1837)..., trad. por don P[edro] A[lonso] O'Crowley, Cádiz, *Revista médica*, 16°.
   El grano de arena..., trad por D. B. A. E., Madrid, Establecimiento central, 32°. (*Colección de cuentos fantásticos y sublimes*, II.)
1843. *Ana la imbécil*, novela..., trad. por G. F., Madrid, Unión comercial, 3 tomitos en 16°. (*Biblioteca continua;* contiene también *La cantarilla rota,* tal vez del mismo autor.)
   Judas, por Michel Raymond, publicada en Francia con el título de *Los siete pecados capitales. El cuákero y el ladrón* (del mismo?), trad. libremente por El-Modhafer, Madrid, Unión comercial, 16°, 96 págs. (*Biblioteca continua.*)
1846. *La joven regente...*, Sevilla, Gómez, 2 vols. 16° marquilla (escrito con la colaboración de F. Thomas).
1848. *Una madre...*, trad. por J. G., Málaga, del Rosal), 16° mayor. (*Biblioteca del Mediodía.*)
1852. *La resurrección de Tadeo...*, Madrid, imp. de la *Biblioteca selecta*, 4°, 288 págs.

MAURICE SAINT-AGNET, Louis Charles (1809-?).

1842. *La cicatriz*, Madrid, Mellado, 8°. (Completa la novela de Dumas *Nisida*, *Biblioteca de recreo*.)

[MÉNAGE, Cathérine Françoise Adelaïde, Mme. Saint-Vénant († 1816).]

1831. *Olimpia o Los bandoleros de los Pirineos*, París, Pillet, 18°, tres vols. [B. N. P., Y² 57138-57140.]
1836. *Olimpia...*, Valencia, Gimeno, 2 vols. 16°.

[MÉNÉGAULT, A. P. F.] (florece entre 1798 y 1821)

1841. *Jeniska y Valmore o La huérfana rusa*, anécdota histórica extractada de un manuscrito que se encontró en un convento de Smolensk, cuando fue tomada esta ciudad por el ejército grande, por Mr..., oficial de artillería, trad.... por unos amigos, Barcelona, imp. del Colegio, 12°.

1849. *Delfina o el casamiento después de la muerte,* novela histórica española... arreglada... por don J. M. del Río, Madrid, Colegio de sordo-mudos, 8°, 240 págs. [82].

[MERARD DE SAINT-JUST, Anne Jeanne Félicité d'Ormoy, Madame (1765-1830)]

1827. *El castillo negro o Los trabajos de la joven Ofelia* (1799), Madrid, 8°. (Catálogo de Salvá.)

1829. *El castillo negro o los trabajos de la joven Ofelia,* París, Librería Americana, 2 vols. 12°. [B. N. P., Y² 21373-21374] [83].

1842. *El castillo negro...,* trad. por D. J. J., tercera edición, Barcelona, Sauri [84].

[MÉRIMÉE, Prosper (1803-1870)]

1841. *Colomba,* en *Revista andaluza,* Sevilla.

MÉRY, Joseph (1798-1867)

1843. *La condesa Hortensia,* novela... trad.... por don Pedro Alonso O'Crowley, Cádiz, *Revista médica,* 2 vols. 8°.

1844-1845. *¡Qué amor tan singular!,* en *Revista de Madrid,* 2.ª época, V, págs. 32, 205, 344; VI, 30, 202, 384.

 ¡Qué amor tan singular!, Madrid, Sociedad literaria y tipográfica, 4°, 294 páginas.

1845. *El castillo de Udolfo,* trad. por don Víctor Balaguer, Madrid, Ayguals de Izco, 16° mayor. (*Museo de las hermosas,* II.)

1848. *El castillo de Udolfo,* trad. de Balaguer, Madrid, Ayguals de Izco, 16° mayor. (*El novelista universal,* XI.)

 Ingleses y chinos, novela histórica..., seguida de algunas notas históricas añadidas por el traductor, Barcelona, Capdevila, 8°.

 Un matrimonio de París, novela de costumbres..., Madrid, 8°. (Biblioteca de *El Siglo,* LXXVIII.)

1849. *La Florida...,* Málaga, 2 vols. 12°, 480 págs.

 Tengo noticias de otras ocho traducciones de obras suyas, impresas entre 1851 y 1859.

MESNIER, Alexandre, llamado Paul Ferney (1811-?).

1842. *Rosalía...,* trad. por I. J. Escobar, Madrid, Compañía tipográfica, 8° mayor, 108 págs. [85]

---

[82] Según Pigoreau, el verdadero nombre de este autor era Maugenet, y Menegaut, como él escribe, un anagrama. Ello parece ser una confusión. Quérard *Supercherires,* II, 1078, dice todo lo contrario: Clémence Maugenet sería el seudónimo con que Ménégault publicó algunos libros, no éstos, que salieron anónimos también en francés.

[83] Debe de ser la misma que otra que he visto citada, París, Decourchant, 1828.

[84] Como es poco probable que Sauri tuviera en cuenta las ediciones hechas fuera de España, lo de «tercera edición» significará que el mismo editor hizo otras dos, pero no las veo citadas en ninguna parte.

[85] El texto original, *Rosalie de Vendermière,* figura en el libro *Joies et pénitences,* que no apareció hasta 1844. Otra novela que debió de traducirse directamente de un folletín.

MESSAGEOT, Fanny, Mme. Tercy (* hacia 1781)

1829-1830. *Almaida y Rogerio o La ermita del monte de San Valentín...*, trad. libremente... por D. J. M. G. D., Madrid, Espinosa, 2 vols. 8º, xii-188 y iv-172 págs.
1835. *Almaida y Rogerio...*, París, Pillet, 2 vols. 12º. [B. N. P., Y² 13534-13535.]
1837. *Almaida y Rogerio...*, París, Pillet, 2 vols. 18º.

MIRECOURT, Eugène de

V. JACQUOT, C. J. B.

MOKE, H. G. (1803-1862)

1835. *La batalla de Navarino o El renegado,* novela histórica..., trad. por don Juan Corradi, Madrid, Repullés, 12º. (*Colección de novelas históricas originales españolas.*)

MOLÉ-GENTILHOMME, Paul (1813-1856)

1848. *Las señoritas de Nesle...*, trad. por Esteban Garrido, Madrid, García, 8º, 3 vols. (*Biblioteca para todos, II*) [86].
1852. *Juana de Nápoles o Los crímenes de una reina,* novela..., trad. por don José Manuel Carballo, Madrid, fol., 44 págs. (*Biblioteca universal.*)

MONTESQUIEU, Charles de Segonzac, barón de (1689-1755)

1818. *Cartas persianas...*, puestas en castellano por don José Marchena, Nîmes, Durand-Belle, 8º, 324 págs. [B. N. P., Z 15267.]
1821. *Cartas...*, trad. de Marchena, Tolosa, Bellegarrigue, 2 vols. 16º, iv-270 y iv-264 págs. (De esta edición hay ejemplares con falsa portada de Cádiz, Ortal, y Cádiz, s. i., Hidalgo; v. también Menéndez Pelayo, *Estudios,* ed. cit., III, 312 n.)
   Cartas..., trad. de Marchena, Madrid, Imprenta Nacional, 18º, viii-395 págs. [B. N. P., Z 15268.]
1835. *Arsaces y Ardasira (=Arsace et Isménie,* 1725), historia oriental puesta en castellano por F. P., Barcelona, Piferrer, 16º, iv-132 págs.

MONTOLIEU, Mme. de

V. BOTTENS

---

[86] Otro folletín sacado directamente del periódico. *Les demoiselles de Nesle* salió a luz en volumen en 1852.

[MOORE, George]

1828. *La abadía de Grasvila,* novela escrita... por Ana Radcliffe. París, Smith, 4 vols. 12º [B. N. P., Y² 61389-61392] [87].

[MOORE, Thomas (1779-1852).]

1832. *El epicúreo,* novela..., trad. por D. P. A. O. y O., Barcelona, Bergnes, 2 vols. 32º, 222 y 254 págs. (*Biblioteca selecta, portátil y económica,* tomos XV, XVI.) En el segundo tomo, a partir de la pág. 105 se incluye la novelita *Carlos y María,* de Mme. de Souza.

1836. *El falso profeta de Corassan,* romance histórico oriental trad. directamente del inglés con notas por D. G. C., Barcelona, Borrás, 16º, x-190 págs. (Se trata de una parte, *The veiled Prophet of Khorassan,* del poema *Lalla Rookh,* 1817, tan leído por nuestros románticos.) Sin nombre de autor.

1847. *El epicúreo...,* trad. por D. A. P. Domingo, Málaga, Herrero, 8º.

MURET, Théodore (1808-1869)

1836. *Jorge o Uno entre mil,* historia de un suicidio no consumado... arreglada... por don Ignacio Pusalgas, Barcelona, Sauri, 16º.

1837. *Las dos máscaras,* trad. de Ochoa (*Horas de invierno,* III).

MUSSET, Paul de (1804-1880)

1844. *Ana Bolena...,* trad, por don José March y Llopis, Barcelona, Sauri, 2 vols. 16º, 348 y 376 págs. [88].

1845. *El nuevo Aladino...,* trad. por F. G. Málaga, Martínez de Aguilar. 16º mayor (con *Las dos gemelas,* de Du Hamel).

1851. *Juan el trovador...,* Sevilla, Gómez, 3 vols. 16º mayor, 192, 190 y 168 páginas.

NARDOUET, Condesa de

V. RUAULT

[NAUBERT, Christiane Benedicte (1756-1819).]

1807. *Herman de Unna,* rasgo historial de Alemania, trasladado por... don Bernardo María de Calzada, Madrid, Imprenta Real, 2 vols. 8º mayor.

---

[87] Atribución enteramente arbitraria que se hace aquí, según creo, por primera y única vez. El original de esta traducción debe de ser la de B. Ducos, *L'abbaye de Grasville,* 1798. Quérard menciona una edición de Smith de 1827 que debe de ser esta misma.

[88] Una *Ana Bolena,* sin nombre de autor, figura entre las novelas publicadas o puestas en circulación por *El Panorama* (3.ª época, IV, 1841; cfr. pág. 177.) Supongo que es la misma que registramos en este artículo.

NODIER, Charles (1780-1844)

1827. *Juan Sbogar*, París, imp. de Smith, 2 vols. 12°. [B. N. P., Y² 56378-56379.]

1830. *El pintor de Salzburgo...*, *Las meditaciones del claustro*, París, Hamonière, 16°, 179 págs. [B. N. P., Y² 75977.]

Teresa Ober (sic, =*Aubert*)... por el autor de *Juan Sbogar*, París, Pillet, 16°, 215 págs. [B. N. P., Y² 71301.] (La *Bibliographie de la France*, 1830, pág. 493 lo pone entre los libros portugueses. Se le incluye otra vez en 1831, pág. 292, pero ha de ser la misma edición, pues a este libro se le asignan las mismas características que al otro.)

1838. *Inés de las Sierras* en *Revista europea*, IV, 226 (sin nombre de autor.)

1839. *Inés de las Sierras*, Barcelona, Sauri, 16°.

El pintor de Saltzburg o Diario de las emociones de un corazón doliente..., Barcelona, Sauri, 16° mayor, xvi-140 págs.

1840. *El pintor de Saltzburgo...*, Madrid, Boix.

Smarra o Los demonios de la noche. Sueño romántico traducido del esclavón al francés... y al español por A. M., Barcelona, Tauló, 16°.

1841. *Los proscritos...*, trad. por D. M. A., Barcelona, Torner, 16°, 160 págs.

1842. *Trilby o El duende de Argail*, seguido de *Blanca e Isabel o Las dos amigas*, Barcelona, Oliveres, 16° mayor. (*Colección de novelas* tomo V y último.) [Monterrey.]

1847. *La torre maldita...* vertida... por don Juan Antonio de Escalante, Madrid, Alvarez, 2 vols. 16° mayor, 190 y 206 págs. (*El recreo económico universal*.)

Naturalmente, hubo muchas traducciones posteriores, de estos mismos relatos y de otros. Dada su reducida extensión, hubieron tal vez de ser reproducidos en publicaciones periódicas. Así, en 1855, el *Semanario pintoresco*, publicaba, anónima, la narración *La gruta del hombre muerto* (XX, pág. 91); en 1857, *La Ilustración* un «fragmento», *Las noches del lago* (IX págs. 178-179) y debe de haber otras muchas cosas por el estilo que yo no he visto.

OPIE, Mrs. Amelia (1769-1863)

1820. *El padre y la hija*, historia inglesa trad. al frances... y al español por doña Juana Barrera, Madrid, Dávila, 8°. (Fue traducida al francés en 1802 por Mme. Brayer de Saint-Léon.)

ORMOY

V. MERARD DE SAINT-JUST

PERRAULT, Charles (1628-1703)

1824. *Cuentos de hadas*, París, Smith, 18°. (Sigue, en general el orden de las ediciones francesas de la Haya, 1742, 1777, a las que añade el cuento *Piel de Asno*. Contiene: *La caperucilla encarnada*, *Las hadas*, *Barba Azul*, *La hermosa del bosque durmiente*, *El gato maestro, o con botas*, *La cenizosa, o la chinelilla de vidrio, Riquet del copete, El Pulgarcillo, La diestra princesa* (= *L'adroite princesse,* de Mlle. Lhéritier), *Piel de asno.*)

1830. *Barba Azul o La llave encantada,* colección de cuentos maravillosos, Valencia, Cabrerizo, 16º. (Parece depender del anterior, que sigue salvo en destacar *Barba Azul* como primer cuento. Todo el resto es común a las dos ediciones y va en el mismo orden. A *Piel de asno* siguen unos ejemplos morales.)

1840. *Barba Azul...,* Valencia, Cabrerizo, 16º, 304 págs. (Reimpresión del anterior.)

1852. *Cuentos* de Carlos Perrault, Madrid, fol., 20 págs. (*Biblioteca Universal.*)

PERRIN, Maximilien (1796-1879)

1845. *El altar y el teatro,* novela... trad. por don José Aguirre, Madrid, Aguado, 3 vols. 16º mayor, 212, 208 y 214 págs. (*Recreo popular.*)

PEYRONNET, Conde Charles Ignace de (1775-1854)

1843. *El capuchino...,* Madrid, Unión comercial, 16º, 96 págs. (*Biblioteca continua.*)

1850. *El capuchino...,* Valencia, Monfort, 16º, 78 págs. [Ranch.]

PHILIPON, C. (1800-1862) y Louis HUART (1813-1865)

1845. *La parodia del «Judio errante»,* jeremiada constitucional en diez partes..., trad. por J. de Luna, Barcelona, Oliveres, 2 vols. 8º mayor (*Tesoro de Autores Ilustres,* XLV-XLVI.)

PICARD, B. (1769-1828)

1838. *El Gil Blas de la Revolución o Confesiones de Lorenzo Giffard...,* trad. de la segunda edición por A[ntonio] B[ergnes], Barcelona, Bergnes, 4º, 270 págs. (*Biblioteca selecta, portátil y económica,* I, II.)

[PICHLER, Carolina] (1769-1843).

s. a. *Amor y silencio,* novela imitada del alemán por la Baronesa de Montolieu, trad. del francés por D. J[osé] V[icente] y C[aravantes], Madrid, Pita, s. a., 16º, 176 págs. (Según Hidalgo, que identifica al traductor, fue impresa hacia 1838. La acompaña *Las tres hijas de Mohamet,* crónica mozárabe, que no sé qué pueda ser.)

PIGAULT-LEBRUN, Charles Antoine Guillaume (1753-1835).

1816. *El citador,* trad. por Fr. N. Alvarado, Londres, Davidson, 12º. (El nombre del traductor es de seguro supuesto. El libro no tiene carácter novelesco, y como se dijo en la nota 131, se publicó otras veces.)

1822. *El hijo del carnaval,* París, Smith, 2 vols. 18º. (Hay ejemplares como el de B. N. P. Y² 59294-59295, que llevan el pie de imprenta de Madrid, Sancha.)

El hijo del carnaval, trad., por Mingo Revulgo, Burdeos, Lawalle jeune, 4 vols. 18º. [B. N. P. Y² 59296-59299.]

Mi tío Tomás, trad. por un español amigo de reir, París, Barrois, dos vols. 16º. (También hay ejemplares a nombre de Sancha, como el de B. N. P., Y² 59303-59304.)

1823. *El mozo de buen humor que no pena por nada,* París, Smith, 2 vols. 18º. [B. N. P., Y² 59312-59313, en el mismo caso que el anterior.]

Mi tío Tomás..., trad. de D. A. P. Z. G. (Pérez Zaragoza?) Madrid. (Esta edición, citada por R. F. Brown, *La novela española,* pág. 79, según un catálogo de Molina, parece que se confirma. Según carta del autor, 27 de abril 1956, hay ejemplar en la Sociedad Económica de Amigos del País de La Habana.)

1824. *Los barones de Felsheim,* historia alemana que no es sacada del alemán, París, Smith, 4 vols. 16º. [B. N. P., Y² 59290-59293, en el mismo caso que las anteriores.]

La locura española, París, Smith, 3 vols. 12º. [B. N. P., Y² 59300-59302.]

1827. *Ángela y Juanita,* París, Librería americana (imp. Wincop), 3 vols. 16º. [B. N. P., Y² 59287-59289.]

Monsieur Botte, trad. por don Juan de Escoiquiz, París, Librería americana (imp. Wincop), 4 vols. 18º. [B. N. P., Y² 59308-59311.]

1836. *Mi tío Tomás...,* segunda edición, París, Pillet, 3 vols. 16º. [B. N. P., Y² 59305-59307.]

1837. *El hijo del carnaval,* historia notable y sobre todo verídica que sirve de suplemento a las rapsodias del día, Barcelona, Sauri, 2 vols. 8º, 216 y 232 págs. («Edición más completa que la impresa en 16º.»)

La locura española..., Barcelona, Sauri, 2 vols. 8º. [HS.]

Mi tío Tomás, o sea el hijo natural de Rosalía la Morena, segunda edición, Madrid, Alvarez.

Mi tío Tomás..., trad. por un español amigo de reir, Barcelona, Sauri, 2 vols. 8º, 304 y 296 págs.

El mozo de buen humor que no pena por nada, Barcelona, Sauri, 2 vols., 8º.

1838. *Ángela y Juanita...,* Barcelona, Sauri, 8º, 274 págs.

Los barones de Felsheim..., Barcelona, Sauri, 2 vols. 8º.

Metusko o Los polacos, Valencia, Paluzié.

El regañón o Monsieur Botte..., Barcelona, Sauri, 2 vols. 8º de 264 págs.

1839. *Kinglin o El adivino,* trad. por S. S., Barcelona, Sauri, 12º.

1840. *El hijo del carnaval...,* 2.ª edición, Barcelona, Oliva, 2 vols. 16º. (*Nueva colección de novelas escogidas.*)

1841. *Metusko o Los polacos...,* traducida libremente por Zipalne, Barcelona, imp. a cargo de Vicente Peris, 12º. (Con *Zirza o la choza de Nemrod,* novela oriental, trad. por A. D. M.)

1842. *El mozo de buen humor que no pena por nada,* por el autor de *Mi tío Tomás,* segunda impresión, París, Pillet, 2 vols. 18º. [B. N. P., Y² 59314-59315.]

[PIGAULT-MAUBILLARCQ]

1830. *La familia de Vieland o los prodigios*, puesta en español por el doctor don Luis Monfort, Valencia, Cabrerizo, 4 vols. 16°.

1839. *La familia de Vieland...*, trad. de Monfort, cuarta edición, Valencia, Cabrerizo, 4 vols. 16°, xvi-292, 284, 288 y 306 págs. [Ranch.]

De citas de autores contemporáneos (por ejemplo, Estébanez, *El roque y el bronquis*: «como si la voz prodigiosa de Carvino en *La familia de Wieland* se hubiese dejado oir...»; cfr. *Semanario pintoresco*, 1837, II, pág. 136) se deduciría que la obra citada es la misma cosa que una novela anónima, *Carvino*, pero como Cabrerizo las dio por separado en el mismo año, más bien parece que la una es parte o continuación de la otra. Para *Carvino*, v. los anónimos.

PORTA, Alessandro

1844. *El desdichado o La mujer infiel...*, trad. libremente por D. P. R. *La ingratitud castigada*, novela escrita en francés por Augusto Burner, trad. libremente por D. P. R., Igualada, Jover, 16°.

POUGENS, Marie Charles Joseph (1755-1833)

1826. *Las cuatro edades*, seguidas de las *Cartas de un cartujo*, París, Librería americana (imp. Mme. Wincop), 18°. [B. N. P., Y² 76045.]

1831. *Jocó*, episodio sacado de las *Cartas inéditas sobre el instinto de los animales y la tribu de los orangutanes...*, trad. por don Manuel González Vara, Madrid, 8°, 134 págs.

POUJOULAT, Jean Joseph François (1808-1880)

1840. *La beduína...*, trad. por la señorita doña Ventura Rubiano y Santa Cruz, Madrid, Arias, 8°.

1843. *La beduina*, la misma traducción, Madrid, Unión comercial, 16° mayor.

PRÉVOST D'EXILES, Antoine François (1697-1763)

1800. *El deán de Killerine*, trad. por D. J. A. V. T., 2.ª impresión, Madrid, Barco López, 4 vols. (La primera edición no debe de ser muy anterior.)

RADCLIFFE, Mrs. Anna Ward (1764-1823)

1819. *Julia o Los subterráneos del castillo de Mazzini*, trad. del francés por J. M. P., Valencia, Cabrerizo, 2 vols. 16°.

1822. *Julia...*, trad. por J. M. P., Valencia, Oliveres, 2 vols. 12, 323 y 286 págs. [Ranch.]

1829. *Julia...*, París, Smith, 4 vols. 16°. [B. N. P., Y² 61417-61419 bis.]

1830. *Adelina o La abadía en la selva*, novela histórica... la publica... don Santiago Alvarado de la Peña..., Madrid, Sancha, 4 vols. 8°.

1832. *El italiano o El confesonario de los penitentes negros*, París, Pillet, 7 vols. 16°. [B. N. P., Y² 61393-61399.]

Los misterios de Udolfo, París, Pillet, 10 vols. 12°. [B. N. P., Y² 61400-61409.]

1833. *La selva o La abadía de Santa Clara*, París, Pillet, 6 vols, 16°. [B. N. P., Y² 61410-61415.]

1838. *El italiano o El confesorio de los penitentes negros...*, tercera edición, Barcelona, Sauri, 3 vols. 12°.

1840. *Julia...*, trad. de J. M. P., Valencia, Cabrerizo, 2 vols. 16°, x-310 y 280 páginas.

1843. *El italiano...*, «tercera edición», Barcelona, Viuda de Sauri, 3 vols. 16° (así Hidalgo, que o equivoca la fecha o el número de la edición).

APÓCRIFOS.

1825. *El sepulcro*, París, Smith, 16°, iii-312 págs. [B. N. P., Y² 61416.] (*Le tombeau* había aparecido en Francia en 1799 como «ouvrage posthume», lo que no deja de ser pintoresco, pues la autora vivía aún. Quizá sea obra del pretendido traductor, Hector Chaussier.)

1828. *Las visiones del castillo de los Pirineos*, París, Smith, 10 vols. 16°. [B. N. P., Y² 61420-61429.] (*Visions du château des Pyrenées*, 1808. Sobre las vicisitudes por que pasó este libro, falsificado ya en Inglaterra, v. Quérard, *La France littéraire*, III, 265.)

1830. *El sepulcro...*, trad. por don Rafael Oscáriz, Madrid, Bueno, 2 vols, 16°.

1839. *Las visiones...*, Puerto de Santa María, Núñez, 5 vols. 8°.

1843. *El castillo de Nebelstein*, cuento..., trad. por Teodoro Guerrero, Madrid, Unión comercial, 16°. (*Biblioteca continua*.)

Sobre *La abadía de Grasvila*, falsamente atribuido en Francia a la Radcliffe, v. MOORE, George.

Aun se hicieron ediciones de obras de esta autora con posterioridad a 1850.

RAYMOND, Michel.

V. MASSON.

REGNALT-WARIN, Jean Joseph (1775-1844).

1811. *El cementerio de la Magdalena*, Valencia, Ferrer de Orga, 4 vols. 8°. Citado por M. Alvar en su ed. del *Bosquejillo* de Mor; posee ejemplar.

1817. *El cementerio...*, tercera edición corregida y expurgada. Valencia, Estevan. 4 vols. 12.°, 313, 297, 280 y 319 págs.

1826. *La caverna de Strozzi*, París, Smith, 16°, 206 págs. [B. N. P., Y² 61790.]

1829. *El cementerio de la Magdalena...*, 4.ª edición, corregida y aumentada con un resumen histórico de la vida de Luis XVI..., Valencia, J. Ferrer de Orga, 4 vols. 8°. (La traducción tiene que ser la de Mor de Fuentes y Tapia; la primera edición debe ser la de 1811.)

1830. *La caverna de Strozzi...*, Madrid, Bueno, 16°, 156 págs.

1833. *El cementerio de la Magdalena...*, edición aumentada con un resumen de las vidas de Luis XVI, de Mad. Isabel, de la Duquesa de Angulema, de Luis XVIII, de Carlos X y de los Duques de Angulema y de Berry, por don

Vicente Salvá, París, Salvá, 4 vols. 16°. (Hay ejemplares, como el de B. N. P., Y² 61792-61795, con pie de imprenta de Méjico, Galván; en cambio el conservado en Monterrey lleva el de París, Librería hispano-americana.) En el catálogo de Salvá hay una nota que advierte: «El propietario y principal traductor de esta obra, don Vicente Salvá, la ha revisado ahora de nuevo y ha insertado en sus lugares algunos pasajes que se hallan suprimidos en la tercera y cuarta edición de España», pág. 8. Este libro se publicaba aún en Valencia en 1878. Regnalt-Warin debió de tener alguna relación con España o con españoles. Publicó en 1823 unas biografías de Mina y Morillo, y ya había hecho una españolada, *Rosario ou les trois Espagnols,* 1821.

RENNEVILLE, Mme.

V. SENNETERRE.

[RESTIF DE LA BRETONNE, Nicolas Edme (1734-1806).]

1834.   *El pie de Frasquita* (= *Le pied de Franchette,* 1768), trad. libremente..., París, Rosa, 2 vols. 12°. [B. N. P., Y² 7915-7916.]

REY DUSSEUIL, Antoine François Marius (1800-1850).

1838.   *Carlos IV en Marsella o Los amores de una española,* novela histórica del tiempo de Napoleón..., puesta en castellano por don Nicasio Trovero de Lacasa, Barcelona, Bergnes, 4° mayor. (En volumen con *Struensee,* de Fournier y Arnould.)
1849.   *Carlos IV en Marsella...,* Barcelona, Oliveres, 4° mayor. (Reimpresión del anterior.)
    Aun hay una edición de este libro, de Palma, 1862.

REYBAUD, Louis (1799-1879).

1845.   *Gerónimo Paturot en busca de una posición social...,* versión de don José Aguirre, Madrid, Mellado, 4 vols. 16° mayor. (A nombre de Hipólito Roll).
    Hubo aún otras traducciones de este libro, hasta comienzos del siglo presente en que la malhadada *Novela ilustrada* que publicó en Valencia Blasco Ibáñez incluyó ésta en la increíble mescolanza que produjo.

RIBEYROLLES, Charles de.

1848.   *El brujo de Roc-Amadour,* novela histórica..., vertida... por don Juan Antonio de Escalante, Madrid, Boix, 2 vols. 8°.

RICARD, Auguste (1799-1841).

1841.   *La bandera tricolor o los tres días de julio en París...,* Palma, Gelabert, 2 vols. 8°, viii-224, iv-220 págs.
1844.   *La bandera...,* Madrid. (Catálogo de A. Guzmán, fasc. 25, 1949, núm. 1436).
1845.   *La diligencia o la berlina, el interior, la rotonda y la imperial,* Valencia, Monfort, 2 vols. 16° mayor. (Biblioteca de *El Fénix,* tomos VI-VII.)

RICCOBONI, Mme. (1714-1792).

1805. *Cartas de Isabel Sofía de Vallière,* trads. del italiano (sic), Valencia, J. de Orga, 3 vols. 8° menor. (Sin nombre de autor.)
1835. *Ernestina...,* trad. por don P[edro] H[iginio] B[arinaga], Valencia, Gimeno, 16° mayor, 168 págs.

RICHARDSON, Samuel (1689-1761).

1794-1795. *Pamela Andrews o La virtud recompensada,* Madrid, Espinosa, 4 vols. 8°.
   Clara Harlowe, trad. del inglés al francés por M. Le Tourneur... y... al castellano por don José Marcos Gutiérrez, Madrid, 11 vols. 8°. (Los volúmenes fueron impresos en diferentes oficinas: I-II, Cano; III-VI, Villalpando; VII-IX, Viuda de García; X, Cruzado; XI, Viuda e hijos de Marín.)
1798. *Historia del caballero Carlos Grandison,* trad. por E. T. D. T., Madrid, 6 vols. 8°.
1799. *Pamela Andrews,* 2.ª edición, Madrid, Imprenta Real, 8 vols. 8°.
1824. *Historia del caballero Carlos Grandison,* trad. de E. T. D. T., 2.ª edición, Madrid, 4 vols. 8°.
1827. *Clara Harlowe,* trad. de Marcos Gutiérrez, Londres, Ackermann, 8 vols. 8°.
1829. *Clara Harlowe...,* trad. de Marcos Gutiérrez, 2.ª edición, Madrid, Repullés, 9 vols. 12°. [BU California.]
   Clara Harlowe, la misma trad., París, Decourchant (Wincop editor), 16 vols. 16°. [B. N. P., Y² 62840-62855.]
1846. *Clara Harlowe* por Jules Janin, Madrid, Espinosa y Cía., 4 vols. 12°, 196, 197, 194 y 190 págs. (El libro se da como obra de Janin; sólo en la introducción se alude a Richardson. Es una adaptación.) [Ranch.]

RICHOMME, Fanny (1795-?).

1850. *La esperanza...,* Madrid, imprenta que fue de Operarios, 8° (Esta novela y la titulada *El solitario del Monte Carmelo,* forman el tomo I y único de *Las veladas cristianas,* según Hidalgo. El original ya andaba en una colección por el estilo, *Les grâces chrétiennes,* donde quizá se encuentre también la otra novela, no citada por Quérard.)

ROBERT, Clémence (1797-1873).

1843. *El marqués de Pombal,* novela histórica, trad. libremente por don Antonio R. Guerra, Cádiz, Núñez, 8°. (*Colección de novelas traducidas y originales.*)
1845-1846. *Guillermo Shakespeare...,* trad. por F., Málaga, Cabrera y Laffore, 3 vols. 16° mayor.
1847. *El rey,* Madrid, Mellado, 4°, 124 págs. (Completa, con portada y paginación independiente, *Los cuarenta y cinco,* de Dumas.)

1848. *El rey...*, Málaga, del Rosal, 2 vols. 16º mayor. (*Biblioteca del Mediodía.*)
El rey..., trad. por L. N. G., Santa Cruz de Tenerife, Bonnet, 2 vols. 16º,
216 y 238 págs. [89]
El tribunal secreto..., trad. por la señorita P[ulido] E[spinosa], Madrid, Alonso, 2 vols. 8º. (Biblioteca del *Diario de Avisos*. Hidalgo señala otra del mismo
traductor, año e imprenta que no sé en qué pueda diferenciarse de la citada.)
El tribunal secreto..., trad. por don José Ignacio de Michelena. Cádiz, Fernández de Arjona, 2 vols. 8º. (*Biblioteca económica popular.*)

1850. *El rey...*, Málaga, 2 vols. 12º, 423 págs. (Nota muy confusa del catálogo
de A. Guzmán núm. 50, 1961, en la que la autora es llamada sólo «Mad. Constancia».)
Aún existen algunas traducciones posteriores.

ROCHE, Regina María (¿1764?-1845).

1808. *Los niños de la Abadía*, Madrid, Vega. (*Biblioteca Británica*, sin nombre de
autor.) [90]

1828. *Oscar y Amanda o Los descendientes de la Abadía*, trad. por C. J. Melcior.
Barcelona, 3 vols. 12º.

1831. *Clermont...*, trad. por don Francisco de Paula Mellado, Madrid, imp. de
Fuentenebro, 2 vols. 8º. (En los catálogos y anuncios suele llevar el título de
Clermont o El fratricida inocente.) [91]

1837. *Oscar y Amanda o Los descendientes de la Abadía...*, trad. libremente por
don Carlos José Melcior, 3.ª edición, Barcelona, Indar, 4 vols. 8º.

1839. *El monasterio de San Columban o El caballero de las armas rojas*, París,
Pillet, 3 vols. 18º. (Sin nombre de autor). [B. N. P., Y² 54069-54071.]
Oscar y Amanda se ha reimpreso y leído muchísimo. Conozco cinco reediciones
posteriores a 1888, la última, de París, Garnier, de 1921.

ROME, Mme. de.

V. MARNÉ DE MORVILLE.

ROSNY, Antoine Joseph Nicolas de (1771-1814).

1825. *Claudio y Claudia o el amor aldeano*, trad. de Pedro Ferrer, Burdeos, Lawalle, 18º. (Según el título del original francés, 1800, se trata de una imitación
de la *Estela*, de Florian.)

---

[89] El catálogo de García Rico, 1916, núm. 18.899, cita una edición de esta novela
«traducida del inglés» (sic), impresa en Málaga, s. a., en dos vols. 16º. Quizá sea una
reimpresión de la anterior.
[90] Hubo petición de permiso para publicar una novela de esta autora, que era
The children of the abbey, bajo el título de *Los hijos de Fitzalan*, en fecha desconocida. El traductor era Fernando Nicolás de Rebolleda, que había trabajado sobre la
traducción francesa de Morellet. La censura fue favorable al libro, pero no a la traducción. No consta lo que se acordó. G. Palencia, *La censura*, II, 312, núm. 548.
[91] Se acordó la licencia en septiembre de 1831; ibíd., 340, núm. 576.

ROUSSEAU, Jean Jacques (1712-1778).

1814. *Julia o La nueva Eloísa*, Bayona, Lamaignière. (Palau.)

1817. *Emilio...*, trad. de Marchena, Burdeos, Beaume, 3 vols. 12º. [B. N. P., Y² R 22428-22430.]

1819. *Emilio...*, París, Eyméry, 4 vols. 8º mayor.

1820. *Julia...*, trad. por A. B. V. B., segunda edición corregida y aumentada con las dos cartas y todo lo demás que se había suprimido en la primera edición, Burdeos, Beaume, 4 vols. 12º. [B. N. P., Y² 63937-63940.]

Julia..., en la misma trad., Madrid. (Debe de ser la de Burdeos con falso pie de imprenta.)

1821. *Emilio...*, trad. de Marchena, Madrid, Albán y Cía.

Emilio..., Burdeos, Beaume.

Julia..., trad. de Marchena, Tolosa, Bellegarrigue, 4 vols. 12º (con *Los amores de Milord Eduardo Bouiston*). [B. N. P., Y² 63933-63936.]

1822. *Emilio...*, Madrid, J. Collado.

Emilio..., Burdeos, Beaume, 3 vols. 12º.

Julia, trad. por D. M. V. M. (Marchena), Madrid, Cano, 4 vols. 12º. [B. N. P., Y² 76095-76098.]

Julia..., Madrid, 3 vols. 8º. (Palau.)

1823. *Julia...*, trad. de Marchena, Versalles, imp. francesa y española.

1824. *Emilio...*, trad. nuevamente y aumentado de *Emilio y Sofía o los solitarios...* por Rodríguez Burón, París, Tournachon-Molin, 5 vols. 18º. [B. N. P., Y² R 22431-22435.]

Julia..., Versalles, imp. de Jacob, 4 vols. 12º. (¿La misma de 1823?)

1825. *Julia...*, París, 4 vols. 12º. (Catálogo de Salvá.)

1827. *Emilio...*, trad. .de Marchena, Burdeos, 3 vols. 8º mayor.

1836.. *Julia...*, trad. de Marchena, Barcelona, Tauló, 3 vols. 8º mayor, viii-428, 346 y iv-384 págs.

Julia..., trad. de Marchena, Barcelona, Sauri, 3 vols. 8º.

Julia..., Barcelona, Oliva, 3 vols. 16º. (Spell.) [92]

1836-1837. *Julia...*, trad. por don José Mor de Fuentes, Barcelona, Bergnes, 4 vols. 8º, xl-248, 332, 200 y 366 págs.

1837. *Julia...*, trad. de Marchena, Barcelona, Oliva, 8º mayor. (*Nueva colección de novelas escogidas.*)

Julia..., trad. de Marchena, 2.ª edición. Barcelona, Sauri, 3 vols. 8º, 392, 326, 305 págs. [Ranch.]

s. a. *Julia...*, trad. de Mor de Fuentes, Barcelona, Oliva.

1850. *Emilio...*, trad. por Ruiz de Cueto (en realidad por Marchena). Madrid. (Salió como folletín de *Las Novedades* y aparte. Reimpreso en *El eco de los folletines*, VI, 1855.)

---

[92] Estas tres ediciones parece que son una misma (Palau). Hidalgo nada dice de ello.

ROYER, Alphonse (1803-1875).

1837. *La hermosa Leandra,* trad. de Ochoa. (*Horas de invierno,* III.)
1844. *Catalina Corner,* reina de Chipre..., trad., por don Francisco Ripoll y García, Madrid, Ramón Riesco, 8°. [93]

[RUAULT, Condesa de, llamada Condesa de Nardouet.]

1831. *Barbarinski o Los bandoleros del castillo de Wisegrado,* París, Pillet, 2 vols. 16°. [B. N. P., Y^2 16063-16064, sin nombre de autor.]
1833. *Sombremar o Las dos fantasmas,* París, Pillet, 2 vols. 18°. [B. N. P., Y^2 21371-21372.]

SAINT-AGNET.

V. MAURICE SAINT-AGNET.

SAINT-FÉLIX, Jules de (1806-1874).

1843. *Esperanza,* sacada de la que bajo el título de *Blanca* escribió..., por D. J. P. y M., Madrid, Unión comercial, 16°, 96 págs. (*Biblioteca continua;* contiene, además, *Una justa,* de Dumas, y *Sancho,* de Florian.)
1848. *Las noches de Roma...,* trad. por Luciano Pérez Acevedo, Madrid, García, 2 vols. 8°, 174 y 202 págs. (*La Época,* vols. VIII-IX.)
        Hay traducciones posteriores.

SAINT-GEORGES, H. de (1801-?).

1848. *Un misterio,* novela histórica..., trad. por la Sociedad literaria, Madrid, Ayguals de Izco, 16° mayor, 400 págs. (Reimpresa en Mataró, Abadal, 1856.)

SAINTINE, X. B. (1797-1865).

1839. *Picciola...,* trad. por don P[edro] R[eynés] S[olá], Barcelona, Oliva, 2 vols. 16°, xvi-284, iv-200 págs. (*Nueva colección de novelas escogidas,* tomos LI-LII.)
1843. *Rico y pobre,* Madrid, Unión comercial, 16°. (Junta con la anónima *¡Desgraciado!* que encabeza el volumen.)
1844. *Historia de la hermosa cordelera y de sus tres amantes. El mutilado...,* trads. y adicionadas con las biografías de Petrarca y Laura por J[aime] Tió, Barcelona, Oliveres. (*Tesoro de Autores Ilustres,* XV.)
        Historia de la bella cordelera..., Habana, imprenta de *La Prensa,* 8°, 232 págs. (Sin nombre de autor, en Hidalgo al menos.)

[SAINT-LAMBERT, Charles François (1717-1803).]

1795. *Sara Th.,* novela inglesa trad. del francés por doña María Antonia del Río y Arnedo, Madrid.

---

[93] Hay una curiosa imitación de esta novela: *Los cruzados de Venecia o la fingida emperatriz.* Imitación del célebre bosquejo de Royer por don Agustín Azcona, Madrid, J. Cruz González, 1837. [Ranch.]

SAINT-PIERRE, Bernardin de (1737-1814).

1798. *Pablo y Virginia,* trad. por José Miguel de Alea, Madrid, Aznar, 12°, 6 págs. s. n.-xxvi-250 págs. [HS. Ranch.]

1800. *Pablo y Virginia,* Perpiñán, 18°. (Se la cita en un catálogo de la Viuda de Ibarra que acompaña el entremés *El hambriento*).

1803. *El inglés en la India o La cabaña indiana.* Cuento trad... por D. M. L. G., Salamanca, 16°, 132 págs.

1814. *Pablo y Virginia,* trad. de Alea, Palma, Domingo, 8°, xxvi-242 págs.

1815. Antes de este año hubo una traducción de *La cabaña indiana* impresa en Valencia, que fue prohibida por la Inquisición de Sevilla; v. Gómez Imaz, *Los periódicos durante la Guerra de la Independencia,* págs. 373-379.

1816. *Pablo y Virginia,* trad. de Alea, Perpiñán, Alzine, 12°, v-233 págs. [B. N. P., Y² 9720.]
    Pablo y Virginia, trad. de Alea, nueva edición, Valencia, Mompié, 8°, xvi-279 págs.

1819. *Pablo y Virginia,* Burdeos, 18°. (Catálogo de Salvá).

1820. *Votos de un solitario* y su continuación, *El café de Surate* y *La cabaña indiana,* Valencia, Oliveres, 2 vols. 12° [Ranch.] («Tanto la traducción como la impresión de esta obra fueron revisadas y corregidas por mi padre», *Catálogo de la biblioteca de Salvá,* II, 179. En el mismo lugar se advierte que de *El café* y *La cabaña* se «tiraron algunos ejemplares aparte de *Los votos*»). [94]
    La cabaña indiana y *El café de Surate.* Cuentos. Madrid, 12°, 129 + 12 páginas. (Del mismo catálogo de Bonaire que se cita en nota.)

1822. *Pablo y Virginia,* París, Masson, 18°.
    La cabaña indiana y *El café de Surate,* trad. de Masson, París, Masson. (Supongo que de ésta hay ejemplares con pie de imprenta de Madrid, y que uno de ellos es el de la misma Biblioteca, Y² 9753, 16°, 129 págs., edición seguramente francesa. Salió con *Atala* y *René*).
    La cabaña indiana y *El café de Surate,* León [Lyon], Cormon y Blanc, 18°. (Una nota de Quérard confirma la existencia de estas dos ediciones; ello no quita que pudieran ser la misma con diferente pie de imprenta.)

1825. *Pablo y Virginia,* París, Baudry, 12°, viii-172 págs. [B. N. P., Y² 9721.]

1826. *Pablo y Virginia,* trad. de Alea. Nueva edición, corregida por él mismo y aumentada con los *Himnos de la primera edad,* Marsella, Masvert, 12°. (Los *Himnos* son de Thiercelin y su versión obra de Ildefonso Miranda.) [B. N. P., Y² 9722.]
    Pablo y Virginia, París, Baudry, 18°. [B. N. P., Y² 9723.]

1827. *Pablo y Virginia,* trad. de Alea, Valencia, Mompié, 16°.

1834. *Pablo y Virginia...,* París, Pillet, 12°, 220 págs. [B. N. P., Y² 9729.]

1835. *Bellezas de los estudios y de las armonías de la naturaleza,* París, Pillet, 2 vols. 18°.

1838. *Pablo y Virginia...,* Barcelona, Bergnes, 8°.

---

94 La librería Bonaire, de Valencia, en su catálogo núm. 8, 1958, ofrecía *La cabaña indiana* y *El café de Surate,* Valencia, 1820, 12°, xxvi-108 págs., probablemente las tiradas especiales a que alude Salvá. Ejemplar en la col. Ranch.

1843.   *Pablo y Virginia,* trad. de Alea, Barcelona, Sauri.

1847.   *Pablo y Virginia,* trad. de Alea, París, Pillet, 18°.

1849.   *Pablo y Virginia,* París, Baudry. [B. N. P., Y² 9724.]

        Pablo y Virginia, trad. de Alea, París, Rosa y Bouret (imprenta Claye), 18°.

        Pablo y Virginia, trad. de Alea, París, Pillet.

1850.   *Pablo y Virginia...,* Madrid, fol. 24 págs. (*Biblioteca Universal.*)

        Pablo y Virginia, trad. J. Alegret de Mesa, Madrid, Mellado, 16°, 188 páginas. (*Biblioteca de la juventud.*)

1850-1851.   *Pablo y Virginia...,* seguida de *La cabaña indiana,* trads. por don José Alegret de Mesa, Madrid, Vicente, 4° mayor. (Salió con *Atala, René* y *El último abencerraje.* Todas estas obras tienen portadas y paginación independiente.)

SAINT-VÉNANT, Mme.

V. MÉNAGE.

SAND.

V. GEORGE SAND.

SANDEAU, Jules (1811-1883).

1847.   *Valcreuse,* trad. por A. E. Echarri de Otaberro, París, Lassalle y Mélan, 8°, 389 págs. (Publicaciones de *El Correo de Ultramar.*) [B. N. P., Y² 65452.]

1852.   *La señora de Sommerville,* París, Hennuyer, 16°. (*El mundo pintoresco*). [B. N. P., Y² 65451.] [96]

SAVIGNAC, Alida de (1796-1847).

1832.   *Historia de un peso duro contada por él mismo...,* trad. por don Mariano de Rementería y Fica, Madrid, Aguado, 16°, xii-264 págs. [97]

---

[96] Cuando en 1861 Ochoa publicaba la *Mariana,* de Sandeau (París, Dramard-Baudry), advertía que la razón de hacerlo era ser ésta la única novela del autor que no estaba traducida (*Dedicatoria.*) O esta página procede de alguna edición de hacia 1840, o no entendemos el alcance de las palabras de Ochoa. *Mariana* es el quinto libro de Sandeau, que en 1861 había publicado muchísimos. De todos modos, esas palabras parecen probar que la bibliografía española de este autor debe de ser mucho más abundante.

[97] Se ha dicho que esta obrita era un plagio de otra perdida del Duque de Rivas, escrita en Londres en 1824. F. de B. Pavón, en *El Liceo,* de Córdoba, 1 de mayo de 1845, escribía a este propósito: «Alguno que le robó la idea o tuvo la coincidencia de adoptarla escribió después en francés una obrilla titulada *Histoire de cinq francs* [*Histoire d'une pièce de cinq francs* es el título exacto, 1827] que, muy inferior en mérito, ha sido traducida al castellano con el mismo título de *Historia de un peso duro.* Curiosos pormenores podríamos revelar sobre la historia de este ms., dictado por el autor en una enfermedad suya, desde la cama, sirviéndole de amanuense don A. Alcalá Galiano... La novela, que tiene alguna analogía con las nuestras antiguas de carácter picaresco, es una producción en que corren parejas lo ameno y lo festivo, dándose una serie bellísima de cuadros de costumbres con peregrinos lances...» (Ap. Boussagol, *Ángel de Saavedra... Essai de bibliographie critique, Bulletin Hispanique,* 1927, XXIX, pág. 21.) Otros *Pesos duros* hubo, como cierto desatinado poema en 104 octavas, Madrid, Imp. de Fuentenebro, 1813, de que Fernán Caballero daba cuenta al Marqués de Valmar en carta de 24 de febrero de 1861, en la que cita los dos versos finales; v. *Epistolario,* ed. Argüello, pág. 197.

SCOTT, Walter (1771-1832).

1825. *Ivanhoe...*, London, Ackerman (imp. C. Wood), 2 vols. 8°, xii-403 y 464 págs. [BM., 12604, cc. 19; Columbia University.]
 El talismán, cuento del tiempo de las Cruzadas... con un discurso preliminar, Londres, Ackerman, 2 vols. 12° mayor.

1826. *El enano misterioso,* trad. por F[rancisco] A[ltés] y G[urena], Perpiñán, Alzine (imp. Toulouse, Bellegarrigue), 4 vols, 12°.
 Ivanhoe o El regreso de la Palestina del caballero cruzado, trad... por D. J. M. X..., Perpiñán, Alzine, 4 vols. 12°, 256, 262, 285 y 306 págs. (En la anteportada: «Obras de Sir Walter Scott.») [B. N. P., Y² 67788-67791.]
 Los puritanos de Escocia... Nuevos cuentos de mi huésped... trads. por D. F. A. y G. [Altés], Perpiñán, Alzine (imp. Toulouse, Bellegarrigue), 4 vols. 12°. (Con *El enano misterioso,* citado más arriba.) [B. N. P., Y² 67810-67813.]
 El talismán..., Londres, Ackerman (imp. de Moyes), 2 vols. 8°, xii-348 y 419 págs. [BM., 12604. cc. 20.]
 El talismán o Ricardo en Palestina, novela histórica del tiempo de las Cruzadas... (trad. por J. N. Gallego y Tapia, según una nota de Menéndez Pelayo), Barcelona, Piferrer, 3 vols. 8°, 350, 286 y 288 págs.

1827. *El oficial aventurero,* trad. por B. C., Burdeos, Beaume, 2 vols. 12°. [El tomo II en BU Harvard.]
 Quintín Durward o El escocés en la corte de Luis XI..., trad. por D. F. A. y G., Perpiñán, Alzine, 4 vols. 12°. (En la anteportada: «Obras de Sir Walter Scott.») [B. N. P., Y² 67818-67821; Monterrey.]

1828. *El anticuario,* Burdeos, Beaume, 4 vols. 12°. (Núñez de Arenas, *Rev. Hisp.,* LXXXI, ii, 480, describe sólo el tomo III, sin decir dónde lo ha visto.)
 La pastora de Lammermoor o La desposada, novela histórica... trad. por L. C. B., Madrid, Sanz, 2 vols. 8°, 398 y 368 págs. [Ranch.]
 Rob-Roy trad. de V. F. D. M., Burdeos, 4 vols. 12°. (Quérard, catálogo de Salvá.)

¿1829? *El enano misterioso...,* trad. por D. P[edro] H[iginio] B[arinaga], Madrid?, un vol. 8°. (Peers la supone, basándose en un anuncio de *La Gaceta;* debe de ser la misma que vuelve a anunciarse en 1832.)

1829. *Matilde de Rokeby, novela histórico-poética...,* trad. del francés por don Mariano de Rementería y Fica, Madrid, Jordán (imp. de Moreno), 8°.
 Visión de don Rodrigo, romance inglés de Sir Walter Scoth (sic), trad. libremente en verso español por A. Tracia, Barcelona, Viuda e hijos de Brusi, 16° xi-120 págs. (El nombre del traductor es anagrama del de Agustín Ricart; v. Amade, *Bibliographie,* pág. 53. Palau lo equivocó en García. y el catálogo de HS., donde hay ejemplar [845 Sc 3.] en Gracia. El prólogo es curioso, no tanto la traducción, verbalista y difusa.) [BM., 11646. a. 68; Ranch.]

1830. *La dama del lago...,* trad. de Rementería, Madrid, Jordán (imp. de Moreno), 2 vols. 8°, ii-182 y 88-92 págs.; estas 92 últimas páginas del tomo II contienen *Los desposorios de Triermain o El valle de San Juan.* (*Nueva colección de novelas de Sir Walter Scott,* ts. I y II.)
 El espejo de la tía Margarita, El aposento entapizado y *Clorinda o El collar*

de perlas, tres novelas nuevas... precedidas de un ensayo sobre el uso del maravilloso en el romance, Madrid, Jordán (imp. de Moreno), 8° iii-221 págs. (*Nueva colección...,* tomo III.) [BM., 012611. h. 33.; HS, 845 Sc 32.]

    El lord de las islas..., Madrid, Jordán (imp. de Moreno), 8°, 199 págs. (*Nueva colección...,* tomo IV.) [BM., 11645. df. 21.]

    El pirata..., Madrid, Jordán (imp. de Moreno), 4 vols. 8°. (*Nueva colección...,* tomos V-VIII.)

1831. *Las cárceles de Edimburgo...,* Madrid, Jordán (imp. de Moreno), 4 vols. 8°, x-222, 217, 210 y 227 págs. (*Nueva colección...,* IX-XII.)

    Carlos el Temerario o Ana Geierstein, hija de la niebla..., Madrid, imp. de Jordán, 2 vols. 8°, 172 y 176 págs. (Reseña en *Cartas españolas,* 1832, IV, pág. 248.) [Ranch.]

    El castillo de Kenilworth..., trad. por don Pablo de Xérica, Burdeos, 4 vols. 12°. (Quérard, catálogo de Salvá.)

    Ivanhoe o El regreso..., Madrid, Jordán (imp. de Moreno), 4 vols. 8°. (*Nueva colección...,* tomos XIII-XVI.)

    Ivanhoe..., Valencia (?) (Supuesta por Peers, atenido a una alusión de *Cartas españolas,* IV, 316.)

    La novia de Lamermoor..., trad. por don Pablo de Xérica, Burdeos, Beaume, 3 vols. 12°. (Quérard, catálogo de Salvá.)

    El oficial aventurero, episodio de las guerras de Montrose..., trad. por don Gregorio Morales, Madrid, Bueno, 2 vols. 16°.

    Woodstock o El caballero, historia del tiempo de Cromwell, año de 1651..., Madrid, imp. de Jordán, 4 vols. 8°. (Reseña en *Cartas españolas,* 1832, IV, 248.)

1831-1832. *El anticuario...,* Madrid, Jordán (imp. de Moreno), 4 vols. 8°. (*Nueva colección...,* tomos XVII-XX.) [BM., 12603. a. 12.]

    El castillo de Kenilworth o Los privados rivales en el reinado de Isabel de Inglaterra, trad. por D. P[edro] H[iginio] B[arinaga], Valencia, Gimeno, 4 vols. 16°. [Ranch.]

¿1832? *El enano misterioso,* Madrid (?) (V. la edición supuesta de 1829.)

1832. *Los puritanos..., El enano misterioso...,* trad. del original inglés, Barcelona, Bergnes, 16°, 324 págs. (*Biblioteca selecta, portátil y económica,* 3.ª serie, II).

    Kenilworth..., trad. del francés por don Vicente Pagasartundua, Madrid, imp. de Jordán, 4 vols. 8°, 205, 200, 192 y 208 págs. (Reseña en *Cartas españolas,* 1832, IV, 248.) [BM., 12611. h. 11.]

1833. *La cárcel de Edimburgo,* trad. por Xérica, Burdeos, 4 vols. 12°. (Quérard.)

    Ivanhoe o El cruzado..., trad. del inglés, Barcelona, Bergnes, 5 vols. 16°, 255, 248, 245, 237 y 224 págs. (*Biblioteca de damas.* tomos I-V.) [98].

    El oficial aventurero..., trad. del inglés, Barcelona, Bergnes, 2 vols. 16°, 272 y 318 págs. (*Biblioteca de damas,* tomos VIII-IX; en las anteportadas lleva los números VI y VII.)

1833-1834. *Redgauntlet,* historia del siglo décimo-octavo..., trad. del inglés por

---

98 En *Bol.,* III, pág. 368, se cita un *Ivanhoe,* s. l. n. a., en todo caso anterior a 1841, que no sé qué pueda ser. Quizá se trate de alguna de las ediciones mencionadas.

D. F. de O., Barcelona, Bergnes, 5 vols. 16°, 281, 290, 276, 294 y 246 págs. (*Biblioteca de damas,* tomos VIII-XII.)

1834. *El anticuario...,* Barcelona, Bergnes, 5 vols. 16°, 231, 243, 257, 255 y 269 págs. (*Biblioteca de damas,* tomos XXVI-XXX.) [BM., 12603 a. 21.]

   Quintin Durward o El escocés en la corte de Luis XI..., Barcelona, Bergnes, 5 vols. 16°, 246, 264, 272, 266 y 272 págs. (*Biblioteca de damas,* tomos XIII-XVII.)

   Roberto, Conde de París, novela del Bajo Imperio..., Barcelona, Bergnes, 4 vols. 16°, 264, 248, 320 y 295 págs. (*Biblioteca de damas,* tomos XX-XXIII.)

¿1834? *El talismán...,* trad. de Tapia y Gallego, Madrid, tres tomos 8°. (La supone Peers, refiriéndose a un anuncio de *La Gaceta.*)

1835. *Guy Mannering o El Astrólogo,* trad. por don Pablo de Xérica, París, 4 vols. 12°. (Quérard.)

   Waverley o Ahora sesenta años..., trad. por don Pablo de Xérica, Burdeos, Beaume, 4 vols, 12°, xvi-228, 222, 230, 204 págs. [99].

1836. *Las aventuras de Nigel...,* trad. por Pablo de Xérica, París, Rosa, 4 vols. 12°, xiii-235, 300, 235, 262 págs. [B. N. P., Y² 67771-67774.]

   El día de San Valentín o La linda doncella de Perth..., trad. por don J. M. Moralejo, París, Rosa, 4 vols. 12°. (Parece ser que hay ejemplares sin el nombre del traductor.) [B. N. P., Y² 67780-67783.] (En la *Bibliographie de la France* se la cita ya en el volumen de 1835; debió de salir a fines de ese año.)

   La hermosa joven de Perth o El día de San Valentín, Madrid, Jordán, 4 vols. 16° mayor, 286, 263, ii-269 y ii-277 págs. (El volumen primero sin indicación de año.) [BM., 012611. h. 12.]

   Peveril del Pico..., trad. por don W. Montes, París, Rosa, 5 vols. 12°, xxxvii-272, 232, 281, 266, 318 págs. [B. N. P., Y² 67801-67805.]

   Waverley o Sesenta años ha..., Barcelona, Oliva, 6 vols. 8° menor (*Nueva colección de novelas escogidas,* vols. IX-XIV.) [BM., 12603. a. 23.]

1837. *El enano misterioso...,* trad. del original inglés. Segunda edición, Barcelona, Bergnes, 198 págs.

   Rob-Roy..., puesto en castellano por D. E. de C. V., Barcelona, Bergnes, 4°, 256 págs. [BM., 012611. i. 20.]

   El talismán..., trad. del inglés... por don J. de Mora, París, Librería americana (imp. de Moquet), 4 vols. 12°. [B. N. P., Y² 67826-67829.]

1838. *El cuarto entapizado o La vieja de la bata...,* trad. por Juan Muñoz Castro, Habana, R. Oliva, 8° menor, 46 págs. [BM, 12603. a. 14.]

   Guy Mannering o El astrólogo..., trad. por E[ugenio] de O[choa], Madrid, Sancha, 3 vols. 8°, vi-282, 336 y 288 págs. (*Colección de novelas de los más célebres autores extranjeros,* 2.ª serie, tomos VII-IX, últimos de la colección.) [HS., 845, Sc 3 b.]

---

[99] La introducción o prólogo de Xérica a esta traducciós, testimonio de la cerrada oposición de los reaccionarios españoles a las novelas de Scott, puede verse en Núñez de Arenas, *Simples notas...,* recogidas ahora en su libro *L'Espagne des lumières au romantisme,* París, [1963], págs. 366-368.

Los puritanos..., puesta en castellano por A[ntonio] B[ergnes], Barcelona, Bergnes, 4° mayor (con *El enano misterioso*).

El talismán..., trad. del inglés por M. [Mora], Barcelona, Bergnes, 8° mayor, 222 págs. (*Biblioteca selecta, portátil y económica*, sección I, vol. VII; con *El sitio de la Rochela*, de Mme. de Genlis.) [BU Poitiers, 70882.]

1839. *Los puritanos...*, Madrid, Pita, Piñuela y Omaña, 5 vols. 8° mayor, 168, 98, 92, 104 y 100 págs.

¿1840? *El abad*, París, Rosa. (Parece ser que hubo una edición de este año o anterior, pues se la cita en una lista de libros de ese editor en *Guy Mannering*, 1840. Peers.)

1840. *El castillo peligroso...*, trad. por P. Mata, París, Rosa, 2 vols. 12°, 273 y 245 págs. [B. N. P., Y² 67775-67776.] [100].

Los desposados o sea El condestable de Chester, historia del tiempo de las Cruzadas..., trad. por P[edro] Mata, París, Rosa (imp. de Schneider), 3 vols. 12°. [B. N. P., Y² 67777-67779.]

Guy Mannering..., trad. de Ochoa, París, Rosa (imp. de Schneider), 4 vols. 12°, 298, 266, 267, 312 págs. [B. N. P., Y² 67784-67787.]

El monasterio..., trad. de la última edición inglesa por don Eugenio de Ochoa, París, Rosa (imp. Schneider), 4 vols. 12°, 280, 277, 250, 267 págs. [100]. [B. N. P., Y² 67797-67800.]

El monasterio..., Trad. .de L. de C. Madrid, Mellado, 2 vols. 8°, 410 y 437 págs. [Ranch.]

1841. *Colección de novelas de* ———, edición de lujo, Madrid, Omaña. (Comenzó con el *Ivanhoe* que citamos luego, y no parece que pasara más adelante.)

Las aguas de San Ronan, trad. por don E[ugenio] de Ochoa, París, Rosa, 4 vols. 12°, 282, 291, 305, 285 págs. [100]. [B. N. P., Y² 67767-67770.]

Ivanhoe..., Madrid, Omaña, 4°. (*Colección de novelas...*, I.)

El monasterio..., trad. de L. de C., Madrid, Mellado, 2 vols. 8°. (¿La de 1840?)

Quintín Durward, episodio de la historia de Luis XI, Madrid, imp. de *El Panorama*, 5 vols. 8°. (Salió en cuadernos dominicales, no sin irregularidad, por marzo de 1841. «Esta obra tan recomendable, de que tantos elogios han hecho los más entendidos críticos y que pasa entre muchos por la mejor de su autor, está muy adelantada por parte de la empresa, que se lisonjea de conseguir ya desde el mes próximo hacer sus entregas con la misma anticipación y regularidad con que por espacio de más de dos años las ha realizado» (*El Panorama*, 3.ª época, IV, 1.° marzo, 88 b.) A mediados de marzo se terminaba el primer tomo. (Ibíd., pág. 96, pág. 105.)

1842. *Las aguas de San Ronan...*, trad. de Ochoa, París, Rosa (imp. de Schneider), 4 vols. 12° (debe de ser la mencionada en 1841, confusión de fechas debida nuevamente a la *Bibliographie de la France*.)

Los desposados..., trad. por P. Mata, Barcelona, imp. de *El Constitucional*, 3 vols. 212, 229 y 213 págs. [HS. 845. Sc 3 c.]

---

[100] Hay ejemplares con pie de imprenta de Méjico, Galván.

1843. *Las aguas de San Ronan...*, trad. de Ochoa, Barcelona, Oliva, 4 vols. 16°, ii-314, 322, 341 y 320 págs. (*Nueva colección de novelas escogidas*, tomos LXXI-LXXIV. Hay un elogio de Milá sobre este libro, *Obras*, IV, págs. 38 sigs.)

Canto del último trovador. Poema en seis cantos..., trad. por don P[ablo] Piferrer, Barcelona, Oliveres, 16° mayor, 233 págs. (aunque «poema en seis cantos» fue publicado en la *Colección de novelas*, de Oliveres.) [BM., 1164. a. 18.; HS.]

Guy Mannering..., trad.... por don Pedro Alonso O'Crowley, Cádiz, *Revista médica*, 3 vols. 8°.

1844. *El enano misterioso...*, trad. del original inglés, Barcelona, Oliva, 16°, 263 págs. (*Nueva colección de novelas escogidas*.) [BM., 12603 a. 16.]

El enano misterioso..., trad. de Altés, Barcelona, Sauri, 16° mayor (Peers).

La fortaleza de los Douglas o El castillo peligroso, novela histórica del siglo XIV..., trad. libremente del original... con notas por don F. A. Fernell, Sevilla, Alvarez, 2 vols. 8°. (*Colección de novelas escogidas*.)

1845. *El abad...*, trad. libremente del original inglés... por don Francisco Alejandro Fernell, Sevilla, M. Gutiérrez, 3 vols. 8°, 312, 325 y 373 págs. [BM., 012611. h. 3.]

Las aventuras de Nigel..., Madrid, Mellado, 2 vols. 8°, 352 y 328 págs. (*Biblioteca popular económica*.) [BM., 012611. h. 5.]

El monasterio..., trad. por don Eugenio de Ochoa, Barcelona. Oliva (imp. de T. Carreras), 2 vols. 16°, 383 y 409 págs. (*Nueva colección de novelas escogidas*, tomos XXXI y XXXII.) [BM., 12603. a. 22.]

1848. *Las aguas de San Ronan...*, Málaga, del Rosal, 6 vols. 16° mayor. (*Biblioteca del Mediodía*.) Cfr. *Revista de España*, 1868, III, 145.

1849. *El talismán...*, trad. de Mora, Barcelona, Oliveres, 4°. (Es reimpresión del tomo impreso por Bergnes en 1838.)

1850. *Guy Mannering o El astrólogo*, seguido de *El oficial aventurero...*, Barcelona, 4°, 2 vols.

1851. *Quintin Durward...*, Madrid, Gaspar y Roig, 4° mayor, 160 págs. (*Biblioteca ilustrada de Gaspar y Roig*.) [Boston PL., 3091.151.]

Aun cabe citar algunas obras de Scott, sin carácter novelesco, publicadas por entonces:

1827. *Vida de Napoleón Bonaparte...*, precedida de un bosquejo preliminar sobre la Revolución francesa, París, Mame y Delaunay-Vallée, 18 vols. 12°. [B. N. P., 8.°, Lb.⁴⁴ 53.]

1829. *Las páginas de oro...*, o sea retrato imparcial de Napoleón, su enfermedad y muerte..., segunda edición, Valencia, J. Ferrer de Orga, 12°, vi-306 págs. [BM., 10661. aa. 5; B. N. P., Lb.⁴⁴ 706.]

Novelas apócrifas

1841-1842. *Allan Cameron*, novela inédita... (superchería de Auguste Mallet), trad. por Ramón de Castañeira, Madrid, Mellado, 4 vols. 16°. (*Biblioteca de recreo*.)

1844. *La maga de la montaña* (*La Pythie des Highlands*, de Jules David, 1844), novela inédita..., Madrid, Mellado, 2 vols. 8º. (*Biblioteca popular económica;* con *Juana de Levardeen* de Berthoud.)

No hay que decir que Scott siguió siendo impreso y reimpreso en español, dentro y fuera de España, durante todo el siglo xix. Mis incompletísimas notas registran 47 traducciones publicadas entre 1854 y 1914, y sé de varias más.

SCRIBE, Eugéne (1791-1861)

1838. *La amante anónima* se publicó en los folletines de *El eco del comercio*, «recogida, enmendada y reimpresa por M. M., Madrid, imp. de *El eco del comercio*». 8º, 90 págs.
1840-1841. *Carlos Broschi,* novela histórica trad. por don Benito de Cereceda, Madrid, U. López, 2 vols. 16º, 174 y 100 págs. (*Biblioteca en miniatura.*)
1841. *Carlos Broschi* (Farinello)..., trad. por don Manuel García Suelto y adicionada con noticias históricas interesantes, Madrid, Fuentenebro, 8º, ii-182 páginas.

Carlos Broschi..., trad. por don G[abriel] J[osé] R[oselló], Palma, Guasp, 8º. (La identificación del traductor es de Bover, *Memoria biográfica de los mallorquines...,* Palma, Guasp, 1842, 361 b.)
1842? *El rey de oros,* Cádiz. (*Museo de novelas históricas,* I.)
1843. *Judith* o *El palco en la ópera...,* trad. por José Lesen y Moreno, Madrid, Unión comercial, 16º. (*Biblioteca continua.* Hidalgo cita como diferente una edición de este año en que esta novela va en un tomo con *Una historia misteriosa* o *Memorias de un médico,* que encabeza el volumen, y *De las doce a las dos,* de Berthoud, 8º. En efecto, deben de ser cosa diferente, si no hay error en el formato.)
1846. *Paquillo Aliaga* o *Los moriscos en tiempo de Felipe III,* Madrid, 3 vols. 4º.

Paquillo Aliaga..., trad. por don Víctor Balaguer, Barcelona, Viuda de Espona, 3 vols. 8º mayor. (*Biblioteca general barcelonesa,* I-III.)
1848. *La amante anónima...,* Habana, imp. de *El Avisador,* 8º.

Mauricio, anécdota contemporánea..., Málaga, del Rosal, 16º. (*Biblioteca del Mediodía.*)

Encuentro otras cinco ediciones de novelas de Scribe entre 1855 y 1859.

SÉGUR, Louis Philippe, Conde de (1724-1830)

1825. *Las cuatro edades de la vida u ofrendas a todas las edades,* publicadas en París en 1820..., trads. por el ciudadano español F. J. S. Y. A. [101], emigrado en Inglaterra, Londres, 16º. [BM., 1387. c. 8.]
1827. *Las cuatro edades de la vida* o *Estrenas a todas las edades,* Burdeos, Lawalle jeune, 18º, 236 págs. [B. N. P., R 50978.]

---

[101] Estas iniciales han sido interpretadas por Lloréns como las del coronel Sarabia, emigrado en Londres.

1830. *Las cuatro épocas de la vida,* Barcelona, 8°. (Catálogo de Salvá.)
1832. *Las cuatro épocas...,* Barcelona, Bergnes, 12°.
1835. *Galería moral del Conde de Segur.* Colección de sus mejores cuadros españolizados por Francisco Altés..., Barcelona, Piferrer, 8°, x-252.
1841. *Las cuatro épocas...,* Barcelona, Sánchez, 8°. [HS.]

[SÉGUR, Alexandre Joseph Pierre, Vizconde de (1756-1805)]

1820. *Zunilda y Florvel,* novela sueca, Valencia, Cabrerizo, 16°, x-279 págs. (Sin nombre de autor. Según el prólogo, es un extracto del libro de Ségur *Las mujeres, su condición e influencia en el orden social;* Almela Vives, pág. 263.) [102].
1839. *Zunilda...,* Valencia, Cabrerizo.

SENNETERRE, Sophie, Mme. de Renneville (hacia 1768-1822)

1817. *Celia y Rosa,* novelas escritas... por madame de Renneville y trads. por D. J. M. A., Valencia, Esteban, 2 vols. 12°, xxii-172 y 148 págs.
1823. *Celia o La buena hija* y *Rosa o Cómo se debe engañar,* París, Rosa, 12°, xviii-284 págs. [B. N. P., Y² 62022.]
1828. *Celia... y Rosa...,* Valencia, 2 vols. 12°. (Cat. de Salvá.)
    Savinianito o Historia de un joven huérfano, 3.ª edición, París, Librería americana (Decourchant), 16°, 184 págs. [B. N. P., Y² 62024.]
1829. *La hada benéfica o amiga de los niños,* historia georgiana..., trad. por doña Isabel Santa Cruz, Valencia, Gimeno, 8°, ix-194 págs. + 2 hojas. Serrano y Sanz, *Escritoras,* II, 669, cita una edición de Madrid, 1829, sin indicación de imprenta; no sé si es confusión con esta valenciana, asegurada por el catálogo de Salvá.)
1832. *Los recreos de Eugenia,* cuentos propios para formar el corazón y despejar el juicio de los niños, París, Pillet, 18°, 180 págs. [B. N. P., Y² 62026.]
1836. *Cuentecitos a mi niño y a mi niña...,* trad. de la 10.ª edición francesa, París, Pillet, 18°, 160 págs. [B. N. P., R 78782.]
    El hada benéfica..., París, Pillet, 16°, 203 págs. [B. N. P., Y² 62025.]

[SERINAM, Conde Zaccharia (1708-1784)]

1769-1778. *Viajes de Enrique Wanton a las tierras incógnitas australes y al país de las monas...,* trads. del idioma inglés al italiano y de éste al español por... J. [Vaca] de Guzmán y Manrique, Alcalá-Madrid, 4 vols. 4°. [BM., 12491; d. 10] [103].
1778. ¿Reimpresión? Madrid, Sancha.

---

[102] En la advertencia del editor que precede a *Anita o el pícaro de opinión* de Lafontaine, Valencia, Esteban, 1818, que debió de ser redactada por Cabrerizo, pues es el plan de los primeros tomos de su *Colección de novelas,* se dice que en el volumen titulado *Amor y virtud* hay cuatro novelitas, *Elzira* [=*Almanza*], *Apia, Amenofis* y *Micerina* que proceden también del libro *Les femmes...* de Ségur.
[103] El catálogo de BM. da así esta obra, indicando que el primer tomo fue impreso en Alcalá, los otros en Madrid. Son muchos los años transcurridos entre una fecha y otra, y es más fácil suponer que los últimos corresponden a alguna reimpresión madrileña, tanto más cuanto que se cita una edición de Sancha de 1778.

1781. *Viajes...*, Madrid, 4 vols. 4°.
1800. *Viajes...*, Madrid, imprenta Real. [HS.]
1831. *Viajes...*, trad. de Vaca de Guzmán, Madrid, I. Sancha, 4 vols. 12°.
1834. *Viajes...*, Madrid, 4 vols. 8°. (Catálogo de Salvá.)
    A juzgar por lo mucho que se citó este libro entre las dos centurias, y que todavía se le reimprimió en 1871, supongo que hubo muchas más ediciones que no han llegado a mi noticia.

SEWRIN

    V. BASSOMPIERRE

[SHERIDAN, Frances (1724-1766)]

1838. *Historia de Nurchahad el Persa...*, trad. por don Alejandro Steller, Madrid, Sancha, 8°.

SIREY

    V. LASTEYRIE DE SAILLANT

SMITH, Charlotte Turner

    V. BOTTENS, Isabelle

SOR, Charlotte de

    V. D'EILLEAUX

SOULIÉ, Frédéric (1800-1847)

1836. *La reja del parque,* trad. de Ochoa. (*Horas de invierno,* I).
1837. *Carlos y Cromwell* o *Los dos cadáveres,* novela histórica puesta en castellano por D. F. P., segunda edición, Barcelona, imp. de Oliveres y Gavarró. [HS.] (Ignoro cuándo pudo hacerse la primera; el original, *Les deux cadavres,* es de 1832.)
1838. *El Conde de Tolosa,* trad.... por E[ugenio] de O[choa], Madrid, Sancha, 3 vols. 8°, 238, 260 y 222 págs. (*Colección de novelas de los más célebres autores extranjeros,* tomos I-III.)
    Las memorias del diablo..., Barcelona, Indar, 8 vols. 8° menor.
1839. *El maestro de escuela...*, Cádiz, Viuda e hijo de Bosch, 16°.
1840. *La camarera...*, Madrid, Mellado, 8°, 184 págs.
    La tumba de Napoleón..., Madrid, M. de Burgos, 8° mayor, 16 págs.
1841. *El amor de un elegante...*, trad. por Ramón de Castañeira, Madrid, Mellado, 16°. (*Biblioteca de recreo.*)
1842. *La cita en el platanal...*, puesta en castellano por L. F., Madrid, Alegría y Charlain, I, 8°. (No terminó la publicación.)
1843. *Eulalia Pontois...*, trad. por la señorita doña Amelia Corradi, Madrid, Unión comercial, 16°, 360 págs. (*Biblioteca continua.*)
    Los pretendientes..., trad. por don Pedro Alonso O'Crowley, Cádiz. *Revista médica,* 8°.

Sataniel, novela histórica..., trad. por don Jaime Tió, Barcelona, Oliveres, 8.º mayor, iv-344 págs. (*Tesoro de Autores Ilustres,* V.)

1844. *El castillo de los Pirineos...,* trad. por D. J. M. de A., Cádiz, *Revista médica,* 4 vols. 8º mayor.

Consecuencias de una mañana borrascosa. Novela arreglada al español para insertarla en *La estrella de Andalucía,* Cádiz, *Revista médica,* 16º.

Sabina..., versión... por D. R. de S., Madrid, Unión comercial, 2 vols.

1845. *Un día de lluvia,* trad. por don Víctor Balaguer, Madrid, Ayguals de Izco. (*Museo de las hermosas,* III.)

La leona, Madrid, Espinosa, 2 vols. 8º mayor.

Leona..., trad. por don Eduardo González Pedroso. Madrid, Sociedad literaria y tipográfica, 2 vols. 8º, iv-180 y 198 págs.

El magnetizador..., trad. por El Doncel [Eladio de Gironella], Madrid, Ayguals de Izco, 4 vols. 16º mayor.

El vizconde de Beziers..., trad. por don Vicente Boix, Valencia, Monfort, 2 vols. 8º. (*Mil y una novelas.*)

1846. *La Condesa de Monrion,* Madrid, Espinosa, 3 vols. 8º. (Biblioteca de *El Heraldo.*)

Los dramas desconocidos, Madrid, Mellado, 2 vols. 4º.

Tres novios..., Madrid, Sociedad literaria, 2 vols. 16º mayor, 166 y 168 págs. (Es lo mismo que *Los pretendientes.*)

1847. *Aventuras de Saturnino Fichet...,* Madrid, Aguirre, 4 vols. 8º. (Biblioteca de *El Siglo.*)

Aventuras de Saturnino Fichet..., Madrid, imp. de *La Ilustración,* 4 vols. 8º. (Esta edición y la anterior podrían ser una misma cosa, pero Hidalgo las da como diferentes.)

El Consejero de Estado, Madrid, Alonso, 8º mayor, 352 págs.

Los dramas desconocidos..., Madrid, Mellado, 2 vols. 4º, iv-300 y iv-294 páginas.

Memorias del diablo..., trads.... por J. B. y J. P., Málaga, del Rosal, 16º, 14 vols. (*Biblioteca del Mediodía,* tomos XXII-XXXV.)

La quinta en venta..., trad. por M. R., Málaga, Martínez de Aguilar, 16º. (*Biblioteca de recreo.*)

1848. *La Condesa de Monrion,* 2.ª edición, Madrid, 3 vols. 8º. (Biblioteca de *El Siglo.*)

La Condesa de Monrion..., trad. por D. M. R. Q., Málaga, Martínez de Aguilar, 5 vols. 16º. (Sin fecha, pero de este año.)

Un día de lluvia, trad. de Balaguer, Madrid, Ayguals de Izco, 16º mayor. (*El novelista universal,* XII.)

El magnetizador..., trad. de El Doncel, Madrid, Ayguals de Izco, 4 vols. 16º mayor. (Ibíd., tomos XIV-XVII.)

La Marquesa de Menville..., Madrid, Mellado, 4º mayor, 312 págs. (Las 104 del final, con numeración aparte, contienen las *Memorias de un niño de Saboya,* de Claude Genoux.)

1849. *Aventuras de Saturnino Fichet...,* Málaga, Martínez de Aguilar, 8 vols. 16º. (*Biblioteca de recreo.*)

Confesión general..., Madrid, Gil, 7 vols. 8° mayor. (*Biblioteca popular europea.*)
Los dramas desconocidos..., Madrid, Gil, 7 vols. 8°. (De la misma biblioteca.)
Enrique de Lorena..., Cádiz, Fernández de Arjona, 2 vols. 8°. (*Biblioteca económica popular.*)
Las memorias del diablo..., trads. por don Antonio T[rueba] y la Quintana, Madrid, Colegio de Sordomudos, 2 vols. 4°, 386 y 570 págs.

1850. *Los dos cadáveres...*, trad. por Mariano Vallejo y Dávila, Madrid, Díaz, 4°.

1851. *Las memorias del diablo...*, Madrid, Mellado, 4° mayor.

Hay, además, una *Leona*, de la Biblioteca de *El Siglo*, cuya fecha no da Hidalgo. Como *La Condesa de Monrion* es la segunda parte de esa novela, y salió ya en esa biblioteca en 1848, supongo que la primera será de ese mismo año.

A Soulié se le tradujo aún mucho. Mis notas referentes a los años 1852-1863, muy incompletas, señalan otras trece ediciones de obras suyas, y aun vimos un *Maestro de escuela* en alguna colección popular a principios de este siglo.

SOUVESTRE, Émile (1806-1854).

1846. *El mundo tal cual será el año 3000*, trad. por un español del año 3000, Barcelona, Mata, 4° mayor.

1849. *Los baños de Abano*, trad. por don A. T. Cordoncillo, Sevilla, Gómez, 8°, 42 págs.

1851. *El mundo tal cual será...*, Madrid, fol., 52 págs. (*Biblioteca Universal.*)
Hay muchas traducciones posteriores de este autor.

[SOUZA, Adèle Maríe Emilie Filleul, Mme de (1761-1836)]

1831. *Carlos y María*, París, Pillet, 18°. [B. N. P., Y² 69572, con fecha 1830.]

1832. *Carlos y María*, Barcelona, Bergnes. (Completa, desde la pág. 105, el segundo tomo de *El epicúreo*, de T. Moore.)

STAEL, Germaine Necker, Mme. de (1766-1817).

1819. *Corina*, en la *Biblioteca universal de novelas*, vols. IX-XII.

1820. *Corina o Italia*, Valencia, 4 vols. 8°. (Catálogo de Salvá.)

1821. *Corina...*, trad. por don Juan Angel Caamaño, Madrid, 4 vols. 12°.

1824. *Corina...*, París, Tournachon-Molin (imp. de Bobée), 4 vols. 12°, 280, 247, 232 y 281 págs. [B. N. P., K 7341-7344.]

1826. *Delfina o La opinión*, Burdeos, 6 vols. 18°. (Catálogo de Salvá.)

1828. *Delfina...*, trad. por don Juan Angel Caamaño, Burdeos, Beaume, 5 vols. 12°.

1829. *Corina...*, nueva traducción enteramente conforme a la última edición francesa, París, Wincop (imp. de Decourchant), 4 vols. 16°. [B. N. P., K 7345-7348; Monterrey, falta del tomo III.]
Corina..., Madrid, 4 vols. 8°. (Cfr. *La Gaceta*, 13 enero 1829.)

1838. *Corina...*, trad. de la octava edición por don J. A. Caamaño, cuarta edición, Valencia, Cabrerizo, 4 vols. 16°, xiv-330, 296, 286 y 360 págs.
1840. *Corina...*, nueva edición revisada y corregida, París, Pillet, 4 vols. 12°.
[B. N. P., K 7351-7354; en el catálogo lleva la fecha 1839.]
Se tradujeron libros suyos no novelescos:
1829. *De la literatura considerada en sus relaciones con las instituciones sociales,* París, Pillet, 3 vols. 18°.

STERNE, Lawrence (1713-1768).

1821. *Viaje sentimental de Sterne a París, bajo el nombre de Yorick,* trad. libremente..., Madrid, 12°. [BM., 12611. de. 5.]
1843. *Viaje...*, trad. libremente, Madrid, Boix, 4°, 216 págs.
1850. *Viaje...*, Madrid, fol. 24 págs. (*Biblioteca Universal.*)

SUE, Eugène (1804-1875).

1835. *Atar Gull o La venganza,* Valencia, 8°. (Catálogo de Salvá.)
1836. *El gitano o El contrabandista en Andalucía,* trad. por M. Noriega. París, Librería americana, 16°. [B. N. P., Y² 70733.]
1840. *Atar Gull o El esclavo,* novela marítima..., trad. por J. N. Micron de S., Barcelona, Sellas y Oliva, 2 vols. 16°, 292 y 248 págs.
Crao, imitación de *Nuestra Señora de París...,* Barcelona, 16°.
1841. *El Marqués de Surville,* historia del tiempo del Imperio, año de 1810, Madrid, Mellado, 2 vols. 8°, 170 y 184 págs. (Sin nombre de autor).
1842. *Arturo...,* Cádiz, imp. de *El Globo,* 2 vols. 8° mayor.
1843. *El caballero gascón o El aventurero...,* Granada, Benavides, 2 vols. 8°. (*Colección de novelas francesas,* tomos III-IV.)
¿Es un ángel o un diablo?, Cádiz, imp. de *El Comercio,* 8° mayor.
Gardiki, recuerdo histórico del siglo XVIII..., puesto en castellano por Emilio Polanco, Cádiz, Núñez, 8°, 155 págs.
Matilde, memorias de una mujer de gran mundo..., Cádiz, imp. de *El Comercio,* 4°.
Los misterios de París..., Cádiz, imp. de *El Comercio,* 6 vols. 8° mayor.
El palacio de Lambert, leyenda contemporánea..., puesta en castellano por don Pedro Alonso O'Crowley, Cádiz, *Revista médica,* 2 vols. 8°.
Un remordimiento, Madrid, Unión comercial, 16°. (*Biblioteca continua.*)
Teresa Dunoyer..., Cádiz, imp. de *El Comercio,* 8° mayor, iv-228 págs.
1844. *Arabian Godolphin o historia de un caballo...,* trad. por D. A. M., Barcelona, Fullá, 16°. (*Biblioteca de campaña,* I.)
Arturo..., trad. por don Juan Sureda, Barcelona, Oliveres, 2 vols. 8° mayor. (*Tesoro de Autores Ilustres,* XXVI-XXVII.)
El Comendador de Malta..., trad. por don Juan de Capua, Madrid, Ayguals de Izco, 4 vols. 16° mayor, 212, 228, 226 y 112 págs. (Hay una reimpresión de 1845; v. *El Dómine Lucas,* 1845, núm. 13, pág. 103.)
El Comendador de Malta, Cádiz, Uclés, 8° mayor.
El Judío errante, trad. por don Wenceslao Ayguals de Izco, Madrid, Ayguals de Izco, 22 vols. 16° mayor.

El Judío errante, trad. por Mariano Urrabieta, ed. ilustrada, Madrid, Gaspar, 4 vols. 8° mayor. [104]

El Judío errante, trad. por don José Henry y de Llano, Barcelona, Oliveres, 2 vols. 8° mayor. (*Tesoro de Autores Ilustres*, XXXI-XXXII.)

Los misterios de París, trads. por don Antonio Flores, Madrid, Boix, 10 vols. 16°. [105]

Los misterios de París, trads. por don J. Tió y don F. A. Solá, Barcelona, Oliveres, 5 vols. 8° mayor. (*Tesoro de Autores Ilustres*, XXI-XXV.)

Los misterios de París, trad. por don Juan Cortada, Barcelona, Gorchs, 5 vols. 8° mayor.

Los misterios de París, trad. por don Ladislao de Velasco, Vitoria, Egaña y Cía., 8 vols. 8°.

1844-1845. *El Judío errante*, Madrid, Espinosa, 8 vols. 8° mayor. (Folletín de *El Heraldo*, tirada aparte de regalo a los suscritores.)

El Judío errante, trad. expresamente para *El Omnibus gaditano*, Cádiz, *Revista médica*, 11 vols. 8°.

Los misterios de París, trad. por J[osé] M[ateu] G[arín], Valencia, Mateu Cervera, 5 vols. 8° mayor.

Los misterios de París, trad. por D. A. X. de San Martín, París, Lacrampe, 4 vols. 4° mayor.

1845. *Obras completas*, Madrid, Frossart y Cía., 8° mayor. (Las traducciones de la Sociedad literaria, es decir, las publicadas por Ayguals, se anuncian en 1845 como *Obras completas;* probablemente se trataba de los mismos libros, a lo sumo con nuevas portadas. En *El Dómine Lucas*, núm. 16, pág. 127, correspondiente a 1.° de julio, se anuncian como pertenecientes a esa colección: los tomos publicados de *El Judío errante*, cuatro de *Teresa Dunoyer*, trad. de Capua, no completa aún y *Los siete pecados capitales*, cuando se hiciesen. Hidalgo no da títulos ni número de tomos.)

El castillo del diablo o El aventurero..., trad. de don Pedro Reinés, Barcelona, Oliveres, 8° mayor. (*Tesoro de Autores Ilustres*, XLII.)

El Judío errante, trad. por don Wenceslao Ayguals de Izco, Madrid, Ayguals de Izco. (El primer tomo de esta edición, que contenía los tres primeros de la de la primera de Ayguals, se anuncia en *El Dómine Lucas*, núm. 18, 1.° septiembre 1945. V. antes, núm. 11, 1.° febrero, un elogio curioso de esta obra publicado en *El Fénix*, de Valencia. Lo firma R. de Carvajal.)

El Judío errante, Madrid, Mellado, 4 vols. 8°. (*Biblioteca popular económica.*)

El Judío errante..., puesta en castellano por E. y M., Barcelona, Hermanos Lloréns, 5 vols. 8°.

El Judío errante..., trad. por J. M. G., Valencia, Mateu Cervera, 5 vols. 8° mayor.

El Judío errante..., trad. de *El Español*, Madrid, imp. de *El Español*, 8°.

---

[104] Un anuncio de esta traducción puede verse en *El Laberinto*, núm. 19, 1 agosto 1844, pág. 266.

[105] La traducción de Flores fue anunciada también en *El Laberinto*, que él dirigía, núm. 9, 1 marzo 1844, pág. 126; el anuncio se repitió otras veces.

El Judío errante, trad. por don P. Martínez López, París, imp. de Lacrampe, 4 vols. 4º mayor. (Publicaciones de *El Correo de Ultramar,* con ilustraciones de Gavarni.) [B. N. P., Y² 5532-5537; Monterrey.]

Matilde..., nueva edición, revisada por su autor e ilustrada... Madrid, Frossart, 3 vols. 8º mayor. (De las *Obras completas.*)

Matilde..., Sevilla, Santigosa, 5 vols. 8º.

Matilde... trad. por José Mateu Garín. Valencia, Mateu Cervera, 2 vols. 16º mayor.

Los misterios de París, Málaga, Martínez de Aguilar, 6 vols. 8º.

Los misterios de París..., ed. ilustrada, Madrid, Gaspar, 3 vols. 8º mayor.

Los misterios de París..., Madrid, Mellado, 4 vols. 8º. (*Biblioteca popular económica,* vols. 130, 163, 195, 228. [HS., 845 Su 2.]

Los misterios de París, revisados y corregidos por su autor..., edición popular, publicada por la empresa de *El Barcelonés,* Barcelona, Gaspar y Verdaguer, 6 vols. 8º mayor, ilustrados.

Los misterios de París..., trad. libremente, Logroño, Ruiz, 8º.

Novelas e historias marítimas, escritas... en español por M[iguel] Pons y Guimerá, Barcelona, Viuda e hijos de Mayol, 3 vols. 16º. (*Vergel literario,* I-III. Contiene: *El corsario Kernok, El gorro del maestro Ulrik, Viajes de Claudio Belisan, El presagio, Mi amigo Wolf, Atar Gull.*)

La Salamandra, novela marítima..., Madrid, Sales de Fuentes, 3 vols. 8º, 168, 166 y 176 págs. (De la colección que publicaba *El espectador* para sus suscritores.)

Teresa Dunoyer..., trad. por don Juan de Capua, Madrid, Ayguals de Izco, 4 vols. 16º. (Incorporada a las *Obras completas.* El primer tomo salió en julio; v. *Dómine Lucas,* núm. 17, 1.º de agosto.)

1846.   *Arturo...,* trad. por don Víctor Balaguer, Madrid, Ayguals de Izco, 3 vols. 16º mayor, 200, 204, 200 págs. («Esta edición es igual a la que se hizo en la misma imprenta en el año 1845», Hidalgo, que no detalla esa otra anterior.)

Atar Gull (con *Un corsario, El parisiense embarcado, Aventuras en navegación de Narciso Gelin, Viajes de Claudio Belisan*), novelas marítimas..., trads. por don Juan de Capua, Madrid, Ayguals de Izco, 4 vols. 16º mayor, 200, 212, 216 y 216 págs.

El Judío errante..., trad. libremente, Logroño, Ruiz, 8 vols. 8º.

Martín el Expósito o Memorias de un ayuda de cámara..., trad. de don Ángel Fernández de los Ríos, Madrid, González y Castelló, 3 vols. 8º.

Martín el Expósito..., trad. por A. E. Echarri de Otaberro, París, *Correo de Ultramar,* 8º. [B. N. P., Y² 70755.]

Matilde..., nueva edición revisada por el autor y traducida... por don J. M. Tenorio, Madrid, Mellado, 3 vols. 8º, 472, 476 y 516 págs. (*Biblioteca popular económica.*)

Paula Monti o El hotel Lambert, historia contemporánea..., Madrid, Bustamante, 2 vols. 8º.

La Salamandra, novela marítima..., Sevilla, Santigosa, 8º. (Hidalgo la da como tomo V de unas *Obras completas;* si los anteriores son, como supongo, la

Matilde publicada en 1845 por el mismo impresor, sería más bien el tomo **VI**. Estas *Obras completas*, naturalmente, no lo fueron nunca.)

Teresa Dunoyer..., trad. por D. F. A., Sevilla, Santigosa, 8º mayor.

1846-1847. *Martín el Expósito...*, Madrid, Mellado, 3 vols. 8º. (*Biblioteca popular económica*.)

Martín el Expósito..., Madrid, imp. de *El Español*, 5 vols. 8º.

Martín el Expósito, trad. por el joven don Federico Bello y Chacón, Cádiz, Fernández de Arjona, 8 vols. 8º. (*Biblioteca popular gaditana*.) [106]

Martín el Expósito..., Logroño, Ruiz, 8º.

Martín el Expósito..., versión... por don Augusto de Burgos, Barcelona, Oliveres, 5 vols. 8º. (*Tesoro de Autores Ilustres*, LVII-LXI.) [BM., 12515. ccc.]

1847. *El arte de agradar...*, Cádiz, Fernández de Arjona, 8º.

El Marqués de Surville..., Sevilla, Arjona, 2 vols. 8º.

Martín el Expósito, Madrid, Rebollo, 5 vols. 8º.

1848. *El arte de agradar...*, Málaga, del Rosal, 2 vols. 16º mayor. (*Biblioteca del Mediodía*.) Se completa con *Amor después de la muerte*, tradición noruega (?).

De este año o poco posteriores deben de ser sendas ediciones de *El Judío errante* y de *Martín el Expósito*, publicadas en la Biblioteca de *El Siglo*, comenzada por entonces. Hidalgo omite la fecha de su aparición.

Matilde..., Málaga, del Rosal, 13 vols. 16º mayor. (*Biblioteca del Mediodía*.)

Teresa Dunoyer, trad. de Capua, Madrid, Ayguals de Izco, 4 vols. 16º. (*El novelista universal*, tomos I-IV.)

1848-1849. *Los siete pecados capitales*, Madrid, Gil, 8 vols. 8º. (*Biblioteca popular europea*.)

Los siete pecados..., Málaga, del Rosal, 16 vols. 12º. (*Biblioteca del Mediodía;* parece ser que hubo más tomos.)

1849. *La atalaya de Koatven*, novela marítima..., trad. por don Benito Gutiérrez, Madrid, Arranz, 2 vols. 8º mayor. (Un anuncio de esta publicación, con muestra de los grabados, puede verse en *La Ilustración*, 1849, I, pág. 184.)

Los misterios del pueblo o Historia de una familia de proletarios a través de las edades..., Madrid, imp. de la calle de la Ballesta, 6 vols 8º mayor.

1850. *Dos épocas, 1772 y 1810...*, Madrid, Aguirre, 4 vols. 8º. (Los dos primeros contienen *Hércules Hardi*, los dos últimos *El coronel Surville*, novelas que salieron también aparte. Las últimas 72 y 38 págs. del último tomo contienen *Isabel o el mozo de cordel de Bristol y Resignación*, de Madame X.)

Los hijos del amor..., Madrid, Aguirre, 3 vols. 8º. (Biblioteca de *El Siglo*, tomos VII, IX, XII. Al final del último tomo, *María*, de Berthoud.)

Los hijos del amor..., trad. por D. J. M. P., Madrid, Gil, 3 vols. 8º. (*Biblioteca popular europea*.)

Los misterios del pueblo..., Madrid, 3 vols. 8º. (Biblioteca de *El Siglo*, tomos VII, IX.)

---

[106] Es posible que el nombre del traductor esté mal y haya que leer *Velle*. Un Federico Velle Chacón publicó bastantes poesías en *El Museo Universal* por los años de 1864-1866. Lo de «joven» quiere decir que era casi un niño. En 1845 publicaba unas poesías, Cádiz, *Revista Médica*, y la portada declara que tenía doce años. (Hidalgo, *Diccionario*, IV, 356 a.)

Apenas hay que decir que esta bibliografía no queda aquí. De los años que corren 1852 y 1859 conozco 23 ediciones, y hay más, de seguro. Para una parodia de *El Judío errante*, v. PHILIPON.

SWIFT, Jonathan (1667-1745).

1793. *Viajes del Capitán Lemuel Gulliver a diversos países remotos*, trad. de la edición francesa por don Ramón M. Espartel, Madrid, Cano, 3 tomos en 12°.
1800. Reimpresión de la anterior (?).
1824. *Viajes...*, Madrid, Sancha, 3 vols. 8°. [HS., 107 Sw 5.]
1831. *Viajes...*, Barcelona, 8°.
1834. *Viajes...*, París, Pillet, 4 vols. 18°. [B. N. P., Y² 70942-70945.]
1840. *Viajes... al país de los pigmeos y al de los gigantes*, Madrid, Establecimiento Central, 2 vols. 16°.
1849. *Viajes...*, México, 8°.
1852. *Viajes...*, Madrid, imp. de El semanario, fol. (*Biblioteca Universal.*)
Hubo aún alguna imitación y adaptación:
1832. *El nuevo Gulliver, o sea viajes de Juan Gulliver, hijo del famoso capitán, a la isla de Babilana...*, trad. del inglés al francés y de éste... al español por Omalo Fiscón, Barcelona, Estivil, 8°. («Este tomo comprende los viajes segundo, tercero y cuarto; cada uno lleva su portada y paginación diferente. El año de su impresión es de 1834.» Hidalgo.)
1841. *El Gulliver de los niños o aventuras curiosas de aquel célebre viajero*, traducidas del francés, Madrid, Boix, 8°.

TENCIN, Marquesa de (1681-1749).

1828. *Memorias del Conde de Cominge...*, París, Wincop, 18°. [B. N. P., Y² 71135.]
1837. *Historia del Conde de Cominge...*, seguida de una carta del Conde a su madre y un drama en tres actos, 2.ª edición, Barcelona, Sauri, 8°. (Sin nombre de autor. El drama es probablemente el de Baculard d'Arnaud.)

TERCY, Mme.

V. MESSAGEOT.

THOMAS, Frédéric (1814-1884).

1844. *El seguro mutuo*, novela trad. libremente..., Valencia, J. Mateu Cervera, 16° mayor, 118 págs.

V. MASSON.

TOURNACHON, Félix.

1844. *El manto de Deyanira...*, trad. por D. J. M. de A., Cádiz, Revista médica, 2 vols. 8°.

TOURNEFORT, Jules.

1845. *El antecristo,* obra escrita... en contraposición de *El Judío errante* y trad. por los redactores de *La censura,* Madrid, J. F. Palacios, 8° mayor.

VALLON, Alexis de.

1850. *Alina o El chal negro,* Madrid, Aguirre, 8°. (Biblioteca de *El Siglo.*)

VAN DER VELDE, Franz (1779-1823).

1828. *El filibustero o El pirata generoso,* novela americana, París, Wincop, 18°.
1831. *Los tártaros en Silesia,* Barcelona, 32°. (Catálogo de Salvá; sin nombre de autor.)
1833. *Los anabaptistas,* historia del principio del siglo XVI, sacada de las crónicas y documentos de aquella época..., Barcelona, Sauri, 8°. [Monterrey.]
    Los patricios, historia de las sangrientas guerras civiles que desolaron algunos estados de Alemania a fines del siglo XVI..., Barcelona, Sauri, 8°. [Monterrey.]
    El pirata generoso, novela americana, Valencia, Cabrerizo, 16°, xiv-258 páginas. (Sin nombre de autor.) [107]
    Los tártaros en Silesia, historia del año 1241. *Axel,* historia de la Guerra de los Treinta Años (desde la pág. 149), Barcelona, Bergnes, 16°, 240 págs. (*Biblioteca selecta, portátil y económica.*)
1838. *Alfredo de Gillestierna,* historia alemana del principio del siglo XVIII..., trad.... por A. M., Barcelona, Oliveres, 2 vols. 16°, 252 y 260 págs.
1840. *Alfredo de Gillestierna,* Barcelona, Oliveres.
1842. *El caballero de Malta o Pablo de Lascaris...,* Barcelona, Sauri, 16°. [Monterrey.] Debe de ser el mismo *Lascaris* que salió anónimo en Francia; v. *Anónimos.*

VARENNES, Marqués de (1801-1864).

1842. *Elisa...,* trad. por I. J. Escobar, Madrid, Compañía tipográfica, 8° mayor, 144 págs. (Completa el volumen *Un león y dos palomas,* del mismo (?). Se publicó como regalo a los suscriptores de *El Corresponsal* y no se puso a la venta.)

VATOUT, Jean (1792-1848).

1821. *Memorias del barón de Pergami...,* Burdeos, Pinard. [108]

---

107 Este libro, ya impreso en París en español, como se ha visto, fue rechazado por la censura en 1831; se prohibía la novela «por depresiva de las glorias de España e ignominiosa de su nombre». (G. Palencia, *La censura,* II, 321, núm. 557.) Incomprensible que pudiera publicarla Cabrerizo; quizá a estas circunstancias se deba la supresión del nombre del autor.
108 Un libro anónimo que he visto citado en alguna parte, pero no está en Hidalgo, *Memorias del Barón Pergami...,* Burdeos y Madrid, s. i., 1821, es sin duda esto mismo. No estoy seguro de su carácter novelesco.

VERNES, François.

V. COTTIN.

[VIARDOT, Louis (1821-1910).]

1842. *El amor*, novela árabe, en *Semanario pintoresco*, 2.ª serie, IV, págs. 207, 210, 220. (Anónima. Se publicaron por entonces varias obras de este autor, pero no de carácter novelesco.)

VIGNY, Alfred de (1797-1863).

1839. *Una conspiración en tiempo de Luis XIII...*, trad.... por D. C. C. y S., Madrid, 4 vols. 8°. (Se publicaba con el periódico *La Esperanza*. El primer tomo fue entregado el 14 de abril de 1839 y durante todo el año fueron saliendo más entregas, de modo que los últimos tomos deben corresponder a 1840; v. *La Esperanza*, núm. 3, pág. 24, y casi todos los siguientes.)

1841. *Cinq-Mars o una conspiración en tiempo de Luis XIII...*, trad. libremente... por don Manuel Arnillas, Barcelona, Verdaguer, 2 vols. 8°.

1849. *Cinq-Mars...*, trad. por F. M. L., Málaga, Martínez de Aguilar, 4 vols. 16°.

[VILLEMAIN D'ABANCOURT, F. (1745-1803).]

1818. *Berta y Richemont*, Madrid, 2 vols. 12°. («Ce roman est aussi attribué à Villemain... qui en est peut-être ou le traducteur ou l'éditeur», Quérard.)

1819. *Adrián y Estefanía o la isla desierta*, historia francesa por el autor de *María*, de *Antonio y Juanita* y de *Bertha y Richemont*, trad... por don Santiago Hernández de Tejada, Madrid, M. de Burgos, 8°, ii-348 págs. (La novela ha sido atribuida a una Miss Eliza Blower, pero la atribución parece errónea, y que la novela es de Villemain; v. Barbier, I, 74.)

1822. *María, hija del infortunio o bien sea memoria histórica sobre la vida y sucesos de María, hija natural del caballero Blaisel, guardia de Corps, y de la Condesa de A...*, princesa real. Escrita originalmente por el Barón de Blaisel, redactada en forma de novela por Mr. Vincent de Aude, trad... con un apéndice interesante, Madrid, 8° (*Biblioteca universal de novelas* de Olive, I.) [109]

1832. *Berta y Richemont*, novela histórica trad... por don Pedro Ferrer y Casaus, Madrid, Calleja, 2 vols. 12°. (Hidalgo, con referencia a un anuncio de *La Gaceta*, de 10 octubre 1832.)

---

[109] Esto está así en Hidalgo y está mal. No sé si hubo una reimpresión de la *Biblioteca universal* de 1822, pero la que he visto, de 1816, (Madrid, imp. de doña Catalina Piñuela, 4 vols. 12º), contiene en su primer tomo una novelita de título ligeramente distinto: *María, hija natural de la Duquesa D... o La niña desgraciada*. No se menciona autor ni traductor. El título que da Hidalgo se aproxima más al de la obra francesa, también anónima, atribuida a Villemain: *Marie ou l'enfant de l'infortune* (1814). Pero encuentro también una *Maria, fille naturelle de la Comtesse D...*, anónima, París, 1799; no sé a qué atenerme.

VOÏART, Elise.

1834. *La mujer o Los seis amores*. (Este libro, traducido por Lucas de Tornos, de Cádiz, fue presentado a la censura y devuelto en ese año. Dada la fecha, quizá fuera publicado después, cuando la censura no era ya necesaria; v. G. Palencia, *La censura*, II, 347, núm. 585.)

VOLTAIRE (1694-1778).

¿1787? *El Micromegas*, obra escrita... por Mr. Voltaire en crítica de algunas extravagancias y errores... y traducida... por don Blas Corchos, profesor de jurisprudencia, Madrid. (Hay un anuncio de esta publicación en *El Correo de los ciegos*, núm. 28, I, pág. 112.)

1819. *Novelas...*, trads. por don José Marchena, Burdeos, Beaume, tres vols. 12°.

1822. *Novelas...*, 2.ª edición, Burdeos, Beaume, 3 vols. 12°.

1836. *Novelas...*, trad. de Marchena, Sevilla, Imp. Nacional, 3 vols. 12°. (Hidalgo dice que «el sitio de la edición, el año y la imprenta que aparecen en la portada... deben ser supuestos».) [Monterrey.]

1838. *Cándido y la Baronesita o El optimismo...*, Valencia, Cabrerizo, 16°, 258 págs. (Hay ejemplares con el pie de imprenta de Cádiz, Santiponce.)

1845. *Novelas...*, trads. por El Doncel [Eladio de Gironella], Madrid, Ayguals de Izco, 6 vols. 12°.

1846. *Cándido o El optimismo*, París, Pommeret, 2 vols. 18°.

[VULPIUS, Christian August (1762-1827).]

1831. *Albertino Giovani, capitán de bandoleros en Nápoles*, París, Pillet, 4 vols. 18°.

WALDOR, Mélanie (1796-1871).

1841. *Clotilde o La hija del tendero...*, trad. por D. M. M. B., Cádiz, *Revista médica*, 16°.

1844. *Alfonso y Julieta...*, trad. por D. F. B. de L., Valencia, Monfort, 2 vols. 16°, 456 y 418 págs.

[WALKER, George (1789-1847).]

1809. *Los tres españoles o Misterios del palacio de Montilla*, París, Pillet, 4 vols. 18°. [B. N. P., Y² 71753-71756.]

1840. *Los tres españoles...*, París, Pillet, 4 vols. 18°.

WILLEMAIN.

V. VILLEMAIN.

WILSON, John.

1838. *La nevasca* (= *The snowstorm,* en *Lights and shadows of the Scottish life*), trad. por J. Muñoz y Castro, Habana, 16°. [BM., 12620. a.] (Completa el volumen *La doncella de Malinas,* de Lytton.)

[WYSS, Johan Rudolf (1781-1830).]

1841. *Aventuras del Robinsón suizo contadas por un padre a sus hijos...*, publicadas poco tiempo hace en París y traducidas... por D. A. P. D. L., Madrid, López, 8°. (El adaptador de este libro al francés fue Mme. de Montolieu; esto podría ser una adaptación de la adaptación.)

1842. *Aventuras del Robinsón suizo...*, Madrid, Boix, 8°.

[ZSCHOKKE, Heinrich (1771-1848).]

1833. *La Princesa de Wolfenbutel,* novela histórica traducida del francés, Barcelona, Bergnes, 2 vols. 16°, 222 y 250 págs. (*Biblioteca de damas,* tomos VI-VII. *Die Prinzessin von Wolfenbüttel,* 1804, fue adaptada al francés por Mme. de Montolieu en 1806. Este debe de ser el texto seguido en la edición de Bergnes.)

1837. *El Abad Duncanius,* trad. de Ochoa (*Horas de invierno,* III. Con nombre de autor.).

1852. *El rubio de Namur,* novela escrita en alemán por Enrique Hischocke (sic.) y vertida directa y libremente... por Santos Fernández Linares, *La Ilustración,* IV, entre las págs. 14 y 87, en varios números.

ANONIMOS

Abde Ker o las intrigas del serrallo, novela árabe trad. al español, Valencia, Monfort, 1850, 16º, 264 págs. [Ranch.]

El acreedor molesto. Cuento acomodado al gusto de los españoles, por El-Modhafer, Madrid, Unión comercial, 1843, 16º. (*Biblioteca continua*) V. *El retrato o Elisa Bermont.*

Adela. Novela histórica acomodada al gusto de los españoles, por El-Modhafer, Madrid, Unión comercial, 1843, 16º. (*Biblioteca continua*). Sin ver el libro es imposible identificarlo en este caso, pues hay infinitas Adelas novelescas: *Adèle,* de Charles Nodier; *Adèle de Sénanges,* de Mme. Flahaut, es decir, Mme. de Souza; *Adèle Dorsay,* de Mme. Benoit de Greselles; *Adèle et d'Abligny,* de Pigault-Lebrun; *Adèle de Mercourt,* de C. H. Perrin, y otras más. Hay una reedición del libro que nos ocupa, impresa en 1855, Madrid, Alonso, 8º mayor, 66 págs.

Adelaida de Wistburi o la perfecta colegiala, Madrid, Fuentenebro, 1806, 2 vols., 12º, ii-328 y ii-244 págs. Se trata de una inocentada educativa, a juzgar por la nota de Hidalgo.

Adelna o La rival generosa. Novela original inglesa trad. del francés por don Isidoro Gil, Madrid, imp. calle del Amor de Dios, 1831, 12º. [Ranch.]

Adriana o Historia de la Marquesa de Brianville, Madrid, Repullés, 1807, 2 vols. 8º, 304 y 302 págs. (*Colección de historias interesantes y divertidas;* es probablemente la misma *Adriana* que figuraba en la *Colección de novelas escogidas por los mejores ingenios españoles* (sic) y se cita en un catálogo de Mompié.)

Aladín o La lámpara maravillosa. Cuento árabe, traducido del francés por D. P. C., Madrid, Sanchiz, 1842, 8º. (Hay ediciones francesas de ese mismo año: París, Montereau y Moronval, 16º, y París, Gautier, 18º.)

Allain el pescador. Novela, traducida del francés por Andrés Echarri, Madrid, Madoz y Sagasti, 1847, 32º.

Amelia. (En el catálogo de Mompié, que acompaña la edición de *Maclovia y Federico*, 1816, se cita una *Amelia o los desgraciados efectos causados por la demasiada sensibilidad*, 12°; es posible que sea ésta. Hay otra edición de Barcelona, Sauri, 1843, 16°, 154 págs., trad. por D. Y. F. S. [Ranch].)

Amor después de la muerte, tradición noruega, Málaga, del Rosal, 1848. (Con *El arte de agradar*, de Sue, cuyo segundo volumen completa.)

El amor de un artista. Novela, traducida del francés, Madrid, Mellado, 1843, 16° mayor. (*Biblioteca de recreo*.)

Los amores de Ismene e Ismenias, novelita griega, puesta en castellano por V[icente] B[astús], Barcelona, Rubió, 1835. (Citada por Olives Canals.)

Amor, misterio y expiación. Novela moral, trad. del francés por D. L. L. [estas iniciales son las de Lamarca], Valencia, J. Ferrer de Orga, 1832, 16° mayor, viii-340 págs.

Amor y gloria o La ciudadela de Amberes. Novela histórica del año 1832, Valencia, Mompié, 1833, 8°. Creo que una novela de este título, en español, publicada en París, Ambusson y Kugelman, 1854, 18°, *Colección de novelas selectas publicadas por "El eco hispano-americano"*, es reproducción de este texto.

Amor y patriotismo, o sea Lenzinski y Ladviska, historia polaca. Nueva traducción del francés por J. P., Barcelona, Tauló, 1835, 12°, 190 págs.

Amor y sensibilidad o La quinta de Ball. Historia inglesa tomada de las novelas del célebre milord H*** y traducida libremente a nuestro idioma, Madrid, 1831, 12°. (*La Gaceta*, de 25 julio 1831, citada por Hidalgo, dice: «Esta novela es la primera que tenemos en nuestro idioma del expresado milord H***, escritor aplaudido en el siglo XVI», palabras que hacen pensar que se trata de una superchería o española, o, más verosímilmente, de ultramontes.)

Un amor y una expiación. Confidencias íntimas al P. D***, de la Compañía de Jesús, por el Conde de C. M., París, Maulde, 1849, 8°.

Amor y virtud, o cinco novelas puestas en español, por don Antonio Sarmiento, Valencia, Cabrerizo, 1819, 16°; hay reimpresión de 1831, citada en el catálogo de Salvá, y de 1837, 16°, 286 págs. (Contiene: *Elzira*, novela árabe; *Amenofis y Micerina*, anécdota egipcia; *El espíritu protector o Blanca de Livia*, novela española; *Jenni y Lidney*, anécdota inglesa; *Apia*, anécdota romana; *El santón Hasan*, sueño; *El egipcio generoso*, anécdota.) Como ya dijimos, en su lugar de la Bibliografía, en parte, este libro está formado por extractos de *Les femmes...*, del Vizconde de Ségur Las otras cosas yo no sé qué puedan ser. Debe de haber edición anterior: v. pág. 245 nota 102.

Un año militar o El mayor austríaco. Novela satírica y chistosa, Barcelona, Oliveres, 1836, 2 vols. 8°. Es, evidentemente, traducción de un libro francés, *Le major autrichien ou une année militaire*, publicado en 1819, también anónimo.

Los apetidas o Venganza y humanidad. Novela histórica, acomodada del alemán al español, Barcelona, 1830, 2 vols. 8°. [Monterrey].

Arturo y Julia o La abadesa de Santa Elena. Novela traducida del inglés, por don Luis Moro, Cádiz, *Revista médica*, 1844, 2 vols. 8°.

Una aventura en Sicilia. (En la colección *Mañanas de primavera*.)

Aventuras del célebre Califa de Bagdad Harun-Alrachid, trad. del francés por J. B., Madrid, Fuentenebro, 1806, 2 vols. 8°, viii-306 y 262 págs. Debe de haber alguna edición posterior, pues se conserva una licencia de 27 diciembre 1831 a favor de María Josefa Formentí; G. Palencia, *La censura*, II, 340, núm. 575.

Aventuras de Tom Puce. Versión española por [Antonio] Martínez del Romero, Madrid, Hortelano, 1845, 8° mayor.

La cámara de la reina. Novela traducida del francés, Madrid, Mellado, 1843, 2 vols. 16°. (*Biblioteca de recreo*).

Camila o El subterráneo, París, Beaulé y Jubin, 1837, 18°. [B. N. P., Y² 20650.] Es, evidentemente, traducción de una novelita publicada en 1805, de la que hubo varias ediciones hasta 1852, *Camille ou le souterrain*. Hay otra edición española de la que ignoro el año, París, Pommeret y Guenot, 18°. [B. N. P., Y² 20651.]

La campana de media noche, París, Pillet, 1831, 4 vols. 18°. [B. N. P., Y² 20674-20677.] Hay una edición española que cita Hidalgo dos veces con diferente fecha: *La campana...*, Barcelona, Sauri, 1839 (*Boletín*, III, núm. 434) y Barcelona, Sauri, 1829 (*Diccionario*, III, 345 a). Supongo que esta última es la fecha errada. Se imprimió aún en Córdoba, 1866, según me comunica el prof. Brown.

La caravanera o Colección de cuentos orientales, traducidos de un manuscrito persiano, Madrid, Catalina Piñuela, 1816, 12°. (*Biblioteca universal de novelas, cuentos e historias instructivas y agradables*, II. Contiene: *Abdelaci o El nuevo durmiente despierto; Amestán y Meledín o La experiencia a la prueba; Lo necesario y lo superfluo; El Califa Almanzor o Cómo se conoce a los hombres; Los tres ceñidores; El sitio de Amasia; Los fisonomistas; Amedán y Zeila o Los maridos brillantes*.) [BUC Fontana Library.]

El carcelero de Modigliana o El nacimiento oscuro de un rey contemporáneo, trad. del francés por F. V., Tarragona, Puigrubí, 1842, 8°.

Carolina y Amelia, la virtud y la envidia, trad. del francés por don Justo Hernández de Tejada, Madrid, Aguado, 1830, 12°, 146 págs. Hay una *Amélia et Caroline ou l'amour et l'amitié,* que no sé si tendrá algo que ver con esto.

Carvino o el hombre prodigioso, puesta en español por el doctor don Luis Monfort, Valencia, Cabrerizo, 1830, y, otra vez, en 1841, 16°, xxx-298 págs. [Ranch.] Parece una continuación de *La familia de Vieland,* no sé hasta qué punto original o traducida.

V. antes PIGAULT-MAUBILLARCQ.

Casarse por interés y buscarse por amor. Interesante novela, arreglada últimamente al castellano, Cádiz, *Revista médica,* 1844, 8°.

La caverna de la muerte. Novela trad. del inglés, París, Smith, 1826, 18°. Debe de ser la misma obra que conserva la B. N. P., Y² 21425, con fecha 1827.
La caverna... Madrid, Bueno, 1830, 18°, 204 págs.
Se trata evidentemente, de *La caverne de la mort,* trad. de l'anglais par J. F. Bertin, 1813. El original inglés debe de ser *The Cavern of Death,* a moral tale, London, 1794, también anónimo.

Cecilia, o sea El padre y la hija. Novela trad. del inglés al francés y de éste al español por J. M., Barcelona, Viuda e hijos de Brusí, 1822, 8°, 152 págs.

El cervecero rey, crónica flamenca del siglo XVI trad. libremente por don José March... Barcelona, Indar, 1842, 2 vols. [Columbia University.]

La Condesa de Lafaillé o Lyon en 1793. Novela trad. del francés, Madrid, imp. de *El Correo,* 1847, 3 vols. 16° mayor, 226, 220 y 190 págs. A partir de la pág. 110 del último tomo hay otra novela titulada *Un festejo a Luis XIV,* 80 págs.

La conversión o La Noche Buena. Novela trad. del alemán por T. B., Barcelona, Bergnes, 1832, 60 págs., que completan la edición de *Las señoritas de hogaño,* de Pérez de Miranda, es decir, López Soler. Olives Canals no la identifica, y se limita a decir que no es la de Schmid del mismo título. Creo que se trata de *La jeune Morave ou la veille de Noël,* novelita alemana imitada por Mme. de Montolieu en su libro *Exaltation et piété,* 1818.

Cristina o El valle de la Luisiana. Novela histórica puesta en castellano por don Narciso Rigueno y Esteban, Barcelona, Indar, 1834, 8°.

Crítica de París y aventuras del infeliz Damón en la misma capital. Obra curiosa e interesante a los jóvenes que corren cortes. Sácala del francés el Dr. Manuel Antonio del Campo y Rivas. Madrid, Imp. Real, 1788, 8°, 6 hojas + 153 págs.

Daminville y Felisa o El vicio castigado y la virtud recompensada. Novela escrita en francés, por F. A. C., y trad. libremente... por D. R. M. V., Madrid, Aguado, 1829, 12°.

Delia o el poder de la educación. Novela rusa puesta en castellano por don Lucas Jalón y Gigsena, Barcelona, Sierra, 1828, 8°. Catálogo de Salvá. Hidalgo, con una errata en el título, que allí es *Belia,* cita una edición de Madrid del mismo año, pero no dice la imprenta; quizá la confunda con la anterior. Núñez de Arenas recogió en su catálogo de libros españoles impresos en Burdeos esta otra mención: *Delia,* novela rusa escrita en alemán por el doctor Verther, profesor de Praga, trad. al español por don S[antiago] L[ópez] S[agastizábal], Burdeos, Peletingeas, 1830 (?). No parece que viera ningún ejemplar. El nombre del autor, que no he podido identificar, parece supuesto.

Desgraciado! Novela trad. del francés por Teodoro Guerrero, Madrid, Unión comercial, 1843, 16°. (*Biblioteca continua*). Va en volumen con una novelita de Saintine, y quizá sea del mismo.

Los dos asesinos. Historia del tiempo del Emperador Pedro el Grande Madrid, I. Sancha, 1840, 3 vols. 8°, 160, 160 y 184 págs. (Repartía este libro la revista *El Panorama;* v. 3.ª época, IV, 1841, 13 mayo, pág. 177.)

Los dos hermanos o Una familia como otras muchas. Trad. del francés, Madrid, 1821, 8°.

Un duelo a oscuras. Leyenda americana, Madrid, Unión comercial, 1843, 16°, 64 págs. (*Biblioteca continua*).

Eduardo y Fany.
V. *El retrato o Elisa Bermont.*

Elena Virginia o Historia de una joven rusa, Valencia, Domingo y Mompié, 1819, 3 vols. 8°.

Elisa y Teodoro o Las víctimas del orgullo y del crimen, París, Pillet, 1837, 3 vols. 18°. [B. N. P., Y² 32106-32108.]

Enrique de Valmore, escrita en francés por M. Trad. por J. del Collado. Madrid, 1821. 2 vols. 12°.

Etelvina o Historia de la baronesa de Castle Acre, Barcelona, Sauri, 1843, 2 vols. 8°. (Hay otras Etelvinas que no sé si serán la misma cosa. En el catálogo de Mompié de 1816, otras veces citado, en la *Colección de novelas escogidas de los mejores ingenios españoles,* se incluye una *Etervina* (sic), y una *Etelvina* figura en la *Colección de novelas interesantes y divertidas,* Madrid, Repullés, 1805-1807. Hidalgo, que la cita en la lista de la colección, no la detalla luego.)

Evelina. (En *Auroras de Flora*, Madrid, Matton y Boix, 1832, II.)

Evelina, seguida de *El leproso de la ciudad de Aosta*, París, Rigoux, 1825, 18°.
—París, Carmantier, s. a. [B. N. P., Y² 33355.]
Debe de ser la misma novela anterior. En el *Catálogue* de B. N. P., *Evelina* aparece atribuida a Félix Bodin, pero la cosa no está nada clara, ni se menciona título alguno entre las obras de Bodin que permita comprender de dónde ha salido esta traducción.

Fany o La Duquesa de Praslin. Historia-novela trad. del francés por dos socios de una de las academias literarias de esta capital, Barcelona, imp. Hispania, 1847, 16°. La muerte de la Duquesa de Praslin, Fanny Sebastiani, ocurrió en 1847. La historia detalladísima de este drama puede verse en el *Grand Dictionnaire universel* de Larousse, ed. 1875, XIII, pág. 34, que le dedica más de tres interminables columnas. El libro que nos ocupa, al que apenas puede llamarse novela, quizá sea traducción orefrito de un opúsculo de Frédéric Thomas, citado en el artículo del Larousse. Sobre el mismo asunto hay otro libro, *La Duquesa de Praslin*. Historia que contiene las cartas de la Duquesa a su esposo y una reseña de los acontecimientos desde veinte años antes de su horroroso asesinato..., arreglada por don Enrique de Villalobos, Barcelona, Sauri, 1847, 8°, que no parece tenga nada de ficción.)

El fenómeno viviente. Novela francesa trad. por don J. M. V., Valencia, Monfort, 1849, 16°, 133 págs. [Ranch.]

Un festejo a Luis XIV, Madrid, imp. de *El Correo*, 1847.
V. *La Condesa de Lafaillé*.

Flora o La niña abandonada, trad. del francés por la traductora de *Lidia de Gersin*, París, 1827, 12°.
V. *Lidia de Gersin*.

El fondo del alma, novela trad. al español, Valencia, Monfort, 1850, 16°, 48 págs. [Ranch.]

Heroísmo del amor y de la amistad o El caballero de San Jorge. Novela trad. del francés por don Manuel Marqués, Madrid, M. de Burgos, 1830, 8°.

Historia completa y auténtica de Isaac Ashawerus, conocido con el nombre de El Judío errante, contada por él mismo en Leipsick en 1839. Madrid, Campuzano, 1845, 16° mayor, 96 págs. Tiene que ser una traducción de la *Histoire complète et authentique d'Isaac Ahasverus, surnommé le Juif errant, racontée par lui-même à Leipsick en 1839*, París, 1840, 16°.

Historia de Genoveva de Brabante, trad. del alemán al francés..., y al castellano por D. J. B., Barcelona, Verdaguer, 1831, 16°.

Historia de la Marquesa de Brianville, Madrid, Repullés, 1807, 2 vols. 8º. (*Colección de historias interesantes y divertidas.*)

Historia de las señoritas de San Janvier o San Genaro, las dos solas blancas que se libraron de la mortandad de Santo Domingo. Trad. del original francés por Lucas Domingo y Yebra, español prisionero de guerra, París, imp. de Coutourier, 1812, 18º. (Se tiraron 500 ejemplares.)

Historia del joven salvaje en la sociedad, extractada del francés por ***, Madrid, Repullés, 1814, 8º.

Historia de una ratoncica, dictada por ella misma en patois francés a M. C., y trad.... por M. de Cuendias, Tolosa, Hénault, 1840, 12º. [B. N. P., Y² 75662.] Hidalgo la fecha en 1841.

Una historia misteriosa o Memorias de un médico. Novela trad. del francés, Madrid, Mellado, 1843, 8º, 228 págs. Esta paginación es la del volumen entero, que contiene, además, la *Judit,* de Scribe, y *De las doce a las dos y Diana,* de H. Berthoud.

La invención del órgano o Abassa y Bermecides. Novela histórica trad. de un manuscrito francés por doña María Bellormini, Reus, Sánchez, 1831, 8º, 152 págs. Esto parece ser una superchería de perpetración indígena.

Isabel o El mozo de cordel de Bristol, Madrid, Aguirre, 1850, 8º. (Completa el último tomo de *Las dos épocas,* de Sue.)

Javier el ermitaño. Novela trad. del francés por E. *La limosna de un artista,* trad. y remendada por El-Modhafer, Madrid, Unión comercial, 1843, 16º, 94 páginas. (*Biblioteca continua: La limosna,* a partir de la página 65.)

El juramento de no amar o Las tres amigas. Novela trad. del francés por don Manuel Vergara, Valencia, Cabrerizo, 1831, 2 vols. 16º. Hay por lo menos otra edición del mismo, de 1836.

La lámpara maravillosa o sea, Historia de Aladino. Cuento oriental trad. del francés, Barcelona, Verdaguer, 1841, 8º.

Lascarís o los griegos del siglo XV, seguido de un ensayo histórico sobre el estado de los griegos desde la conquista mahometana hasta nuestros días, por M. Villemain, París, Smith, 3 vols. 18º. Este dato es de la *Bibliographie de la France,* que en su índice incluye el libro entre las novelas. El ensayo será probablemente de François Villemain, el famoso universitario y político, y no de Villemain d'Abancourt. V. VAN DER VELDE.

Un león y dos palomas.
V. antes VARENNES.

Lidia de Gersin o Historia de una señorita inglesa de ocho años, para la instrucción y diversión de las niñas de la misma edad. La tradujo del francés la señora Juana Bergnes y de las Casas, Barcelona, Brusí y Ferrer, 1804, vi-126 págs. (Olives Canals.)

La loca de Kilmarnok, Madrid, Unión comercial, 1843, 16°. (*Biblioteca continua.*)

Manuel o El niño robado. Aventuras de un español joven cautivado por los indios, trad. por don F. Bielsa, París, Rosa, 1836, 18°. [B. N. P., Y² 50454.]

El misionero moribundo o Amores de un francés en Java, trad. del francés por D. Fr. G. y S., Valencia, Gimeno, 1831, 8°. Esto, probable imitación de Chateaubriand, quizá tenga algo que ver con un libro impreso en Francia en 1811: *Le missionaire,* histoire indienne trad. de l'anglais de Lady Morgan, pero este libro tiene tres volúmenes.

Misterios del corazón. Novela trad. por I[gnacio] J[osé] E[scobar], Madrid, Unión comercial, 1843, 16°, 166 págs. (*Biblioteca continua.*)

Las noches de Santa María Magdalena, trad. por don Celestino de Carlé, París, Rosa (imp. Schneider), 1840, 18°.

La peña del amor y El castillo de Moray. Novelas trads. del francés por L. M., Barcelona, Sauri, 1839, 16° mayor. Es posible que la primera sea *Le rocher des amours,* de Mlle. Desirée Castellerat.

Los pequeños misterios de París, trad. del francés por don Próspero A. de Larramendy y don José María Redecilla, Madrid, Boix, 1844, 2 vols. 16°, 246 y 190 págs. Se trata de *Les petits mystères de Paris,* par M. M. de S.-H., París, Desgloges, 1844, 2 vols. 12°.

La Providencia. Novela trad. del francés, Madrid, Unión comercial, 1843, 16°, 84 págs. (*Biblioteca continua.*)

Reinaldo y Elina o La sacerdotisa peruana. Novela histórica trad. del francés por doña Antonia Tovar y Salcedo, Valencia, Esteban, 1820, 12°, xii-225 págs.
—Valencia, Cabrerizo, 1836, 16°. A partir de la pág. 185 hay un cuento titulado *El marido mimado.*
El argumento de la novela resumido en Serrano y Sanz, *Escritoras,* II, 547; se trata de una tontería.

Un reo en capilla, o sea Los últimos momentos de un ajusticiado. Historia verdadera, trad. libremente del italiano, Barcelona, Viuda de Mayol, 1840, 2 vols. 16° mayor. Parece ser que hubo una edición anterior, Oliveres, 1839, 8°. A juzgar por lo que dice Hidalgo, a propósito de ediciones posteriores a 1853, esto apenas se diferencia de la literatura de cordel.

Resignación. Novela por Madama X., Madrid, Aguirre, 1850, 8°. (Completa el último tomo de *Las dos épocas,* de Sue.)

El retrato o Elisa Bermont, Madrid, Catalina Piñuela, 1816, 12°. (*Biblioteca universal de novelas, cuentos e historias instructivas y agradables,* tomos III-IV.) Hidalgo, que da el título como *Elisa Belmont,* cita otra ed., de este mismo año, trad. por don Pedro María Olive, Madrid, Herederos de Fuentenebro, 2 vols. 8°, que, en efecto, debe de ser diferente, pues contiene, además, los cuentos *El acreedor molesto, Eduardo y Fany y Venganza terrible por celos,* que no están en la edición que aquí citamos, de la que hemos visto ejemplar en BUC Fontana Library. Quizá lo que está equivocado en Hidalgo sea la fecha; el catálogo de Salvá atribuye la de 1826 a un libro de las mismas características que el citado por Hidalgo.

Ricardo y Sofía o Los yerros del amor. Novela inglesa, Valencia, Cabrerizo, 1830, 2 vols. 16°. Hay por lo menos otra edición del mismo, de 1839. El original francés se titulaba, según la nota que antecede la edición de *Anita o El pícaro de opinión,* de Lafontaine, Valencia, 1818, *Jemmi et Sophie ou les méprises d'amour.*

El Robinsón del desierto o Viaje de un joven náufrago por las costas e interior de África, París, Pillet, 1839, 2 vols. 8°. [B. N. P., Y² 63254-63255.] Hidalgo cita otra edición de 1841.

Ruperto Lindsay.
V. Un secreto.

Saint-Hubert o Las funestas consecuencias del juego. (En tomo con *Abdallah,* de Chateaubriand, y *El apóstata y la devota,* de Mme. de Genlis, Barcelona, Bergnes, 1832. Quizá sea de esta última autora. Olives Canals tampoco la identifica.)

Un secreto, trad. de T. G. y M. C.; *Ruperto Lindsay,* tragedia doméstica, trad. del inglés, Madrid, Unión comercial, 1843, 3 vols. 16°. (*Biblioteca continua.*)

El sepulcro o El subterráneo. Historia de la Duquesa de C***, escrita por ella misma en idioma italiano, trad. en francés..., Barcelona, Indar, 1834, 8°. (El título coincide con el de una de las novelas apócrifas que salieron con el nombre de Mrs. Radcliffe.)

Los sibaritas, Madrid, Repullés, 1806, 2 vols. 8°, 254 y 296 págs. (*Colección de historias divertidas.*) Debe de ser *Los sivaritas* (sic) de la *Colección de novelas escogidas compuestas por los mejores ingenios españoles,* que cita el catálogo de Mompié, 1816. Es sumamente probable que se trate de *Les sybarites,* roman historique du Moyen-âge, traduit de l'allemand de Johann Michael Konrad par H. L. Coiffier, 1801. De *Los sibaritas* hay una reseña en *La Minerva,* 1806, en la que no se indica que sea traducción, según me indica el profesor Brown.

El solitario del Monte Carmelo. Episodio de los primeros tiempos del Cristianismo, trad. del francés, Madrid, imp. que fue de Operarios, 1850. (*Veladas cristianas.*)

El solterón enamorado, versión libre [de Gregorio Urbano Dargallo], Madrid, Madoz y Sagasti, 1847, 16°, 282 págs. (*Horas de recreo.*)

El suicidio del anciano, trad. de E., Madrid, Unión comercial, 1843, 16°. (*Biblioteca continua.*)

Un Sultán y un Papa. Episodio de la historia del siglo xv, Madrid, imp. de *El Panorama,* 1840, 8°. *El Panorama* la repartía en entregas periódicas, y la publicación terminó en marzo de 1841.

Tadeo Francisco o La víctima de su propia generosidad. Novela arreglada nuevamente al español, Cádiz, *Revista médica,* 1844, 8°, 366 págs.

Teodora, heroína de Aragón. Historia de la Guerra de la Independencia o Memorias del coronel Blok, escritas (y no publicadas) en francés por Mr. Rodolphe, y trad. al castellano por don Antonio Guijarro y Ripoll, Valencia, Cabrerizo, 1832, 16°, xiv-312 págs. Hubo una edición de este libro anterior a 1830, pues se le cita en el prospecto de este año extractado por Sarrailh, *Enquêtes,* 146.

Tres días en Nápoles o Aventuras de un joven irlandés, trad. del francés, Valencia, Mateu Cervera, 1844, 16° mayor.

Las tres hijas de Mahomet.
V. antes PICHLER, C. No es cosa segura que se trate de una traducción.

Tristán el ermitaño o Un amor desgraciado. Novela histórica... puesta en español por don M[iguel] P[ons] y G[uimerá], Barcelona, Roger, 1841, 16° mayor. Así, Hidalgo, en *Bol.* III, y *Diccionario.* Elías de Molíns, II, 374 b, cita una edición de Barcelona, 1839, 16° mayor, 350 págs., que da como obra de Pons, sin indicar que sea traducción. Lo curioso es que, luego, vuelve a citar el libro como traducido entre los anónimos, pág. xxv.

La venganza. Historia del siglo presente, trad. libremente del italiano por D. L. P. V., Barcelona, Piferrer, 1837, 16° mayor, 180 págs.

Las venganzas a media noche. Novela trad. del francés por D. J. Q., Madrid, Gil, 1850, 4 vols. 16°. (*Horas de recreo.*)

Vergniaud, trad. para el folletín de *El Heraldo,* Madrid, imp. de *El Heraldo,* 1842, 8° mayor, 28 págs. (Con *Alberto Savarus* de Balzac, con paginación independiente.)

Viaje de Sofía a Alemania, Prusia, Sajonia y otros puntos del Norte... (Carezco de datos bibliográficos de este libro, del que hizo Mora una crítica en la *Crónica Científica y Literaria*, núm. 275, 16 noviembre 1819; ap. Alonso Cortés, *Zorrilla*, I, 136.)

Viaje por mis faldriqueras, de autor anónimo, trasladado... por... don Bernardo María de Calzada, Madrid, imp. Real. 1805. Puede verse una reseña desfavorable en las *Efemérides,* de Olive, I, 1805, pág. 278. Una larga censura del P. Antonio Torres, 26 noviembre 1800, que frustró una publicación por entonces, en G. Palencia, II, 25-28, núm. 313. La licencia para la edición que citamos, 20 febrero 1805, ibid., pág. 215, núm. 492.

La virtud y el orgullo. Novela inglesa, Valencia, Cabrerizo, 1834, 2 vols. 16º, viii-296 y 278 págs. (¿No será *Pride and prejudice,* de Jane Austen?)

William Annesly o El falso amigo. Novela trad. del alemán al francés, y de éste al castellano por M. de Ll. y B., Barcelona, Tauló, 1842, 2 vols. 16º.

Zulima. Novela histórica, trad. del francés por doña María Micaela Nesbitt y Calleja, Madrid, F. de la Parte, 1817, 8º, 160 págs. Debe de ser *Zulima,* nouvelle historique (*Amusements de la campagne,* París, 1742). Sobre esta novelita hay una breve y muy curiosa nota, que debe de ser de Mora, en *Crónica científica y literaria*, Madrid, nº. 122, 29 mayo 1818, notable sobre todo por una arremetida contra el romanticismo («la secta romanesca») sorprendente en fecha tan temprana. [110]

---

[110] A esta lista de anónimos, muy incompleta de seguro, añadiré en nota estos otros títulos de novelas que no es seguro sean traducciones; por lo menos no me consta a ciencia cierta. Las añado por exceso de escrúpulo.

Amor y religión o La joven griega, Valencia, Cabrerizo, 1830, 16º, vi-248 págs. Hay un libro francés de título muy análogo. *Amour et religion,* de J. Lablée, 1803.

Aventuras del perrito de madama Espliegui, Madrid, 1807, 8º.

Aventuras de Zapaquilda o Desgracias de una gata, escritas por ella misma y redactadas por mí, Madrid, Mellado, 1841, 8º. (V. Bassompierre.)

Don Juan de Marana. Novela española, Madrid, 1848, 2 vols. 8º. (La extensión de la obra excluye el pensar que pueda tratarse de la novelita de Mérimée *Les âmes du Purgatoire.* Dada la popularidad del drama de Dumas, no sería imposible que a alguien se le ocurriera escribir un novelón sobre el asunto.)

Engaños de mujeres y desengaños de hombres, Madrid, M. de Burgos, 1826, 2 vols. 8º. (¿Novela?)

La filosofía por amor o Cartas de dos amantes apasionados y virtuosos. Las da a luz don Francisco de Toxar, Barcelona, Gaspar, s. a., 2 vols. 12º. («Debió imprimirse hacia el año 1846», dice Hidalgo, refiriéndose, sin duda, a sólo esta edición; debió de hacerse otra con gran anterioridad.)

Historia de Juana de San Remi o Aventuras de la Condesa de la Mota, Madrid, imp. Popular, 1841, 8º.

Juanita o La inclusera generosa. Historia instructiva y divertida..., Barcelona, 1827, 2 vols. 12º. (Catálogo de Salvá. Hay otra edición de Barcelona, Garriga, 1835, 2 vols. 8º. ii-128 y ii-148 págs.)

La sacerdotisa druida y las ruinas de Persépolis, Valencia, Cabrerizo, 1832, 16º, xii-234 págs. [Ranch.]

La seducción y la virtud o Rodrigo y Paulina, Valencia, Gimeno, 1829, 3 vols. 8º, xiv-222, 240, 278 págs.

La solterona. Madrid. Unión comercial, 1843. 16º. (*Biblioteca continua.*)

Teresa la filósofa. Edición aumentada con *El siglo de oro,* Burdeos, 1812, 2 vols. (Tengo entendido que hay una reimpresión moderna de López Barbadillo y M. Romero Martínez, Madrid, 1920.)

Virtud y pasiones, o sea, Lidoro y Engracia. Novela interesante por... Barcelona, 1838, 8º.

ÍNDICES

ÍNDICE DE TRADUCTORES

I. NOMBRES

Bergnes de las Casas, Juana (*Lidia de Gersin*).

Bernabé y Calvo, José de (Le Prince de Beaumont).

Bielsa, Fernando (Abrantes, G. Sand, 1836; *Manuel...*).

Bladeau (Goethe).

Boix, Vicente (Soulié, 1845).

Bosch, M. (Hugo, 1840, 1841).

Bravo Destouet, Diego (Dumas, 1845, 1847-1848).

Bujeres y Abad, José A. (Jussieu).

Burgos, Augusto de (Sue, 1846-1847).

Caamaño, Juan Ángel (Staël).

Cabello, F. de (Marmontel, 1822).

Cabrera, Antonio Benigno (Dumas, 1845, 1845-1846; Gonzales, Ledhui).

Calzada, Bernardo María de (Genlis, Lantier, Naubert, *Viaje por mis faldriqueras*).

Camacho, José María (Fievée).

Campo, Manuel Antonio del (*Crítica de París*).

Capua, Juan de (Sue, 1844, 1845, 1846, 1848).

Carballo, José Manuel (Molé-Gentilhomme).

Caboneres. M. (Marmier).

Carlé, Celestino de (*Las noches de Santa María Magdalena*).

Carnerero, José María de (?) (J. M. de C.) (Baculard d'Arnaud).

Carvajal, Rafael de (Dumas, 1845; Féval, 1845).

Casado, Juan (Dumas, 1848).

Casanova y Broca, Fernando (Kock, 1848).

Castellot, Joaquín Benito (Marin).

Castañeira, Ramón (Dumas, 1842; Kock, 1842; pseudo Scott, 1841-1842; Soulié, 1841).

Cereceda, Benito de (Scribe).

Chao, Eduardo (Hugo, 1847, 1850).

Collado, J. del (*Enrique de Valmore*).

Collado, Mariano Antonio (Fénelon. 1832, 1841-1843; Johnson, 1831).

Compte, León (Lewis).

Corchos, Blas (Voltaire).

Cordoncillo, A. T. (o A. T. C.) (H. Arnaud, Dash, Souvestre).

Corpas, Cecilio (o C. C.?) (Bérenger, Choderlos de Laclos?).

Corradi, Amelia (Soulié, 1843).

Corradi, Juan (Baculard d'Arnaud).

Corradi, Juan (Moke).

Cortada, Juan. (Azeglio, G. Sand, 1837, Sue, 1844).

Cortés, Cayetano (Hoffmann).

Covert Spring, A. de (Arlincourt, 1842).

Cuendias, M. de (*Historia de una ratoncica*).

Danvila, Manuel (Dumas, 1849).

Dargallo, Gregorio Urbano (Féval, 1846, 1847; Kock, 1845; *El solterón enamorado*).

Díaz de la Peña, T. (Cottin, 1810).

Domingo, A. P. (T. Moore.)

Domingo y Yebra, Lucas (*Historia de las señoritas...*).

Driguet, Baltasar (Mme. de Gómez).

Echarri, Andrés (*Allain el pescador*).

Echarri de Otaberro, A. E. (Sandeau, Sue, 1846).

Enciso Castrillón, Félix (Bennet, Kock, 1843; Manzoni).

Escalante, Juan Antonio (Nodier, 1847; Ribeyrolles).

Escamilla, Ramón Mariano (Lafontaine).

Escobar, Ignacio José (o I. J. E.) (Berthoud, Gonzales, Kock, 1843; Mesnier, Varennes, *Misterios del corazón*).

Escoiquiz, Juan (Pigault-Lebrun).

Escosura, Patricio de la (Leclerc d'Aubigny).

Espartel, Ramón M. (Swift).

Estala, Pedro (P. E.) (Marmontel, 1812).

Estaun de Riol, Benito (Almeida).

Esteban, Miguel Antonio (Campe).

Fernández, Eduardo (Hugo, 1846).

Fernández, F. (Johnson).

Fernández Cuesta, Nemesio (Dumas, 1845-1846; Lytton).

Fernández de los Ríos, Ángel (o A. F. de los R.) (Dumas, 1848; Sue, 1846).

Fernández de Moratín, Leandro (Voltaire).

Fernández Linares, Santos (Zschokke).

Fernández Monje, Isidoro (Balzac, 1852).

Fernández Villares, Vicente (Ducrai-Duminil).

Fernell, Francisco Alejandro (o F. A.

F.?) (Scott, 1844, 1845; Balzac, 1845?; Dickens?).
Ferrer, Pedro (Genlis, 1825; Rosny)
Ferrer del Río, Antonio (Lytton).
Ferrer y Casaus, Pedro (Villemain d'Abancourt).
Ferrer y Valls, Jerónimo (Florian, 1835).
Flamant, Manuel M. (Chateaubriand, 1852, 1853, 1854).
Flores, Antonio (Sue, 1844).
Fons de Casamayor, F. de P. (Defauconprêt).
Fresa, José de la (Le Prince de Beaumont).

Gallego, Juan Nicasio (J. N. G.) (Florian, 1838; Scott, 1826, 1834?; Manzoni).
García Almarza, Antonio (Bérenger).
García Rodríguez, D. (Campe).
García Suelto, Manuel (Cottin, 1821, 1832; Scribe).
García de Villalta, José (Hugo, Irving).
Garrido, Esteban (Molé-Gentilhomme).
Garrido Martínez, Esteban (Dumas, 1847).
Garriga y Baucis, José (Ducrai-Duminil).
Gil, Isidoro (*Adelna*).
Gilman, Fernando (Florian?, Genlis).
Gironella, Eladio de (Dumas, 1849; Soulié, 1845, 1848; Voltaire), v. en Pseudónimos El Doncel.
González Pedroso, Eduardo (Dumas, 1845; Gozlan, Soulié, 1845).
González Vara, Manuel (Pougens).
Grimaud de Velaunde, Francisco (Arlincourt, 1825; Bouilly).
Guerra, Antonio R. (Lavergne, C. Robert).
Guerrero, Teodoro (Pseudo Radcliffe, 1843; *¡Desgraciado!*).
Guijarro y Ripoll, Antonio (*Teodora*).
Guimerá, Vicente (Janin).
Guitet, Matías (Le Prince de Beaumont).
Gutiérrez, Benito (Sue, 1849).
Gutiérrez, José Marcos (Richardson).
Gutiérrez, M. G. (Genlis, 1840).

Henri, Ángel Antonio (Bennet).
Henry y de Llano, José (Sue, 1844).
Hernández de Tejada, Justo (*Carolina y Amelia*).

Hernández de Tejada, Santiago (Ducrai-Duminil, Villemain d'Abancourt).
Huerta, Gregorio Severino de la (Dumas, 1847).

Iglesias, F. H. (Balzac, s. a.).
Iriarte, Tomás de (Campe).
Izquierdo, Salvador (Genlis, 1832, 1845).

Jalón y Gigsena, Lucas (*Delia*).
Jaumandreu, Miguel (Bottens, 1842).
Joyes y Blake, Inés (Johnson).

Lalaign, Condesa de (Le Prince de Beaumont).
Lamarca, Luis (o L.L.) (Arlincourt, 1833; Irving; *Amor, misterio y expiación*).
Larramendi, Próspero A. de (Kock, 1844-1845; *Pequeños misterios de París*).
Latre, J. P. (Didier).
Lesen y Moreno, José (Eilleaux, Scribe)
Llorente, José (d'Aulnoy).
Llorente, Juan Antonio (?) (Louvet de Couvray).
López de Ayala, Ignacio (Duclos).
López de Peñalver, Juan (Florian).
López Sagastizábal, Santiago (S. L. S.) (*Delia*).
Luna, J. de (G. Sand, 1843; Philipon y Huart).

Madoz, Fernando (Berthet).
Maeztu, Francisco Javier (Abrantes, H. Arnaud, Inchbald, Kock, 1836, 1837).
Manzano, Julián A. (J. A. M.) (Fénelon, 1849).
March, José (*El cervecero rey*).
March y Llopis, José (Arlincourt, 1843; Chateaubriand, 1829, 1835, 1841; Kock, 1842; P. de Musset).
Marchena, José (o M. V. M.) (Dulaurens, Diderot, Montesquieu, Rousseau, Voltaire).
Marqués, Manuel (Genlis, 1830; *Heroísmo del amor*).
Marqués de Villanueva del Pardo? (E. M. D. V. D. P.) (Chateaubriand, 1816).
Martí, M. J. (Henrion).
Martín Gutiérrez, A. (Lamartine).
Martín Regnat, Eleuterio, (Arlincourt, 1833).

Polanco, Emilio (pseudo Balzac, 1843; Ducange, G. Sand, 1843; Sue, 1843).
Polo de Bernabé, P. (Arlincourt, 1845).
Pons y Guimerá, Miguel (o M. P. y G.) (Kock, 1844; Sue, 1845; *Tristán el ermitaño*).
Pulido Espinosa (Srta. P. E.) (C. Robert).
Pusalgas y Guerris, Ignacio (Muret).

Raull, M. (Fénelon).
Rebolleda, Fernando Nicolás (Fénelon, Roche).
Redecilla, José M.ª (Kock, 1844-1845; *Pequeños misterios de París*).
Rementeria y Fica, Mariano (Audouin de Geronval, Savignac, Scott, 1829, 1830).
Reynés Solá, Pedro (o P. R. S.) (G. Sand, 1837, 1838; Saintine, Sue, 1845).
Ricart, Agustín; V. en Pseudónimos, A. Tracia.
Rigueno y Esteban, Narciso (*Cristina*).
Río, J. M. del (Ménégault).
Río y Arnedo, María Antonia del (Le Prince de Beaumont. Saint-Lambert).
Ripoll y García, Francisco (Royer).
Roca y Cornet, Joaquín (o J. R. C.) (Montesquieu).
Ródenas, P. G. (P. G. R.) (Chateaubriand, 1803, 1822, 1826).
Rodríguez, Simón (Chateaubriand).
Rodríguez Burón (Rousseau, 1824).
Rodríguez de Arellano y del Arco, Vicente (Ducrai-Duminil, Florian).
Rodríguez de la Barrera, Ramón (Kock, 1845).
Romero Larrañaga, Gregorio (G. R. L.) (Kock, 1839).
Romero Masegosa y Cancelada, María (Graffigny).
Ronquillo, José Oriol (Arlincourt, 1840).
Rosales, Eduardo (Paul Lacroix).
Roselló, Gabriel José (G. J. R.) (Scribe).
Rubiano Santa Cruz, Ventura (Poujoulat).
Rubine, Fernando (Deriège).
Rubio, Luis (Kock, 1840).
Rubió y Ors, J. (J. R. O.) (Lebassu).
Ruiz Aguilera, Ventura (Balzac, 1858).

Ruiz de Cueto (Rousseau, 1850).
Ruiz del Cerro, Juan (Balzac, 1858).

Salas, Ramón (Lafontaine).
Salvá, Vicente (Regnalt-Warin).
Sánchez Núñez, Lorenzo (L. S. N.) (Lemercier).
Sandino, Ignacio Pablo (Barthélemy).
San Martín, A. X. (Cotton, Sue, 1844-1845).
Sansón, José Plácido (Lytton).
Santa Cruz, Isabel (Senneterre).
Santibáñez, Vicente M.ª (Marmontel, 1788).
Santos Gutiérrez, Eugenio (Louvet de Couvray).
Sanz, Eulogio Florentino (Féval, 1846).
Sarmiento, Antonio (*Amor y virtud*).
Sequeiros, Fr. Miguel de (Gueullette).
Sicilia, Mariano José (Chateaubriand, 1826, 1827, 1830, 1838).
Solá, F. A. (Sue, 1844).
Solsona, Manuel (Cantú).
Spartal; v. Espartel.
Steller, Alejandro (Frances Sheridan).
Suay, Mariano (Arlincourt, 1849).
Sureda, Juan (Sue, 1844).

Tabat, Manuel Antonio (Cottin, 1835, 1836; Vernes de Luze).
Talavera, Lino (H. Arnaud).
Tamarit, Emilio de (Jules Lacroix).
Tapia, Eugenio de (Regnalt-Warin, Scott, 1826, 1834?).
Tenorio, J. Manuel (Sue, 1846).
Tió, Jaime (o J. T.) (Arlincourt, 1842, 1843; Balzac, 1840, 1844; G. Sand, 1843; Grossi, Saintine, Soulié, 1843; Sue, 1844).
Toledo, J. M. (G. Sand, 1844).
Torío de la Riva, Torcuato (T. T. de la R.) (Chateaubriand, Jussieu).
Tornos, Lucas de (Voïart).
Torrente y Ricart, J. (Kock, 1844).
Tovar y Salcedo, Antonia (*Reinaldo y Elina*).
Tro y Hortolano, Ignacio (Ainsworth).
Trovero de Lacasa, Nicasio (Rey Dusseuil).
Trueba y la Quintana, Antonio de (o A. T. Q.) (Berthet, Soulié, 1849).

Ulloa, F. (Marryat).
Urrabieta, Mariano (M. U.) (Balzac, 1845; Flavigny, Sue, 1844, 1845).

Vaca de Guzmán y Manrique, J. (o J. V. D. G. I. M.) (Serinam).
Valencia, Antonio Camilo de (Lafontaine).
Vallejo Dávila, Mariano (Soulié, 1850).
Vázquez, Francisco (Almeida).
Velasco, Ladislao de (Sue, 1844).

Vergara, Manuel (Genlis, 1836; Lamartelière; *El juramento de no amar*).
Viale y Baeza (Ainsworth).
Vicente y Caravantes, José (J. V. y C.) (Pichler).

Xérica, Pablo de (Kock, 1836; Scott, 1831, 1833, 1835, 1836).

Zabala y Zamora, Gaspar de (Florian).

II. SIGLAS

A. B.; v. *Bergnes*.
A. B. C.; v. *Bergnes*.
A. B. V. B. (Rousseau, 1820).
A. de C. y M. (Balzac, 1843).
A. D. M. (Pigault-Lebrun?).
A. F. de los R.; v. *Fernández de los Ríos*.
A. G. (Arlincourt, 1832, 1842).
A. G. M. (Kock, 1849-1850; Dumas, 1850).
A. J. de B. y V. (en *Bol.* II, A . F. de B. y V.) (Lafontaine).
A. M. (Byron, 1841).
A. M. (Dumas, 1840; Fournier y Arnold, Hoffmann, Nodier, Sue, 1844; Van der Velde).
Ant. C. (Barthélemy, 1833).
A. P. (Genlis, 1826).
A. P. D. L. (Wyss).
A. P. Z. G.; v. *Pérez Zaragoza*
A. R. (Goethe).
A. T. C.; v. *Cordoncillo*.
A. T. Q.; v. *Trueba*.

B. A. E. (Masson).
B. C. (Scott, 1827).
B. L. C. (Martignac).
B. M. (Marmontel, 1840).

C. A. (Blanchard).
C. B. (Dumas, 1846).
C. C.; v. *Corpas*.
C. C. y S. (Vigny).
C. de L. (Choderlos de Laclos).
C. L. (Ireland).

D. (Genlis, 1828, 1838).
D*** (Guénard).
D., Sra. (Lytton).
D. B. (Lamothe-Langon).
D. M. (Marchena?) (Dulaurens).
D. M. (Cottin, 1832).

E. (Genlis, 1838).
E. (*Javier el hermitaño; El suicidio del anciano*).
E. A. D. (Sarah Fielding).
E. A. P. (Helme).
E. de C. V. (Scott, 1837).
E. de G. (Dumas, 1841, 1843).
E. de O.; v. *Ochoa*.
E. de O. y V.; v. *Ochoa*
E. M. D. V. D. P.; v. *Marqués de Villanueva del Pardo*.
E. T. D. T. (Richardson).
E. y M. (Sue, 1845).
F. (C. Robert).
F. A. (Sue, 1846).
F. A. D. (*Simbad el Marino*).
F. A. F.; v. *Fernell*.
F. A. y G.; v. *Altés*.
F. B. de L. (H. Martin, Waldor).
F. B. R. (Dumas, 1848).
F. D. O.; v. *Otero*.
F. D. O. (Genlis, 1828).
F. D. O. (Cottin, 1821).
F. de O. (Scott, 1833).
F. de P. C. (Féval, 1846-1847).
F. de P. Ll. (Dumas, 1848-1849).
F. de P. V. y P. (Arlincourt, 1845).
F. de S. M.; v. *Mayo*.
F. de U. (Kock, 1850).

M. C. (*Un secreto*).
M. D. y N. (Arlincourt, 1844).
M. de A., Isidro (Féval, 1844).
M. de G. (Dumas, 1841).
M. de Ll. y B. (*William Annesly*).
M. de V. (Balzac, 1836).
M. F. (Féval, 1844).
M. J. C. (Chateaubriand, 1823).
M. J. C. X. (Genlis, 1801, 1826).
M. L. G. (Saint-Pierre, 1803).
M. M. (Scribe).
M. M. B. (Waldor).
M. M. F. (Kock, 1847-1849).
M. M. M. (Ducrai-Duminil).
M. N. A. (Beauvoir).
M. P. de A. (Chateaubriand, 1826).
M. P. y G.; v. *Pons y Guimerá*.
M. R. (Soulié, 1847).
M. R. Q. (Soulié, 1848).
M. R. de Q. (Dumas, s. a.).
M. U.; v. *Urrabieta*.
M. V. M.; v. *Marchena*.
M. y C. (Beauvoir).
M. ... y D. (Drouineau).

N. (Kock, 1844).
N. de T. (Herculano).
N. D. N. (Le Prince de Beaumont).
N. G. y C. (Saint-Georges).
N. N. (Kock, 1842, 1848).

O. A. (Arlincourt, 1841).
O. R. J. (Genlis, 1841).
P. A. O. y O. (T. Moore).
P. C. (Cottin, 1826).
P. C. (*Aladin*).
P. E., Srta.; v. *Pulido Espinosa*.
P. E.; v. *Estala*.
P. F. y C. (Boully, 1821).
P. G. R.; v. *Ródenas*.
P. H. B.; v. *Barinaga*.
P. P. (Duras).

P. R. (Burner, Porta).
P. R. S.; v. *Reynés*.

R. A. D. Q (Fielding).
R. A. G. (Dumas, 1849).
R. C. (Hoffmann).
R. de S. (Soulié, 1844).
R. M. (de Maistre).
R. M. V. (*Daminville*).
R. S. de G. (Balzac, 1838).
R. T. (Kotzebue).
R. V. (Bottens, 1835).
R. y R. (Vernes de Luze).

S. (Duras).
S. A. S. (Janin).
S. A. S. M. (Drouineau, Dumas, 1843).
S. A. V. (Marmontel).
S. C. (Kock, 1845).
S. C. (Dumas, 1841).
S. C. (Dumas, 1849).
S. C. (Balzac, 1849).
S. F. V. (Dumas, 1845).
S. J. (Dumas, 1841).
S. L. S.; v. *López Sagastizábal*.
S. S. (Pigault-Lebrun, 1839).

T. B. (*La conversión*).
T. G. (*Un secreto*).
T. M. L. (Ducrai-Duminil).
T. S. y C. (Dumas, 1842).
T. T. de la R.; v. *Torío de la Riva*.

V. A. (Blanchard).
V. B.; v. *Bastús*.
V. F. D. M. (Scott, 1828).
V. G. (Dumas, 1848-1849).
V. O. (Dumas, 1841).
V. R. del G. (H. Arnaud).

Y. F. S. (*Amelia*.)

III. PSEUDÓNIMOS

El Andaluz (Kock, 1846).
El Doncel (Soulié, 1845, 1848; Voltaire). V. *Gironella*.
El-Modhafer (Dumas, 1843; Guinot, Masson; anónimos).
El Tío Camorra (della Croce).

Mingo Revulgo (Pigault-Lebrun, 1822).

Omalo Fiscon (*El nuevo Gulliver*).

Robinson, S. (Chateaubriand). V. *Mier*

INDICE DE PERSONAS Y OBRAS CITADAS

ÍNDICE GENERAL

SE TERMINÓ DE IMPRIMIR EL PRESENTE
VOLUMEN, PRIMERO DE LA BIBLIOTECA DE ERUDICIÓN
Y CRÍTICA, EDITADA POR CASTALIA Y DIRIGIDA
POR DON ANTONIO RODRÍGUEZ-MOÑINO,
BAJO EL CUIDADO DE MARÍA AMPARO
Y VICENTE SOLER, EN VALENCIA,
EL DÍA 31 DE OCTUBRE
DE 1966